혼자 공부하는 SQL

혼자 공부하는 SQL

1:1 과외하듯 배우는 데이터베이스 자습서

초판 1쇄 발행 2021년 11월 1일
초판 5쇄 발행 2024년 5월 10일

지은이 우재남 / **펴낸이** 전태호
펴낸곳 한빛미디어(주) / **주소** 서울시 서대문구 연희로2길 62 한빛미디어(주) IT출판1부
전화 02-325-5544 / **팩스** 02-336-7124
등록 1999년 6월 24일 제25100-2017-000058호
ISBN 979-11-6224-473-9 94000 / 979-11-6224-194-3(세트)

총괄 배윤미 / **책임편집** 이미향 / **기획** 박민아, 이미향 / **진행** 최승헌
디자인 박정화 / **일러스트** 이진숙 / **전산편집** 김현미 / **용어노트** 오은교, 윤진호
영업 김형진, 장경환, 조유미 / **마케팅** 박상용, 한종진, 이행은, 김선아, 고광일, 성화정, 김한솔 / **제작** 박성우, 김정우

이 책에 대한 의견이나 오탈자 및 잘못된 내용은 출판사 홈페이지나 아래 이메일로 알려주십시오.
파본은 구매처에서 교환하실 수 있습니다. 책값은 뒤표지에 표시되어 있습니다.

한빛미디어 홈페이지 www.hanbit.co.kr / 이메일 ask@hanbit.co.kr
소스 코드 www.hanbit.co.kr/src/10473 / 학습 사이트 hongong.hanbit.co.kr

혼자 공부하는 SQL

우재남 지음

혼자 공부하는 시리즈 소개

누구나 혼자 할 수 있습니다! 야심 찬 시작이 작심삼일이 되지 않도록 돕기 위해서 〈혼자 공부하는〉 시리즈를 만들었습니다. 낯선 용어와 친해져서 책장을 술술 넘기며 이해하는 것, 그래서 완독의 기쁨을 경험하고 다음 단계를 스스로 선택할 수 있게 되는 것이 목표입니다.
지금 시작하세요. 〈혼자 공부하는〉 사람들이 '때론 혼자, 때론 같이' 하며 힘이 되겠습니다.

한빛미디어 Hanbit Media, Inc.

첫 독자가 전하는 말

'어떻게 하면 SQL을 배우기 시작한 입문자가 더 쉽고 빠르게 익힐 수 있을까'라는 고민에서 시작한 이 책은 독자 28명의 실제 학습 결과를 기반으로 만들어졌습니다. 독자의 의견을 적극적으로 반영하여 한 단계 더 업그레이드한 SQL 입문서를 지금 만나보세요!

『혼자 공부하는 SQL』은 독학러를 위한 교과서입니다! 타 도서 대비 한눈에 이해되는 그림과 세세한 개념까지 놓치지 않고 설명해주는 친절함은 물론, 확인문제를 통해 복습할 수 있는 알찬 구성까지 갖췄습니다. 책을 따라 공부하다 보면 입문자뿐 아니라 현업 백엔드 개발자까지 새로 배우고 복습할 수 있는 책입니다.

_ 베타리더 김동희 님

이론만 공부하는 게 아니라, MySQL로 코드 실습까지 함께 하며 더 깊이 이해할 수 있어서 굉장히 좋았습니다. 설명이 친절하고 물 흐르듯이 자연스러워서 막힘없이 읽으며 공부할 수 있었습니다. 독학으로 SQL을 처음부터 차근차근 공부하고 싶다면 이 책이 가장 적합한 것 같아요.

_ 베타리더 이현주 님

저는 SQL을 접했다가 생각보다 어려운 내용과 실습 과정에 포기했다가 다시 도전하며 꾸역꾸역 공부한 경험이 있습니다. 어렵게 느낀 이유는 부족한 설명과 간과되어 생략된 부분 때문이었습니다. 그러나 이 책은 다릅니다. 소스 코드에 대한 자세한 설명과 이후 언제 다시 다룰 것인지 안내가 명확합니다. 또한 절마다 마무리, 확인문제가 있어 공부한 내용을 제대로 이해했는지 스스로 확인할 수 있습니다.

_ 베타리더 신도인 님

책 제목처럼 독학하기에 최적화된 책입니다. 친절한 설명과 이해하기 쉬운 도식화는 이 책의 큰 장점입니다. 쿼리를 처음 배우려는 주변 지인이 있다면 이 책으로 시작하라고 권해주고 싶습니다. 편집도 잘 되었고, 모든 면에서 디테일하게 잘 정리되어 있는 책입니다.

_ 베타리더 장대혁 님

처음 SQL을 공부하는 사람이라면 무조건 추천하는 책! 친절한 설명과 참신한 비유로 자칫 어려울 수 있는 데이터베이스의 기초적인 개념과 이론을 효과적으로 이해할 수 있습니다. 무엇보다도 지루한 이론보다는 실습 위주의 구성으로 책을 완독할 때까지 SQL에 대한 흥미를 잃지 않고 학습할 수 있습니다.

_ 베타리더 노우준 님

데이터베이스에 대한 이해 없이 프로젝트에 투입되어 그때그때 필요한 것들을 구글에서 찾아가며 일할 때 SQL을 체계적으로 배우고 싶다는 생각이 절실했습니다. 『혼자 공부하는 SQL』은 체계적으로 학습할 수 있도록 독자에게 표준화된 루트를 제공하면서도 기본 SQL 문법에만 치우치는 것이 아닌 데이터베이스의 개념 설명부터 실습까지 전반적으로 아우르는 기본서에 충실한 구성을 가지고 있습니다.

_ 베타리더 송서영 님

『혼자 공부하는 SQL』 책이 만들어지기까지

고요한, 곽승현, 김동희, 김보련, 김성은, 김성준, 김준성, 노우준, 류영표,
박건우, 송서영, 신도인, 신민혜, 신진욱, 양민혁, 이석곤, 이진, 이현주, 임동주,
장대혁, 장보윤, 장영준, 정진교, 최사랑, 최희욱, 한규리, 한석균, 홍준용

28명의 독자가 함께 수고해주셨습니다.

감사합니다.

"SQL이 지루하고 어렵다고요?"

Q 『혼자 공부하는 SQL』은 어떤 책인지 설명해주세요.

A 데이터베이스는 전통적인 IT 분야부터 요즘에 각광받는 인공지능, 스마트 팩토리, 클라우드, 메타버스 등에 이르기까지 모든 분야에서 필수로 사용되고 있습니다. 즉, IT 분야에 종사하거나, 약간이라도 IT와 관련된 업무를 하기 위해서는 기본적으로 데이터베이스를 알아야 하는 시대에 살고 있습니다.

SQL은 데이터베이스에서 사용되는 컴퓨터 언어입니다. 『혼자 공부하는 SQL』은 제목 그대로 독자 혼자서도 SQL을 학습할 수 있도록 구성된 책입니다. 이 책과 함께라면 독자 스스로 SQL과 데이터베이스의 개념에 대한 이해를 할 수 있을 뿐만 아니라, 실습을 통해 실무에서 SQL을 사용하는 것과 같은 경험을 하게 될 것입니다.

Q 어떤 독자를 생각하며 이 책을 집필하셨나요?

A 기존에 출간되어 있는 데이터베이스, SQL 관련 책은 컴퓨터 관련 전공이거나 프로그래밍 언어를 한 번쯤은 학습해 본 독자를 대상으로 집필되어 있습니다. 그래서 컴퓨터 초보자의 입장에서는 접근하기 어려운 분야로 취급되었죠.

『혼자 공부하는 SQL』은 컴퓨터 관련 전공도 아니고 프로그래밍 언어도 접해보지 않은 독자를 대상으로 집필되었습니다. 이 책은 쉬운 예제와 친절한 설명으로 IT 입문자도 어렵지 않게 내용을 이해하고, 실습도 막힘없이 따라 할 수 있도록 구성했습니다. 학습하는 도중에 'SQL이 이렇게 쉬운 것이었나?'라는 독백을 하는 자신을 발견하게 될 것입니다.

Q 『혼자 공부하는 SQL』을 보려면 어떤 선행 지식이 필요할까요?

A 『혼자 공부하는 SQL』은 컴퓨터 관련 비전공자를 대상으로 집필되었기 때문에 특별한 선행 지식은 필요하지 않습니다. 단, Windows는 사용할 줄 알아야 하는데 이것도 일반적인 수준이면 충분합니다.

만약 프로그래밍 언어를 공부한 적이 있다면 학습 진도가 더욱 빠르게 진행될 것입니다. 컴퓨터 공부가 처음이어도 겁먹을 필요는 없습니다. 저자가 직접 설명하는 동영상 강좌를 제공하므로 충분히 혼자서 학습할 수 있습니다.

“『혼자 공부하는 SQL』은 다릅니다!”

Q 독자로부터 가장 많이 받는 질문이 뭔가요? 그 질문에 대한 대답을 말씀해주세요.

A 기존에 집필한 데이터베이스 관련 도서에서 가장 많이 받은 질문은 역시 실습 중에 막히는 부분이었습니다. 제 나름대로는 쉽게 풀어서 실습의 내용을 기술해 놓았지만, 독자분들(특히 입문자)은 잘 따라 하지 못하는 경향이 있더군요. 그래서 늘 하는 답변은 '차근차근 그리고 천천히' 다시 해보라는 권유였습니다. 대부분 다시 진행했을 때 해결되었다는 것을 보면 역시 실습은 천천히 하는 것이 좋습니다.

그 외의 이론적인 내용은 독자가 학습하면서 잘 이해했는지 특별한 질문을 받은 기억은 없습니다.

Q 『혼자 공부하는 SQL』 독자 여러분께 꼭 당부하고 싶은 말이 있다면?

A 솔직히 데이터베이스나 SQL은 흥미롭고 재미있는 주제는 아닌 것 같습니다. 저도 오래전 데이터베이스 이론을 학습할 때, '뭐 이렇게 재미없는 내용이…'라는 생각을 종종 했습니다.

그래서 『혼자 공부하는 SQL』은 재미없는 이론에서 벗어나 독자가 흥미와 재미를 느낄 수 있도록 실습과 함께 진행하도록 구성했습니다. 예제에 독자들이 좋아할 만한 인기가수의 이름을 사용한 것도 같은 이유입니다. 부디 이번 『혼자 공부하는 SQL』을 통해서 데이터베이스 및 SQL의 실력자로 거듭나기를 기원합니다.

『혼자 공부하는 SQL』 7단계 길잡이

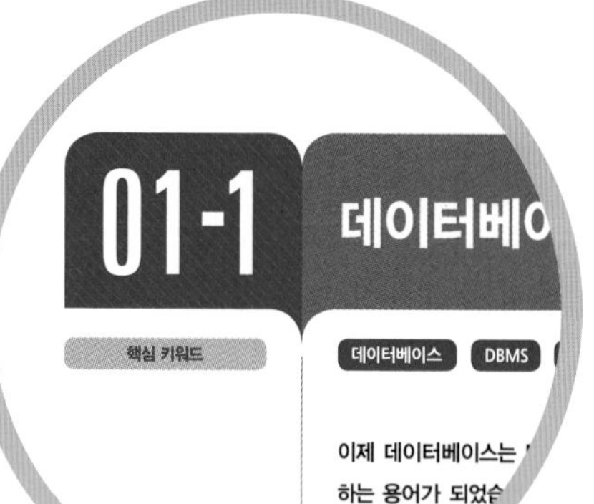

다. 툴바 우측에 위치한
을 클릭합니다.

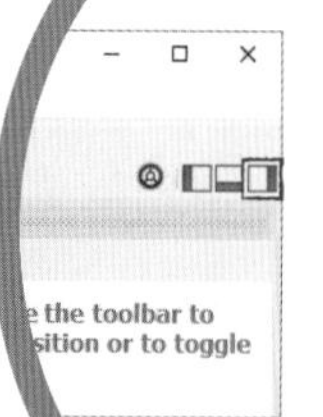

툴바 우측에 위치한 네모 모양 아이콘을 이용하여 좌측, 우측, 하단 패널을 숨기거나 나타낼 수 있습니다.

손코딩

소스 코드는 직접 손으로 입력한 후 실행하세요! 코드 이해가 어려우면 주석, 실행결과, 앞뒤의 코드 설명을 참고하세요.

시작하기 전에

해당 절에서 배울 주제 및 주요 개념을 짚어 줍니다.

Start 1 2 3 4

핵심 키워드

해당 절에서 중점적으로 볼 내용을 확인합니다.

말풍선

지나치기 쉬운 내용 혹은 꼭 기억해 두어야 할 내용을 짚어 줍니다.

시작하기 전에

데이터베이스에는 우리 일상생활 대부분의 정보가
은 카카오톡 메시지, 인스타그램에 등록한 사진,
아이스 아메리카노 등의 정보가 모두 데이터베이스

데이터베이스Database, DB를 한 마디로 정의한다면 '데

손코딩

```
SELECT * FROM member WHERE mem_
```

실행 결과

mem_id	mem_name	mem_number	addr
BLK	블랙핑크	4	경남
MMU	마마무	4	전남
RED	레드벨벳	4	경북

마무리

▶ 4가지 키워드로 끝내는 핵심 포인트

- **데이터베이스**는 데이터의 집합이며, **DBMS**는
말합니다.

테이블은 데이터베이스의 최소 단위로, 하

데이터베이스를 구축 과

좀 더 알아보기

쉬운 내용, 핵심 내용도 좋지만, 때론 깊이 있는 학습이 필요할 때도 있습니다. 더 알고 싶은 갈증을 풀 수 있는 내용으로 담았습니다.

확인문제

지금까지 학습한 내용을 문제를 풀면서 확인합니다.

5 6 7 Finish

핵심 포인트

절이 끝나면 마무리의 핵심 포인트에서 핵심 키워드의 내용을 리마인드하세요.

좀 더 알아보기 **MariaDB의 다운**

MySQL과 MariaDB는 핵심 개발자가 같기 때문에
SQL도 MySQL과 MariaDB에서 모두 작동합니다

MariaDB는 회사에서 상용으로 작업하는 것도 무
면 MySQL보다는 인지도가 조금 떨어지고, M
는 도구를 사용합니다.

DB는 https://mariadb.o

▶ **확인문제**

이번 절에서는 데이터베이스, DBMS, RDBMS, S
문제를 통해서 배운 개념을 스스로 정리해보기 바랍

1. 각 설명이 의미하는 것을 다음 데이터베이스 관

① 데이터의 저장소 또는 데이터의 집합을
니다. 약자로 DB라고 부릅니다.

제표준화기구에서 지정한

『혼자 공부하는 SQL』 100% 활용하기

때론 혼자, 때론 같이 공부하기!

학습을 시작하기 전부터 책 한 권을 완독할 때까지, 곁에서 든든한 러닝 메이트Learning Mate가 되어 드리겠습니다.

본격적으로 학습하기 전에

MySQL 8.0 설치하기

SQL을 학습하기 위해서는 먼저 DBMS, 즉 MySQL을 설치해야 합니다. MySQL 홈페이지에 접속하여 프로그램을 다운로드한 후 설치해주세요. 036쪽

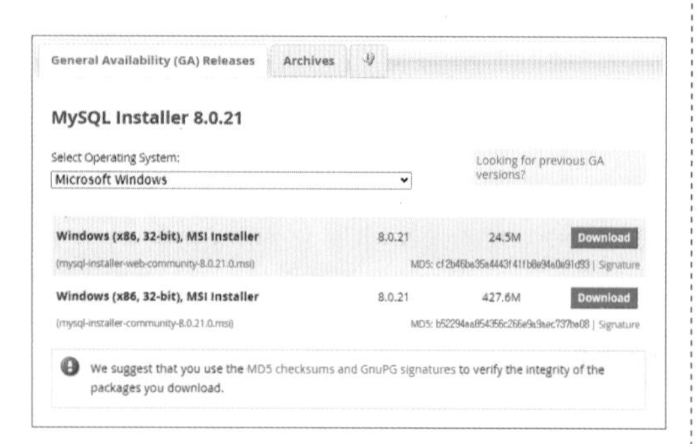

https://dev.mysql.com/downloads/installer

MySQL Workbench 실행하기

MySQL Workbench는 MySQL 서버에 접속하기 위한 프로그램입니다. SQL을 입력하고 실행하는 모든 과정을 MySQL Workbench에서 진행합니다. 045쪽

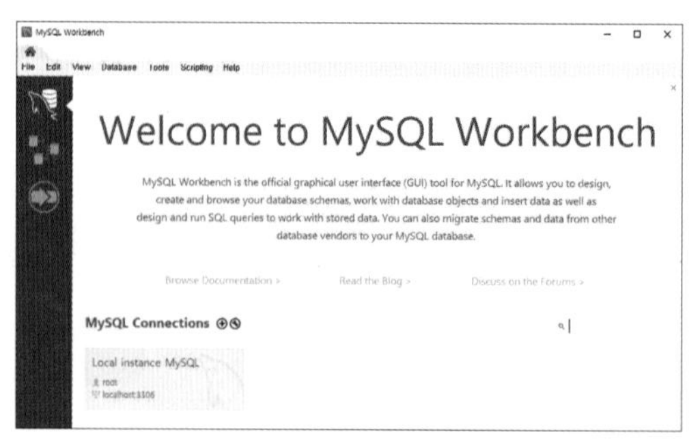

학습 사이트 100% 활용하기

예제 파일 다운로드,
동영상 강의 보기, 저자에게 질문하기를 한번에!

hongong.hanbit.co.kr go

사이트 바로가기

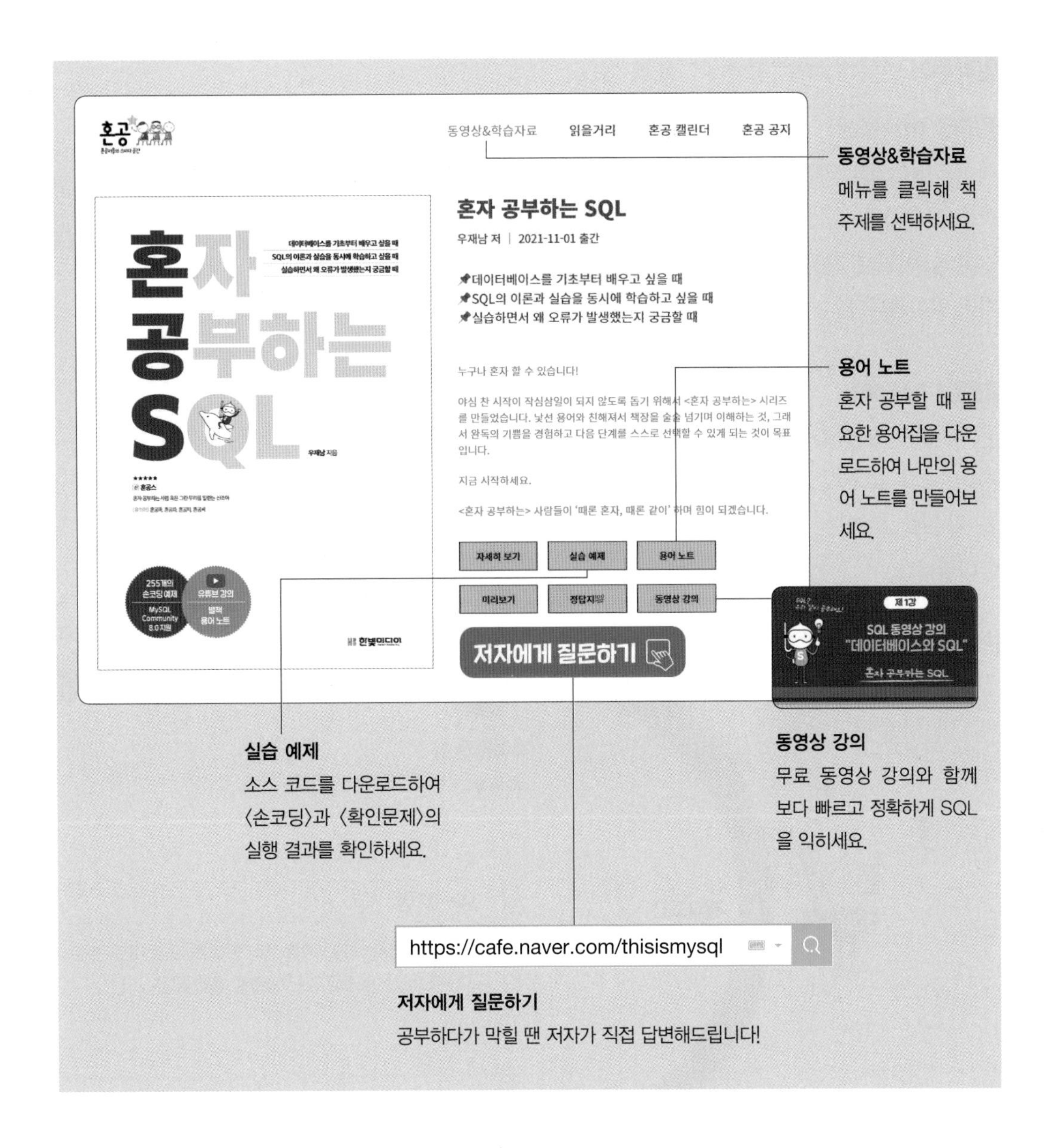

때론 혼자, 때론 같이! '혼공 학습단'과 함께 하세요.

한빛미디어에서는 '혼공 학습단'을 모집합니다.
SQL 학습자들과 함께 학습 일정표에 따라 공부하며 완주의 기쁨을 느껴보세요.

✉ 한빛미디어 홈페이지에서 '메일 수신'에 동의하면 학습단 모집 일정을 안내받으실 수 있습니다.

학습 로드맵

일러두기

기본편 01~03장
데이터베이스의 개념을 익히고 구축하는 과정을 통해 SQL을 어떻게 사용하는지 미리 알아봅니다.

고급편 04~08장
본격적으로 SQL을 다루는 부분입니다. 효율적으로 SQL을 활용할 수 있는 방법을 안내합니다.

난이도 ●●●●●

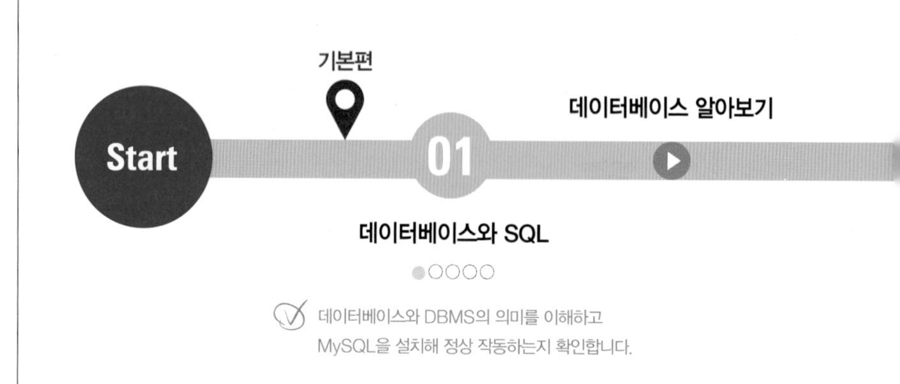

01~03장

SQL을 활용하기 위해 작업 환경을 준비하고, 데이터베이스와 MySQL의 개념부터 SQL 기본 문법까지 살펴봅니다.

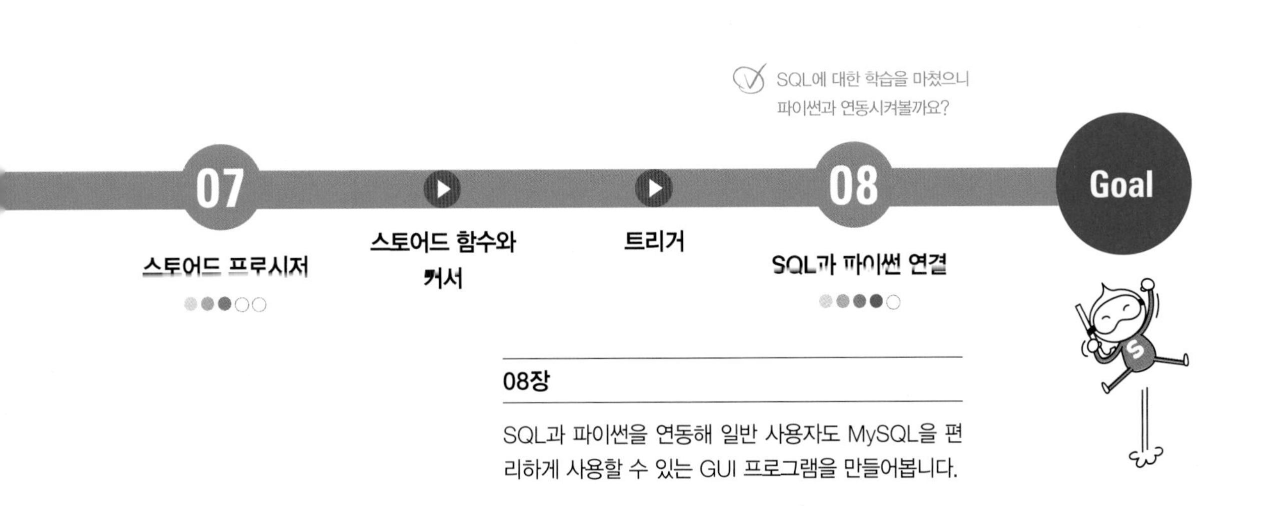

08장

SQL과 파이썬을 연동해 일반 사용자도 MySQL을 편리하게 사용할 수 있는 GUI 프로그램을 만들어봅니다.

Chapter 01 데이터베이스와 SQL

Chapter 03 SQL 기본 문법

Chapter 04 SQL 고급 문법

Chapter 05 테이블과 뷰

Chapter 07 스토어드 프로시저

Chapter 08 SQL과 파이썬 연결

Chapter 01

이 책의 주제인 SQL을 잘 활용하기 위해서는 먼저 데이터베이스가 무엇인지 이해하고, SQL 작업 환경을 준비해야 합니다. 1장에서는 데이터베이스와 관계 깊은 DBMS를 살펴보고, 책 전체의 실습을 위해 MySQL을 설치해보겠습니다.

데이터베이스와 SQL

학습목표

- 데이터베이스와 DBMS 개념을 파악합니다.
- 계층형 DBMS, 망형 DBMS, 관계형 DBMS를 살펴봅니다.
- SQL에 필요한 소프트웨어, MySQL이 무엇인지 알아보고 설치해봅니다.

01-1 데이터베이스 알아보기

핵심 키워드

데이터베이스 DBMS 테이블 SQL

이제 데이터베이스는 IT 분야뿐만 아니라 다른 분야에서도 보편적으로 사용하는 용어가 되었습니다. 우리의 삶이 데이터베이스와 직/간접적으로 연관되어 있다고 생각해도 무방할 정도입니다. 이번 절에서는 데이터베이스 개념과 SQL의 관계에 대해 알아보겠습니다.

시작하기 전에

데이터베이스에는 우리 일상생활 대부분의 정보가 저장되고 관리됩니다. 여러분이 오늘 보내거나 받은 카카오톡 메시지, 인스타그램에 등록한 사진, 버스/지하철에서 찍은 교통카드, 카페에서 구매한 아이스 아메리카노 등의 정보가 모두 데이터베이스에 기록됩니다.

데이터베이스Database, DB를 한 마디로 정의한다면 '데이터의 집합'이라고 할 수 있습니다.

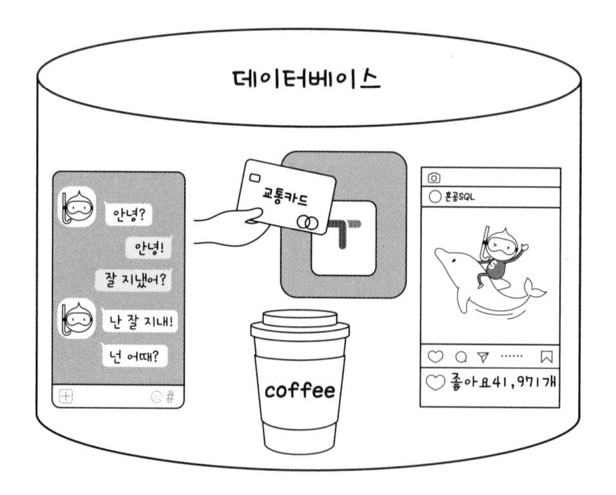

데이터베이스와 DBMS

데이터베이스와 이를 관리하는 소프트웨어인 DBMS의 관계를 알아보고, DBMS의 종류에 대해서도 살펴보겠습니다.

DBMS의 정의

앞서 살펴본 것처럼 데이터베이스를 '데이터의 집합'이라고 정의한다면, 이런 데이터베이스를 관리하고 운영하는 소프트웨어를 **DBMS**Database Management System라고 합니다. 다양한 데이터가 저장되어 있는 데이터베이스는 여러 명의 사용자나 응용 프로그램과 공유하고 동시에 접근이 가능해야 합니다.

그래서 마이크로소프트 사의 엑셀Microsoft Excel과 같은 프로그램은 '데이터의 집합'을 관리하고 운영한다는 차원에서는 DBMS로 볼 수 있지만, 대용량 데이터를 관리하거나 여러 사용자와 공유하는 개념과는 거리가 있어 DBMS라고 부르지 않습니다.

가까운 예로 은행의 예금 계좌는 많은 사람들이 가지고 있습니다. 여러 명의 예금 계좌 정보를 모아 놓은 것이 데이터베이스입니다. 은행이 가지고 있는 예금 계좌 데이터베이스에는 여러 명이 동시에 접근할 수 있습니다. 예금 계좌 주인, 은행 직원, 인터넷 뱅킹, ATM 기기 등에서 모두 접근이 가능하니까요. 이러한 것이 가능한 이유는 바로 DBMS가 있기 때문입니다.

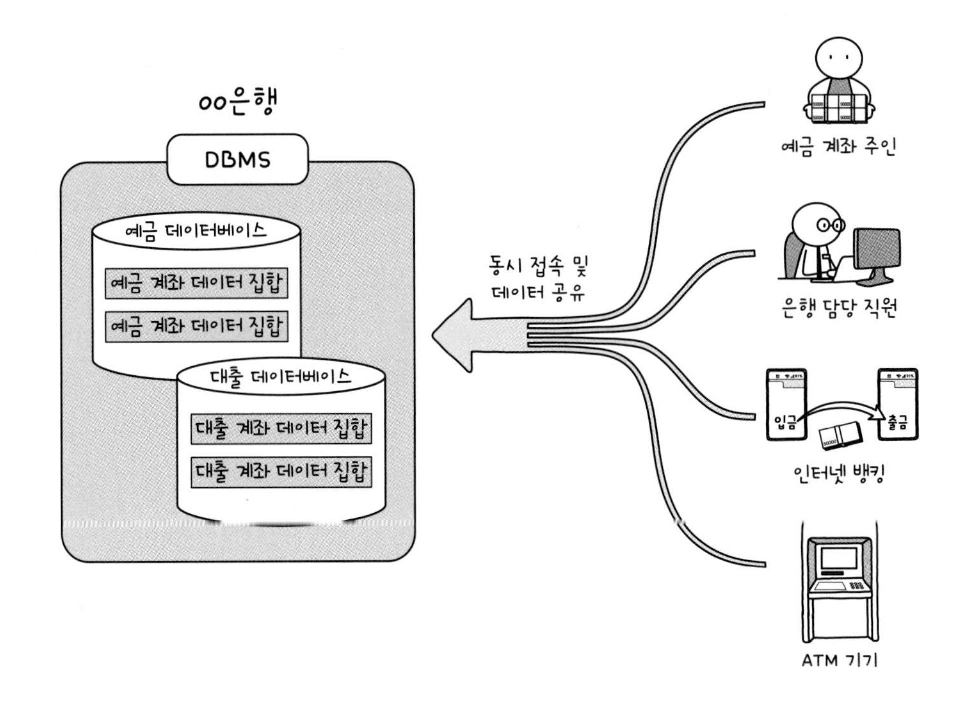

DBMS의 종류

DBMS와 같은 소프트웨어는 특정 목적을 처리하기 위한 프로그램입니다. 예를 들어 문서를 작성하기 위해서는 아래아한글HWP이나 워드Word, 표 계산을 위해서는 엑셀Excel이나 캘크Calc, 멋진 사진을 편집하려면 포토샵PhotoShop이나 김프Gimp와 같은 소프트웨어를 설치해야 합니다.

마찬가지로 데이터베이스를 사용하기 위해서도 소프트웨어, 즉 DBMS를 설치해야 하는데 대표적으로 MySQL, 오라클Oracle, SQL 서버Server, MariaDB 등이 있습니다. 소프트웨어 각각의 사용 방법과 특징이 다르지만 특정 목적을 위해서는 어떤 것을 사용해도 무방합니다.

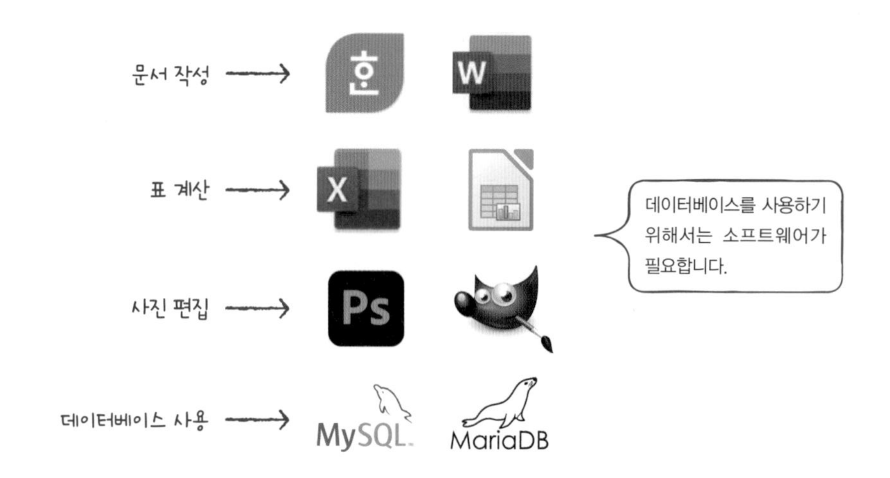

다음 표를 통해 대표적인 DBMS의 특징에 대해 살펴보겠습니다. 그중에서 우리는 비교적 쉬우면서 실무에서도 인기가 많은 **MySQL**이라는 소프트웨어를 설치해서 사용할 것입니다.

DBMS	제작사	작동 운영체제	최신 버전	기타
MySQL	Oracle	Unix, Linux, Windows, Mac	8.0	오픈 소스(무료), 상용
MariaDB	MariaDB	Unix, Linux, Windows	10.6	오픈 소스(무료), MySQL 초기 개발자들이 독립해서 만듦
PostgreSQL	PostgreSQL	Unix, Linux, Windows, Mac	12	오픈 소스(무료)
Oracle	Oracle	Unix, Linux, Windows	18c	상용 시장 점유율 1위
SQL Server	Microsoft	Windows	2019	주로 중/대형급 시장에서 사용
DB2	IBM	Unix, Linux, Windows	11	메인프레임 시장 점유율 1위
Access	Microsoft	Windows	2019	PC용
SQLite	SQLite	Android, iOS	3	모바일 전용, 오픈 소스(무료)

DBMS의 발전 과정

컴퓨터가 존재하기 전부터 사람들은 데이터(정보)를 관리해 왔습니다. 종이에 정보를 기록하고 관리하던 때부터 시작해서 지금의 DBMS까지 어떤 과정으로 발전했는지 차례대로 살펴보겠습니다.

종이에 펜으로 기록

아주 오래 전부터 정보는 관리되어 왔습니다. 컴퓨터가 없던 시기에도 구멍가게(요즘의 편의점과 비슷)를 운영하면서 판매와 구매가 발생했을 것이고, 그것을 종이에 펜으로 기록했을 것입니다(물론 아직도 노트에 판매/구매 이력을 직접 기록하는 시골의 구멍가게가 있을지도 모르겠습니다).

컴퓨터에 파일로 저장

컴퓨터가 등장하고 일반 사람들도 컴퓨터를 사용하게 되면서 종이에 기록하던 내용을 컴퓨터 파일에 기록, 저장하게 되었습니다. 컴퓨터에 판매/구매 이력을 저장하는 방법은 단순하게 메모장을 사용할 수도 있지만, 컴퓨터를 어느 정도 활용하게 되면서 엑셀과 같은 스프레드시트 프로그램을 사용해 표 형태로 내용을 기록하고 자동으로 계산하는 등 한층 더 효율적으로 정보를 관리하게 되었습니다. 기록된 내용은 **파일**file이라는 형태로 저장해 필요할 때마다 열어서 사용할 수 있습니다.

엑셀을 사용하면 아주 편리하지만, 저장한 파일은 한 번에 한 명의 사용자만 열어서 작업할 수 있습니다. 규모가 작은 구멍가게에서는 한 명의 사용자가 하나의 파일에 작업하는 것이 문제가 되지 않을 수도 있습니다. 하지만 규모가 큰 슈퍼마켓이나 마트 등에서는 데이터의 양이 많아 한 명의 사용자가 모두 처리할 수 없기 때문에 여러 명이 각자의 파일을 만들어서 작업할 수밖에 없습니다.

예를 들어, 3명의 직원이 엑셀로 판매 내용을 기록한다고 합시다. A 직원은 오전, B 직원은 오후, C 직원은 야간에 판매된 내용을 기록한다고 가정하겠습니다. 3명이 정확히 자신의 시간에 판매된 것만 기록하면 좋겠으나, 실수로 A 직원이 판매한 내역을 B 직원 파일에 작성할 수도 있을 것입니다. 또, 오전에 판매한 물건을 오후에 반품할 경우에는 오전에 판매한 사람이 기록해야 할지, 오후에 반품받은 사람이 기록해야 할지 그 주체도 모호하기 때문에 기록이 누락되거나 두 직원이 모두 기록하여 중복되는 문제가 발생할 소지도 있습니다. 하루, 한 달, 더 나아가서는 연간 판매 기록을 합계할 때 금액이 맞지 않는 경우처럼 심각한 일이 발생할 수도 있습니다.

이러한 불일치가 파일의 큰 문제점 중 하나입니다. 하지만 이런 문제점에도 불구하고 파일은 한 명이 처리하거나 소량의 데이터를 처리할 때는 속도가 빠르고, 사용법이 쉽기 때문에 지금도 많이 사용하고 있습니다.

DBMS의 대두와 보급

앞에서 언급한 파일의 단점을 보완하면서 대량의 데이터를 효율적으로 관리하고 운영하기 위해서 등장한 것이 **DBMS**입니다. 우리가 사용할 MySQL과 같은 DBMS의 개념은 1973년에 최초로 에드거 프랭크 커드(E.F. Codd)라는 학자가 이론을 정립했습니다. 그 이후로 많은 DBMS 제품이 만들어졌고, 지금과 같이 안정적인 소프트웨어로 자리 잡게 되었습니다.

DBMS는 데이터의 집합인 **데이터베이스**를 잘 관리하고 운영하기 위한 시스템 또는 소프트웨어를 말합니다. DBMS에 데이터를 구축, 관리하고 활용하기 위해서 사용되는 언어가 **SQL**Structured Query Language입니다. 이 SQL을 사용하면 DBMS를 통해 중요한 정보들을 입력, 관리하고 추출할 수 있습니다.

SQL은 '구조화된 질의 언어'라고 표현합니다.

즉, SQL 문을 잘 이해하고 사용해야만 DBMS를 원활하게 활용할 수 있습니다. 비유하자면 미국 문화(DBMS)를 완전히 이해하고 싶다면 그 나라의 언어인 영어(SQL)를 먼저 배워야 하는 것과 비슷한 개념입니다.

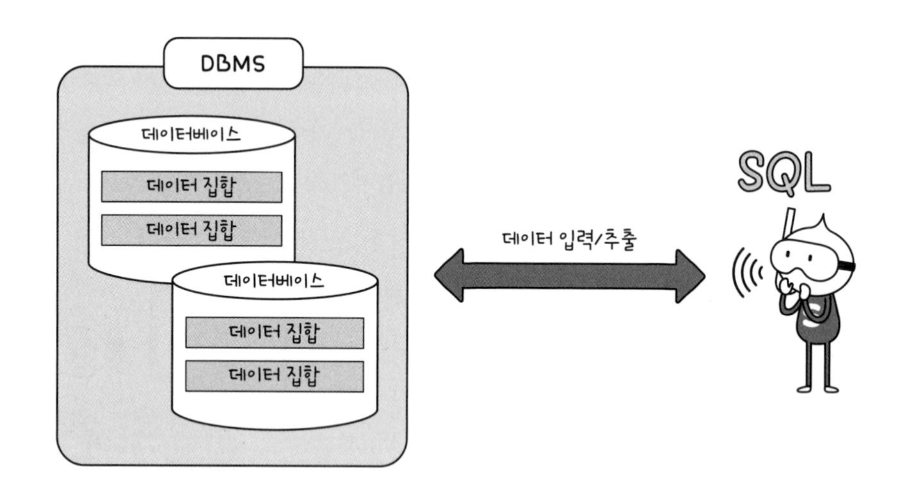

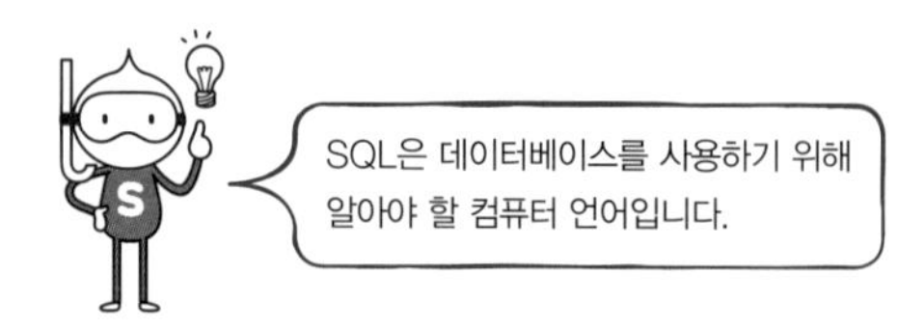

DBMS의 분류

DBMS의 유형은 계층형Hierarchical, 망형Network, 관계형Relational, 객체지향형Object-Oriented, 객체관계형Object-Relational 등으로 분류됩니다.

현재 사용되는 DBMS 중에는 **관계형 DBMS**가 가장 많은 부분을 차지하며, 우리가 사용할 **MySQL**도 관계형 DBMS에 포함됩니다. 다른 유형의 DBMS는 이 책과 상관이 없지만 데이터베이스를 공부하는 김에 간단히 개념만 파악해보겠습니다.

계층형 DBMS

계층형 DBMS Hierarchical DBMS는 처음으로 등장한 DBMS 개념으로 1960년대에 시작되었습니다. 다음 그림과 같이 각 계층은 **트리**tree 형태를 갖습니다. 사장 1명에 이사 3명이 연결되어 있는 구조입니다.

계층형 DBMS의 문제는 처음 구성을 완료한 후에 이를 변경하기가 상당히 까다롭다는 것입니다. 또한 다른 구성원을 찾아가는 것이 비효율적입니다. 예를 들어 재무2팀에서 회계팀으로 연결하려면 재무이사 → 사장 → 회계이사 → 회계팀과 같이 여러 단계를 거쳐야 합니다. 지금은 사용하지 않는 형태입니다.

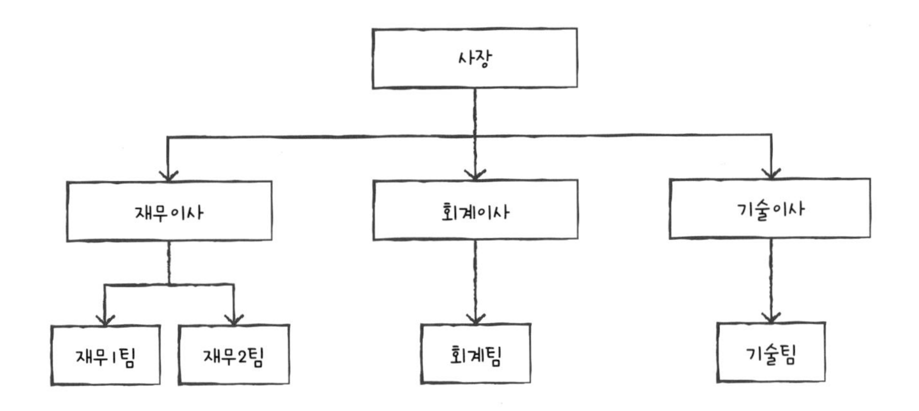

망형 DBMS

망형 DBMS Network DBMS는 계층형 DBMS의 문제점을 개선하기 위해 1970년대에 등장했습니다. 다음 그림을 보면 하위에 있는 구성원끼리도 연결된 유연한 구조입니다.

예를 들어 재무2팀에서 바로 회계팀으로 연결이 가능합니다. 하지만 망형 DBMS를 잘 활용하려면 프로그래머가 모든 구조를 이해해야만 프로그램 작성이 가능하다는 단점이 존재합니다. 역시 지금은 거의 사용하지 않는 형태입니다.

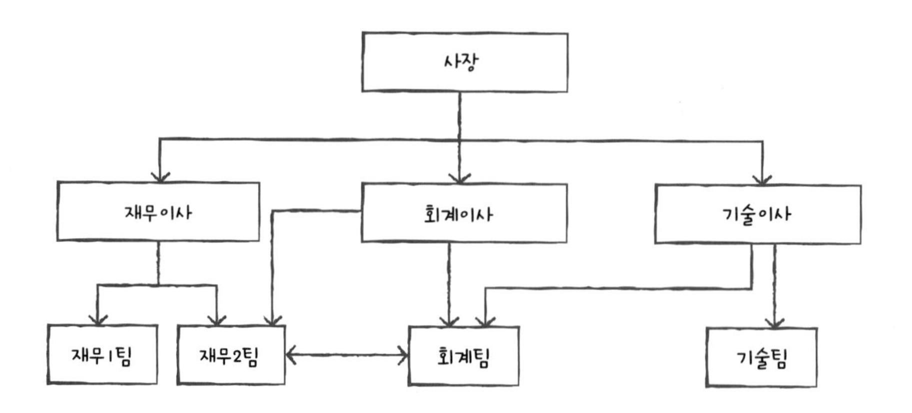

관계형 DBMS

관계형 DBMS Relational DBMS는 줄여서 **RDBMS**라고 부릅니다. 우리가 사용할 MySQL뿐만 아니라, 대부분의 DBMS가 RDBMS 형태로 사용됩니다. RDBMS의 데이터베이스는 **테이블**table이라는 최소 단위로 구성되며, 이 테이블은 하나 이상의 **열**column과 **행**row으로 이루어져 있습니다.

말이 좀 어렵죠? 테이블이라는 용어가 처음으로 나왔네요. 여러분도 아래아한글이나 워드에서 표를 만들었던 경험이 있을텐데요, 이 표의 모양이 바로 테이블입니다. 친구의 카카오톡 아이디, 이름, 연락처 등 3가지 정보를 표, 즉 테이블로 만들면 다음과 같습니다.

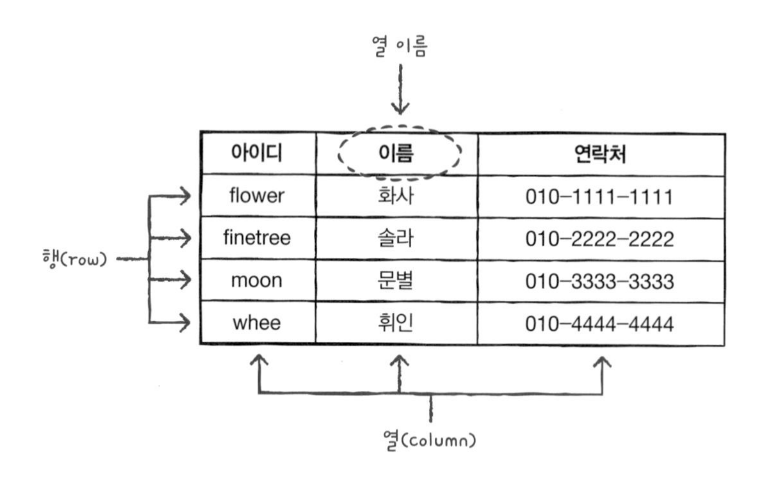

아이디	이름	연락처
flower	화사	010-1111-1111
finetree	솔라	010-2222-2222
moon	문별	010-3333-3333
whee	휘인	010-4444-4444

RDBMS에서는 모든 데이터가 테이블에 저장됩니다. 이 구조가 가장 기본적이고 중요한 구성이기 때문에 테이블만 제대로 파악하면 RDBMS를 어느 정도 이해했다고 할 수 있습니다.

테이블은 열과 행으로 이루어진 2차원 구조를 갖습니다. 세로는 열이라 하고, 가로는 행이라고 합니다. 위 테이블은 3개의 열과 4개의 행으로 구성되어 있습니다. 열은 아이디, 이름, 연락처로 이름을 가지고 있고, 행은 각각의 정보로 이루어져 있습니다.

RDBMS는 테이블로 이루어져 있으며, 테이블은 열과 행으로 구성되어 있습니다.

DBMS에서 사용되는 언어: SQL

SQL Structured Query Language 은 관계형 데이터베이스에서 사용되는 언어로, '에스큐엘' 또는 '시퀄'로 읽습니다. 우리가 공부하고자 하는 관계형 DBMS(그중 MySQL)를 배우려면 SQL을 필수로 익혀야 합니다. SQL이 데이터베이스를 조작하는 '언어'이긴 하지만 일반적인 프로그래밍 언어(C, 자바, 파이썬 등)와는 조금 다른 특성을 갖습니다.

SQL은 특정 회사에서 만드는 것이 아니라 국제표준화기구에서 SQL에 대한 표준을 정해서 발표하고 있습니다. 이를 **표준 SQL**이라고 합니다. 그런데 문제는 SQL을 사용하는 DBMS를 만드는 회사가 여러 곳이기 때문에 표준 SQL이 각 회사 제품의 특성을 모두 포용하지 못한다는 점입니다. 그래서 DBMS를 만드는 회사에서는 되도록 표준 SQL을 준수하되, 각 제품의 특성을 반영한 SQL을 사용합니다.

다음 그림을 보면 3가지 DBMS 제품(오라클, SQL 서버, MySQL)이 모두 표준 SQL을 포함하고 있지만, 추가로 자신만의 기능도 가지고 있습니다. 이렇게 변경된 SQL을 오라클은 PL/SQL, SQL 서버는 T-SQL, MySQL은 SQL로 부릅니다.

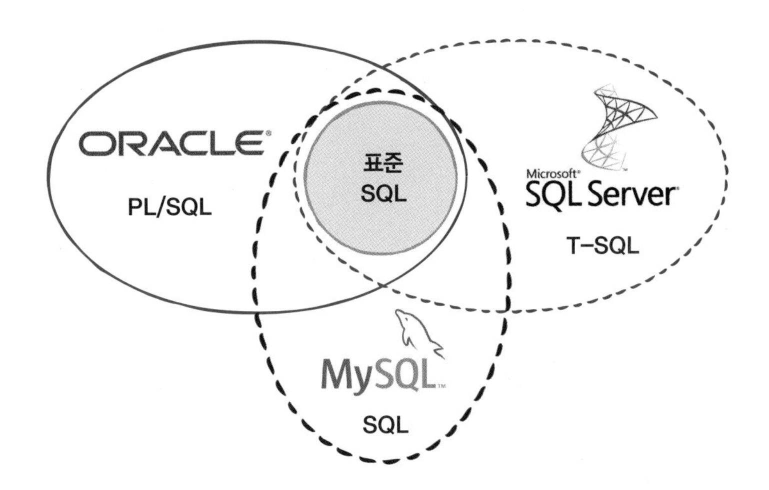

결론은 표준 SQL을 익히면 여러 DBMS의 공통적인 부분을 배우는 것입니다. 이 책에서는 MySQL을 사용하지만, 표준 SQL을 위주로 설명합니다. 그러면 여러분이 나중에 다른 DBMS를 접하더라도 어렵지 않게 사용할 수 있을 것입니다.

마무리

▶ 4가지 키워드로 끝내는 핵심 포인트

- **데이터베이스**는 데이터의 집합이며, **DBMS**는 데이터베이스를 운영/관리하는 프로그램을 말합니다.
- **테이블**은 데이터베이스의 최소 단위로, 하나 이상의 열과 행으로 구성되어 있습니다.
- **SQL**은 데이터베이스를 구축, 관리하고 활용하기 위해서 사용되는 언어입니다.

▶ 표로 정리하는 핵심 포인트

관련 중요 용어

한글 용어	영문 용어	약자	설명
데이터베이스	Database	DB	데이터의 저장소
데이터베이스 관리 시스템	Database Management System	DBMS	데이터베이스를 운영/관리하는 소프트웨어
구조화된 질의 언어	Structured Query Language	SQL	관계형 DBMS에서 사용되는 언어
관계형 데이터베이스 관리 시스템	Relational Database Management System	RDBMS	테이블이라는 최소 단위로 구성된 DBMS
테이블	table		표 형태로 구성된 2차원 구조. 열과 행으로 이루어져 있으며 RDBMS의 핵심 개체
표준 SQL	Standard SQL		국제표준화기구에서 지정하는 SQL의 표준. 대부분의 DBMS 회사가 표준 SQL을 준수함

▶ 확인문제

이번 절에서는 데이터베이스, DBMS, RDBMS, SQL 등에 대한 개념을 살펴보았습니다. 확인 문제를 통해서 배운 개념을 스스로 정리해보기 바랍니다.

1. 각 설명이 의미하는 것을 다음 데이터베이스 관련 용어 중에서 고르세요.

① 데이터의 저장소 또는 데이터의 집합을 말합니다. 약자로 DB라고 부릅니다. •	• 데이터베이스
② 국제표준화기구에서 지정하며, RDBMS에서 사용되는 언어를 말합니다. •	• MySQL
③ 대표적인 DBMS로 데이터를 구축, 관리하기 위해 SQL을 사용합니다. •	• 테이블
④ 표 형태로 구성되었으며 열과 행으로 이루어져 있습니다. •	• 표준 SQL

2. 다음 소프트웨어 중에서 DBMS가 아닌 것을 모두 고르세요.

① MySQL ② Excel ③ Oracle
④ SQL Server ⑤ MariaDB

3. 다음 빈칸에 들어갈 내용을 보기에서 고르세요.

국제표준화기구에서 지정한 ❶ 을 대부분의 DBMS 회사에서 지키고 있지만, 자신의 특성을 반영한 변형된 SQL을 사용하고 있습니다. 이를 Oracle은 ❷ , SQL Server는 ❸ , MySQL은 ❹ 이라 부릅니다.

PL/SQL, T-SQL, 표준 SQL, SQL

01-2 MySQL 설치하기

핵심 키워드

MySQL 서버 MySQL 워크벤치 root

SQL을 본격적으로 사용하려면 DBMS를 설치해야 합니다. 여러 가지 DBMS 중에서 우리는 MySQL을 설치할 것입니다. MySQL은 '마이에스큐엘' 또는 '마이씨퀄'로 읽으면 됩니다.

시작하기 전에

MySQL은 오라클 사에서 제공하는 데이터베이스 관리 소프트웨어로, 대용량의 데이터를 관리하고 운영하는 기능을 제공합니다. MySQL은 1994년에 개발을 시작했으며, 2010년에 선마이크로시스템즈 사에 인수되었으나 같은 해에 선마이크로시스템즈 사가 오라클 사에 인수되면서 같이 넘어갔습니다.

이 책은 집필하는 시점에 최신 버전인 8.0 버전을 기준으로 설명합니다. MySQL은 교육용이나 개인에게는 무료로 제공됩니다(**무료 에디션**). 단, 영리를 목적으로 사용한다면 정해진 비용을 지불해야 합니다(**상용 에디션**). 상용 에디션은 Standard, Enterprise, Cluster CGE 3개가 있고, 우리는 무료인 **커뮤니티 에디션**Community Edition을 사용할 것입니다.

만약 상용 목적인데 무료로 사용하고 싶다면 오픈 소스로 제공되는 **MariaDB**를 사용할 것을 권장합니다. 자세한 내용은 [좀 더 알아보기]를 참고하세요.

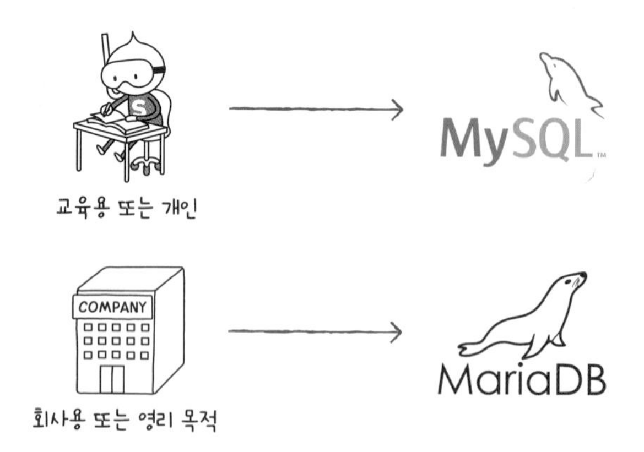

MySQL 설치를 위한 컴퓨터 환경

MySQL Community 8.0을 설치할 하드웨어에는 윈도우즈Windows만 설치되어 있다면 특별한 제한은 없습니다. 다만, 윈도우즈 운영 체제는 64bit Windows 10(또는 11)이 설치되어 있어야 합니다. 프로그램을 설치하기 전에 컴퓨터의 사양 및 운영 체제를 확인해보겠습니다.

01 바탕 화면에서 좌측 하단의 [시작] 버튼을 마우스 오른쪽 버튼으로 클릭한 후 [시스템]을 선택합니다.

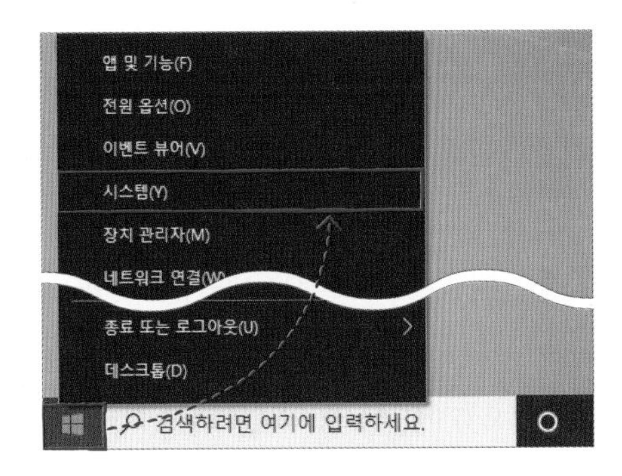

02 정보 창에서 프로세서, 설치된 RAM 등을 확인할 수 있습니다. 중요한 건 [에디션]과 [시스템 종류]입니다. Windows 10(또는 11)에 64비트 운영 체제면 설치가 가능한 환경입니다.

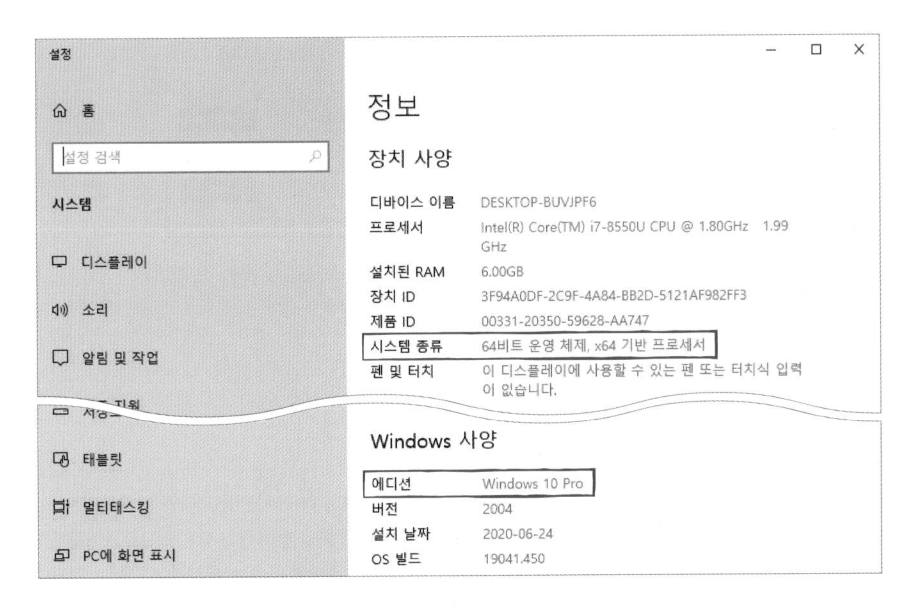

note 이 책은 64bit Windows 10 환경에서 실습하지만 64bit Windows 11에서도 동일하게 실습할 수 있습니다. 오라클 사에서는 MySQL 8.0을 설치하려면 64bit Windows 10 또는 Windows Server 2012 R2 이후를 사용해야 한다고 명시하고 있습니다.

MySQL 다운로드 및 설치하기

이제는 MySQL Community 8.0(64bit Windows 10(또는 11)용)을 다운로드하여 설치해보겠습니다.

MySQL 8.0 최신 버전 다운로드

이 책을 집필하는 시점에는 MySQL Community 8.0.21이 최신 버전입니다. 이 파일을 다운로드하겠습니다.

01 웹 브라우저를 실행해서 MySQL 다운로드 사이트인 https://dev.mysql.com/downloads/windows/installer/8.0.html에 접속합니다. mysql-installer-community-8.0.21.0.msi 파일의 [Download] 버튼을 클릭합니다. 크기는 400MB가 조금 넘습니다.

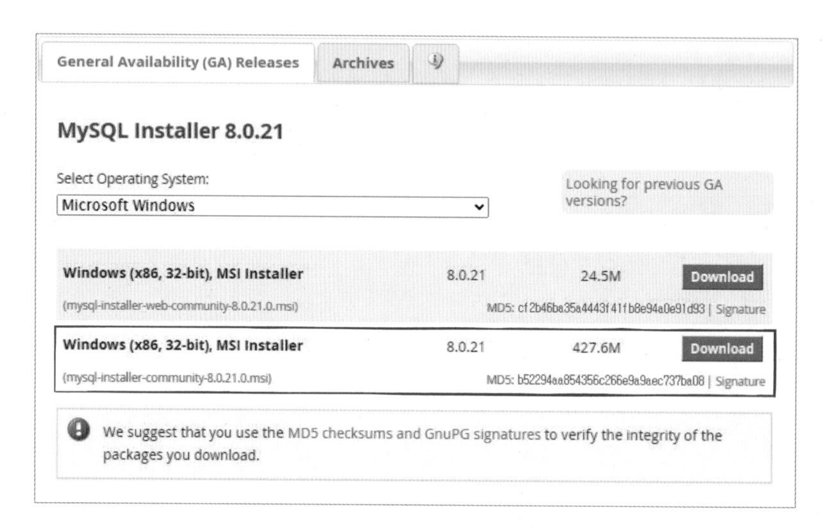

+ 여기서 잠깐 **책과 완전히 동일한 버전의 설치**

이 책을 집필하는 시점에는 MySQL Community 8.0.21이 최신 버전입니다. 아마 시간이 지나면 더 최신 버전이 나올텐데, 최신 버전 사용 시 발생할 수 있는 문제를 방지하기 위해 책에서 사용된 동일한 버전의 모든 소프트웨어를 한빛미디어 사이트의 혼공 자료실(https://www.hanbit.co.kr/src/10473)에 등록해 놓았습니다. 다운로드에 문제가 있거나 책과 동일한 버전의 소프트웨어를 사용하려면 자료실에서 해당 파일을 다운로드하기 바랍니다.

02 MySQL Community Downloads 화면이 나타나면 좌측 하단의 [No thanks, just start my download.]를 클릭해서 다운로드합니다.

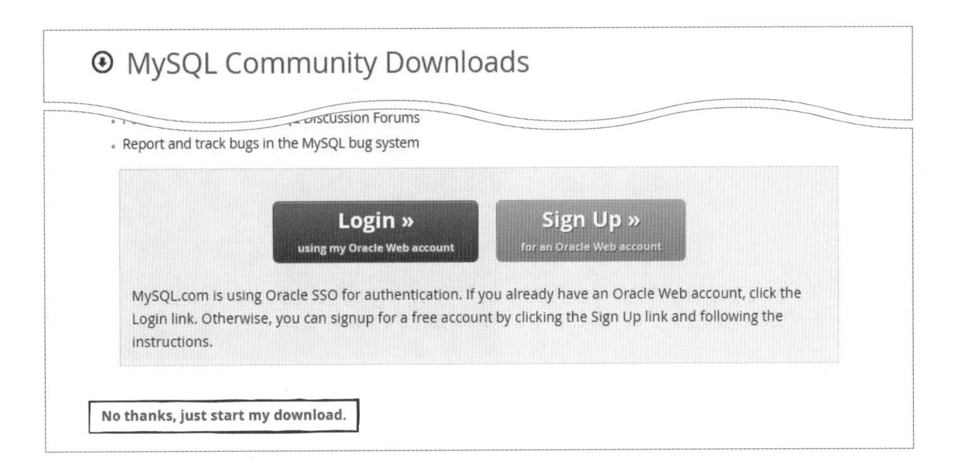

note [No thanks, just start my download.]를 클릭하면 로그인하지 않아도 파일을 다운로드할 수 있습니다.

03 다운로드가 완료되면 웹 브라우저 하단에 다운로드가 완료되었다는 메시지 창이 나타나며 여기서 실행, 폴더 열기, 다운로드 보기가 가능합니다. [폴더 열기] 버튼을 클릭해서 다운로드된 파일을 확인합니다.

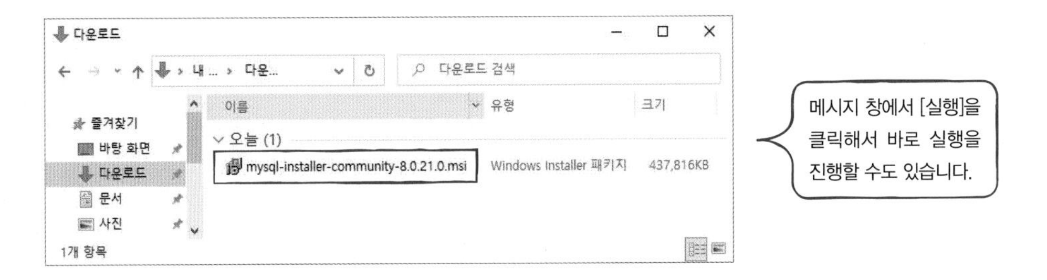

note 다운로드한 설치 파일은 파일 탐색기(Windows+E)를 실행해 [내 PC] – [다운로드] 폴더에서 확인할 수 있습니다.

MySQL 설치

이제는 다운로드한 MySQL Community 8.0을 설치할 차례입니다.

01 다운로드한 파일을 더블 클릭해서 설치를 시작합니다. 잠시 기다리면 로고가 잠깐 나타났다 사라집니다. 사용자 계정 컨트롤 창이 나타나면 [예] 버튼을 클릭합니다.

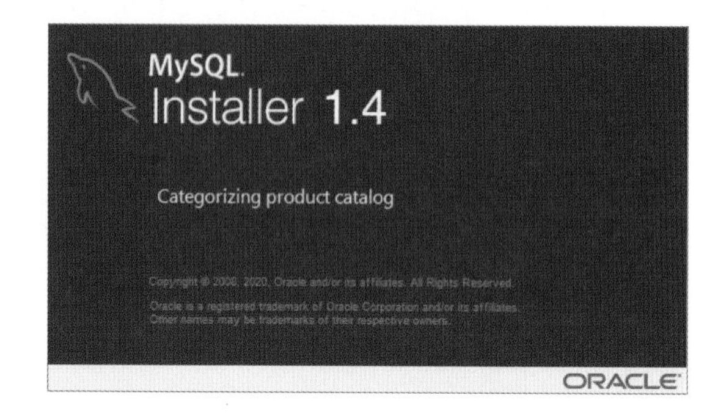

note 경우에 따라 License Agreement 창이 나타날 수도 있습니다. [I accept the license terms]를 체크하고 [Next] 버튼을 클릭하세요.

02 이어서 MySQL Installer 창이 나타납니다. [Choosing a Setup Type]에서는 설치 유형을 선택할 수 있는데, 이 책에서 필요한 것들만 골라서 설치하기 위해 'Custom'을 선택하고 [Next] 버튼을 클릭합니다.

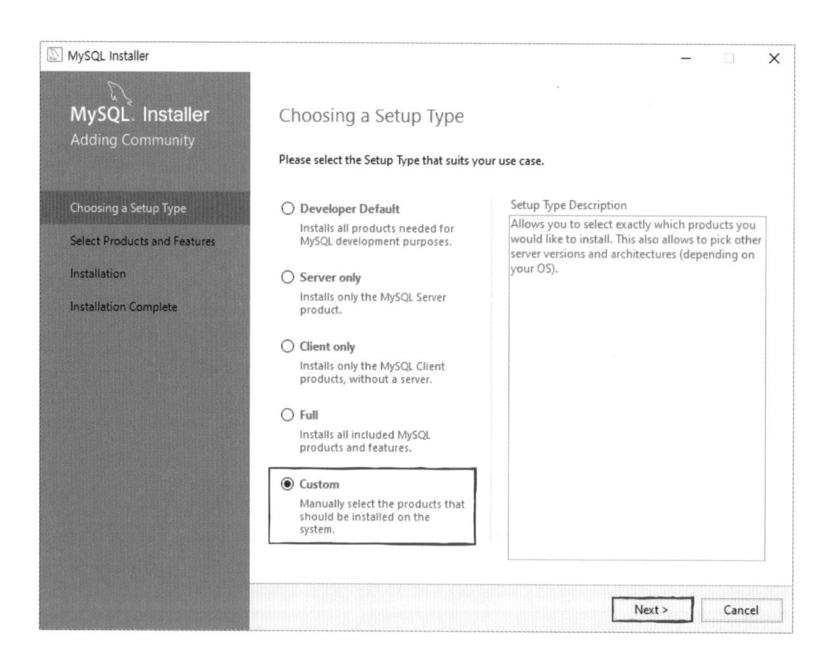

03 [Select Products and Features]에서는 설치할 제품들을 선택할 수 있습니다. 우선 [Available Products:]에서 [MySQL Servers] – [MySQL Server] – [MySQL Server 8.0] – [MySQL Server 8.0.21 – X64]를 선택하고 ➡ 버튼을 클릭합니다.

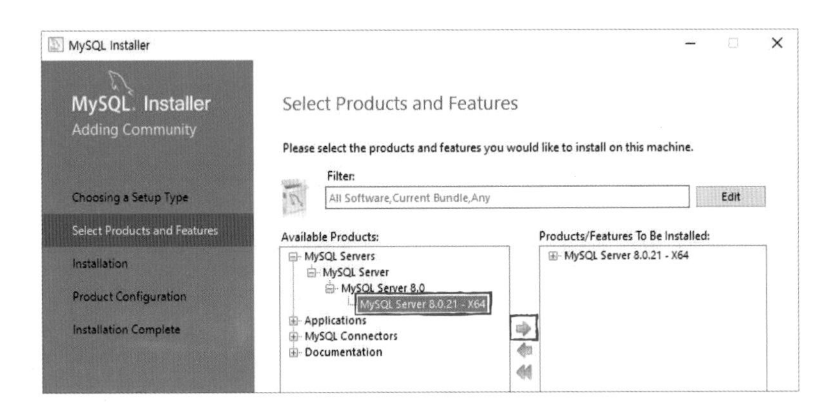

04 같은 방식으로 다음 2개를 추가합니다. 다음 그림과 같이 총 3개가 추가되었으면 [Next] 버튼을 클릭합니다.

① [Applications] – [MySQL Workbench] – [MySQL Workbench 8.0] – [MySQL Workbench 8.0.21 – X64]

② [Documentation] – [Samples and Examples] – [Samples and Examples 8.0] – [Samples and Examples 8.0.21 – X86]

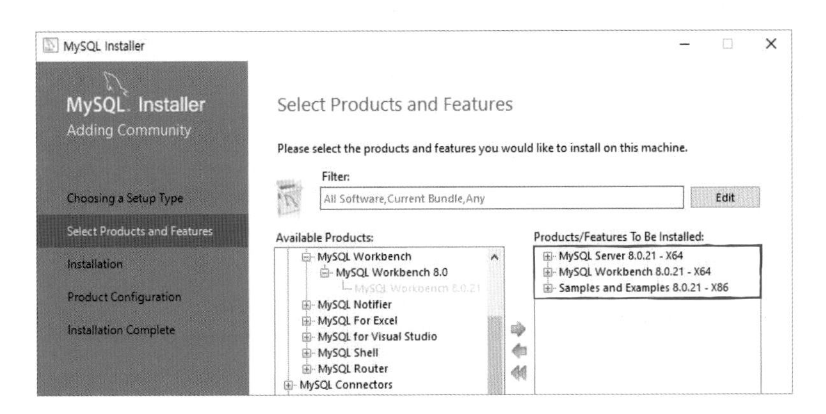

note 만약 Check Requirements 창이 나타나면 [Execute] 버튼을 클릭해서 필요한 부분의 설치를 진행하세요. 대개 Microsoft Visual C++ 2015 Redistributable을 설치하는 부분인데, 윈도우즈에서 이미 [Windows 업데이트]를 수행했다면 이 부분은 생략될 수 있습니다.

지면상 캡처 화면은 창의 일부만 편집해 보여주고 있습니다. [Next] 버튼은 창의 하단에 있습니다. 이후 나타나는 설치 화면 역시 이미지가 편집되어 있으니 참고하세요.

05 [Installation]에서 3개의 항목을 확인하고 [Execute] 버튼을 클릭해서 설치를 진행합니다. 각 항목의 [Progress]에 설치 진행 과정이 숫자(%)로 보입니다. 설치가 완료될 때까지 잠시 기다립니다.

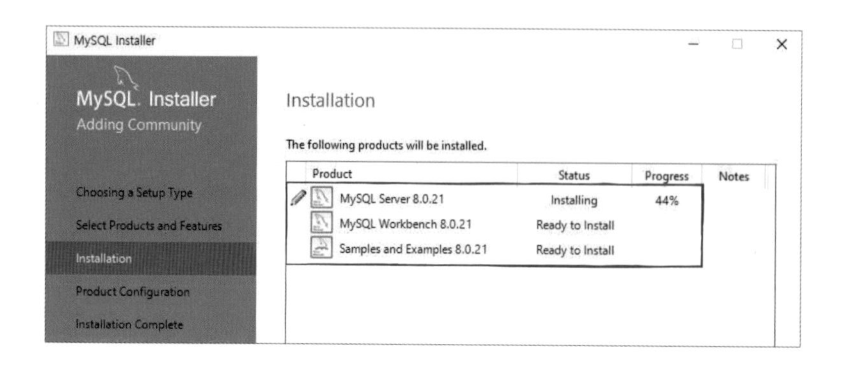

06 설치가 성공적으로 완료되면 각 항목 앞에 초록색 체크가 표시되고 [Status]가 'Complete'로 변경됩니다. 기본적인 설치는 완료되었습니다. 이제 추가 환경 설정을 위해 [Next] 버튼을 클릭합니다.

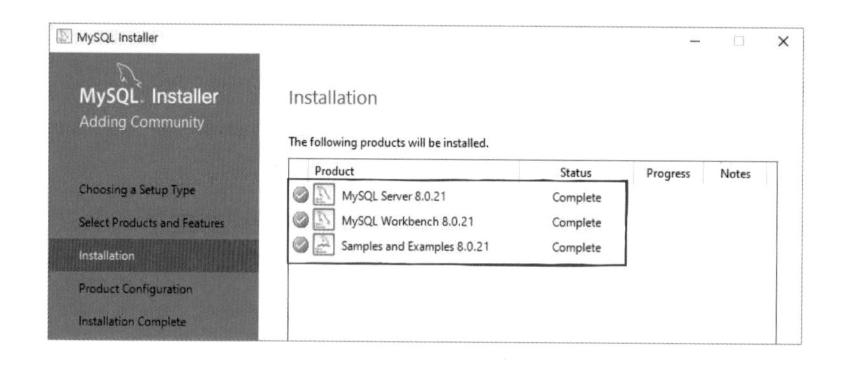

07 [Product Configuration]에 2개 항목의 환경 설정이 필요하다고 나옵니다. [Next] 버튼을 클릭합니다.

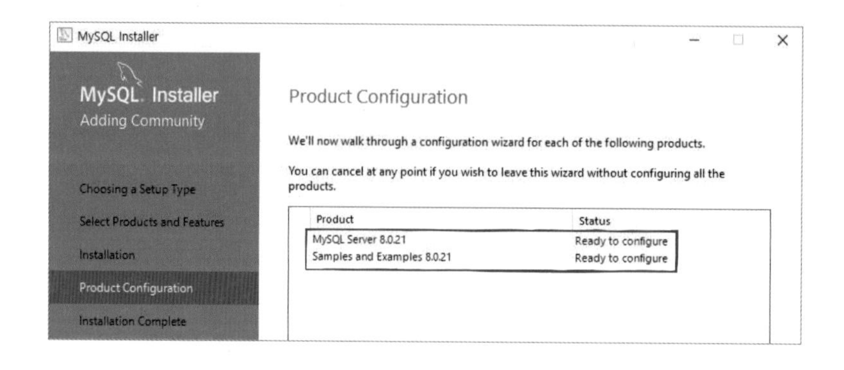

08 [High Availability]에서는 기본값인 'Standalone MySQL Server / Classic MySQL Replication'이 선택된 상태에서 [Next] 버튼을 클릭합니다.

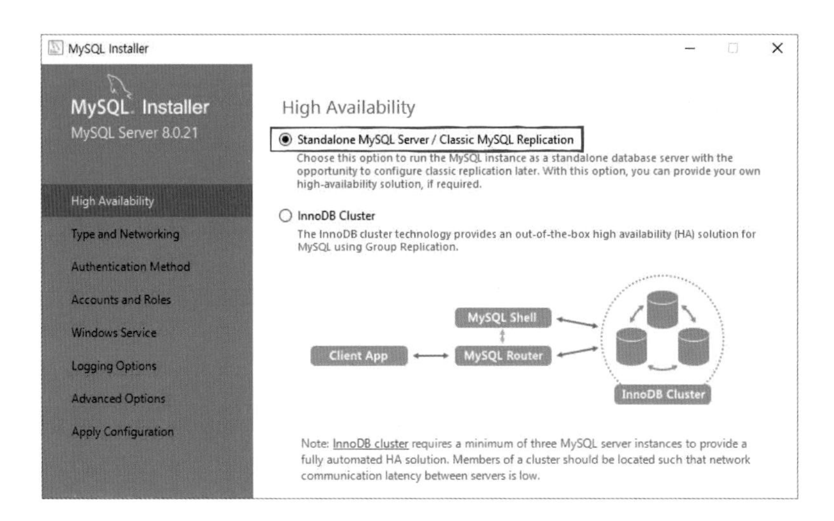

09 [Type and Networking]에서 [Config Type]을 'Development Computer'로 선택하고 [TCP/IP]가 체크된 상태에서 [Port]가 '3306'인 것을 확인합니다. 이 번호는 자주 사용되므로 꼭 기억하도록 합니다. 그 아래 [Open Windows Firewall ports for network access]도 체크되어 있어야 합니다. [Next] 버튼을 클릭합니다.

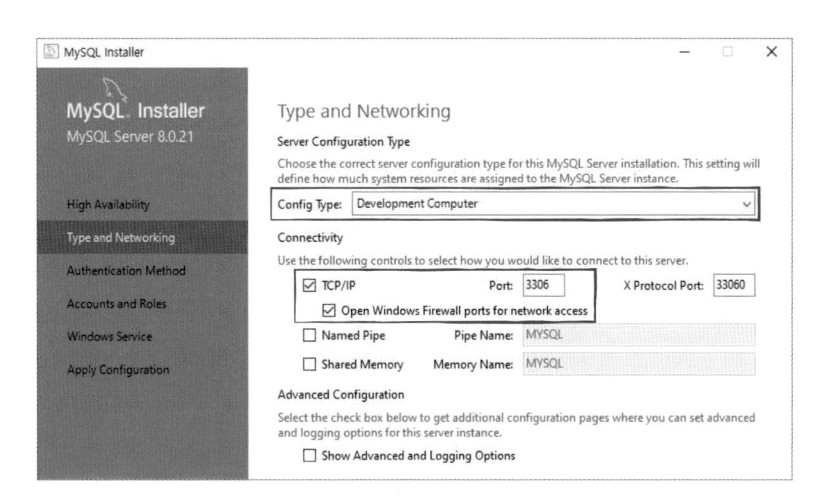

note 만약 3306 포트 충돌이 일어난다면 이미 MySQL이나 MariaDB와 관련된 프로그램이 설치되어 있다는 것입니다. 이런 경우에는 설치를 종료하고, 윈도우즈의 [앱 및 기능]에서 관련 프로그램을 제거한 후 다시 설치를 진행해보세요.

10 [Authentication Method]에서는 책의 후반에 학습하는 파이썬과의 연동을 원활하게 하기 위해 'Use Legacy Authentication Method'를 선택하고 [Next] 버튼을 클릭합니다.

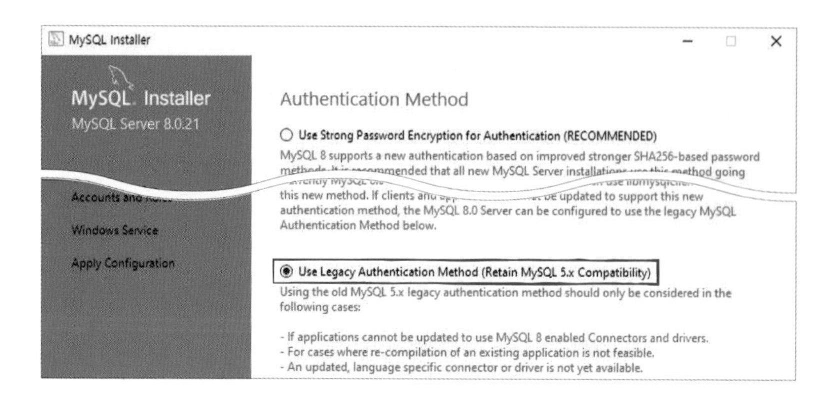

11 [Accounts and Roles]에서는 **MySQL 관리자(Root)**의 비밀번호를 설정해야 합니다. 기억하기 쉽게 '0000'으로 지정하겠습니다. 아래쪽의 [MySQL User Accounts]에서 Root 외의 사용자를 추가할 수 있습니다. 지금은 그냥 비워 두고 [Next] 버튼을 클릭합니다.

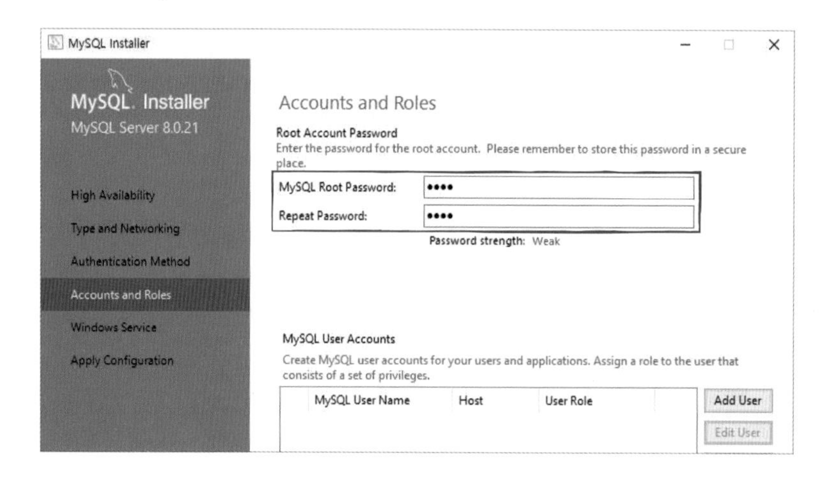

note Root는 MySQL의 모든 권한이 있는 관리자의 이름입니다. 이 관리자의 비밀번호가 유출되면 컴퓨터의 중요한 정보가 모두 유출될 수도 있으므로 Root의 비밀번호는 문자/숫자/기호를 섞어서 최소 8자 이상으로 만들 것을 권장합니다. 지금은 학습 중이므로 기억하기 쉽게 '0000'으로 지정한 것뿐입니다.

12 [Windows Service]에서는 MySQL 서버를 윈도우즈의 서비스로 등록하기 위한 설정을 진행합니다. [Windows Service Name]은 전통적으로 많이 사용하는 'MySQL'로 변경합니다. 나머지는 그대로 두고 [Next] 버튼을 클릭합니다.

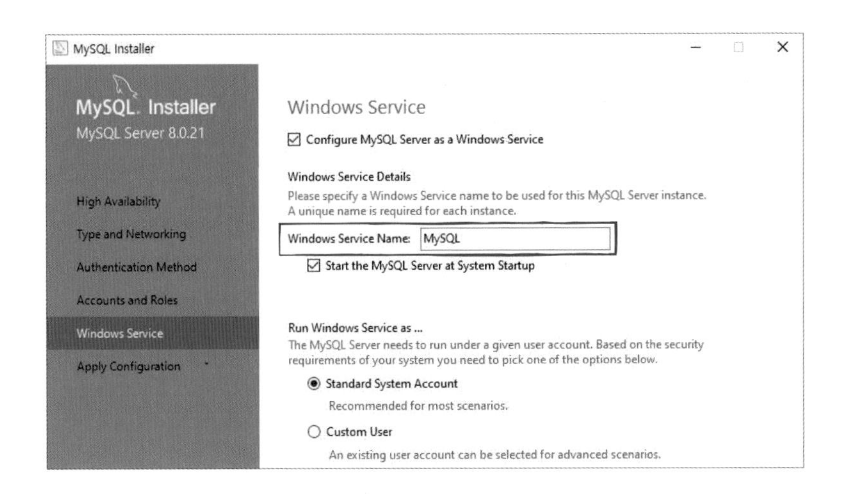

13 [Apply Configuration]에서 설정된 내용을 적용하기 위해 [Execute] 버튼을 클릭합니다. 각 항목에 모두 초록색 체크가 표시되면 [MySQL Server]에 대한 설정이 완료된 것입니다. [Finish] 버튼을 클릭해서 설정을 종료합니다.

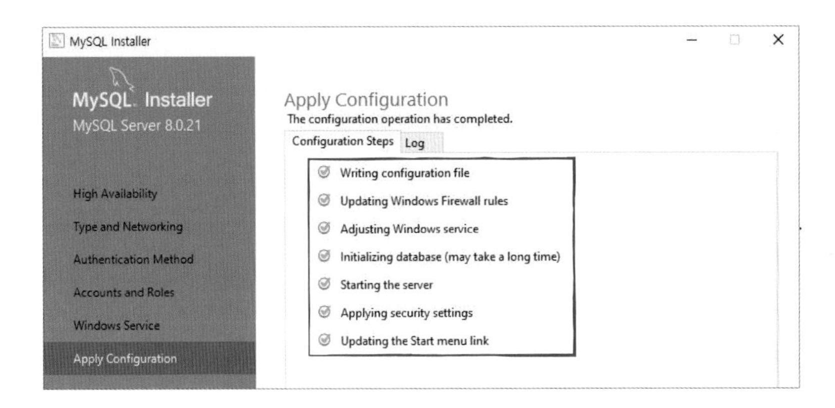

14 다시 [Product Configuration]이 나타납니다. MySQL Server 8.0.21은 설정이 완료되었으며, 두 번째 Samples and Examples 8.0.21의 설정을 할 차례입니다. [Next] 버튼을 클릭합니다.

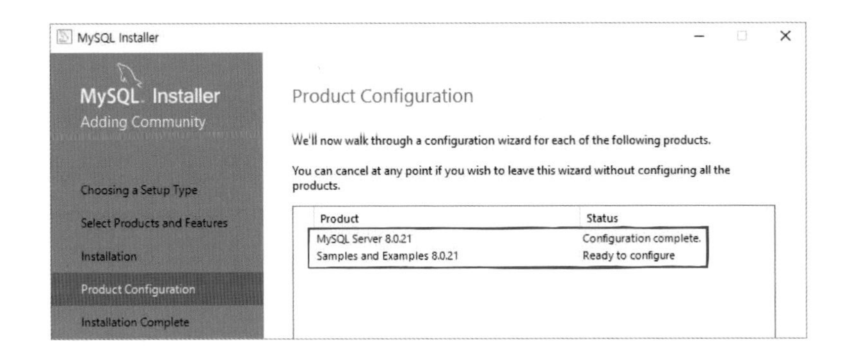

15 [Connect To Server]에 연결할 서버가 보이고 [User name(사용자 이름)]에 'root'가 입력되어 있습니다. [Password(비밀번호)]를 앞에서 설정한 '0000'으로 입력하고 [Check] 버튼을 클릭하면 [Status]가 'Connection succeeded'로 변경됩니다. 연결이 성공되었으니 [Next] 버튼을 클릭합니다.

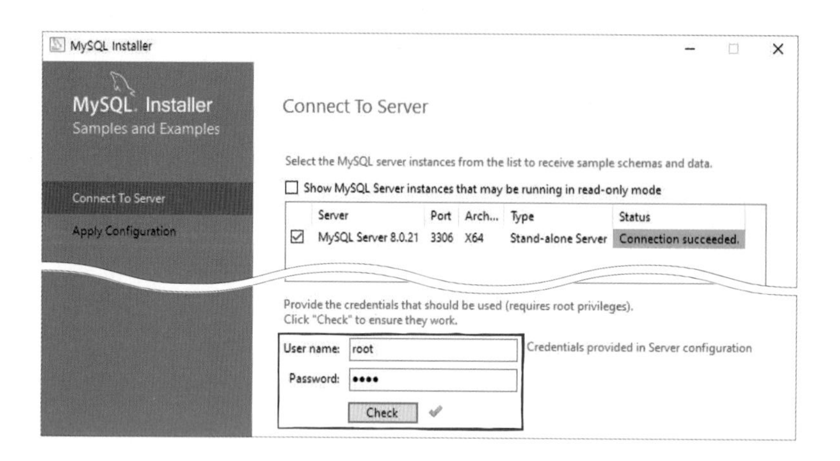

16 [Apply Configuration]에서 [Execute] 버튼을 클릭하면 설정된 내용이 적용됩니다. 모든 항목 앞에 초록색 체크가 표시되면 성공입니다. Samples and Examples에 대한 설정이 완료되었습니다. [Finish] 버튼 클릭해서 설정을 종료합니다.

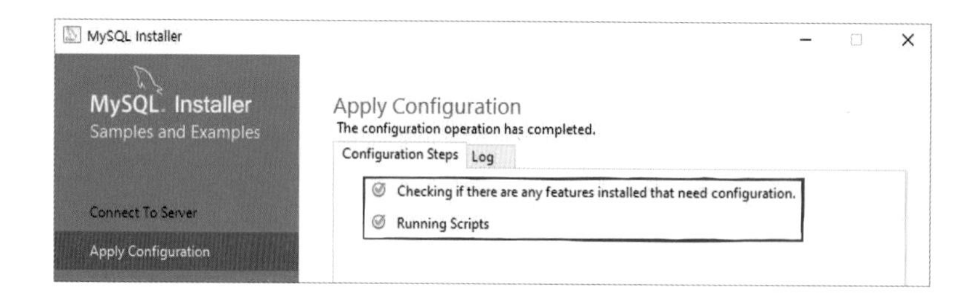

17 다시 [Product Configuration]이 나옵니다. [Status]를 보면 모두 완료된 것이 확인됩니다. [Next] 버튼을 클릭합니다.

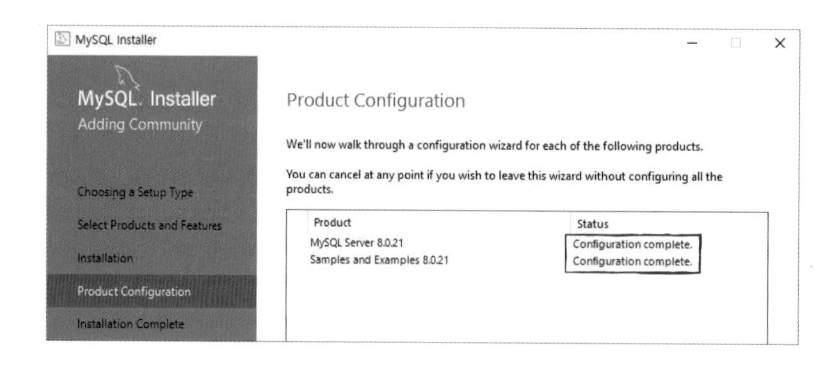

18 [Installation Complete]에서 [Start MySQL Workbench after Setup]을 체크 해제하고 [Finish] 버튼을 클릭합니다. MySQL의 설치를 완료했습니다.

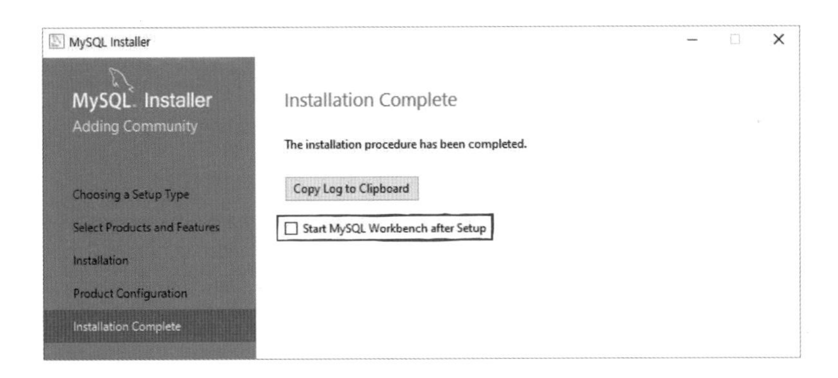

MySQL 정상 작동 확인하기

MySQL 설치는 완료했으니, 이제 정상적으로 작동하는지 살펴보겠습니다. 지금까지 필자와 동일하게 작업을 했다면 정상적으로 작동할 것입니다.

01 앞으로 자주 사용할 아이콘을 작업 표시줄에 고정시켜 놓겠습니다. 윈도우즈의 [시작] 버튼을 클릭하고 [MySQL] – [MySQL Workbench 8.0 CE]에서 마우스 오른쪽 버튼을 클릭한 후 [자세히] – [작업 표시줄에 고정]을 선택합니다. 작업 표시줄에 돌고래 모양의 아이콘이 추가됩니다.

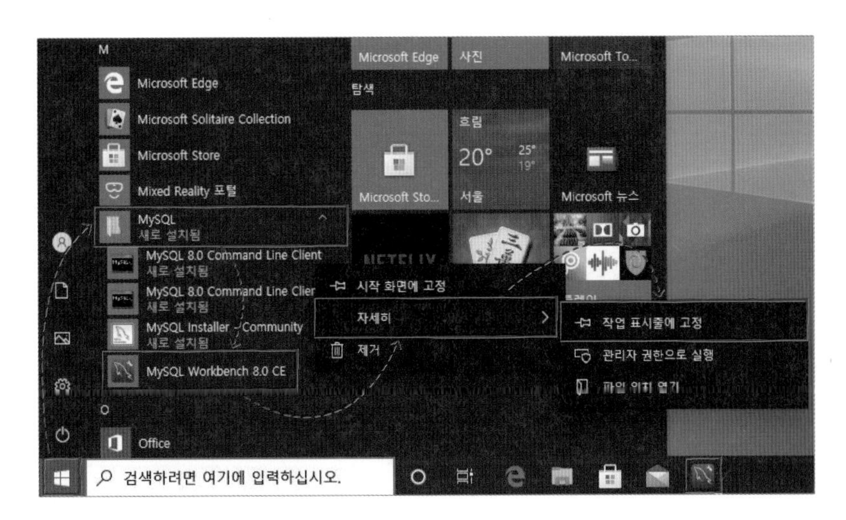

02 작업 표시줄의 **MySQL Workbench**( ) 아이콘을 클릭해서 프로그램을 실행합니다. MySQL Workbench(워크벤치) 창의 좌측 하단에서 [MySQL Connections]의 'Local instance MySQL'을 클릭합니다.

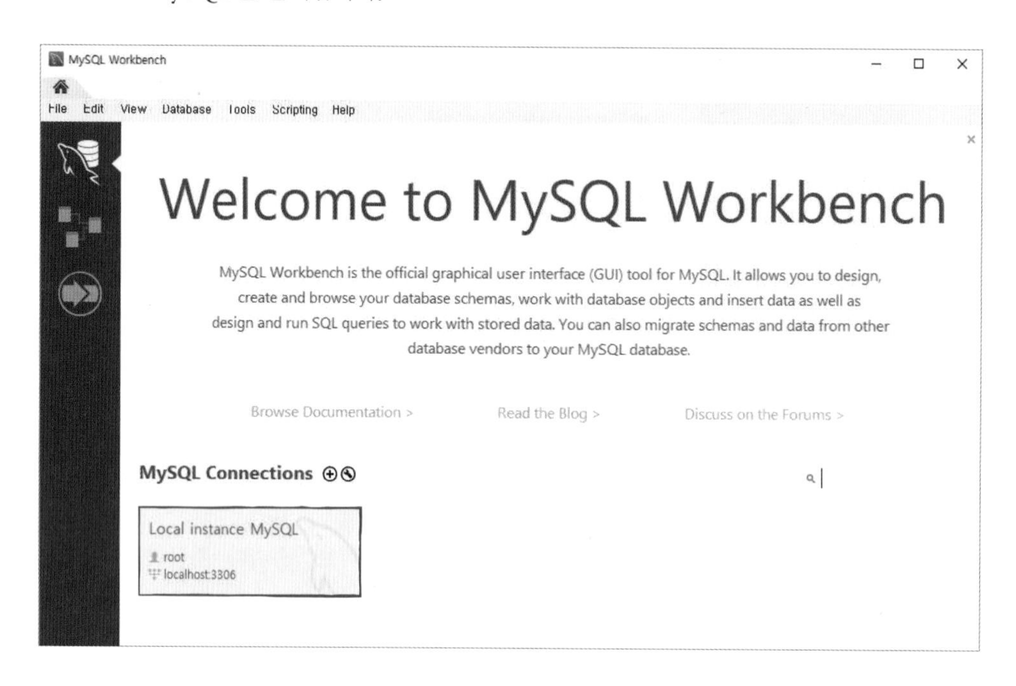

note MySQL 워크벤치에 대한 자세한 설명은 2장에서 할 것이니, 지금은 잘 작동되는 것만 확인하세요. 참고로 MariaDB에서는 MySQL 워크벤치 대신 HeidiSQL이라는 도구를 사용합니다.

+ 여기서 잠깐 **MySQL 로고와 MariaDB 로고**

MySQL 로고는 돌고래 이미지를 사용합니다. MySQL이 오라클 사에 인수된 후에 오라클 정책이 마음에 들지 않은 MySQL 초기 개발자들이 독립해서 만든 것이 MariaDB(마리아DB)입니다. 그래서 MariaDB 로고도 돌고래와 비슷한 물개로 선정한 것 같습니다. 참고로, MySQL과 MariaDB의 이름은 초기 개발자 몬티 와이드니어스(Monty Widenius)의 딸 이름 My와 Maria에서 따왔다고 합니다.

03 Connect to MySQL Server 창이 나타납니다. [User]는 'root'로 고정되어 있고 [Password]가 비어 있습니다. MySQL을 설치할 때 지정한 '0000'을 입력하고 [OK] 버튼을 클릭합니다.

+ 여기서 잠깐　MySQL 서버와 MySQL 워크벤치의 관계

우리가 설치한 것 중에서 제일 중요한 것은 DBMS, 즉 MySQL 서버입니다. MySQL 서버는 작동은 되지만 화면에는 보이지 않습니다. 마치 V3, 알약 등의 백신이 작동은 하지만 눈에는 보이지 않는 것과 비슷한 개념입니다.

MySQL 서버를 사용하기 위해서는 MySQL 서버에 연결 또는 접속해야 합니다. MySQL 워크벤치는 MySQL 서버에 접속해서 사용하도록 해주는 도구라고 보면 됩니다. 비교하자면 네이버 웹 서버에 접속하기 위해서는 웹 브라우저가 필요한 것과 마찬가지입니다. 네이버 웹 서버가 MySQL 서버라면, 웹 브라우저는 MySQL 워크벤치라고 볼 수 있습니다.

MySQL 워크벤치는 웹 브라우저랑 비슷한 개념입니다.

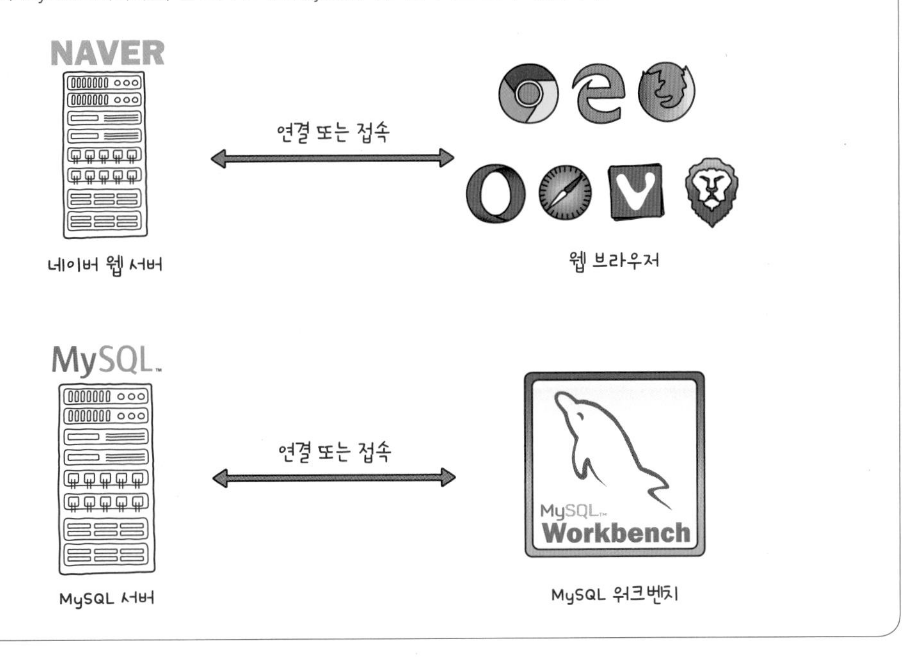

04 MySQL Workbench가 **MySQL 서버**에 접속된 화면이 나타납니다. 초기 화면에 나타난 [SQL Additions] 패널은 사용할 일이 없습니다. 쿼리 창을 조금 더 넓게 사용하기 위해 많은 자리를 차지하는 [SQL Additions] 패널은 숨기겠습니다. 툴바 우측에 위치한 3개의 네모 모양 아이콘 중에서 SQL Additions(◨) 아이콘을 클릭합니다.

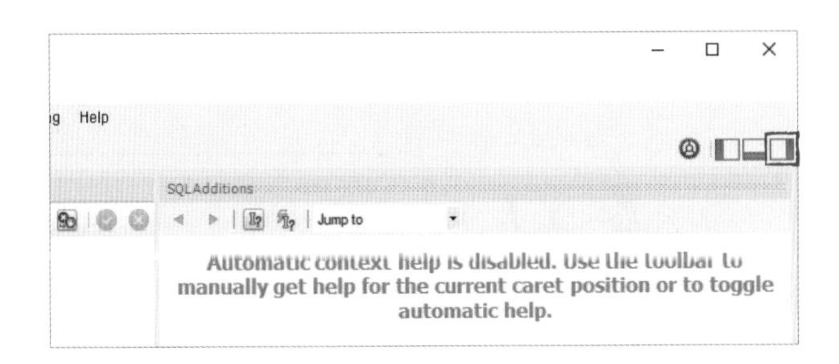

툴바 우측에 위치한 네모 모양 아이콘을 이용하여 좌측, 우측, 하단 패널을 숨기거나 나타낼 수 있습니다.

05 최종적으로 완성된 MySQL Workbench 화면입니다. 이 책이 끝날 때까지 주로 이 화면을 사용하게 될 것입니다. 가운데 빈 공간은 쿼리 창이라고 부르며 메모장처럼 글자를 입력할 수 있는데, 여기에 앞으로 배울 SQL을 입력할 것입니다.

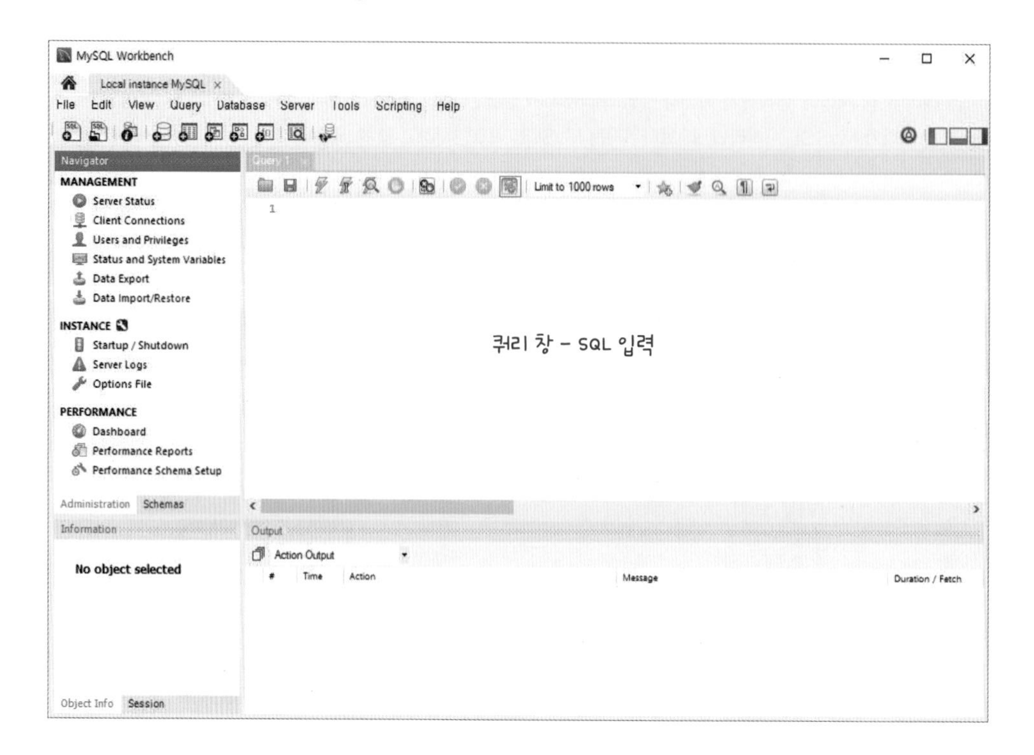

06 SQL을 한 번 맛보기 위해서 간단한 **SQL**을 입력해보겠습니다. 빈 공간에 다음과 같이 입력합니다. 그리고 Execute the selected portion of the script or everything(⚡) 아이콘을 클릭하면 아래쪽 [Result Grid] 창에 SQL에 대한 결과가 나옵니다. MySQL 서버에 기본적으로 들어 있는 데이터베이스의 목록을 출력해준 것입니다.

```
SHOW DATABASES
```

SQL은 대소문자를 구분하지 않습니다. 하지만 이 책에서는 여러분이 구분하기 쉽도록 SQL의 예약어는 대문자로 표시하겠습니다.

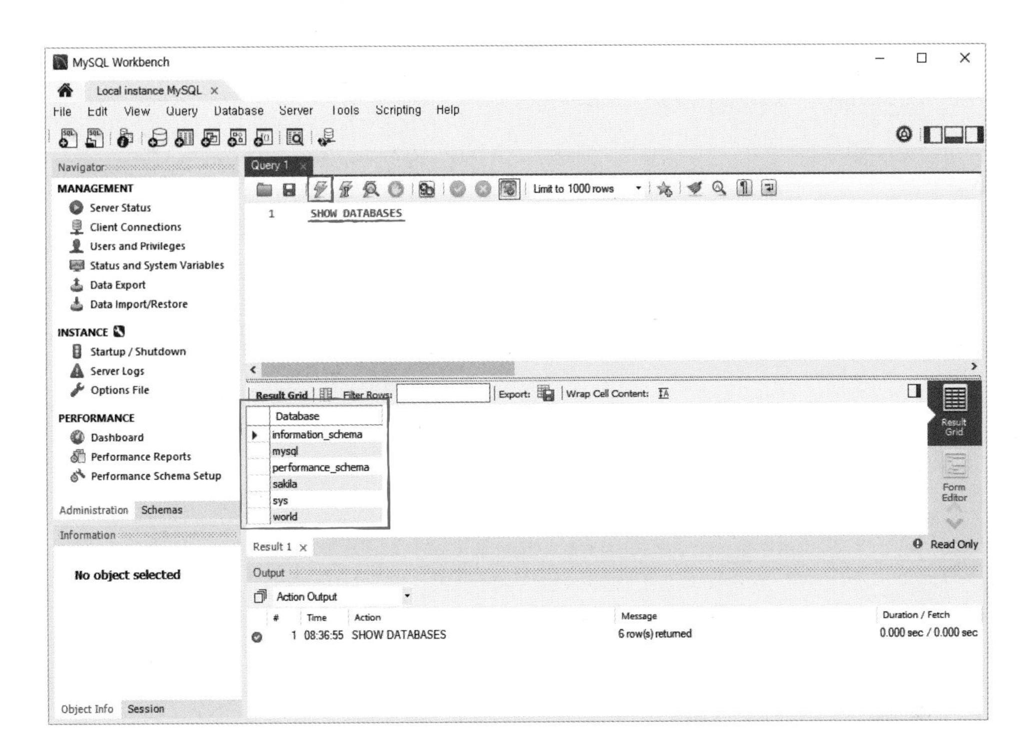

note 입력한 SQL 문이 성공적으로 실행되었다면 제일 아래 [Output] 패널에 초록색 아이콘이 표시됩니다. 만약 빨간색 아이콘이라면 SQL 문이 틀린 것이므로 다시 확인해서 수정한 후 Execute the selected portion of the script or everything(⚡) 아이콘을 클릭하면 됩니다.

07 작업을 모두 마쳤다면 [Query 1] 또는 [SQL File 숫자] 탭의 닫기(X) 버튼을 클릭해서 창을 닫습니다.

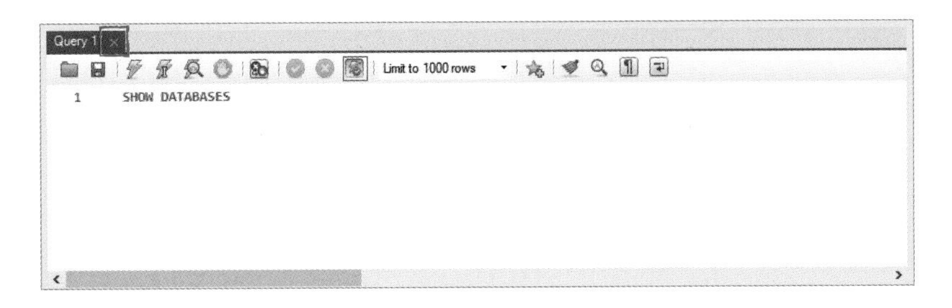

note 만약 Close SQL Tab 창이 나타나면 [Don't Save]를 선택하세요. 입력한 SQL 문장을 저장하겠냐는 메시지인데, 특별한 경우가 아니라면 저장하지 않아도 됩니다.

08 MySQL Workbench 창에서 [File] – [Exit] 메뉴를 선택하면 프로그램이 완전히 종료됩니다.

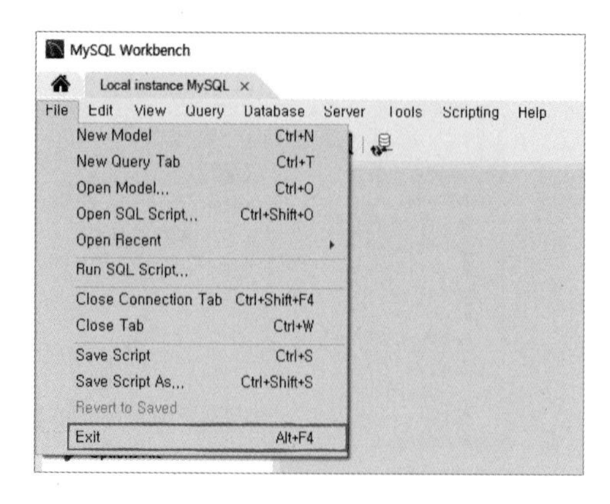

이 책을 학습하기 위한 모든 준비를 마쳤습니다. 이제 2장부터는 SQL을 사용하는 방법에 대해서 차근차근 학습해 나가겠습니다.

좀 더 알아보기

MariaDB의 다운로드와 설치

MySQL과 MariaDB는 핵심 개발자가 같고, 문법도 비슷하기 때문에 자매 제품으로 보면 됩니다. 이 책에서 사용하는 SQL도 MySQL과 MariaDB에서 모두 작동합니다.

MariaDB는 회사에서 상용으로 작업하는 것도 무료이므로 부담 없이 사용할 수 있습니다. 단점이라면 MySQL보다는 인지도가 조금 떨어지고, MySQL 워크벤치보다 기능이 부족한 HeidiSQL이라는 도구를 사용합니다.

MariaDB는 https://mariadb.org에서 다운로드할 수 있습니다. 이 책을 집필하는 시점에 10.6.1 버전까지 나와 있습니다. 다운로드한 파일을 더블 클릭해서 실행하면 설치 과정은 일반적인 소프트웨어와 크게 다르지 않습니다.

설치가 완료되면 바탕 화면의 HeidiSQL 아이콘을 클릭해서 MariaDB에 접속할 수 있습니다. 사용 방법은 MySQL 워크벤치와 비슷합니다.

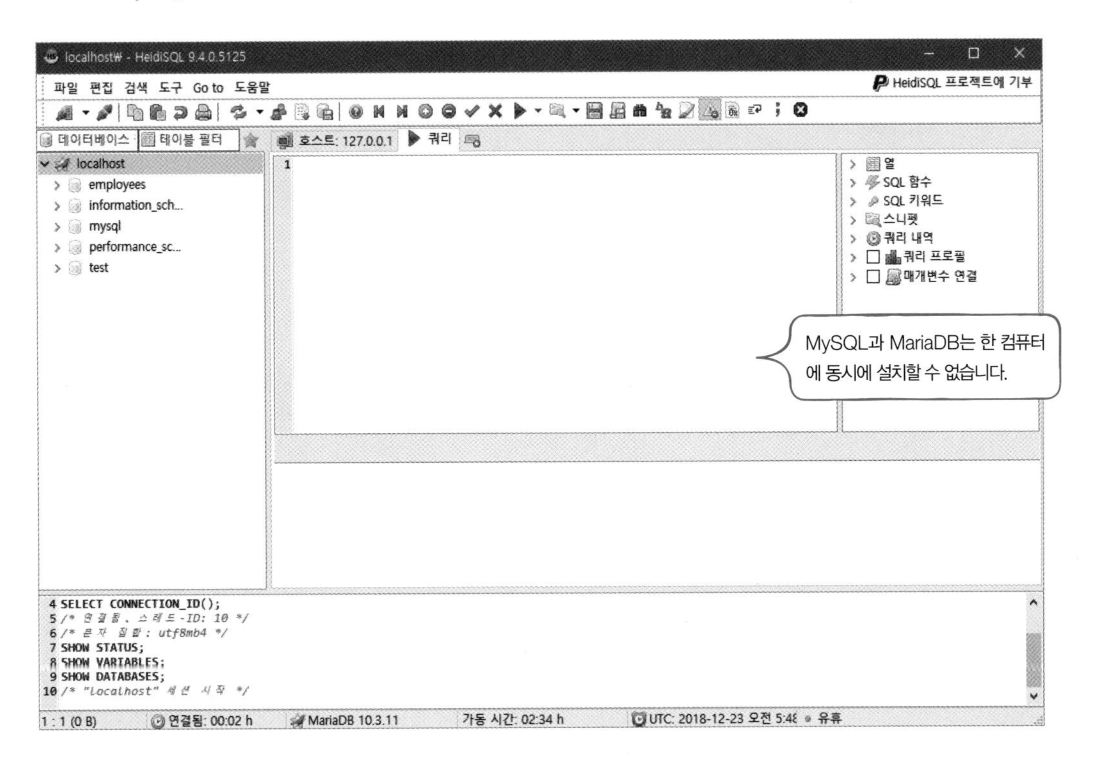

마무리

▶ 3가지 키워드로 끝내는 핵심 포인트

- **MySQL 서버**는 데이터베이스 엔진을 운영하는 가장 중요한 프로그램입니다.
- **MySQL 워크벤치**는 MySQL 서버에 접속하기 위한 프로그램입니다.
- **root**는 MySQL 관리자 이름입니다. 가장 높은 권한의 사용자로 MySQL을 설치할 때 기본적으로 생성됩니다.

▶ 표로 정리하는 핵심 포인트

관련 중요 용어

용어	설명
MySQL	대표적인 관계형 DBMS. 이 책에서 사용하는 소프트웨어를 통칭해서 부르는 이름
MariaDB	MySQL 초기 개발자가 오라클 사를 퇴사한 후 만든 DBMS. MySQL과 상당히 유사하며 완전 무료로 사용 가능
MySQL Server	MySQL의 여러 소프트웨어 중 엔진 기능을 하는 핵심 소프트웨어(DBMS)
MySQL Workbench	MySQL 서버에 접속/연결하기 위한 클라이언트 도구. 이곳에 SQL 문을 입력하고 실행함

MySQL과 MariaDB 비교

구분	MySQL	MariaDB
회사	오라클	MariaDB Inc
초기 개발자	몬티 와이드니어스	
라이선스	상업용/업무용은 유료 개인 및 교육용은 무료	모두 무료
최신 버전	8.0	10.6
클라이언트 도구	MySQL Workbench	HeidiSQL
SQL 문법	거의 동일	
사이트	https://www.mysql.com/	https://mariadb.org/
로고	돌고래	물개

▶ 확인문제

이번 절에서는 MySQL 서버 설치와 MySQL 워크벤치를 사용한 접속, SQL 문 입력 및 실행에 대해서 학습했습니다. 확인문제를 통해서 배운 내용을 스스로 정리해보기 바랍니다.

1. 다음 중 MySQL 8.0을 설치할 수 있는 운영체제를 1개 고르세요.

① Windows 10(또는 11)(64bit)
② Windows 10(또는 11)(32bit)
③ Windows 7(64bit)
④ Windows 7(32bit)
⑤ Windows XP(64bit)

2. 다음은 MySQL 워크벤치에서 작업할 수 있는 항목입니다. 거리가 먼 것을 하나 고르세요.

① SQL의 실행
② MySQL Server에 접속
③ MySQL 기능의 추가 설치 및 MySQL Server의 설치 제거
④ 실행한 SQL 결과 확인
⑤ SQL이 틀린 경우 빨간색 아이콘으로 표시

3. MySQL 서버의 데이터베이스 목록을 출력하는 SQL을 작성하세요.

Chapter 02

1장에서 SQL을 사용하기 위한 환경을 구축했고, 이제는 SQL을 어떻게 사용하는지 익힐 차례입니다. 그런데 이론 내용만 살펴보니 조금 지루한 것 같습니다. 흥미롭게 학습하기 위해 이번 장에서는 실전에서 사용되는 SQL을 미리 맛보는 시간을 가지려고 합니다. 이로써 여러분은 SQL과 데이터베이스에 대한 전반적인 흐름을 이해하게 될 것입니다.

실전용 SQL 미리 맛보기

학습목표

- 데이터베이스 모델링의 개념을 파악합니다.
- 전반적인 데이터베이스 구축 절차를 이해합니다.
- 데이터베이스 개체인 인덱스, 뷰, 스토어드 프로시저에 대해 미리 학습합니다.

02-1 건물을 짓기 위한 설계도 : 데이터베이스 모델링

핵심 키워드

프로젝트 | 폭포수 모델 | 데이터베이스 모델링 | 테이블

데이터베이스 모델링은 프로젝트 진행에 포함되는 단계 중 하나로, 테이블의 구조를 결정하는 과정입니다. 이번 절에서는 프로젝트 진행 방법 중 하나인 폭포수 모델에 대해 이해하고 직접 데이터베이스 모델링을 진행해보겠습니다.

시작하기 전에

데이터베이스 모델링database modeling은 테이블의 구조를 미리 설계하는 개념으로 건축 설계도를 그리는 과정과 비슷합니다. 건물에서 설계도가 아주 중요하듯, 프로젝트에서도 데이터베이스 모델링이 잘 되어야 제대로 된 데이터베이스를 구축할 수 있습니다.

프로젝트를 진행하기 위해서는 대표적으로 **폭포수 모델**waterfall model을 사용하며, 데이터베이스 모델링은 폭포수 모델의 업무 분석과 시스템 설계 단계에 해당합니다. 이 단계를 거치면 가장 중요한 데이터베이스 개체인 **테이블 구조**가 결정되는 것입니다.

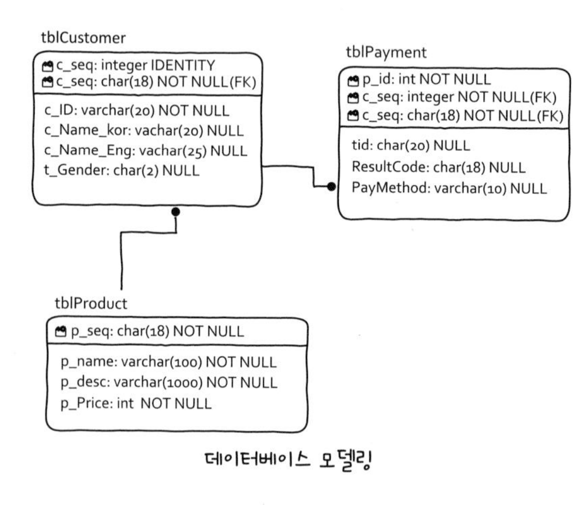

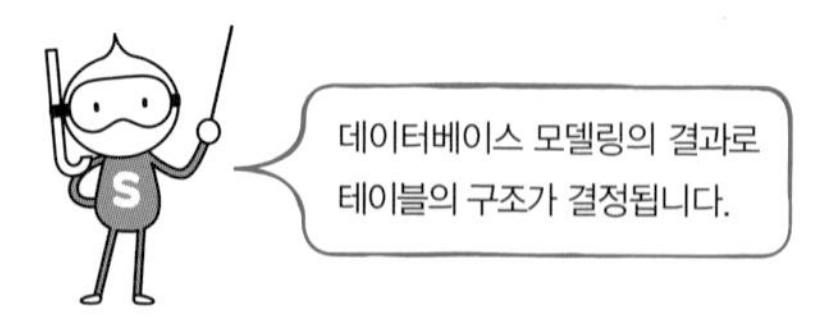

프로젝트 진행 단계

프로젝트project란 '현실 세계에서 일어나는 업무를 컴퓨터 시스템으로 옮겨놓는 과정'입니다. 더 쉽게는 '대규모 **소프트웨어**software를 작성하기 위한 전체 과정'이라고 이야기할 수 있습니다.

아주 오래 전에 컴퓨터 프로그램은 한두 명의 프로그래머에 의해 작성되었습니다. 초기에는 이렇게 혼자서 프로그램을 작성하는 것이 별 문제가 되지 않았습니다. 그러나 요즘에는 프로그램 규모도 커졌고, 사용자의 눈높이도 높아져 소프트웨어에서 원하는 기능이 복잡해지다 보니 문제가 발생하기 시작했습니다.

✚ 여기서 잠깐 **프로그램과 소프트웨어의 구분**

프로그래밍 언어(C, 자바, 파이썬 등)를 통해서 만들어진 결과물을 소프트웨어(software)라고 부릅니다. 소프트웨어와 프로그램(program)은 거의 비슷한 용어로 소프트웨어는 좀 더 큰 단위, 프로그램은 좀 더 작은 단위로 부르기도 하지만 대부분의 상황에서 구분 없이 사용하고 있습니다.

집을 짓는 것에 비유하자면 옛날에 초가집이나 목조 건물을 지을 때는 몇 명의 우수한 기술자로도 충분히 가능했지만, 현대에 와서 수십 층 이상의 건물을 몇 명의 우수한 기술자만으로 지을 수 없는 것과 비슷합니다.

한두 명이 작업 가능함

한두 명으로는 작업 불가능함

높은 건물을 지으려면 정확한 계획과 분석 그리고 설계도 작업을 마친 후에 실제로 건물을 짓는 시공 작업을 해야 합니다. 100층짜리 건물을 만드는데 계획도 세우기 전에 땅을 파거나 벽돌부터 쌓지는 않습니다. 즉 실제 공사를 시작하기 전에 설계도를 완벽하게 완성하는 것이 당연합니다.

소프트웨어도 마찬가지로 절차를 갖춰서 만들어야 합니다. 이러한 절차를 연구하는 분야를 소프트웨어 공학이라고 부르며, 별도의 교과목이나 책으로 분리되어 있습니다. 소프트웨어 공학에서 가장 기본적으로 언급되는 소프트웨어 개발 절차 중 하나로 **폭포수 모델**waterfall model이라는 것이 있습니다. 폭포수 모델은 각 단계가 폭포가 떨어지듯 진행되기 때문에 붙여진 이름입니다.

다음 그림은 소프트웨어 개발 단계를 폭포수 모델로 표현한 것입니다.

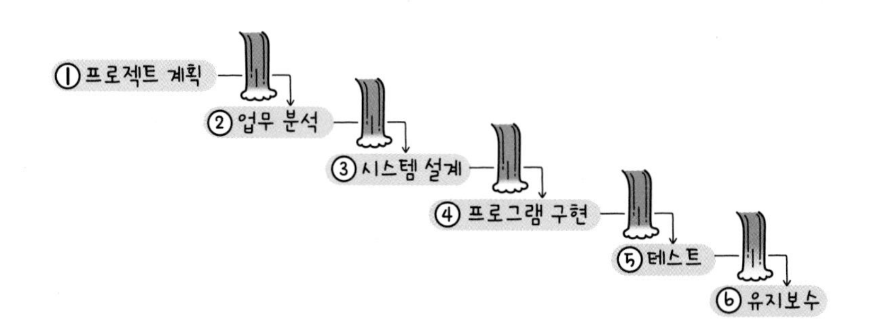

각 단계의 의미를 예를 들어 설명해보겠습니다. 지금 우리가 슈퍼마켓을 운영하고 있다고 가정해봅시다. 이 슈퍼마켓의 물건을 온라인으로도 판매하기 위해 인터넷 쇼핑몰을 구축하려고 합니다.

❶ **프로젝트 계획:** 슈퍼마켓의 물건들을 온라인으로 판매하기 위한 계획 단계입니다.

❷ **업무 분석:** 슈퍼마켓에서 업무가 어떻게 돌아가는지 파악하는 것입니다. 예로 물건은 어디서 들어오는지, 물건을 어떻게 계산하는지, 재고는 어떻게 관리하는지 등의 업무에 대해서 정리하는 단계입니다.

❸ **시스템 설계:** 앞에서 정리한 업무 분석을 컴퓨터에 적용시키기 위해서 알맞은 형태로 다듬는 과정입니다.

❹ **프로그램 구현:** 앞에서 완성한 시스템 설계의 결과를 실제 프로그래밍 언어로 코딩하는 단계입니다. 우리가 계획한 내용을 온라인으로 제공하기 위해서는 JavaScript, PHP, JSP 등의 프로그래밍 언어를 사용해야 합니다.

❺ **테스트:** 코딩된 프로그램에 오류가 없는지 확인하는 과정입니다.

❻ **유지보수:** 실제 온라인 쇼핑몰을 운영하면서 문제점을 보완하고 기능을 추가하는 과정입니다.

폭포수 모델은 각 단계가 구분되어 프로젝트의 진행 단계가 명확하다는 장점이 있습니다. 하지만 이 모델의 가장 큰 단점은 폭포에서 내려가기는 쉬워도 다시 거슬러 올라가기는 힘든 것처럼 문제가 발생할 경우 다시 앞 단계로 돌아가기가 어렵다는 것입니다. 그래도 각 단계가 명확하기 때문에 지금도 많이 사용되고 있습니다.

우리가 공부하는 데이터베이스 모델링은 폭포수 모델에서 업무 분석과 시스템 설계 단계에 해당합니다. 8장에서 프로그램 구현과 데이터베이스 연결도 실제로 구현해보겠습니다.

더 쉽게 말하면 건물의 설계도를 그리는 과정과 비슷합니다.

데이터베이스 모델링

앞서 프로젝트 진행 단계에 대해 간략하게 알아봤습니다. 여기서는 현실 세계의 슈퍼마켓을 인터넷 쇼핑몰로 만드는 프로젝트를 바탕으로 데이터베이스 모델링 부분을 살펴보겠습니다.

데이터베이스 모델링database modeling이란 우리가 살고 있는 세상에서 사용되는 사물이나 작업을 DBMS의 데이터베이스 개체로 옮기기 위한 과정이라고 할 수 있습니다. 말이 좀 어렵죠? 더 쉽게 이야기하면 현실에서 쓰이는 것을 테이블로 변경하기 위한 작업이라고 생각하면 됩니다.

다음 그림을 보면서 데이터베이스 모델링이 어떤 것인지 파악해보겠습니다.

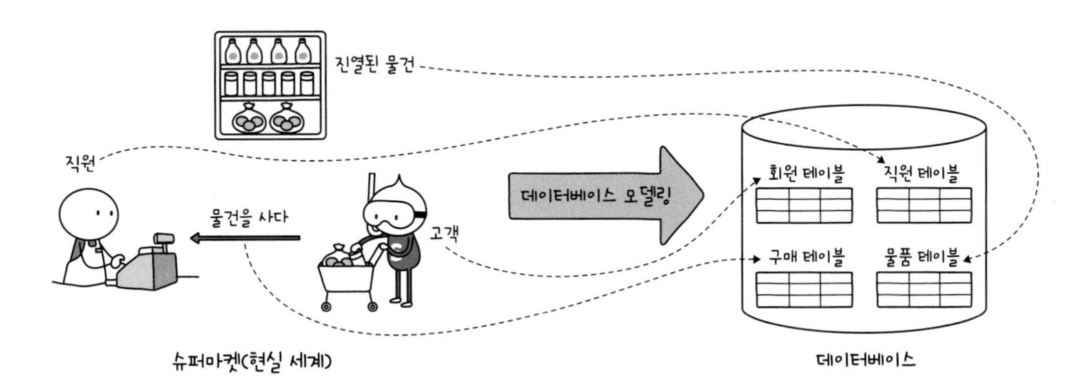

우리가 구현할 인터넷 쇼핑몰에서는 고객 또는 직원 등의 사람이 필요합니다. 그렇다면 이 '사람'을 어떻게 데이터베이스에 넣을 수 있을까요? 사람을 나타낼 수 있는 특징들을 추출해서 데이터베이스로 만들어야 합니다. 슈퍼마켓(현실 세계)의 고객, 물건, 직원 등을 데이터베이스에 각각의 **테이블**이라는 개체로 변환합니다.

사람, 물건뿐만 아니라 실체가 없는 '물건을 산다'라는 행동(action)도 테이블로 변환할 수 있습니다.

예를 들어 어떤 사람의 신분을 증명하기 위한 신분증에 이름, 주민등록번호, 주소 등의 정보가 있는 것과 비슷한 개념입니다. 인터넷 쇼핑몰에서 판매할 제품들도 마찬가지입니다. 제품의 이름, 가격, 제조일자, 제조회사, 재고량 등을 데이터베이스에 저장하는 것입니다.

한 가지 더 기억할 점은 데이터베이스 모델링에는 정답이 없다는 것입니다. 건물 설계도를 그리는 사람에 따라 다양한 결과물이 나오는 것처럼 말이죠. 다만, 좋은 모델링과 나쁜 모델링은 분명히 존재합니다. 이는 다양한 학습과 실무 경험에서 우러나옵니다.

데이터베이스 모델링 자체만으로 많은 내용이 있고, 몇 권짜리 책으로 출간되기도 합니다. SQL을 처음 공부하는 여러분에게 데이터베이스 모델링에 대한 더 깊은 설명은 별 도움이 되지 않을 듯해서 이 정도로 마무리 짓겠습니다. 이 책을 모두 공부하고 나서 향후에 고급 데이터베이스 개발자나 관리자가 되기 위해서 공부하는 것으로 하죠.

전체 데이터베이스 구성도

앞에서 살펴본 데이터베이스 모델링의 결과로 다음과 같은 구성이 완료되었다고 가정하겠습니다.

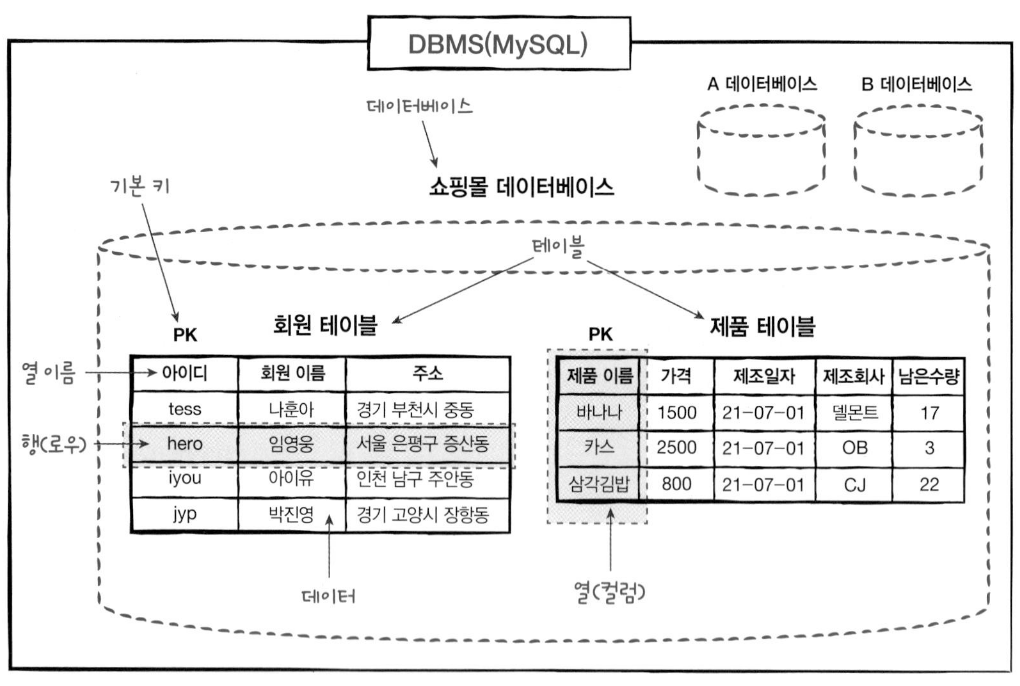

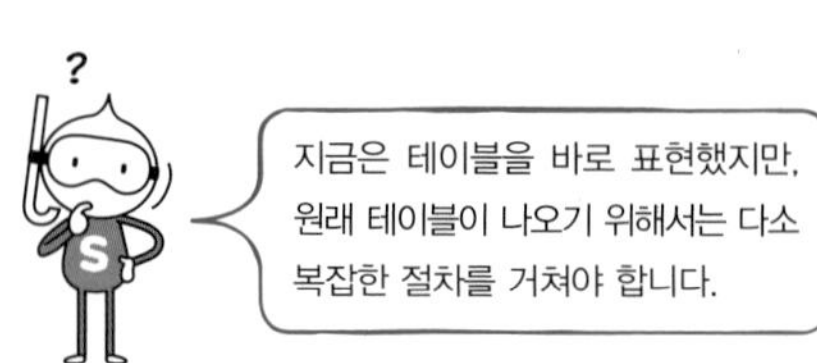

전체 데이터베이스 구성도는 이 책을 이해하는 데 큰 도움이 될 것입니다. 특히 그림에서 나온 용어를 잘 이해하면 이 책 전체가 훨씬 쉬워질 것입니다. 하나씩 살펴보도록 하죠.

- **데이터**data : 하나하나의 단편적인 정보를 말합니다. 이 그림에서는 tess, 아이유, 바나나와 같은 개별적인 정보를 말합니다.
- **테이블**table : 회원이나 제품의 데이터를 입력하기 위해 표 형태로 표현한 것을 말합니다. 지금은 인터넷 쇼핑몰을 구현하기 위해서 회원 정보를 보관할 회원 테이블과 제품 정보를 보관할 제품 테이블, 2개의 테이블을 만들었습니다.
- **데이터베이스**Database, DB : 테이블이 저장되는 저장소를 말합니다. 데이터를 저장하는 곳이라는 의미로 그림에서는 원통 모양으로 표현했습니다. 그림에 3개의 데이터베이스를 표현했는데요, 각 데이터베이스는 이름이 서로 달라야 합니다. 이번 장에서 우리가 만들 데이터베이스는 '쇼핑몰 데이터베이스'입니다.

테이블과 데이터베이스의 관계는 파일과 폴더랑 비슷한 개념입니다. 폴더 안에 파일이 있듯이, 데이터베이스 안에 테이블이 있다고 보면 됩니다.

- **DBMS**Database Management System : 데이터베이스 관리 시스템 또는 소프트웨어를 말합니다. 1장에서 설치한 MySQL이 바로 DBMS입니다. 그림에서 MySQL이 3개의 데이터베이스를 관리하고 있습니다.
- **열**column : 테이블의 세로를 말합니다. 각 테이블은 여러 개의 열(컬럼, 필드)로 구성됩니다. 회원 테이블은 3개의 열로, 제품 테이블은 5개의 열로 구성되어 있습니다.
- **열 이름**: 각 열을 구분하기 위한 이름입니다. 열 이름은 각 테이블 내에서는 서로 달라야 합니다. 회원 테이블의 아이디, 회원 이름, 주소 등이 열 이름입니다.

그림에서는 열 이름이 한글로 표현되어 있지만, 실제로 열 이름은 영문으로 설정해야 문제가 없습니다.

- **데이터 형식**: 열에 저장될 데이터의 형식을 말합니다. 회원 테이블의 회원 이름 열은 '1234'와 같은 숫자가 아닌 '나훈아'와 같은 문자 형식이어야 합니다. 그리고 제품 테이블의 가격 열은 숫자(정수) 형식이어야 합니다. 데이터 형식은 테이블을 생성할 때 열 이름과 함께 지정해줍니다. 다음 절에서 살펴보겠습니다.
- **행**row : 실질적인 진짜 데이터를 말합니다. 예로, 'tess/나훈아/경기 부천시 중동'이 하나의 행(로우, 레코드)으로 **행 데이터**라고도 부릅니다. 회원 테이블에서 회원이 몇 명인지는 행 데이터가 몇 개 인지로 알 수 있습니다. 즉, 행의 개수가 데이터의 개수입니다. 이 예에서는 4건의 행 데이터가 있으므로 4명의 회원이 가입되어 있는 것입니다.

- **기본 키**Primary Key, PK**:** 기본 키(또는 주키) 열은 각 행을 구분하는 유일한 열을 말합니다. 더 쉽게는 네이버의 회원 아이디, 학번, 주민등록번호 같은 것이라고 생각하면 됩니다. 그래서 기본 키는 중복되어서는 안 되며, 비어 있어서도 안 됩니다.

  여러분의 네이버 아이디, 학번, 주민등록번호 등이 다른 사람과 중복되지 않습니다. 또 네이버 회원인데 네이버 아이디가 없거나, 한국 사람인데 주민등록번호가 없는 것은 불가능하겠죠?

  기본 키에 대해서는 5장에서 자세히 살펴보는 것으로 하고, 마지막으로 한 가지만 더 기억하세요. 테이블에는 열이 여러 개 있지만 기본 키는 1개만 지정해야 하며, 일반적으로 1개의 열에 지정합니다.

- **SQL**Structured Query Language**:** DBMS에서 작업을 하고 싶다면 어떻게 해야 할까요? DBMS가 알아듣는 언어(말)로 해야 합니다. 그것이 SQL(**구조화된 질의 언어**)입니다. 즉, SQL은 사람과 DBMS가 소통하기 위한 언어입니다.

이 외에도 앞으로 새로운 용어들이 많이 등장할 것입니다. 한꺼번에 모든 용어를 이해하는 것보다는 학습을 진행하면서 그때마다 필요한 용어를 이해하는 것이 좋습니다. 앞에서 살펴본 용어는 기본적으로 필요한 것이므로 우선적으로 이해해야 이후 학습을 무리 없이 진행할 수 있습니다.

좀 더 알아보기 | 데이터베이스 모델링 툴

MySQL 워크벤치에도 데이터베이스 모델링 구축과 관련된 기능이 포함되어 있습니다. 이에 대해 살펴보겠습니다.

01 MySQL Workbench에서 [File] – [New Model] 메뉴를 실행합니다. [MySQL Model] 탭이 생성되며 [Physical Schemas]에 'mydb'라는 빈 데이터베이스 모델링이 준비됩니다. 다이어그램을 추가하기 위해 [Model Overview] 패널에서 'Add Diagram'을 더블 클릭합니다.

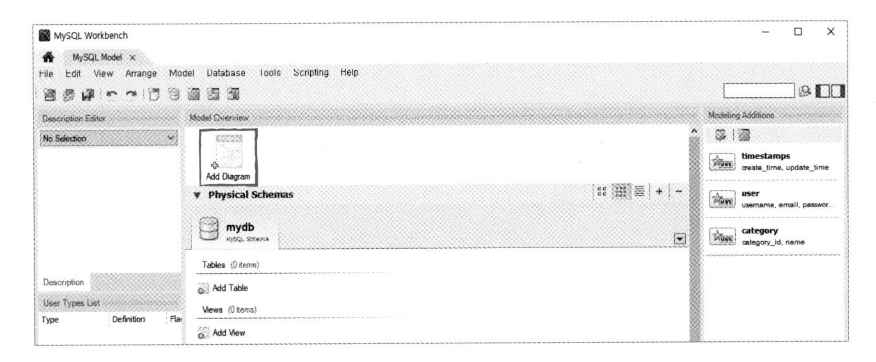

02 [EER Diagram] 탭이 추가되면 툴바에서 Place a new table(▦) 아이콘을 클릭한 후 [Diagram] 패널의 빈 곳을 클릭하여 테이블을 만들 수 있습니다. 'table1'을 더블 클릭하면 [table1] 탭에서 테이블 이름과 열 이름, 데이터 형식 등을 설정할 수 있습니다. 단, 영문으로 입력해야 합니다.

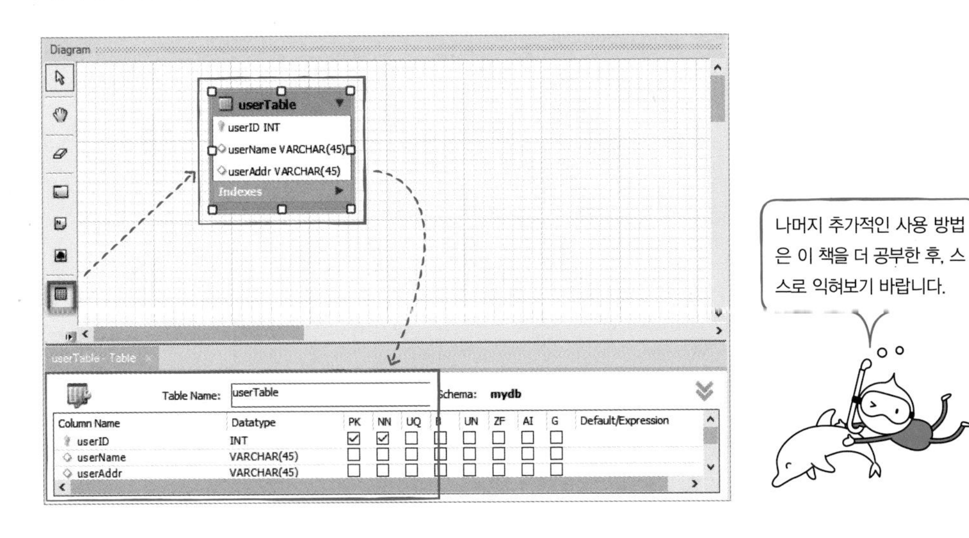

마무리

▶ 4가지 키워드로 끝내는 핵심 포인트

- **프로젝트**란 현실 세계를 컴퓨터 시스템으로 옮겨놓는 일련의 과정입니다.
- **폭포수 모델**은 소프트웨어 개발 단계 중 하나로, 이름 그대로 폭포가 떨어지듯 개발 단계가 진행됩니다.
- **데이터베이스 모델링**이란 현실 세계에서 사용되는 작업이나 사물들을 DBMS의 **테이블**(표 형태로 표현한 데이터베이스 개체)로 옮기기 위한 과정입니다.

▶ 표로 정리하는 핵심 포인트

관련 중요 용어

한글 용어	영문 용어	약자(선택)	설명
데이터	data		단편적인 정보
테이블	table		데이터를 입력하기 위한 표 형태
데이터베이스	Database	DB	데이터의 저장소
데이터베이스 관리 시스템	Database Management System	DBMS	데이터베이스를 관리하는 시스템 또는 소프트웨어(MySQL)
열(컬럼, 필드)	column, field		테이블의 세로. 테이블은 여러 개의 열로 구성됨
열 이름	column name, field name		각 열을 구분하기 위한 이름
데이터 형식	data type		열에 저장될 데이터의 형식(숫자/문자/날짜 등)
행(로우, 레코드)	row, record		테이블의 가로. 실질적인 진짜 데이터(행 데이터라고도 부름)
기본 키	Primary Key	PK	각 행을 구분하는 유일한 열
구조화된 질의 언어	Structured Query Language	SQL	사람과 DBMS가 소통하기 위한 언어

▶ 확인문제

이번 절에서는 프로젝트 진행 단계, 데이터베이스 모델링, 데이터베이스 구성도 및 필수 용어에 대해서 살펴보았습니다. 확인문제를 통해서 배운 개념을 스스로 정리해보기 바랍니다.

1. 다음 각 설명이 의미하는 것을 관련 용어와 연결해보세요.

설명		용어
① 현실 세계를 컴퓨터 시스템으로 옮겨놓는 일련의 과정을 일컫습니다.	•	• 폭포수 모델
② 소프트웨어 개발 절차 중 하나로 폭포가 떨어지듯 각 단계가 진행됩니다.	•	• 프로젝트
③ 소프트웨어를 완성하는 절차를 연구하는 분야를 통틀어서 이렇게 부릅니다.	•	• 소프트웨어 공학

2. 다음은 폭포수 모델의 절차입니다. 차례대로 나열해보세요.

> 시스템 설계, 테스트, 프로그램 구현, 프로젝트 계획, 업무 분석, 유지보수

3. 다음은 무엇에 대한 설명인지 쓰세요.

> 우리가 살고 있는 세상에서 사용되는 작업이나 사물들을 DBMS의 데이터베이스 개체로 옮기기 위한 과정입니다. 또는 현실에서 쓰이는 것을 테이블로 변경하기 위한 작업입니다.

4. 다음 각 설명이 의미하는 것을 관련 용어와 연결해보세요.

① 회원이나 제품의 데이터를 입력하기 위해 표 형태로 표현한 것을 말합니다. 가로와 세로로 구성되어 있습니다. •	• DBMS
② 데이터베이스를 관리하는 시스템 또는 소프트웨어를 말합니다. •	• 행
③ 실질적인 진짜 데이터를 말합니다. 테이블의 가로에 해당합니다. •	• 테이블
④ 사람과 DBMS가 소통하기 위한 말(언어)입니다. •	• SQL

02-2 데이터베이스 시작부터 끝까지

핵심 키워드

스키마 데이터 형식 예약어 기본 키

이제는 본격적으로 SQL을 사용해서 데이터베이스를 다뤄볼 차례입니다. 아직은 데이터베이스에 익숙하지 않겠지만, 전반적인 데이터베이스의 흐름을 실습해봄으로써 재미를 느껴보는 기회가 될 것입니다.

시작하기 전에

데이터베이스는 데이터를 저장하는 공간입니다. MySQL을 설치한 후에는 가장 먼저 데이터베이스를 준비해야 합니다. 그리고 데이터베이스 안에 테이블을 생성해야 합니다.

테이블은 2차원의 표 형태로 이루어져 있으며, 각 열에 해당하는 데이터를 한 행씩 입력할 수 있습니다. 필요하다면 행에 입력된 데이터를 수정하거나 삭제할 수도 있습니다. 마지막으로 입력이 완료된 데이터를 조회해서 활용할 수 있습니다.

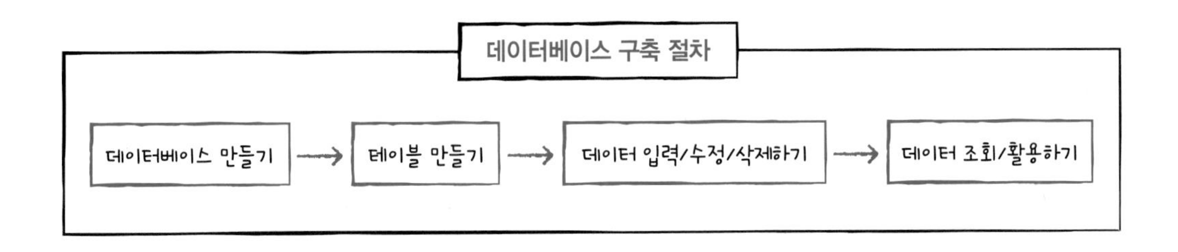

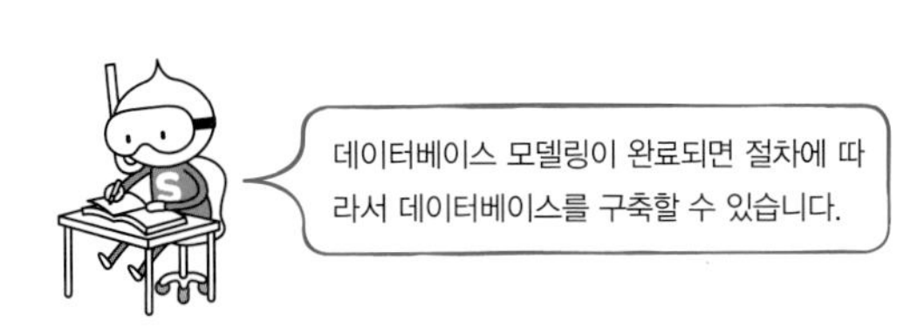

DBMS 설치하기

데이터베이스를 구축하기 위해서는 **DBMS**를 설치해야 합니다. 다행히 우리는 1장에서 DBMS의 한 종류인 **MySQL**을 설치해 놓았습니다. 60쪽 '데이터베이스 구성도' 그림처럼 DBMS까지 완료된 상태입니다. 물론 아직 DBMS 내부에 우리가 사용할 쇼핑몰 데이터베이스는 없는 상태입니다.

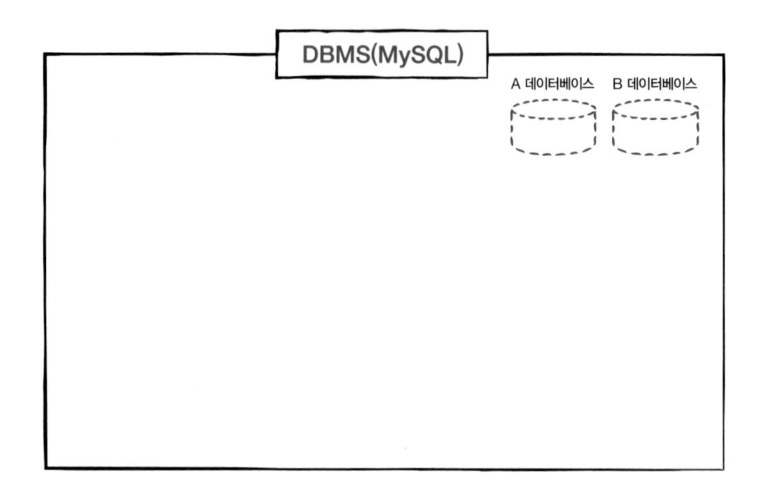

note 그림에 표현된 A, B 데이터베이스는 MySQL을 설치하면 기본적으로 들어 있는 데이터베이스를 표현한 것입니다. 좀 더 자세히 이야기하면 1장에서 SHOW DATABASES 명령으로 나왔던 sakila, sys, world 등입니다. 지금 사용할 것은 아니므로 신경 쓰지 않아도 됩니다.

데이터베이스 만들기

이제 DBMS 안에 **데이터베이스**를 만들 차례입니다. 이번 실습을 마치면 다음 그림과 같이 비어 있는 '쇼핑몰 데이터베이스'가 생성됩니다.

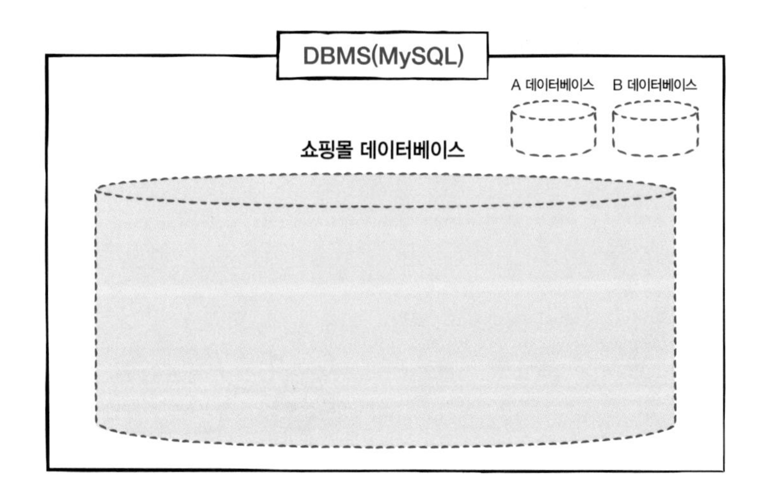

01 작업 표시줄의 MySQL Workbench(■) 아이콘을 클릭하고 MySQL Workbench 창의 [MySQL Connections]에서 'Local instance MySQL'을 클릭합니다. Connect to MySQL Server 창이 나타나면 [User]는 'root'로 지정되어 있고, [Password]에 1장에서 설정한 '0000'을 입력한 후 [OK] 버튼을 클릭합니다.

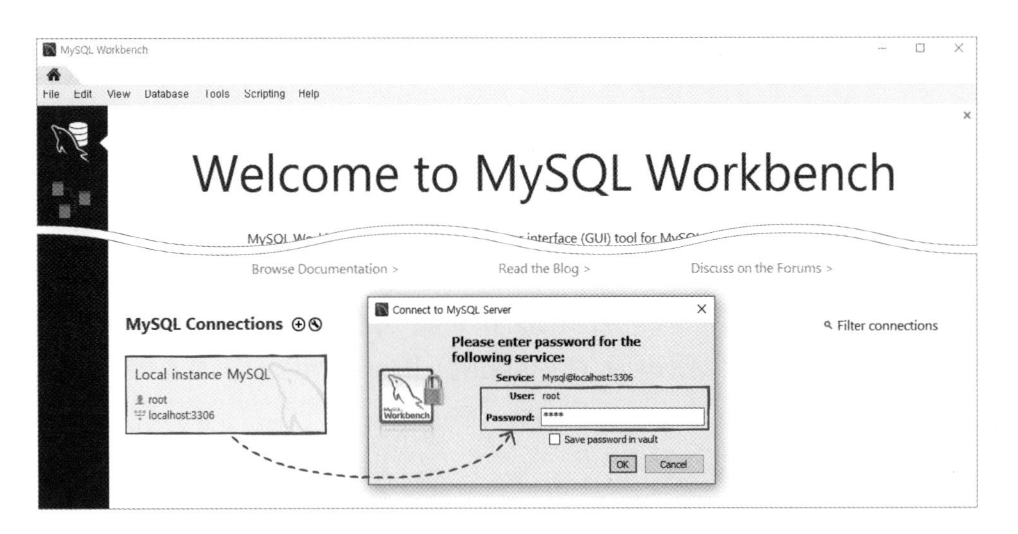

note 작업 표시줄에 MySQL Workbench 아이콘이 없다면 윈도우즈의 [시작] 버튼을 클릭하고 [MySQL] – [MySQL Workbench 8.0 CE]를 선택합니다.

02 좌측 하단에 [Administration]과 [Schemas]가 탭으로 구분되어 있습니다. [Schemas] 탭을 클릭하면 MySQL에 기본적으로 들어 있는 데이터베이스가 3개 보입니다. 지금은 그냥 무시하고 넘어가겠습니다.

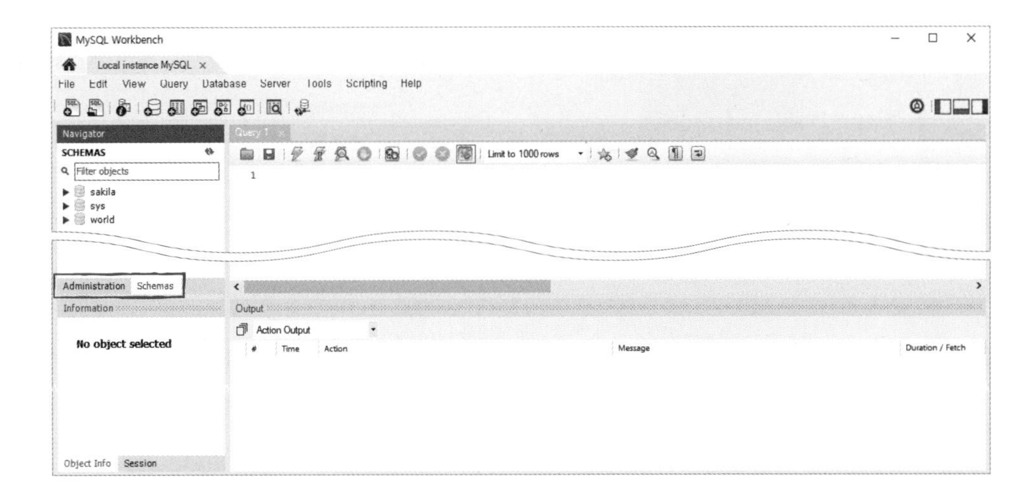

note 스키마(schema)와 데이터베이스는 동일한 용어입니다. 앞으로 스키마 용어가 나오면 그냥 데이터베이스라고 이해해도 됩니다.

03 [SCHEMAS] 패널의 빈 부분에서 마우스 오른쪽 버튼을 클릭한 후 [Create Schema]를 선택합니다.

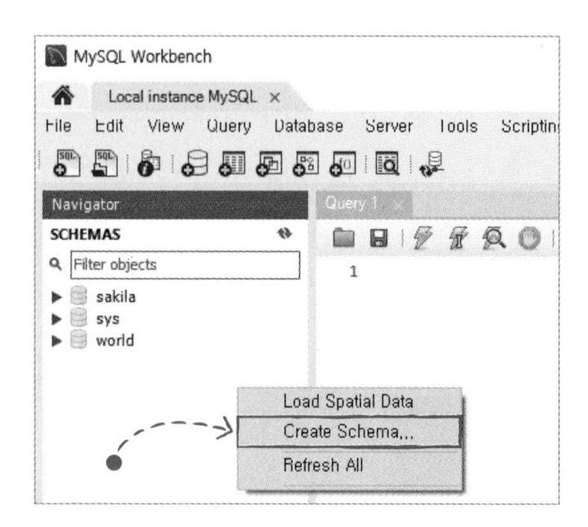

04 새로운 쿼리 창에서 [Name]에 쇼핑몰을 의미하는 'shop_db'를 입력하면 자동으로 탭 이름도 동일하게 변경됩니다. [Apply] 버튼을 클릭하면 Apply SQL Script to Database 창에 SQL 문이 자동으로 생성됩니다. 다시 [Apply]와 [Finish] 버튼을 클릭하면 좌측 [SCHEMAS] 패널의 목록에 'shop_db'가 추가됩니다.

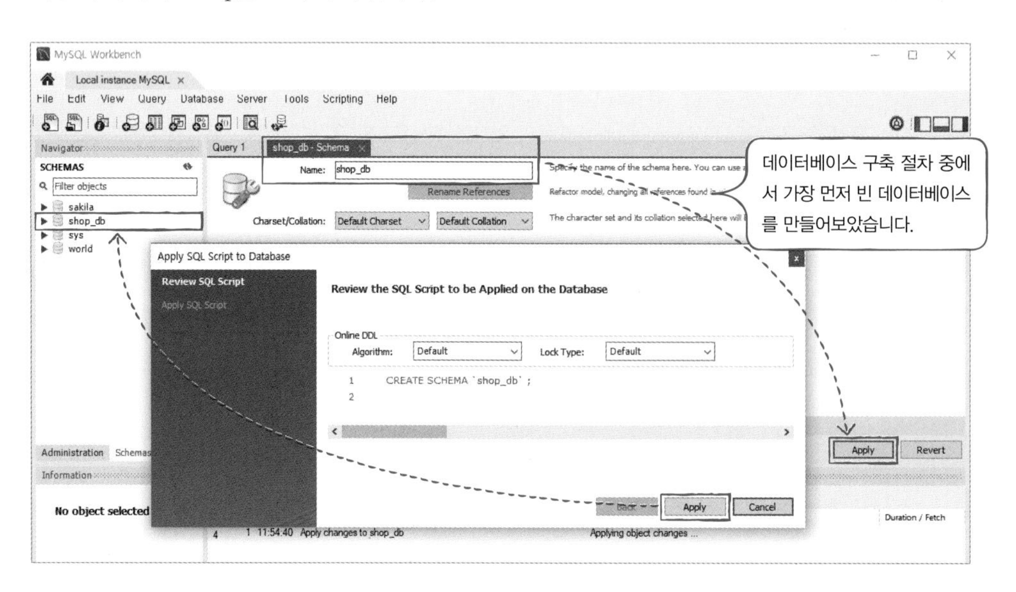

note 지금은 처음이라 메뉴를 통해 데이터베이스를 생성했습니다. 앞으로는 실무에서 사용하는 것처럼 CREATE DATABASE 'shop_db'와 같은 SQL 문을 사용할 것입니다.

05 탭을 닫기 위해 [File] – [Close Tab] 메뉴를 클릭하고 만약 Close SQL Tab 창이 나타나면 [Don't Save]를 선택합니다. 이렇게 해서 비어 있는 쇼핑몰 데이터베이스를 완성했습니다.

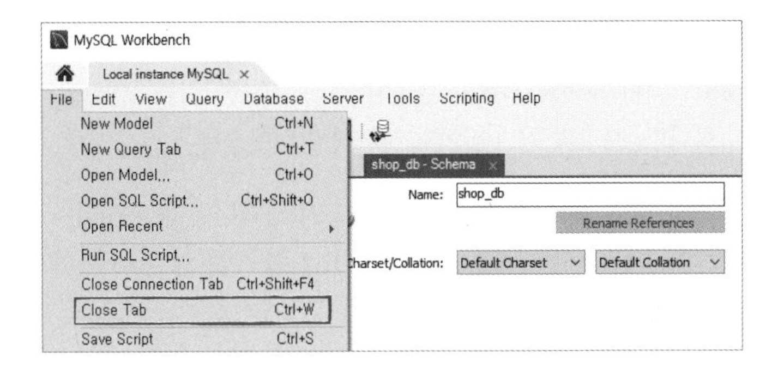

note 탭의 닫기(X) 버튼을 클릭해도 쿼리 창을 닫을 수 있습니다.

테이블 만들기

자! 이제는 **테이블**을 만들 차례입니다. 이번 실습에서 테이블을 만들면 다음 그림과 같이 데이터베이스 안에 2개의 테이블이 생성됩니다.

쇼핑몰 데이터베이스

PK **회원 테이블**

아이디	회원 이름	주소

PK **제품 테이블**

제품 이름	가격	제조일자	제조회사	남은 수량

note 그림을 간단하게 표현하기 위해서 쇼핑몰 데이터베이스 외에 나머지는 생략했고, 무한대의 빈 줄을 3~4개로 표현했습니다.

테이블 설계하기

건물을 짓기 전에 설계도를 그려야 한다고 이야기했었죠? 테이블을 생성하기 위해서도 설계가 필요합니다. 테이블을 설계한다는 것은 테이블의 **열 이름**과 **데이터 형식**을 지정하는 것입니다.

회원 테이블은 다음과 같이 설계를 완성했다고 가정하겠습니다.

열 이름(한글)	영문 이름	데이터 형식	최대 길이	널 허용 안 함(Not Null)
아이디(기본 키)	member_id	문자(CHAR)	8글자	Yes
회원 이름	member_name	문자(CHAR)	5글자	Yes
주소	member_addr	문자(CHAR)	20글자	No

회원 테이블은 아이디, 회원 이름, 주소 3개 열로 구성하고 각각의 영문 이름도 지정했습니다. 또한 데이터 형식은 모두 문자로 지정했습니다. 문자는 **CHAR**(Character의 약자)라는 MySQL 문법상 이미 약속된 **예약어**를 사용해야 합니다. 문자의 최대 길이도 적절히 지정했습니다.

널(Null)은 빈 것을 의미하며 **널 허용 안 함(Not Null, NN)**은 반드시 입력해야 한다는 의미입니다. 회원이라면 당연히 아이디와 이름은 있어야 하기 때문에 아이디 및 회원 이름 열은 꼭 입력하도록, 주소는 넣지 않아도 무방하도록 설계했습니다.

제품 테이블도 마찬가지 개념으로 다음과 같이 설계를 완성했다고 가정하겠습니다.

열 이름(한글)	영문 이름	데이터 형식	문자의 최대 길이	널 허용 안 함(Not Null)
제품 이름(기본 키)	product_name	문자(CHAR)	4글자	Yes
가격	cost	숫자(INT)		Yes
제조일자	make_date	날짜(DATE)		No
제조회사	company	문자(CHAR)	5글자	No
남은 수량	amount	숫자(INT)		Yes

note 열 이름을 영문으로 만들 때 띄어쓰기는 하지 않는 것이 좋습니다. 띄어쓰기를 할 경우에는 열 이름을 큰따옴표(")로 묶어줘야 해서 불편합니다. 그래서 보통은 언더 바(_)로 구분하는데, 예로 회원 아이디의 의미를 명확하게 전달하기 위해 member_id로 설정했습니다.

회원 테이블과 차이점이 있다면 INT가 새롭게 등장했습니다. **INT**는 Integer의 약자로 소수점이 없는 정수를 의미합니다. **DATE**는 연, 월, 일을 입력합니다.

테이블 생성하기

테이블을 생성하는 것도 MySQL 워크벤치에서 진행하면 됩니다.

01 MySQL Workbench 창의 [SCHEMAS] 패널에서 'shop_db'의 ▶를 클릭해 확장하고 [Tables]를 마우스 오른쪽 버튼으로 클릭한 후 [Create Table]을 선택합니다.

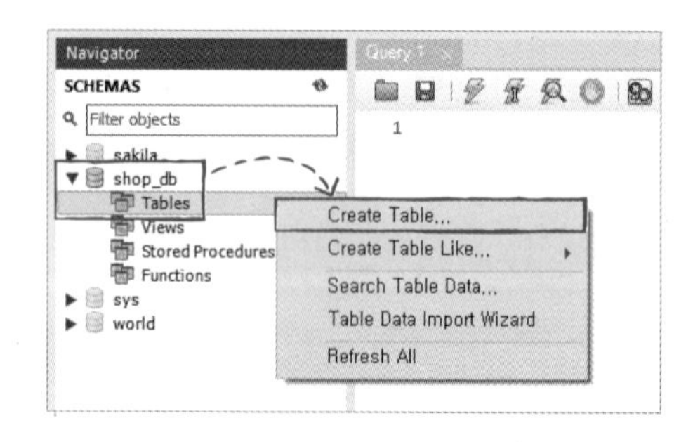

02 우선 앞에서 설계한 회원 테이블의 내용을 입력합니다. [Table Name(테이블 이름)]에 'member'를 입력하고, [Column Name(열 이름)]의 첫 번째 항목을 더블 클릭합니다.

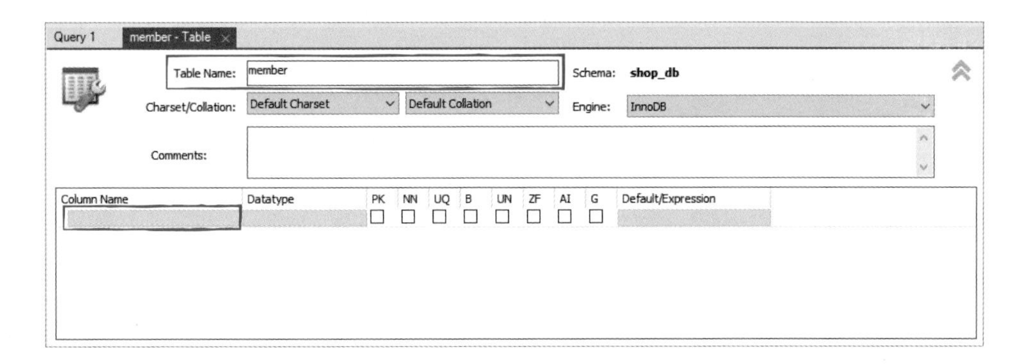

note 테이블 이름, 열 이름은 모두 소문자로 입력하세요. 대문자로 입력해도 실제로는 모두 소문자로 변경되어서 적용됩니다.

03 첫 번째 [Column Name(열 이름)]은 'member_id'로 입력하고 [Datatype(데이터 형식)]은 문자 8글자이므로 'CHAR(8)'이라고 입력합니다. 그리고 설계할 때 아이디(member_id) 열을 기본 키로 설정하기로 했으므로 [PK(기본 키)]와 [NN(Not Null)]을 체크합니다.

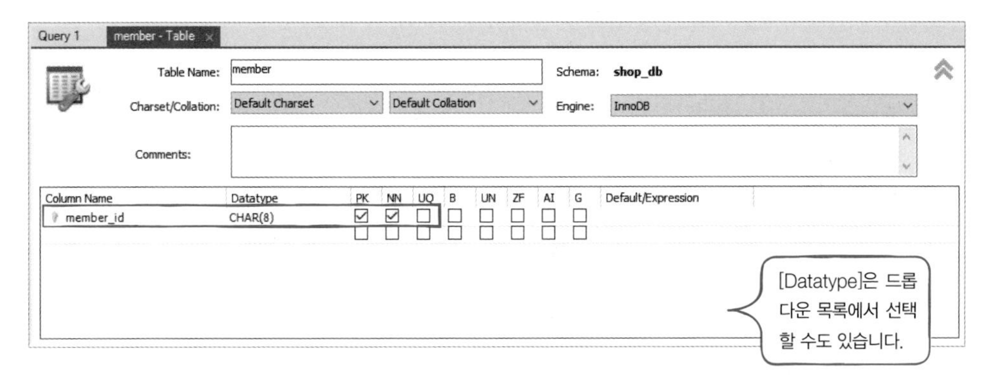

note 만약 열을 잘못 설정했다면 해당 열을 선택한 후에 마우스 오른쪽 버튼을 클릭하고 [Delete Selected]를 선택하여 열 정보를 삭제할 수 있습니다.

+ 여기서 잠깐 MySQL 워크벤치 화면 조절

MySQL 워크벤치의 화면을 최대한 크게 작업하는 것이 좋습니다. 필요에 따라 툴바 우측에 위치한 네모 모양 아이콘을 이용하여 좌측, 우측, 하단 패널을 활성화/비활성화시킬 수 있습니다. 보통 SQL Additions(▣)나 Output(▣) 아이콘을 클릭하여 [SQL Additions] 패널이나 [Output] 패널을 숨긴 채 사용합니다.

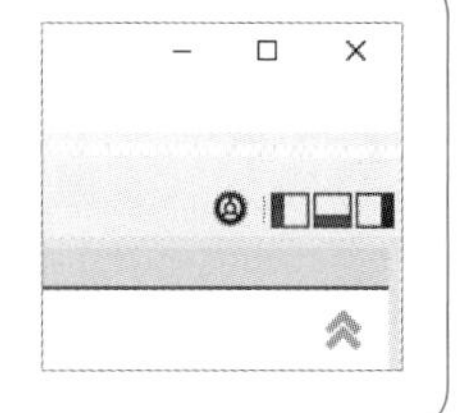

04 이어서 아래 빈 줄을 더블 클릭해서 표에서 계획한 대로 회원 이름(member_name, CHAR(5))과 주소(member_addr, CHAR(20))를 추가합니다. [NN]은 member_name만 체크하면 됩니다. 최종적으로 다음과 같이 완성한 후 우측 하단에서 [Apply] 버튼을 클릭합니다.

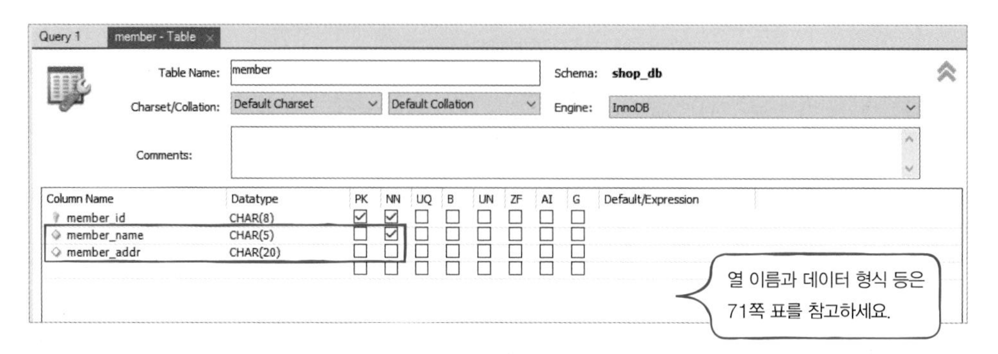

note 테이블을 만들 때는 [Table Name]과 테이블의 모든 [Column Name], [Datatype]을 지정해야 합니다. 필요하다면 추가로 [PK] 및 [NN]도 지정합니다.

05 Apply SQL Script to Database 창이 나타나고 자동으로 생성된 SQL 문이 보입니다. [Apply]와 [Finish] 버튼을 클릭해서 테이블 만들기를 완료합니다. [File] – [Close Tab] 메뉴를 선택해서 테이블 생성 창을 닫습니다.

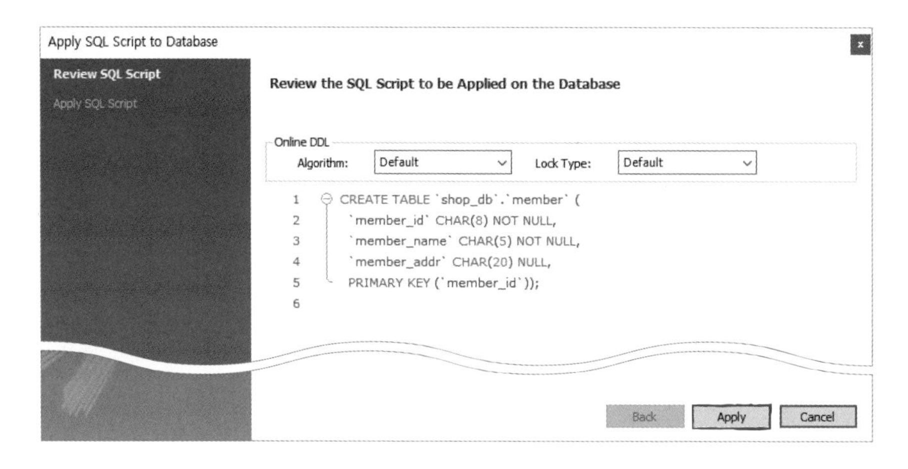

note 지금은 처음이라서 자동으로 완성된 SQL을 사용하지만, 3장부터는 직접 SQL을 입력해서 작업합니다.

06 이번에는 여러분이 스스로 01~05를 반복해서 제품 테이블을 만들어봅시다. 제품 테이블은 다음과 같이 구성합니다.

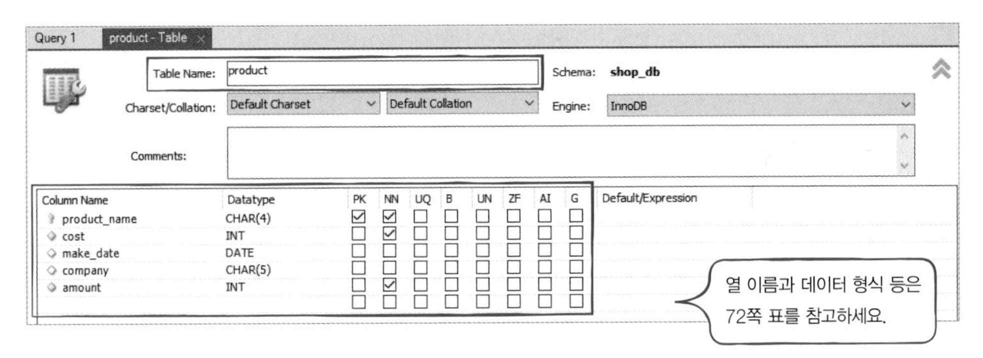

note 다음 칸으로 이동은 Tab 키를 사용하면 편리합니다.

07 2개의 테이블을 만들어보았습니다. [SCHEMAS] 패널에서 [shop_db] – [Tables]를 확장하면 회원 테이블(member)과 제품 테이블(product)을 확인할 수 있습니다.

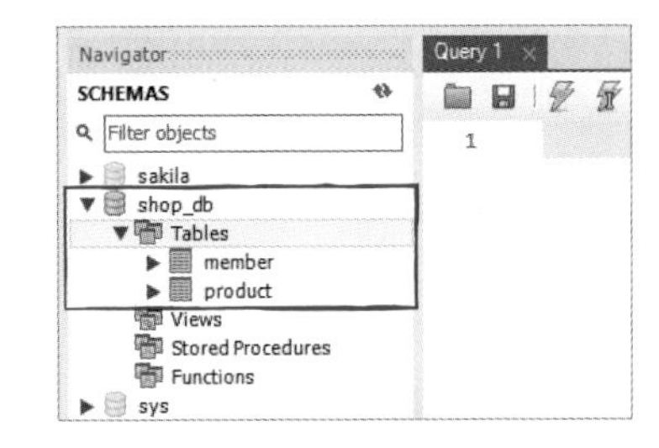

데이터 입력하기

테이블 구성까지 완료했습니다. 이제는 실제로 데이터를 입력할 차례입니다. 데이터는 행(가로) 단위로 입력합니다. 회원 테이블에는 4건, 제품 테이블에는 3건의 데이터를 입력하겠습니다. 입력된 결과는 다음 그림과 같습니다.

쇼핑몰 데이터베이스

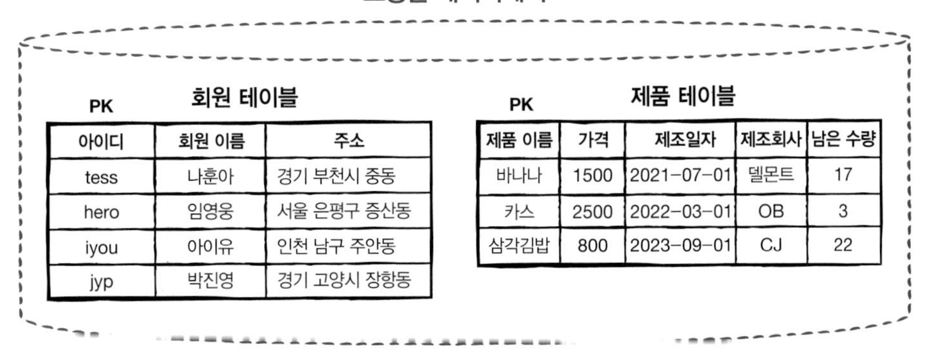

회원 테이블 (PK: 아이디)

아이디	회원 이름	주소
tess	나훈아	경기 부천시 중동
hero	임영웅	서울 은평구 증산동
iyou	아이유	인천 남구 주안동
jyp	박진영	경기 고양시 장항동

제품 테이블 (PK: 제품 이름)

제품 이름	가격	제조일자	제조회사	남은 수량
바나나	1500	2021-07-01	델몬트	17
카스	2500	2022-03-01	OB	3
삼각김밥	800	2023-09-01	CJ	22

지금은 실습이라서 회원이 4명뿐이라고 가정하고 4건의 데이터만 입력합니다. 실무에서는 회원이 수십만, 수백만 명이 될 수도 있습니다.

01 MySQL Workbench 창의 [SCHEMAS] 패널에서 [shop_db] – [Tables] – [member]를 선택하고 마우스 오른쪽 버튼을 클릭한 후 [Select Rows – Limits 1000]을 선택합니다.

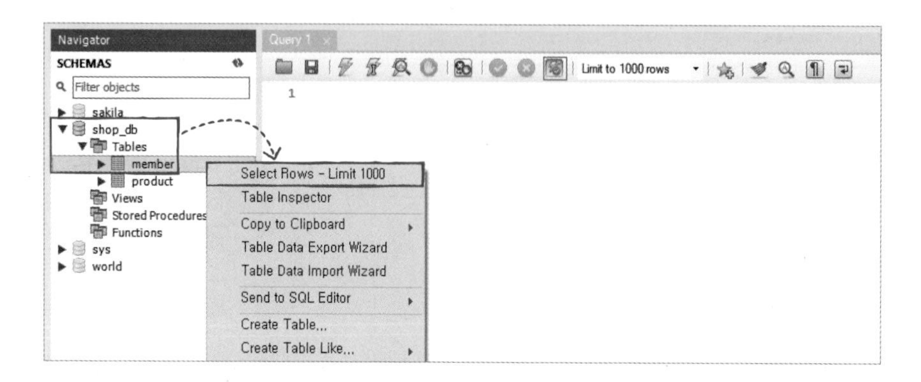

02 MySQL Workbench 창의 중앙에 [Result Grid] 창이 나타납니다. 아직은 모두 NULL로 표시되어 있습니다. 즉, 데이터가 한 건도 없는 상태입니다.

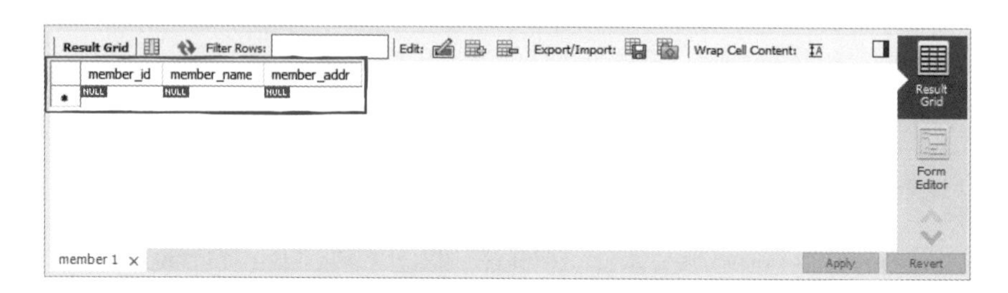

03 [member_id], [member_name], [member_addr] 항목의 'NULL' 부분을 클릭해서 다음과 같이 데이터를 입력합니다. 우측 하단에서 [Apply] 버튼을 클릭하면 입력한 내용이 SQL로 생성됩니다.

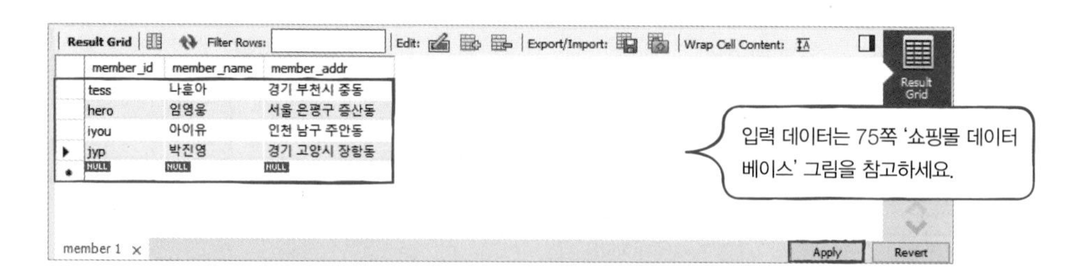

note 데이터는 행(가로) 단위로 입력합니다. 하나의 행이 하나의 데이터 건수입니다.

04 Apply SQL Script to Database 창에서 [Apply]와 [Finish] 버튼을 클릭하면 데이터가 입력됩니다.

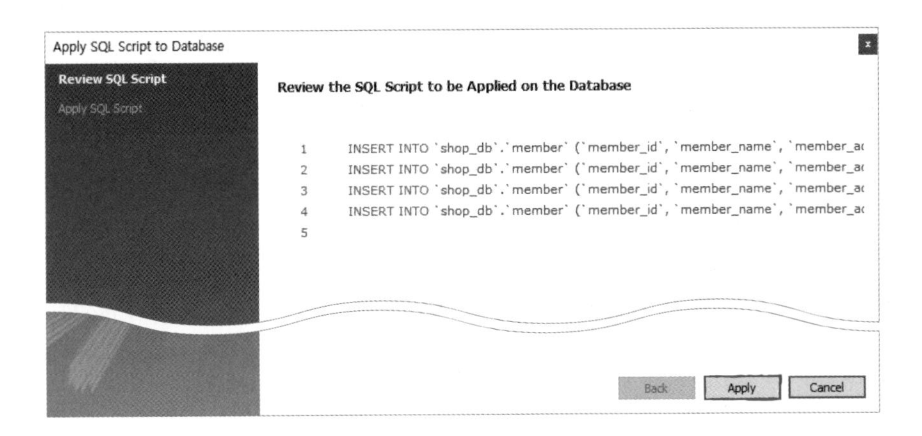

note 데이터를 입력하는 SQL은 INSERT 문입니다. 3장에서 자세히 학습합니다.

05 입력된 결과가 확인됩니다. [File] – [Close Tab] 메뉴를 클릭해서 데이터 입력 창을 닫습니다.

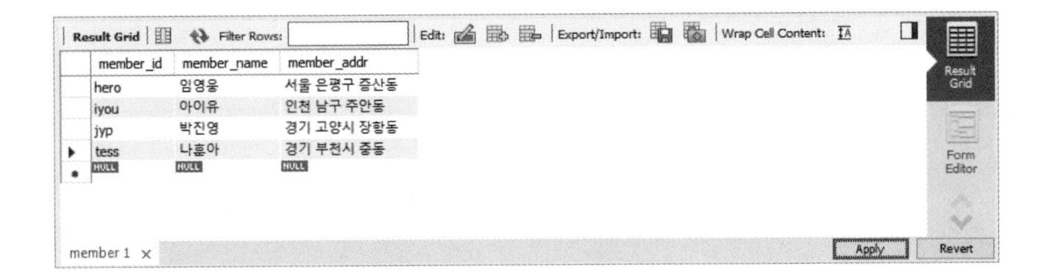

+ 여기서 잠깐 **기본 키 열로 자동 정렬**

눈치가 빠른 독자는 05번의 결과가 입력한 순서와 달라진 것을 알아챘을 겁니다. 자세히 보면 아이디(member_id) 열의 알파벳 순서로 정렬되어 있는 것을 확인할 수 있습니다. 이유는 member_id를 기본 키로 설정했기 때문입니다. 즉, **기본 키**로 설정한 열이 기준이 되어 오름차순으로 **자동 정렬**됩니다.

자동 정렬은 6장 인덱스에서 상세히 다루도록 하겠습니다.

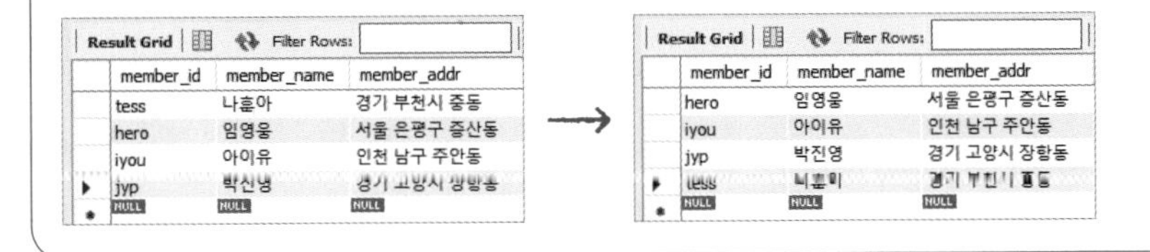

06 01~05와 같은 방법으로 제품 테이블(product)에 데이터를 3건 추가합니다. 이것도 여러분이 직접 입력해보세요. 입력된 최종 결과는 다음과 같습니다.

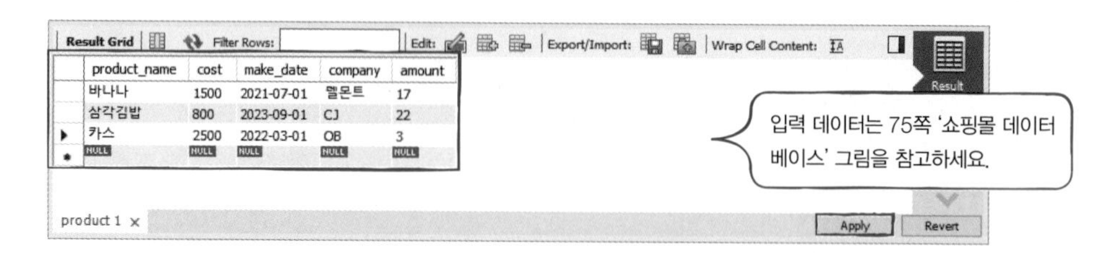

07 이번에는 수정, 삭제를 진행하기 위해 먼저 데이터를 추가해보겠습니다. 다시 [SCHEMAS] 패널의 회원 테이블(member)에서 마우스 오른쪽 버튼을 클릭하고 [Select Rows – Limits 1000]을 선택합니다. 연습용 데이터를 1건 입력한 후 [Apply] 버튼을 연속 2회 클릭하고, [Finish] 버튼을 클릭해서 입력 데이터를 적용합니다.

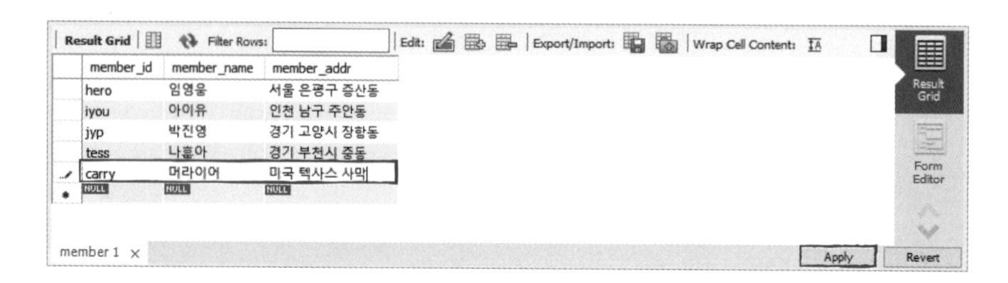

08 조금 전에 입력한 데이터 내용을 수정해보겠습니다. 수정할 데이터를 클릭하고 변경하면 됩니다. 여기서는 주소를 변경했습니다. 변경한 후에는 다시 [Apply] 버튼을 클릭해야 합니다.

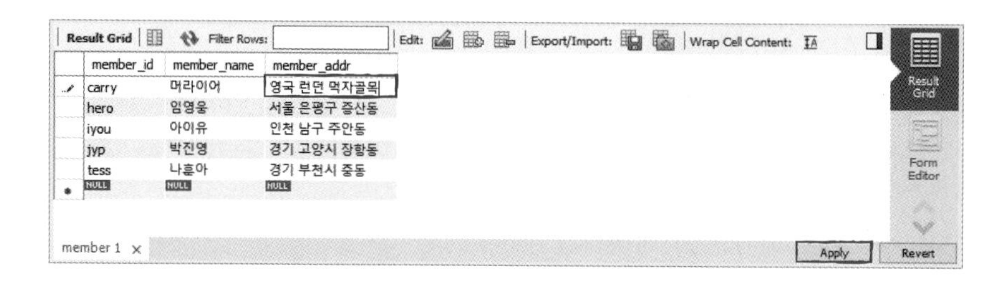

09 역시 SQL이 자동으로 생성됩니다. 이번에는 수정이기 때문에 UPDATE 문이 생성된 것을 확인할 수 있습니다. [Apply]와 [Finish] 버튼을 클릭해서 수정한 내용을 적용합니다.

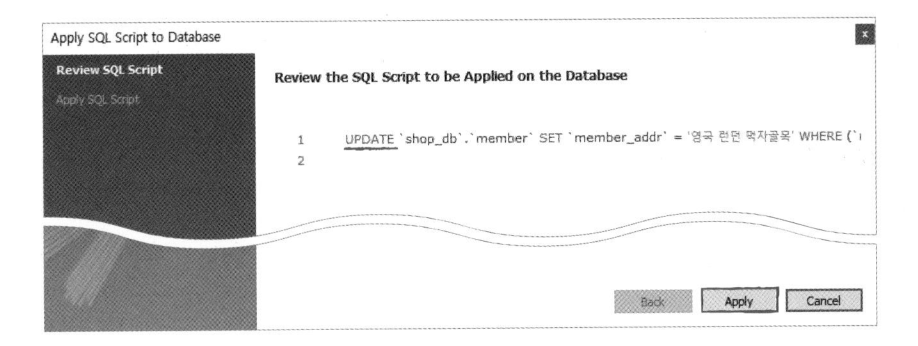

note 데이터를 수정하는 SQL은 UPDATE 문입니다. 역시 3장에서 자세히 알아보겠습니다.

10 이번에는 데이터를 삭제해보겠습니다. 삭제하고자 하는 행의 제일 앞 부분을 클릭하면 행이 파란색으로 선택됩니다. 그 상태에서 마우스 오른쪽 버튼을 클릭하고 [Delete Row]를 선택합니다. 삭제한 후에도 역시 [Apply] 버튼을 클릭해야 합니다.

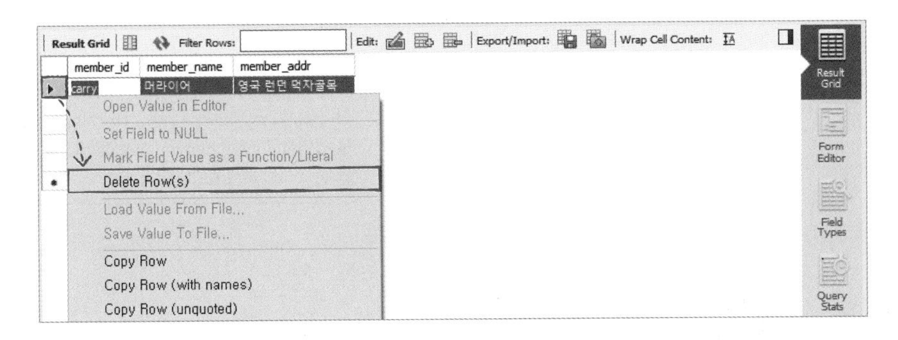

11 SQL이 자동으로 생성됩니다. 이번에는 삭제이기 때문에 DELETE 문이 생성된 것을 확인할 수 있습니다. [Apply]와 [Finish] 버튼을 클릭해서 수정한 내용을 적용합니다.

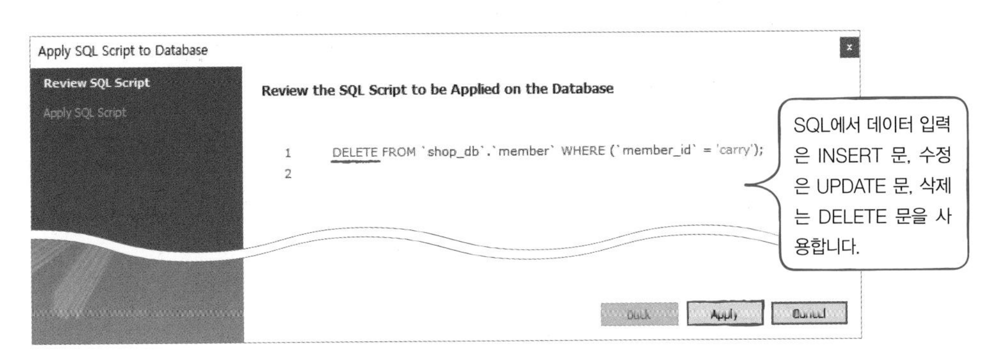

note 데이터를 삭제하는 SQL은 DELETE 문입니다. 역시 3장에서 자세히 알아보겠습니다.

데이터 활용하기

데이터까지 입력하여 데이터베이스 구축을 완료했습니다. 이번에는 데이터베이스를 활용하는 방법을 살펴보겠습니다. SQL에서는 데이터베이스를 활용하기 위해 주로 SELECT 문을 사용하며, 이 책에서도 SELECT 문을 활용하는 내용이 가장 많은 비중을 차지합니다. 직접 SQL을 입력해서 데이터를 조회해봅시다.

01 쿼리 창이 열려 있지 않은 상태에서 새 SQL을 입력하기 위해 툴바의 Create a new SQL tab for executing queries( ) 아이콘을 클릭합니다. 실행된 결과를 보기 위해 Output( ) 아이콘을 클릭하여 [Output] 패널도 활성화합니다.

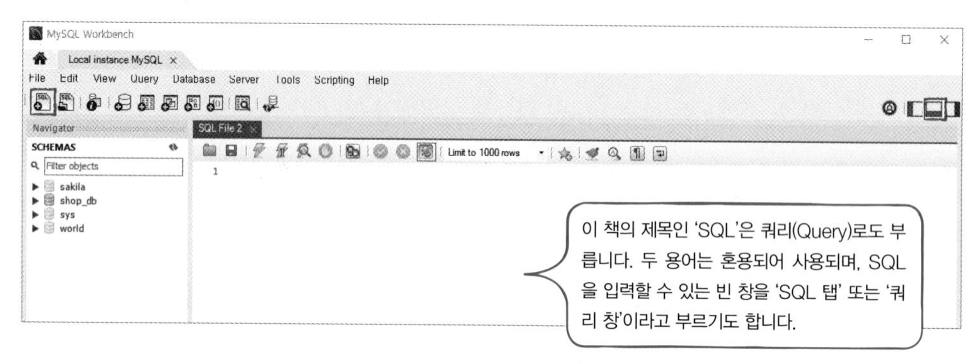

note MySQL Workbench의 [File] – [New Query Tab] 메뉴를 선택해도 새로운 쿼리 창을 열 수 있습니다.

02 작업할 데이터베이스를 선택하기 위해 [SCHEMAS] 패널의 'shop_db'를 더블 클릭합니다. 진하게 변경되면 앞으로 쿼리 창에 입력할 SQL이 선택된 shop_db에 적용된다는 의미입니다. 처음 MySQL을 사용할 때 자주 빼먹는 부분이므로 주의하도록 합니다.

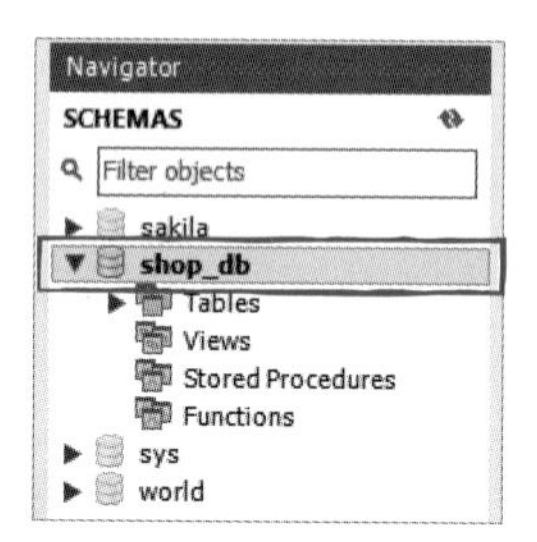

03 먼저 회원 테이블의 모든 행을 조회하기 위해 다음 SQL을 입력합니다. SELECT의 기본 형식은 **SELECT 열_이름 FROM 테이블_이름 [WHERE 조건]**이고, *는 모든 열을 의미합니다. 따라서 '회원 테이블의 모든 열을 보여줘'라는 의미입니다. 툴바에서 Execute the selected portion of the script or everything( ) 아이콘을 클릭하면 [Result Grid] 창에는 결과가, [Output] 패널에는 현재 결과의 건수와 조회하는 데 소요된 시간(초)이 표시됩니다.

```
SELECT * FROM member;
```

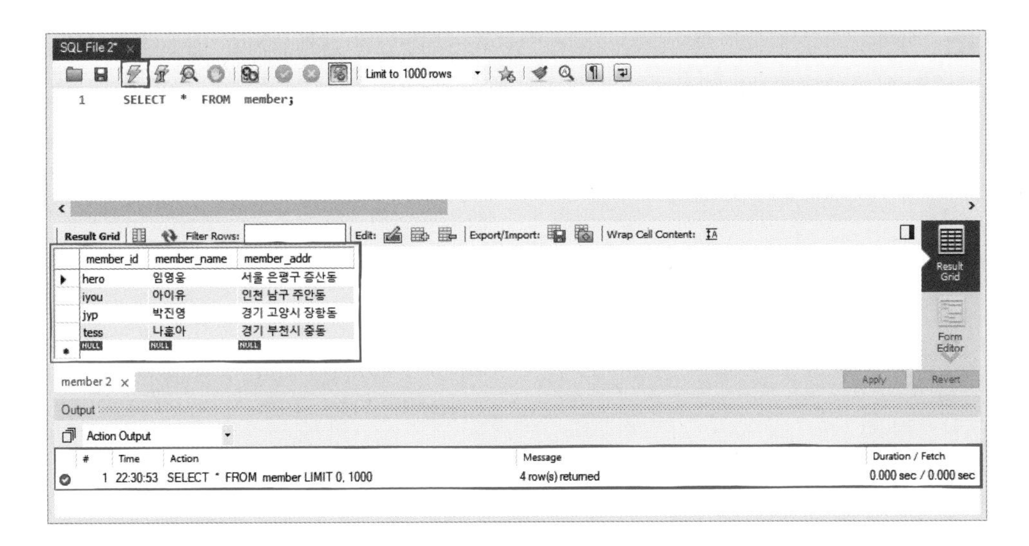

note [Query] – [Execute (All or Selection)] 메뉴를 선택하거나 Ctrl+Shift+Enter 키를 눌러도 SQL을 실행할 수 있습니다.

✚ 여기서 잠깐 SQL의 대소문자

SQL은 대소문자를 구분하지 않습니다. 하지만 이 책에서는 여러분이 구분하기 쉽도록 SQL의 예약어는 대문자로 표시하겠습니다. SQL의 제일 뒤에는 **세미콜론(;)**이 꼭 있어야 된다고 기억하세요. 가끔 없어도 되는 경우도 있지만 그걸 모두 기억하는 것보다 있어야 한다고 생각하는 게 더 편합니다.

04 회원 테이블 중에 이름과 주소만 출력해보겠습니다. 기존 SQL을 지우고 다음과 같이 새로 입력한 후 실행합니다. 열 이름 부분에 회원 이름(member_name)과 주소(member_addr)만 나왔습니다. 이렇게 여러 개의 열 이름을 콤마(,)로 분리하면 필요한 열만 추출됩니다.

```
SELECT member_name, member_addr FROM member;
```

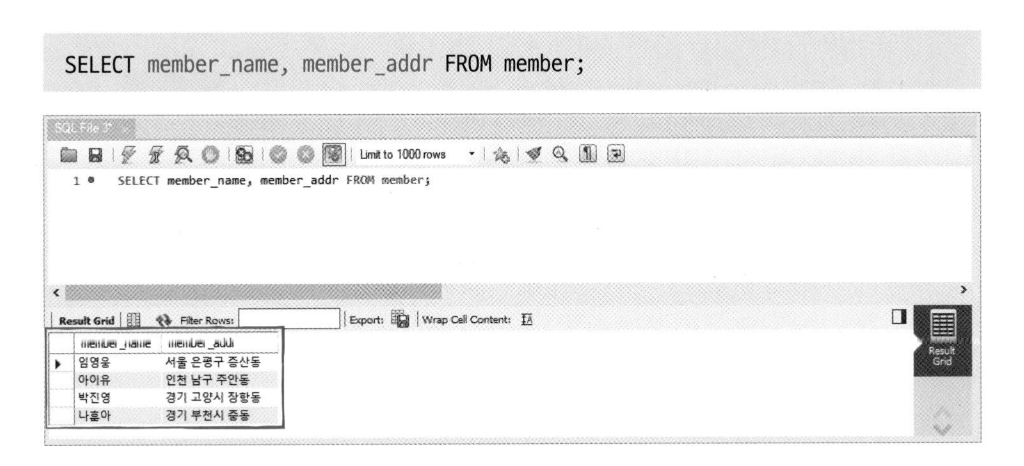

note SELECT 문에 대해서는 3장부터 자세히 다룹니다.

05 아이유 회원에 대한 정보만 추출해보겠습니다. 이번에는 앞의 SQL을 지우지 말고 다음 줄에 이어서 다음과 같이 입력한 후 실행합니다. **WHERE** 다음에 특정 조건을 입력하여 회원 이름(member_name)이 '아이유'인 회원만 출력되도록 한 것입니다. 그런데 [Result Grid] 창의 아래쪽 탭을 살펴보면 2개의 SQL이 모두 실행된 것을 확인할 수 있습니다.

```
SELECT * FROM member WHERE member_name = '아이유' ;
```

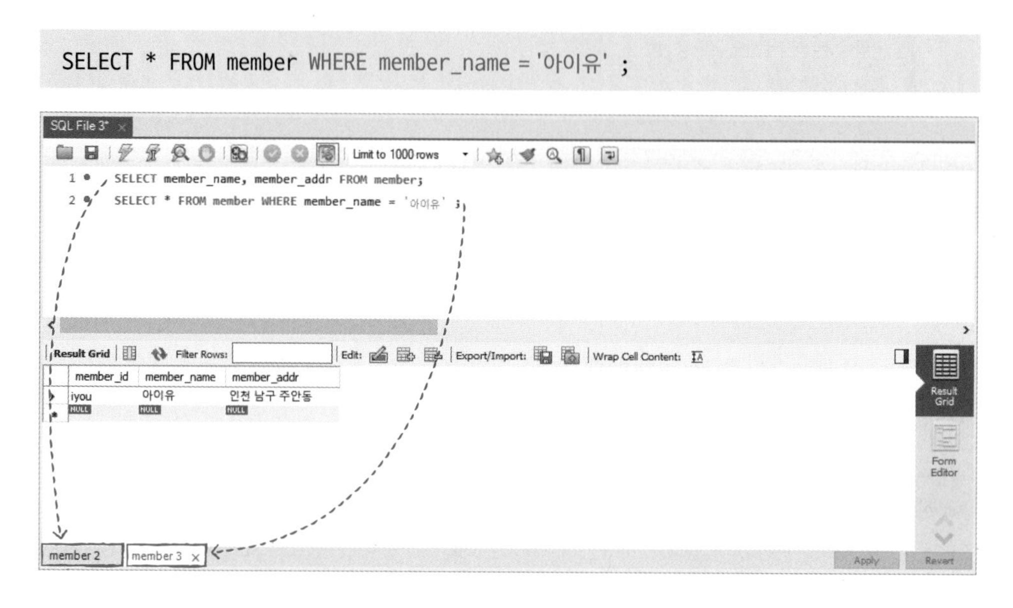

note 2개의 SQL 결과가 모두 나온 것은 SQL을 실행할 때 쿼리 창에 있는 모든 SQL을 수행하기 때문입니다. 지금은 SELECT만 있고 두 줄뿐이므로 큰 문제가 없지만, 향후에 여러 개의 SQL을 사용할 때 주의해야 합니다.

✚ 여기서 잠깐 SQL 예약어와 자동 완성

쿼리 창에서 SQL을 입력하면 예약어는 자동으로 파란색으로 표시됩니다. 예제로 사용한 **SELECT**, **FROM**은 이미 SQL에서 약속된 예약어이므로 파란색으로 표시되는 것입니다.

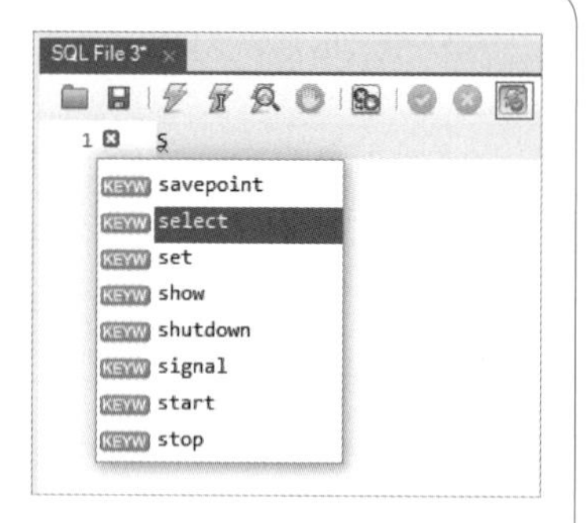

또한 MySQL 워크벤치는 IntelliSense 또는 AutoComplete 기능을 기능을 제공하는데, 이는 글자의 일부만 입력해도 그와 관련되는 글자들이 미리 제시되는 것을 말합니다. 다음 그림과 같이 's'만 입력해도 'select' 등이 표현됩니다. 이 상태에서 → 키와 Tab 키를 누르면 자동으로 완성됩니다. 잘 활용하면 입력도 빨라지고 오타도 많이 줄어드는 장점이 있습니다.

자동 완성 기능을 사용하려면 MySQL 워크벤치의 [Edit] – [Preferences] 메뉴에서 [SQL Editor] – [Query Editor]의 'Automatically Start Code Completion'이 체크되어 있어야 합니다. 기본은 체크되어 있습니다.

06 05번과 같은 경우를 방지하기 위해서 1개의 SQL만 남기고 모두 지우는 방법도 있지만, 더 편리한 방법은 필요한 부분만 마우스로 드래그해서 선택한 후에 실행하는 것입니다. 두 번째 SQL만 선택하고 실행해봅시다. 마우스로 선택된 부분만 실행되기 때문에 하나의 결과 탭만 생성되었습니다. 앞으로는 이 방법을 사용하겠습니다.

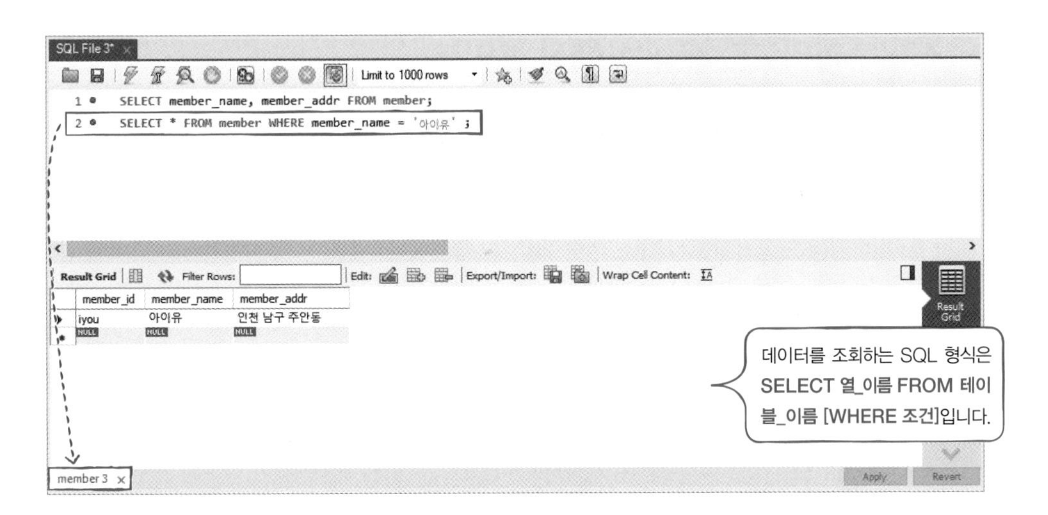

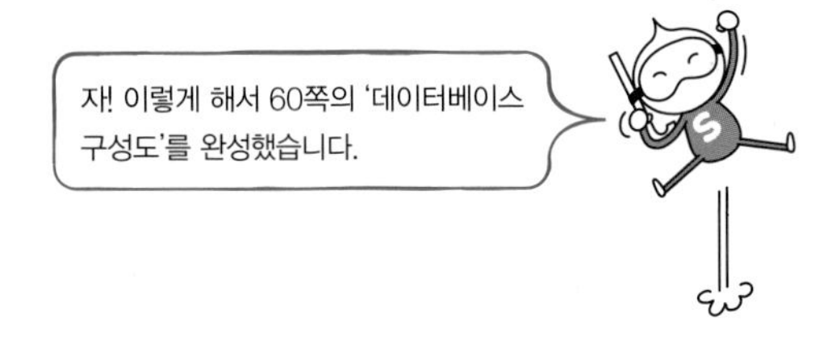

마무리

▶ 4가지 키워드로 끝내는 핵심 포인트

- **스키마**는 MySQL 안의 데이터베이스를 말합니다. 데이터베이스와 동일한 용어라고 생각하면 됩니다.
- **데이터 형식**은 문자형(CHAR), 정수형(INT) 등과 같이 열에 저장될 데이터의 형식을 말합니다.
- **예약어**는 SELECT, FROM, WHERE와 같은 기존에 약속된 SQL입니다.
- **기본 키**는 열에 지정하며, 각 행을 구분하는 유일한 값입니다.

▶ 표로 정리하는 핵심 포인트

관련 중요 용어

한글 용어	영문 용어	약자	설명
스키마	Schema		데이터베이스와 동일한 용어
문자형	Character	CHAR	문자를 입력할 데이터 형식
정수형	Integer	INT	정수를 입력할 데이터 형식
널	Null		비어 있는 값
널 허용 안함	Not Null	NN	빈 값을 허용하지 않음
자동 정렬			기본 키로 설정한 열로 자동 정렬됨
입력	INSERT		데이터를 입력하는 SQL
수정	UPDATE		데이터를 수정하는 SQL
삭제	DELETE		데이터를 삭제하는 SQL
조회	SELECT		데이터를 조회하는 SQL
조건	WHERE		SELECT 문에서 특정 조건을 조회할 때 사용하는 구문
예약어			기존에 약속된 SQL. SELECT, FROM, WHERE 등
세미콜론(;)			SQL의 끝을 표시하는 기호
인텔리센스	IntelliSense		SQL의 글자가 미리 제시되는 워크벤치의 기능

▶ 확인문제

이번 절에서는 데이터베이스를 구축하는 전반적인 절차에 대해서 살펴봤습니다. 확인문제를 통해 배운 개념을 스스로 정리해보기 바랍니다.

1. 다음은 데이터베이스 구축 절차입니다. 차례대로 나열해보세요.

> 테이블 만들기, 데이터 조회하기, 데이터 입력하기, 데이터베이스 만들기

2. 다음 중에서 빈칸에 들어갈 내용으로 알맞은 것을 고르세요.

> 데이터베이스는 테이블을 저장하는 공간으로 ______ 라고도 부릅니다.

① 테이블
② 열 이름
③ 데이터 형식
④ 스키마
⑤ 기본 키

3. 데이터베이스는 MySQL 워크벤치 메뉴를 이용하거나, SQL 문을 통해 구축할 수 있습니다. 다음 각 설명이 의미하는 것을 관련 용어와 연결해보세요.

① 데이터를 수정할 때 사용 •	• CREATE
② 데이터를 조회할 때 사용 •	• UPDATE
③ 테이블이나 데이터베이스를 만들 때 사용 •	• DELETE
④ 데이터를 삭제할 때 사용 •	• SELECT

4. 다음 각 설명이 의미하는 것을 관련 용어와 연결해보세요.

① 데이터 형식 중에서 소수점이 없는 정수형 •	• CHAR
② 비어 있는 값을 허용하지 않음 •	• INT
③ 데이터 형식 중에서 문자형 •	• DATE
④ 데이터 형식 중에서 날짜형 •	• NOT NULL

5. 다음 SELECT 문에 대한 설명으로 알맞은 것을 고르세요.

```
SELECT * FROM 테이블_이름 WHERE 열_이름 = '값' ;
```

① 특정 값에 해당하는 행만 조회
② 특정 값에 해당하는 열만 조회
③ 모든 행의 모든 열을 조회
④ 모든 행의 특정 열만 조회

02-3 데이터베이스 개체

핵심 키워드

인덱스 뷰 스토어드 프로시저

이번 절에서는 5장~7장에서 다루는 데이터베이스 개체, 즉 테이블을 제외한 인덱스, 뷰, 스토어드 프로시저 등에 대해 간단히 알아보겠습니다. 실무에서는 테이블뿐 아니라 데이터베이스 개체를 함께 활용해서 데이터베이스를 운영합니다.

시작하기 전에

테이블은 데이터베이스의 핵심 개체입니다. 하지만 데이터베이스에서는 테이블 외에 **인덱스**, **뷰**, **스토어드 프로시저**, 트리거, 함수, 커서 등의 개체도 필요합니다.

인덱스는 데이터를 조회할 때 결과가 나오는 속도를 획기적으로 빠르게 해주고, 뷰는 테이블의 일부를 제한적으로 표현할 때 주로 사용합니다. 스토어드 프로시저는 SQL에서 프로그래밍이 가능하도록 해주고, 트리거는 잘못된 데이터가 들어가는 것을 미연에 방지하는 기능을 합니다.

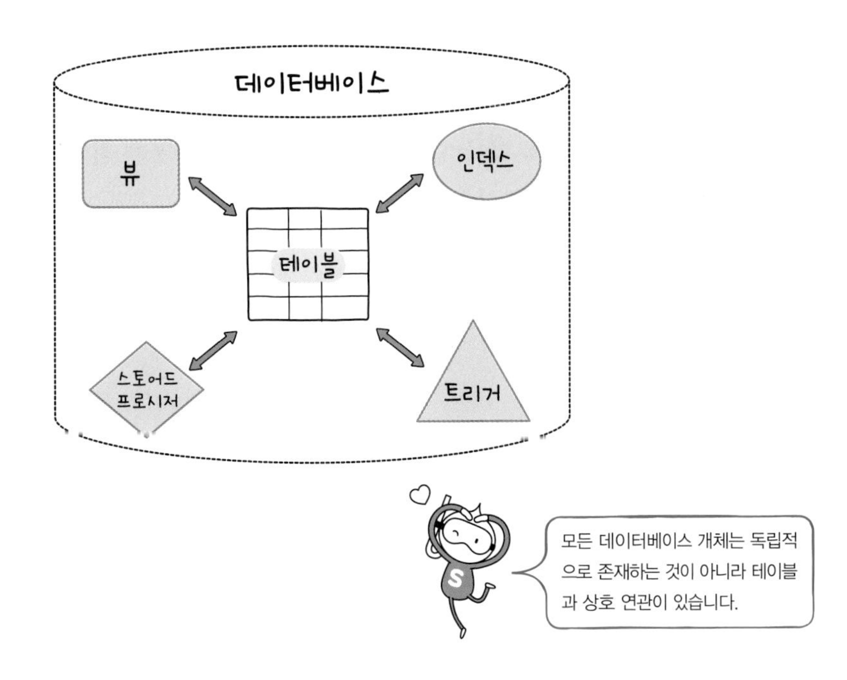

인덱스

데이터를 조회할 때 테이블에 데이터가 적다면 결과가 금방 나오지만 데이터가 많아질수록 결과가 나오는 시간이 많이 소요됩니다. 인덱스는 이런 경우 결과가 나오는 시간을 대폭 줄여줍니다.

인덱스 개념 이해하기

인덱스index란 책의 제일 뒤에 수록되는 '찾아보기'와 비슷한 개념입니다. 책의 내용 중에서 특정 단어를 찾고자 할 때, 책의 처음부터 마지막까지 한 페이지씩 전부 찾아보는 것은 상당히 시간이 오래 걸립니다. 그래서 찾아보기를 통해 먼저 해당 단어를 찾고 바로 옆에 적혀 있는 페이지로 이동하는 효율적인 방법을 사용하는 것입니다.

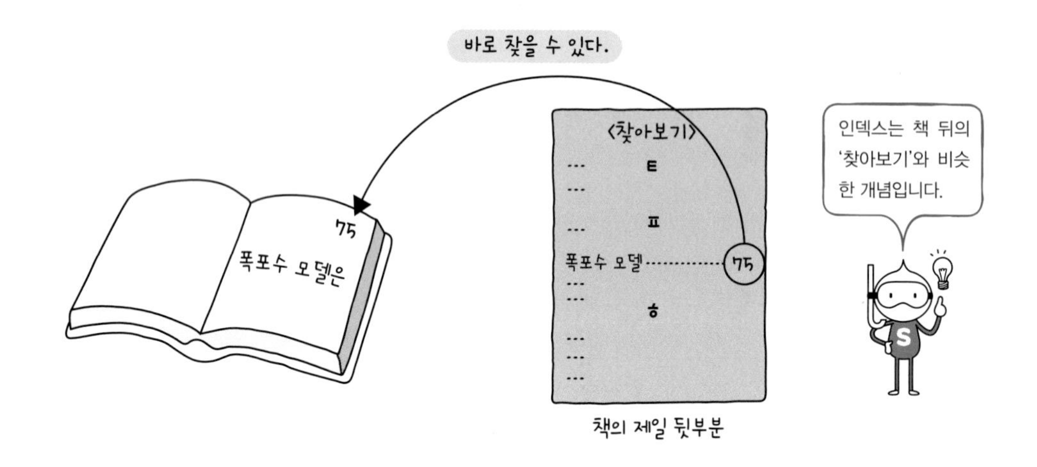

지금 우리가 실습하는 데이터들은 양이 많지 않기 때문에 인덱스의 필요성을 느끼지 못할 수도 있습니다. 하지만 실무에서 많게는 수천만~수억 건 이상의 데이터를 처리할 때 인덱스 없이 전체 데이터를 찾아본다는 것은 상상조차 할 수 없는 일입니다. 실제로 인덱스를 잘 활용하지 못해 시스템의 성능이 전체적으로 느려지는 일이 흔하게 발생합니다.

note 지금은 인덱스가 무엇인지 개념 위주로 파악하고, 6장에서 상세히 배워보겠습니다.

인덱스 실습하기

실습을 통해서 인덱스를 익혀보죠.

01 MySQL Workbench를 실행하여 'root/0000'으로 접속하고 [File] – [Close Tab] 메뉴를 여러 번 실행해서 쿼리 창이 열려 있지 않은 상태로 만듭니다. 새로운 쿼리 창을 열기 위해 툴바에서 Create a new SQL tab for executing queries(아이콘) 아이콘을 클릭하고 [SCHEMAS] 패널의 'shop_db'를 더블 클릭해서 선택합니다.

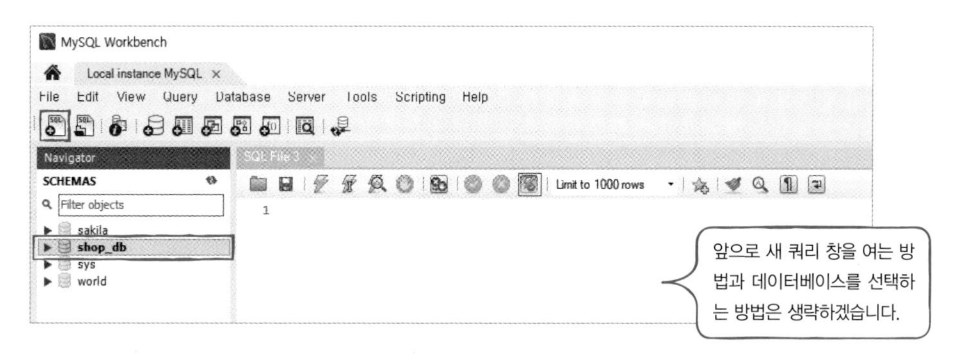

note 쿼리 창을 닫을 때, Close SQL Tab 창이 나타나 저장하겠냐고 묻는다면 [Don't Save]를 클릭합니다. 쿼리 창에 입력한 SQL을 저장하겠냐고 묻는 것인데 필요한 경우가 아니라면 저장할 필요는 없습니다.

02 회원 테이블에는 아직 인덱스를 만들지 않았습니다. 책과 비교하면 책의 찾아보기가 없는 상태입니다. 이 상태로 책에서 어떤 단어를 찾는다면 당연히 1페이지부터 전체를 찾아봐야 할 것입니다. 마찬가지로 테이블에서 '아이유'를 찾을 때는 회원 테이블의 1행부터 끝까지 전체를 살펴봐야 할 것입니다. 다음 SQL 문을 입력하고 실행해봅시다.

```
SELECT * FROM member WHERE member_name = '아이유';
```

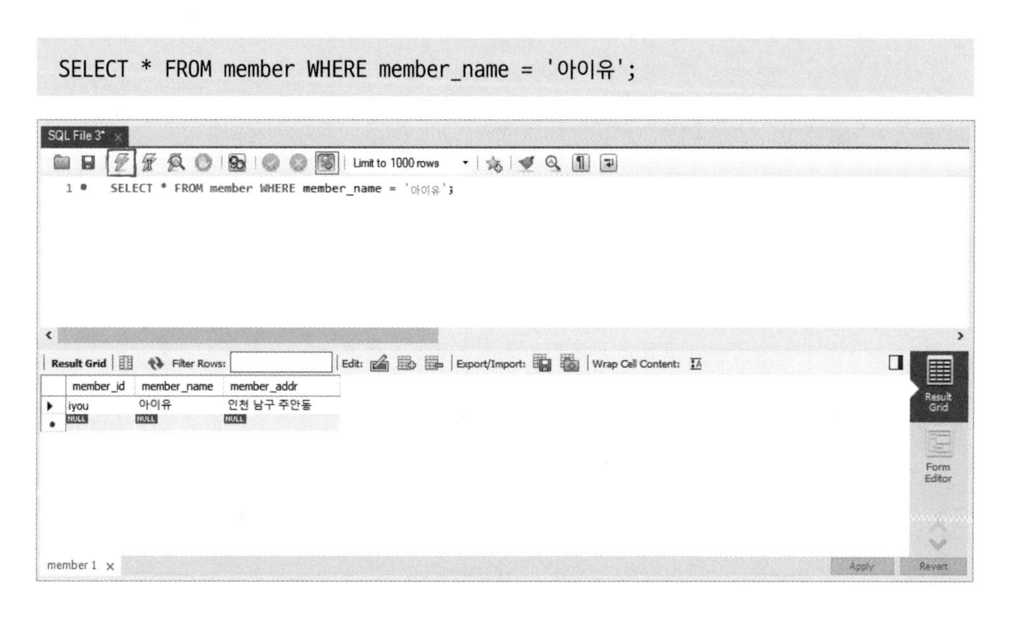

note 현재 회원 테이블에는 데이터가 워낙 적어서 별 효과를 느끼지 못하겠지만, 실제로 회원 테이블에 몇억 건이 있더라도 지금 실습하는 것과 동일하게 작동합니다.

03 결과는 당연히 아이유를 잘 찾았을 것입니다. 어떻게 아이유를 찾았는지 확인하기 위해 [Execution Plan(실행 계획)] 탭을 클릭하면 **Full Table Scan**이라고 나옵니다. 이것을 해석하면 **전체 테이블 검색** 정도가 될 텐데요, 처음부터 끝까지 엄청나게 오랜 시간이 걸려서 '아이유'를 찾은 것입니다. 현재 인덱스가 없기 때문에 별다른 방법이 없습니다.

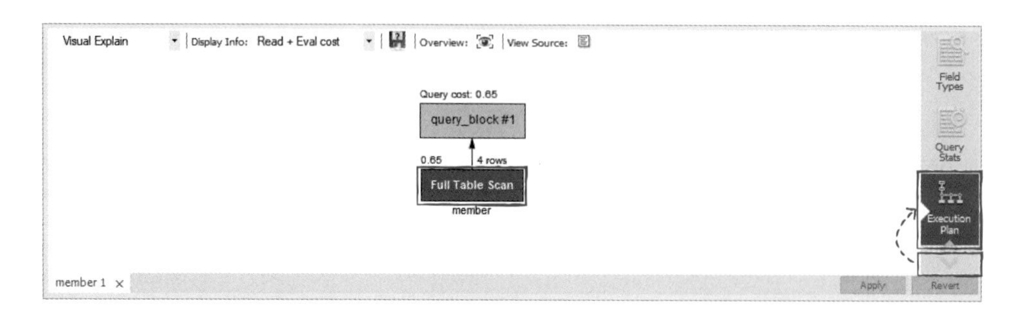

note [Execution Plan] 탭이 보이지 않으면 아래 방향 화살표 아이콘을 계속 클릭하세요. 제일 아래에 있습니다.

04 이제는 회원 테이블에 인덱스를 만들어보겠습니다. 다음 SQL을 실행하면 인덱스가 생성됩니다. 인덱스는 열에 지정합니다. SQL의 마지막에 **ON member(member_name)**의 의미는 member 테이블의 member_name 열에 인덱스를 지정하라는 의미입니다. 결과는 특별히 눈에 보이지 않습니다. 이렇게 인덱스가 생성되었습니다.

```
CREATE INDEX idx_member_name ON member(member_name);
```

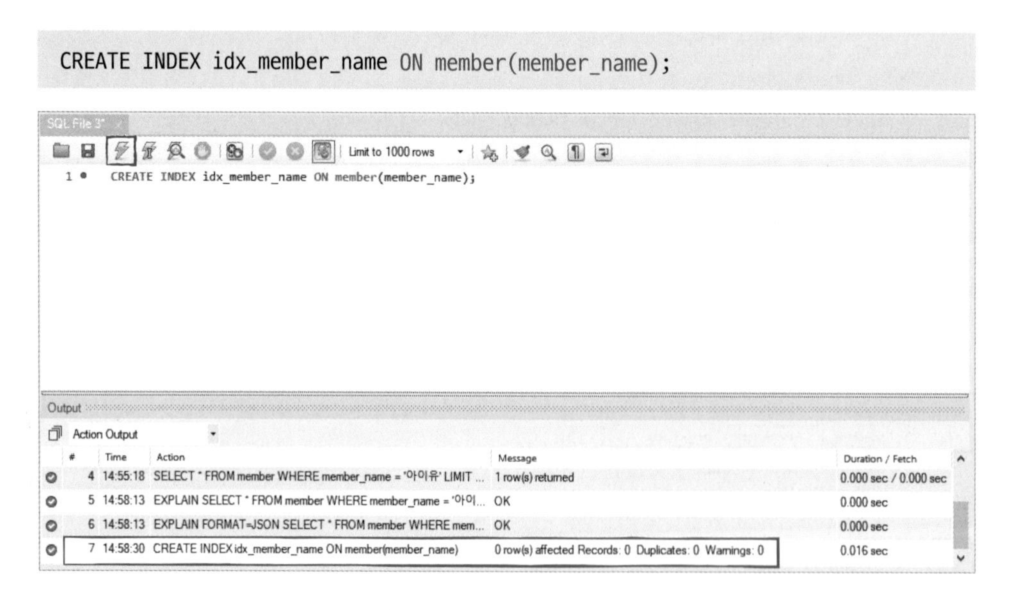

note 우선 이 정도만 살펴보고 자세한 내용은 6장에서 알아보겠습니다.

05 이제는 인덱스가 생긴 회원 테이블에서 아이유를 찾아보겠습니다. 03번에서 사용한 SQL을 다시 실행해봅시다. 역시 결과는 동일합니다. 하지만 이번에는 찾는 방법이 달라졌습니다. [Execution Plan] 탭을 보면 **Non-Unique Key Lookup**이라고 나옵니다. 자세한 의미는 6장에서 알아보는 것으로 하고, Key Lookup은 인덱스를 통해 결과를 찾았다고 기억하면 됩니다. 이런 방법을 **인덱스 검색**(Index Scan)이라고 부릅니다.

```
SELECT * FROM member WHERE member_name = '아이유';
```

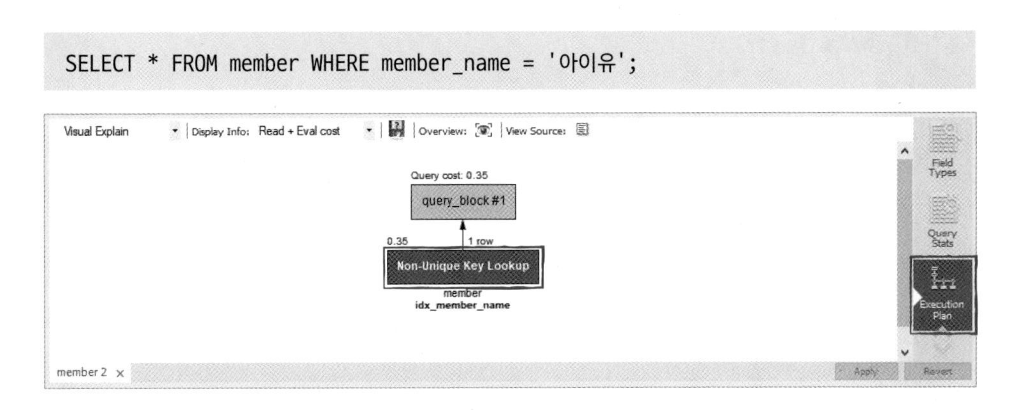

note 실제 회원 테이블의 데이터가 수십억 건이 넘어도 인덱스를 통해 조회했다면 눈 깜짝할 사이에 '아이유'를 찾았을 것입니다. 하지만 인덱스를 생성하기 전이라면 지루할 정도로 오랜 시간이 지난 후에 결과가 나왔을 것입니다.

인덱스에서 한 가지 더 기억해야 할 점은 인덱스 생성 여부에 따라 결과가 달라지는 것은 아니라는 것입니다. 즉 책의 내용을 찾을 때 찾아보기가 있으면 시간을 단축하는 효과는 있지만, 책의 찾아보기가 없어도 책의 첫 페이지부터 찾아야 하기 때문에 시간이 오래 걸릴 뿐 어차피 동일하게 찾을 수는 있습니다.

뷰

뷰는 테이블과 상당히 동일한 성격의 데이터베이스 개체입니다. 뷰를 활용하면 보안도 강화하고, SQL 문도 간단하게 사용할 수 있습니다.

뷰 개념 이해하기

뷰view를 한마디로 정의하면 '가상의 테이블'이라고 할 수 있습니다. 일반 사용자의 입장에서는 테이블과 뷰를 구분할 수 없습니다. 즉, 일반 사용자는 테이블과 동일하게 뷰를 취급하면 됩니다. 다만 뷰는 실제 데이터를 가지고 있지 않으며, 진짜 테이블에 링크link된 개념이라고 생각하면 됩니다.

뷰는 윈도우즈 운영 체제의 '바로 가기 아이콘'과 비슷한 개념입니다. 윈도우즈에서 바탕 화면의 바로 가기 아이콘을 더블 클릭해서 실행하지만, 실제로 실행되는 파일은 다른 폴더에 있습니다. 예를 들어, 바탕 화면에 있는 크롬 브라우저의 바로 가기 아이콘은 C:\Program Files\Google\Chrome\Application 폴더의 chrome.exe와 연결되어 있습니다.

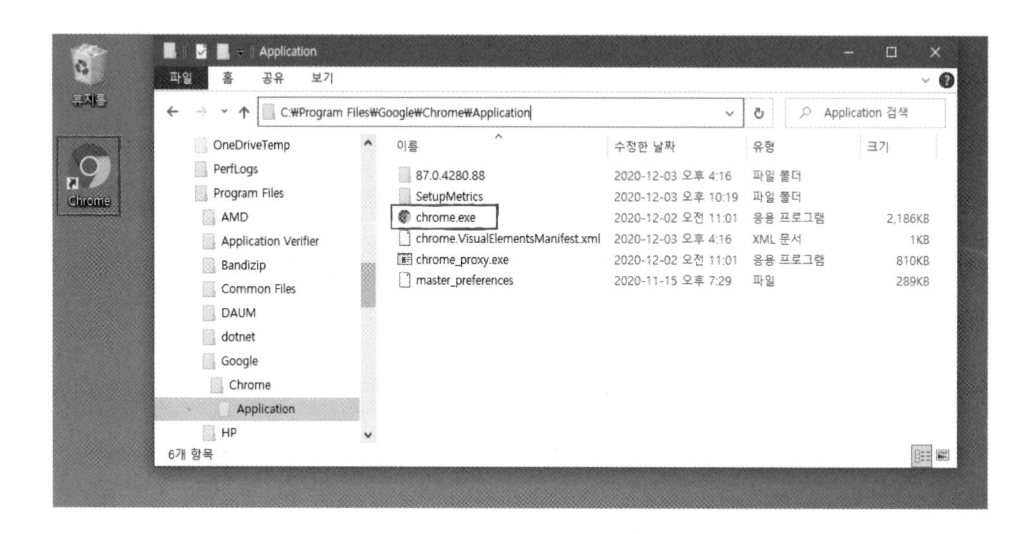

지금까지 바탕 화면의 크롬 아이콘을 더블 클릭해서 프로그램이 실행된다고 생각해도 아무런 문제없이 크롬을 잘 사용해 왔습니다. 굳이 복잡한 폴더 구조까지 생각하지 않아도 되었던 것이죠.

뷰도 비슷한 개념으로 실체는 없으며 테이블과 연결되어 있는 것뿐입니다. 사용자가 뷰를 테이블처럼 생각해서 접근하면 알아서 테이블에 연결해줍니다.

그렇다면 뷰의 실체는 무엇일까요? 이 그림에도 나와 있듯이, 뷰의 실체는 바로 **SELECT** 문입니다. 아직 이해가 잘 안 가죠? 바로 실습을 통해서 뷰를 확인해보겠습니다.

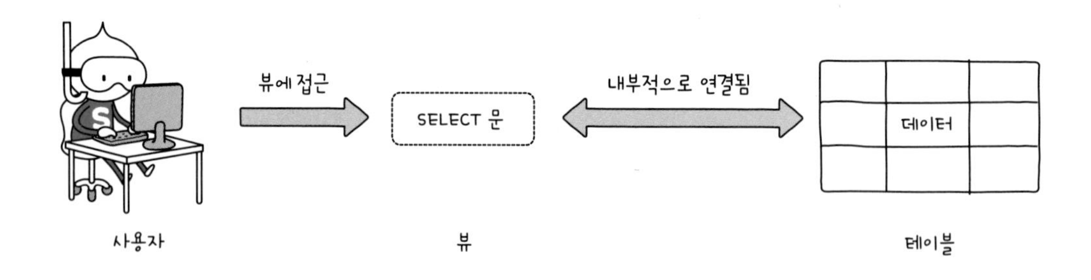

note 뷰에 대한 상세한 내용은 5장에서 다룹니다.

뷰 실습하기

뷰도 SQL 문을 통해 MySQL 워크벤치에서 생성할 수 있습니다.

01 MySQL Workbench를 실행하여 'root/0000'으로 접속하고 [File] – [Close Tab] 메뉴를 여러 번 실행해서 쿼리 창이 열려 있지 않은 상태로 만듭니다. 새로운 쿼리 창을 열고 [SCHEMAS] 패널에서 'shop_db'를 선택합니다.

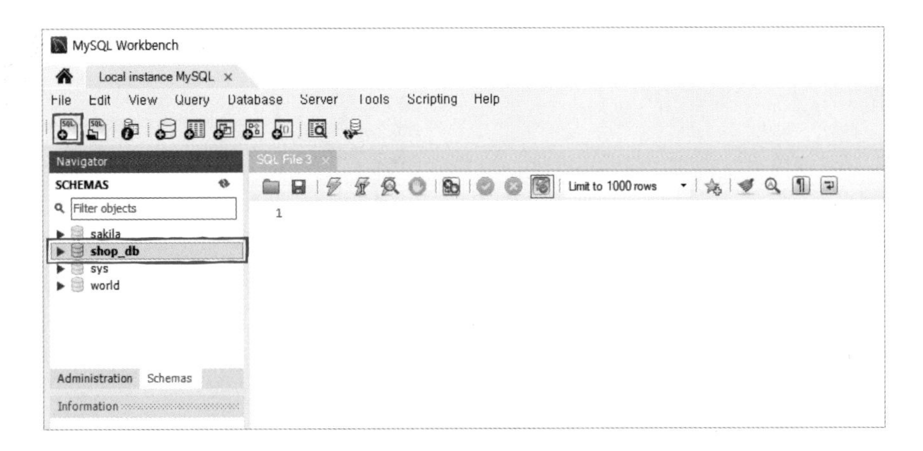

02 기본적인 뷰를 만들어보겠습니다. 회원 테이블과 연결되는 회원 뷰(member_view)를 만들기 위해 다음 SQL을 실행합니다. [Output] 패널에 초록색 체크 표시가 나타나면 SQL이 제대로 실행되었다는 의미입니다.

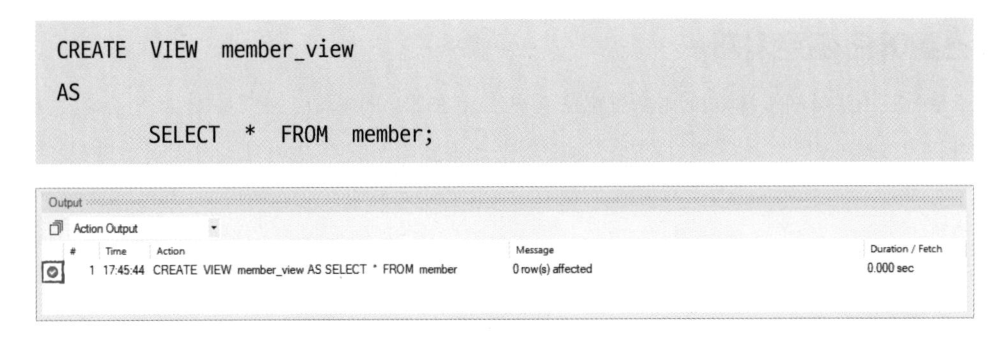

```
CREATE VIEW member_view
AS
    SELECT * FROM member;
```


note SQL은 들여쓰기를 하지 않아도 잘 작동합니다. 이 SQL 역시 한 칸만 띄어쓰기하면 1줄에 써도 됩니다. 하지만 1줄에 모두 쓰면 가독성이 떨어지기 때문에 이 책에서는 들여쓰기를 사용했습니다.

03 이제는 회원 테이블(member)이 아닌 회원 뷰(member_view)에 접근해보겠습니다. 뷰에 접근하는 것은 테이블에 접근하는 것과 동일합니다. 다음 SQL을 실행하면 회원 테이블에 접근했을 때와 동일한 결과가 나옵니다. 즉, 바탕 화면의 크롬 바로 가기 아이콘을 더블 클릭하든, 직접 해당 폴더에서 chrome.exe를 실행하든 크롬이 실행되는 것과 동일한 개념입니다.

```
SELECT * FROM member_view;
```

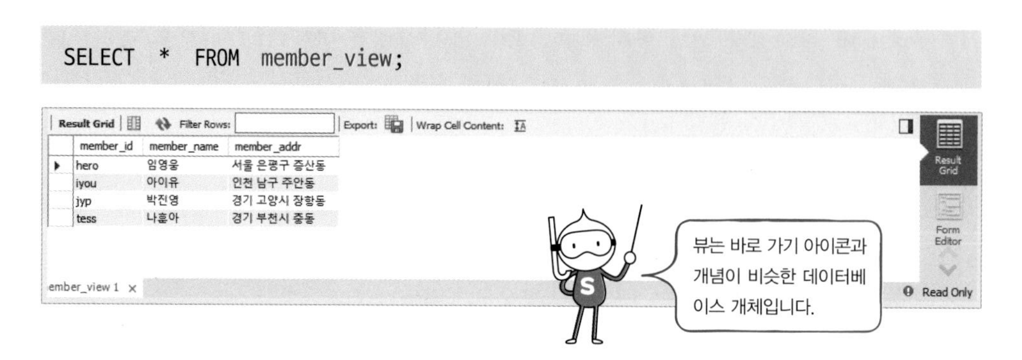

그렇다면 테이블을 사용하지 않고 굳이 뷰를 사용하는 이유는 뭘까요? 다음과 같은 이유로 뷰를 주로 사용합니다.

- 보안에 도움이 된다.
- 긴 SQL 문을 간략하게 만들 수 있다.

이에 대한 설명은 5장에서 다루도록 하고, 지금은 이 정도의 장점이 있다는 것만 기억해 두세요.

스토어드 프로시저

스토어드 프로시저를 통해 SQL 안에서도 일반 프로그래밍 언어처럼 코딩을 할 수 있습니다. 비록 일반 프로그래밍보다는 좀 불편하지만, 프로그래밍 로직을 작성할 수 있어서 때론 유용하게 사용됩니다.

스토어드 프로시저 개념 이해하기

스토어드 프로시저stored procedure란 MySQL에서 제공하는 **프로그래밍 기능**으로, 여러 개의 SQL 문을 하나로 묶어서 편리하게 사용할 수 있습니다. SQL을 묶는 개념 외에 C, 자바, 파이썬과 같은 프로그래밍 언어에서 사용되는 연산식, 조건문, 반복문 등을 사용할 수도 있습니다.

스토어드 프로시저를 통해서 MySQL에서도 기본적인 형태의 일반 프로그래밍 로직을 코딩할 수 있습니다. 직접 실습을 통해서 살펴보겠습니다.

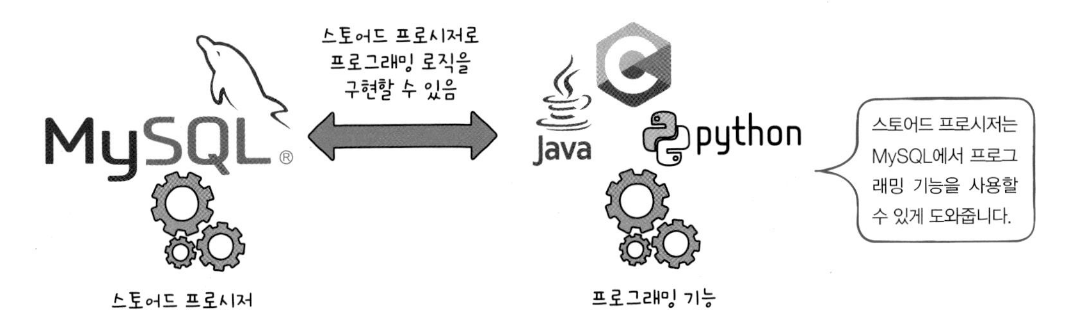

note 스토어드 프로시저는 학습할 내용이 좀 많습니다. 상세한 내용은 7장에서 다룹니다.

스토어드 프로시저 실습하기

스토어드 프로시저도 MySQL 워크벤치에서 SQL 문을 사용해서 생성할 수 있습니다.

01 MySQL Workbench를 실행하여 'root/0000'으로 접속하고 [File] – [Close Tab] 메뉴를 여러 번 실행해서 쿼리 창이 열려 있지 않은 상태로 만듭니다. 새로운 쿼리 창을 열고 [SCHEMAS] 패널에서 'shop_db'를 선택합니다.

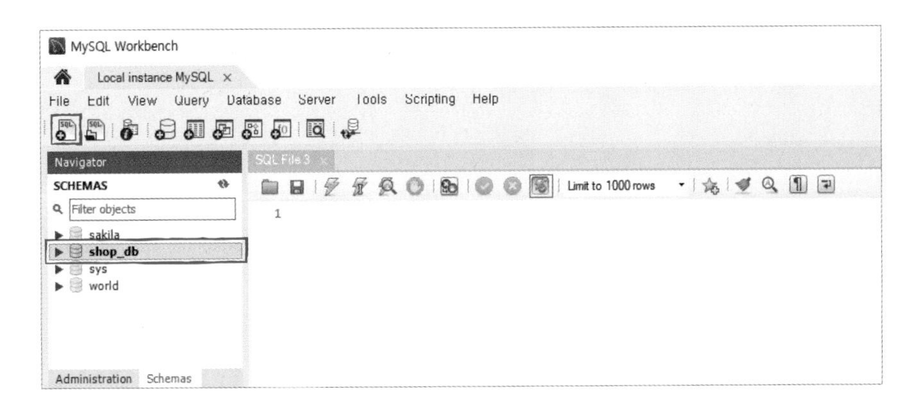

02 다음 두 SQL을 입력하고 한꺼번에 실행합니다. 예상대로 별도의 탭으로 동시에 결과가 나옵니다. 그런데 이 두 SQL은 앞으로도 상당히 자주 사용된다고 가정해보겠습니다. 매번 두 줄의 SQL을 입력해야 한다면 상당히 불편할 것이고, SQL의 문법을 잊어버리거나 오타를 입력할 수도 있습니다. 지금은 두 줄뿐이지만 훨씬 긴 SQL이라도 마찬가지입니다.

```
SELECT * FROM member WHERE member_name = '나훈아';
SELECT * FROM product WHERE product_name = '삼각김밥';
```

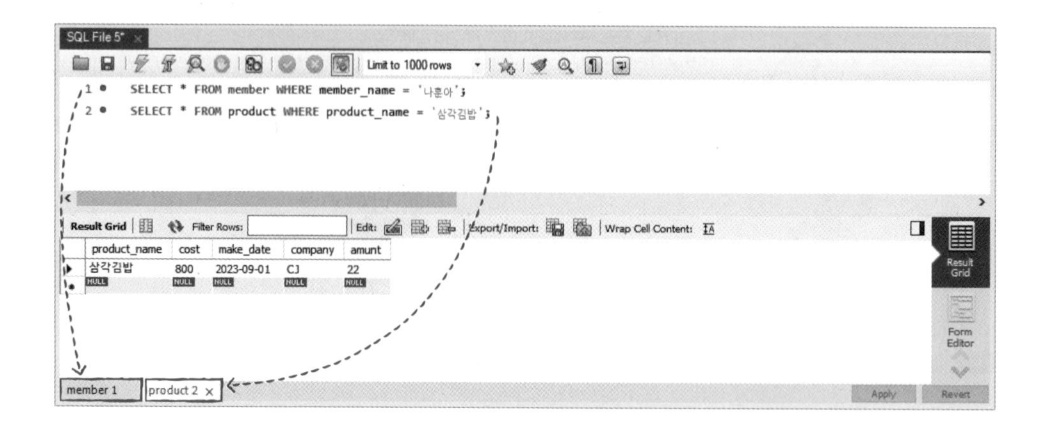

03 두 SQL을 하나의 스토어드 프로시저로 만들어보겠습니다. 다음 SQL을 입력하고 실행해봅시다. 첫 행과 마지막 행에 **구분 문자**라는 의미의 **DELIMITER // ~ DELIMITER ;** 문이 나왔습니다. 일단 이것은 스토어드 프로시저를 묶어주는 약속으로 생각하세요. 자세한 내용은 7장에서 설명합니다. 그리고 **BEGIN**과 **END** 사이에 SQL 문을 넣으면 됩니다.

```
DELIMITER //
CREATE PROCEDURE myProc()  ——> 스토어드 프로시저 이름 지정
BEGIN
        SELECT * FROM member WHERE member_name = '나훈아';
        SELECT * FROM product WHERE product_name = '삼각김밥';
END //
DELIMITER ;
```

Query 1

Limit to 1000 rows

```
1  DELIMITER //
2  CREATE PROCEDURE myProc()
3  BEGIN
4      SELECT * FROM member WHERE member_name = '나훈아';
5      SELECT * FROM product WHERE product_name = '삼각김밥';
6  END //
7  DELIMITER ;
```

Output

Action Output

#	Time	Action	Message	Duration / Fetch
1	15:18:27	CREATE PROCEDURE myProc() BEGIN SELECT * FROM member W...	0 row(s) affected	0.015 sec

note 지금은 두 줄이지만, 몇 백줄이 넘어도 상관없습니다.

04 이제부터는 두 줄의 SQL 문을 실행할 필요 없이 앞에서 만든 스토어드 프로시저를 호출하기 위해서 **CALL** 문을 실행하면 됩니다. 다음 SQL을 실행해봅시다. 결과를 보면 두 SQL을 실행한 것과 동일한 것을 확인할 수 있습니다.

```
CALL myProc();
```

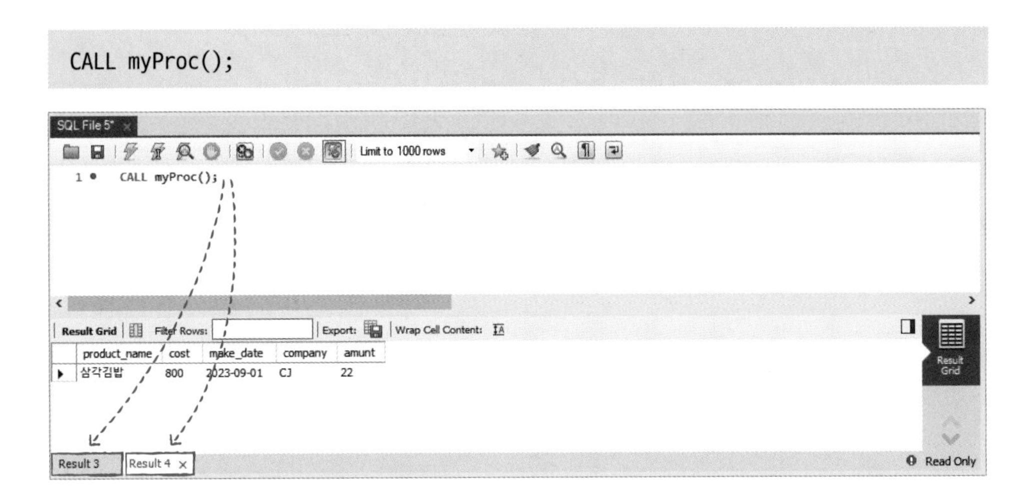

+ 여기서 잠깐 **CREATE 문과 DROP 문**

테이블, 인덱스, 뷰, 스토어드 프로시저 등의 데이터베이스 개체를 만들기 위해서는 **CREATE 개체_종류 개체_이름 ~~** 형식을 사용합니다. 반대로 데이터베이스 개체를 삭제하기 위해서는 **DROP 개체_종류 개체_이름** 형식을 사용합니다. 예로, 실습에서 생성한 스토어드 프로시저를 삭제하려면 **DROP PROCEDURE myProc**를 사용합니다.

MySQL 워크벤치에서 생성, 삭제하려면 먼저 [SCHEMAS] 패널의 빈 곳에서 마우스 오른쪽 버튼을 클릭하고 [Refresh All]을 선택해서 새로 고침합니다. 그리고 생성, 삭제할 데이터베이스 개체에서 마우스 오른쪽 버튼을 클릭하고 생성하려면 [Create 데이터베이스_개체]를, 삭제하려면 [Drop 데이터베이스_개체]를 선택합니다.

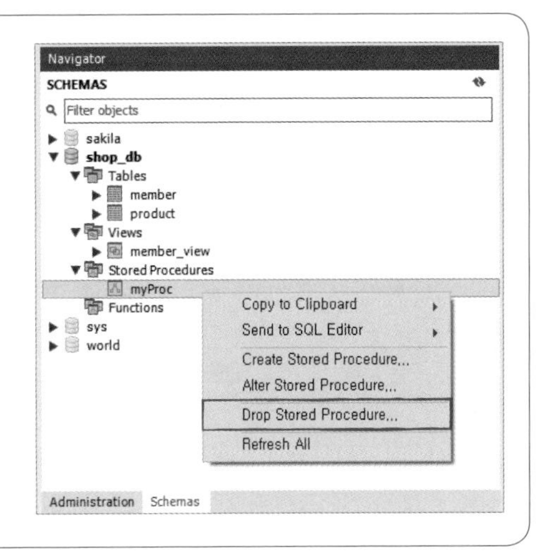

데이터베이스 개체는 이번 절에서 간단히 다룬 인덱스, 뷰, 스토어드 프로시저 외에 트리거, 스토어드 함수, 커서 등도 있습니다. 이에 대해서는 차츰 알아보도록 하겠습니다.

마무리

▶ 3가지 키워드로 끝내는 핵심 포인트

- **인덱스**는 책 뒤의 '찾아보기'와 비슷한 개념입니다. 데이터를 빠르게 찾을 수 있도록 도와줍니다.
- **뷰**는 '바로 가기 아이콘'과 비슷한 개념입니다. 한마디로 정의하면 '가상의 테이블'이라고 할 수 있습니다.
- **스토어드 프로시저**는 여러 개의 SQL을 묶어주거나, 프로그래밍 기능을 제공해줍니다.

▶ 표로 정리하는 핵심 포인트

관련 중요 용어

한글 용어	영문 용어	설명
데이터베이스 개체	Database Object	테이블, 뷰, 인덱스, 스토어드 프로시저 등 데이터베이스 안에 저장되는 개체
실행 계획	Execution Plan	SQL을 실행할 때, 인덱스 사용 여부를 확인할 수 있는 워크벤치의 화면
전체 테이블 검색	Full Table Scan	테이블의 모든 데이터를 훑어서 원하는 데이터를 찾아내는 것을 말함. 책 전체를 찾아보는 것과 비슷함
인덱스 검색	Index Scan	인덱스를 통해서 데이터를 찾는 것을 말함. 책 뒤의 찾아보기를 사용한 것과 비슷함
구분 문자	DELIMITER	스토어드 프로시저를 묶어주는 예약어
호출	CALL	스토어드 프로시저를 호출하는 예약어
개체 생성문	CREATE	데이터베이스 개체를 생성할 때 사용하는 예약어
개체 삭제문	DROP	데이터베이스 개체를 삭제할 때 사용하는 예약어

▶ 확인문제

이번 절에서는 테이블 외의 데이터베이스 개체에 대해 살펴봤습니다. 확인문제를 통해서 배운 개념을 스스로 정리해보기 바랍니다.

1. 다음 용어 중에서 데이터베이스 개체가 아닌 것을 모두 고르세요.

인덱스, 뷰, 열 이름, 스토어드 프로시저, 데이터 형식, 트리거, 함수, 커서, 기본 키

2. 다음은 인덱스에 대한 설명입니다. 거리가 먼 것을 모두 고르세요.

① 인덱스는 책 뒤의 '찾아보기'와 비슷한 개념입니다.
② 데이터 건수가 적어도 인덱스의 효과를 체감할 수 있습니다.
③ 인덱스는 테이블을 생성하면 자동으로 생성됩니다.
④ 인덱스를 생성하는 SQL은 CREATE INDEX 문입니다.

3. 다음은 뷰에 대한 설명입니다. 거리가 먼 것을 하나 고르세요.

① 가상의 테이블이라고 부릅니다.
② 생성하면 검색 속도가 향상됩니다.
③ 윈도우즈의 바로 가기 아이콘과 개념이 비슷합니다.
④ 뷰를 만든 후에는 테이블과 동일하게 사용하면 됩니다.

4. 다음은 스토어드 프로시저에 대한 설명입니다. 거리가 먼 것을 모두 고르세요.

① 프로그래밍 기능을 제공합니다.
② 여러 개의 SQL을 하나로 묶을 수 있습니다.
③ 스토어드 프로시저를 만들 때는 DELIMITER로 묶어줍니다.
④ 스토어드 프로시저는 SELECT 문으로 호출합니다.
⑤ 스토어드 프로시저를 DELETE 문으로 삭제합니다.

Chapter

03

MySQL과 같은 DBMS를 사용한다는 것은 적절한 상황에서 SQL을 만들 수 있다는 것을 의미합니다. 이번 장에서는 기본적인 SQL 문법을 이해하고 그 사용법이 익숙해지도록 연습하는 시간을 가져보겠습니다.

SQL 기본 문법

학습목표

- 테이블에서 데이터를 추출하는 SELECT 문을 완벽히 이해합니다.
- 여러 건의 데이터를 그룹으로 묶는 방법을 배웁니다.
- 데이터를 입력, 수정, 삭제하는 방법을 익히고 활용합니다.

03-1 기본 중에 기본 SELECT ~ FROM ~ WHERE

핵심 키워드

USE | SELECT ~ FROM ~ WHERE | 관계 연산자 | 논리 연산자 | LIKE

SELECT는 SQL 문에서 가장 많이 사용되는 문법으로, 데이터베이스에서 데이터를 구축한 후에 그 내용들을 활용합니다. 데이터를 아무리 완벽하게 준비해 놓았더라도 활용을 잘 못하면 의미가 없습니다. 그렇듯 SELECT를 잘 사용해야 데이터베이스를 100% 활용할 수 있습니다.

시작하기 전에

SELECT 문은 구축이 완료된 테이블에서 데이터를 추출하는 기능을 합니다. 그러므로 SELECT를 아무리 많이 사용해도 기존의 데이터가 변경되지는 않습니다.

SELECT의 가장 기본 형식은 **SELECT ~ FROM ~ WHERE**입니다. SELECT 바로 다음에는 열 이름이, FROM 다음에는 테이블 이름이 나옵니다. WHERE 다음에는 조건식이 나오는데, 조건식을 다양하게 표현함으로써 데이터베이스에서 원하는 데이터를 뽑아낼 수 있습니다.

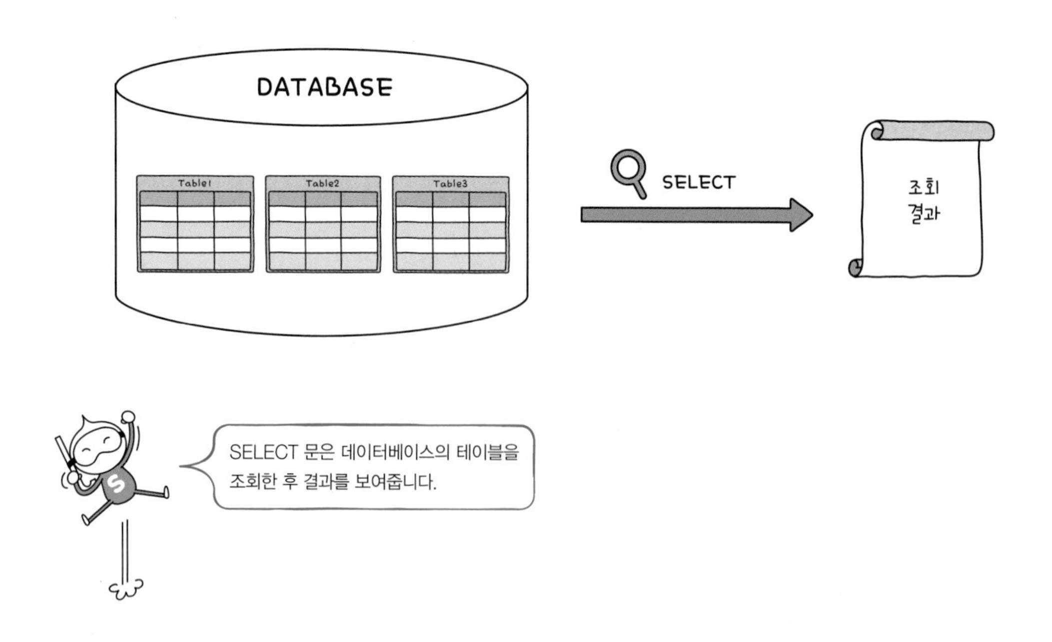

실습용 데이터베이스 구축

학습에 대한 이해도를 높이기 위해 이 책의 용도에 맞는 실습용 데이터베이스를 만들어서 사용하겠습니다.

실습용 데이터베이스 개요

이제는 본격적으로 SELECT 문을 연습할 차례입니다. 그런데 SELECT를 실행하기 위해서는 데이터베이스가 있어야 합니다. 1, 2장에서 만든 데이터베이스가 있지만 sakila, world는 구조가 복잡하고, shop_db는 데이터가 다양하지 않아 앞으로 연습할 SELECT에 적합하지 않습니다.

note 1장에서 MySQL을 설치한 후에 SHOW DATABASES 문으로 몇 개의 데이터베이스를 확인한 적이 있습니다. 그중 sakila, world가 샘플로 설치된 데이터베이스입니다. 많은 데이터가 필요할 때 이 데이터베이스도 사용하겠습니다.

그래서 필자는 간단하고, 보기 쉬운 테이블을 만들어서 사용하려고 합니다. 이는 현실성은 조금 떨어지지만 앞으로 배울 SQL의 구문을 이해하는 데는 훨씬 도움이 됩니다. 즉, 테이블 구조에 부담이 없어져서 SQL 문법에 집중할 수 있는 효과를 거둘 수 있을 것입니다.

데이터베이스 및 테이블 만들기는 2장에서 이미 맛보기로 경험해보았습니다. 그때는 MySQL 워크벤치에서 마우스 클릭으로 작업했지만 이번에는 모두 SQL로 작업하겠습니다. 아직 배우지 않은 것들이지만 그냥 따라해보세요. 앞으로 자세히 다룰 것입니다.

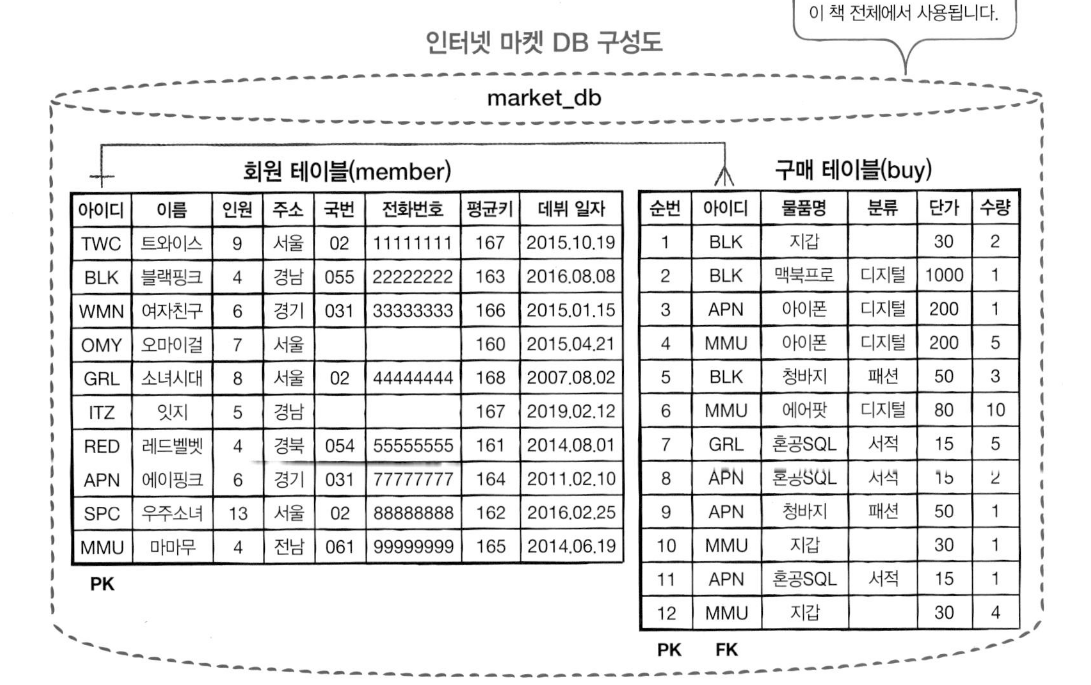

아이디	이름	인원	주소	국번	전화번호	평균키	데뷔 일자
TWC	트와이스	9	서울	02	11111111	167	2015.10.19
BLK	블랙핑크	4	경남	055	22222222	163	2016.08.08
WMN	여자친구	6	경기	031	33333333	166	2015.01.15
OMY	오마이걸	7	서울			160	2015.04.21
GRL	소녀시대	8	서울	02	44444444	168	2007.08.02
ITZ	잇지	5	경남			167	2019.02.12
RED	레드벨벳	4	경북	054	55555555	161	2014.08.01
APN	에이핑크	6	경기	031	77777777	164	2011.02.10
SPC	우주소녀	13	서울	02	88888888	162	2016.02.25
MMU	마마무	4	전남	061	99999999	165	2014.06.19

순번	아이디	물품명	분류	단가	수량
1	BLK	지갑		30	2
2	BLK	맥북프로	디지털	1000	1
3	APN	아이폰	디지털	200	1
4	MMU	아이폰	디지털	200	5
5	BLK	청바지	패션	50	3
6	MMU	에어팟	디지털	80	10
7	GRL	혼공SQL	서적	15	5
8	APN	혼공SQL	서적	15	2
9	APN	청바지	패션	50	1
10	MMU	지갑		30	1
11	APN	혼공SQL	서적	15	1
12	MMU	지갑		30	4

'인터넷 마켓 DB 구성도'는 인터넷 마켓에서 운영하는 데이터베이스를 단순화한 것이라고 생각하면 됩니다. 데이터 내용은 필자가 가상으로 넣은 것이며, 이 인터넷 마켓은 특별히 그룹으로 이루어진 가수만 가입되도록 했다고 가정하겠습니다.

가수 그룹의 리더는 물건을 사기 위해서 회원가입을 합니다. 입력한 회원 정보는 회원 테이블(member)에 입력됩니다. 물론, 더 많은 정보를 입력해야 하지만 간단히 아이디/이름/인원/주소/국번/전화번호/평균 키/데뷔 일자 등만 입력하는 것으로 하겠습니다.

회원가입을 한 후에 인터넷 마켓에서 물건을 구입하면 회원이 구매한 정보는 구매 테이블(buy)에 기록됩니다. 그러면 인터넷 마켓의 배송 담당자는 구매 테이블(buy)을 통해서 회원이 주문한 물건을 준비하고, 회원 테이블(member)에서 구매 테이블(buy)의 아이디와 일치하는 회원의 아이디를 찾아서 그 행의 주소로 물품을 배송합니다.

note market_db에서 구매 테이블(buy)의 아이디는 FK(Foreign Key, 외래 키)로 지정되어 있습니다. 외래 키에 대해서는 5장에서 상세히 살펴보겠습니다. 지금은 회원 테이블(member)의 아이디와 구매 테이블(buy)의 아이디를 연결하는 정도로 기억하고 넘어가도록 하죠.

예를 들어, 배송 담당자는 구매 테이블(buy)에서 BLK라는 아이디를 가진 회원이 구매한 지갑 2개, 맥북 프로 1개, 청바지 3벌을 포장한 후에 회원 테이블(member)에서 BLK라는 아이디를 찾습니다. 그리고 포장박스에 이름은 '블랙핑크', 주소는 '경남', 연락처는 '055-222-2222'라고 적어서 배송하면 됩니다.

지금 이야기한 이 과정을 SQL에서도 거의 동일한 방식으로 수행합니다. 아직은 완벽하게 이해가 되지 않아도 차근차근 학습하면 자연스럽게 이해가 될 것입니다.

실습용 데이터베이스 만들기

실습용 데이터베이스는 SQL을 사용하겠습니다. 그런데 대부분 아직 배우지 않은 SQL이기 때문에 직접 입력하기에는 무리가 될 수 있습니다. 우선은 완성된 SQL을 다운로드받아 따라하기만 진행해 봅시다.

01 먼저 인터넷 마켓 데이터베이스(market_db)를 만드는 SQL이 저장된 파일을 다운로드하겠습니다. 한빛미디어 사이트의 혼공 자료실(https://www.hanbit.co.kr/src/10473)에 접속해서 예제 소스(market_db.sql 파일)를 다운로드합니다.

02 MySQL Workbench를 실행해서 열려 있는 쿼리 창은 모두 닫습니다. [File] – [Open SQL Script] 메뉴를 선택하고 Open SQL Script 창에서 앞에서 다운로드한 'market_db.sql'을 선택한 후 [열기] 버튼을 클릭합니다.

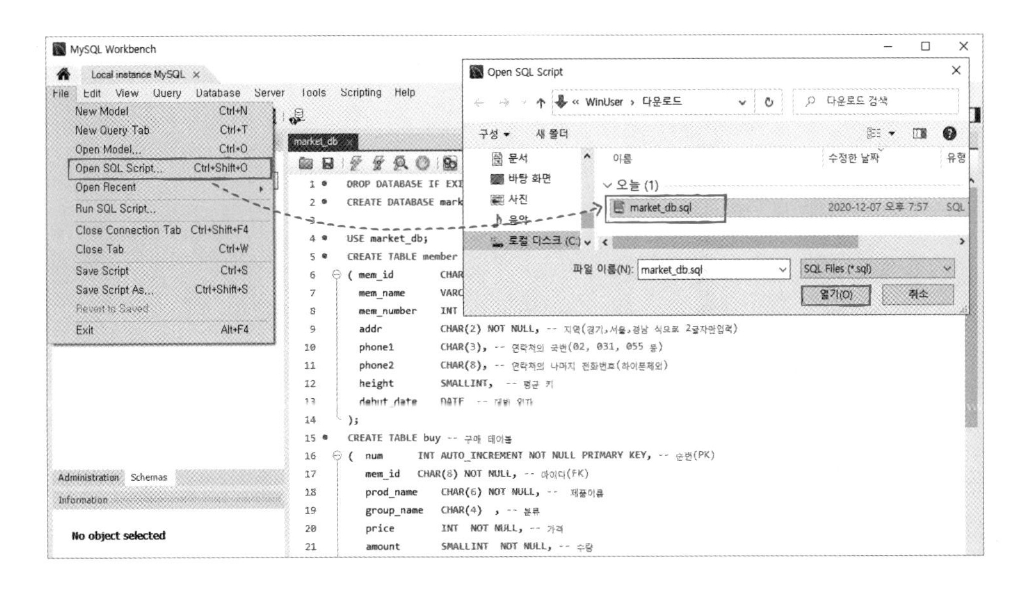

03 Execute the selected portion of the script or everything(⚡) 아이콘을 클릭해서 SQL을 실행합니다. [Result Grid] 창의 하단에서 [member 1] 탭을 클릭해서 회원 테이블(member)의 완성된 상태를 확인해봅니다.

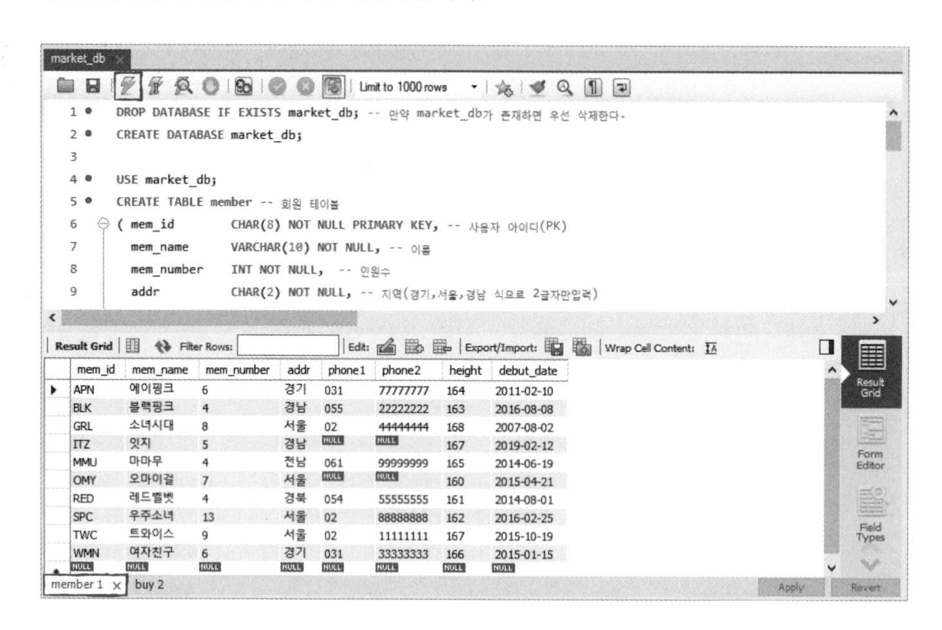

mem_id	mem_name	mem_number	addr	phone1	phone2	height	debut_date
APN	에이핑크	6	경기	031	77777777	164	2011-02-10
BLK	블랙핑크	4	경남	055	22222222	163	2016-08-08
GRL	소녀시대	8	서울	02	44444444	168	2007-08-02
ITZ	잇지	5	경남	NULL	NULL	167	2019-02-12
MMU	마마무	4	전남	061	99999999	165	2014-06-19
OMY	오마이걸	7	서울	NULL	NULL	160	2015-04-21
RED	레드벨벳	4	경북	054	55555555	161	2014-08-01
SPC	우주소녀	13	서울	02	88888888	162	2016-02-25
TWC	트와이스	9	서울	02	11111111	167	2015-10-19
WMN	여자친구	6	경기	031	33333333	166	2015-01-15
NULL	NULL	NULL	NULL	NULL	NULL	NULL	NULL

note 조회된 결과를 보면 '인터넷 마켓 DB 구성도'의 회원 테이블(member)과 순서가 다릅니다. 이에 대해서는 6장에서 다루도록 하겠습니다. 지금은 순서와 상관없이 데이터의 개수와 내용만 맞으면 됩니다.

04 이번에는 [Result Grid] 창의 하단에서 [buy 2] 탭을 클릭해서 구매 테이블(buy)을 확인해봅니다. 이로써 '인터넷 마켓 DB 구성도'가 완성되었습니다.

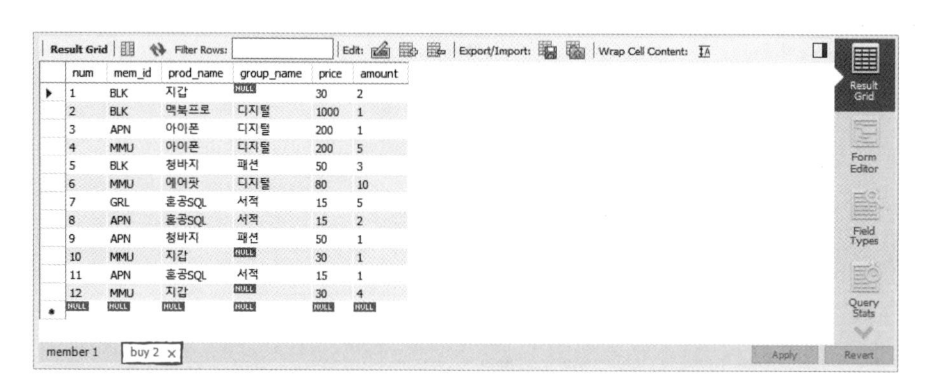

num	mem_id	prod_name	group_name	price	amount
1	BLK	지갑	NULL	30	2
2	BLK	맥북프로	디지털	1000	1
3	APN	아이폰	디지털	200	1
4	MMU	아이폰	디지털	200	5
5	BLK	청바지	패션	50	3
6	MMU	에어팟	디지털	80	10
7	GRL	혼공SQL	서적	15	5
8	APN	혼공SQL	서적	15	2
9	APN	청바지	패션	50	1
10	MMU	지갑	NULL	30	1
11	APN	혼공SQL	서적	15	1
12	MMU	지갑	NULL	30	4
NULL	NULL	NULL	NULL	NULL	NULL

지금 실습한 내용은 언제든지 다시 실행할 수 있으며, 'market_db'가 초기화되는 효과를 갖습니다. 앞으로 실습을 진행하다가 'market_db'를 초기화해야 하는 상황이 많이 발생할 것입니다. 그때마다 지금과 같이 초기화시키도록 하겠습니다.

market_db.sql 파일 내용 살펴보기

2장에서는 'shop_db'를 MySQL 워크벤치의 기능을 활용해서 만들었습니다. 이와 달리 '인터넷 마켓 데이터베이스'를 만드는 market_db.sql은 모두 SQL로 구성되어 있습니다. 아직 배우지 않은 내용이어서 이해하기는 어려울 수도 있으나 앞으로 이 내용으로 SQL을 학습해야 하므로 지금부터 구성을 어느 정도 알아두는 것이 도움이 됩니다. 필요한 부분을 위주로 먼저 살펴보겠습니다.

데이터베이스 만들기

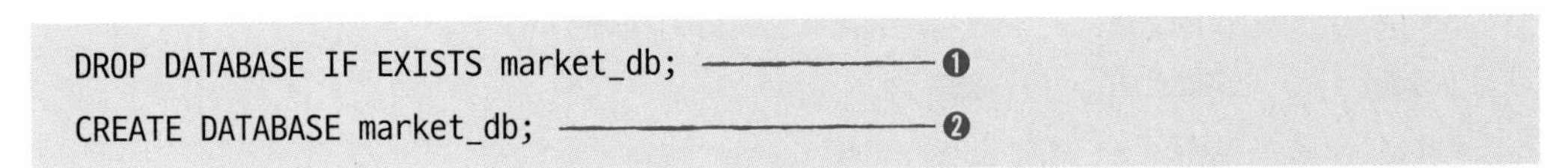

```
DROP DATABASE IF EXISTS market_db; ──── ❶
CREATE DATABASE market_db; ──── ❷
```

❶ **DROP DATABASE**는 market_db를 삭제하는 문장입니다. 이는 market_db.sql을 처음 실행할 때는 필요 없습니다. 하지만 책을 학습하다 보면 다시 market_db.sql을 실행할 일이 있기 때문에 기존의 market_db를 삭제한 것입니다.

❷ 데이터베이스를 새로 만듭니다. 이 과정은 2장에서 실습했던 다음 그림과 동일한 역할을 합니다. 데이터베이스 이름만 다른 것뿐입니다.

회원 테이블(member) 만들기

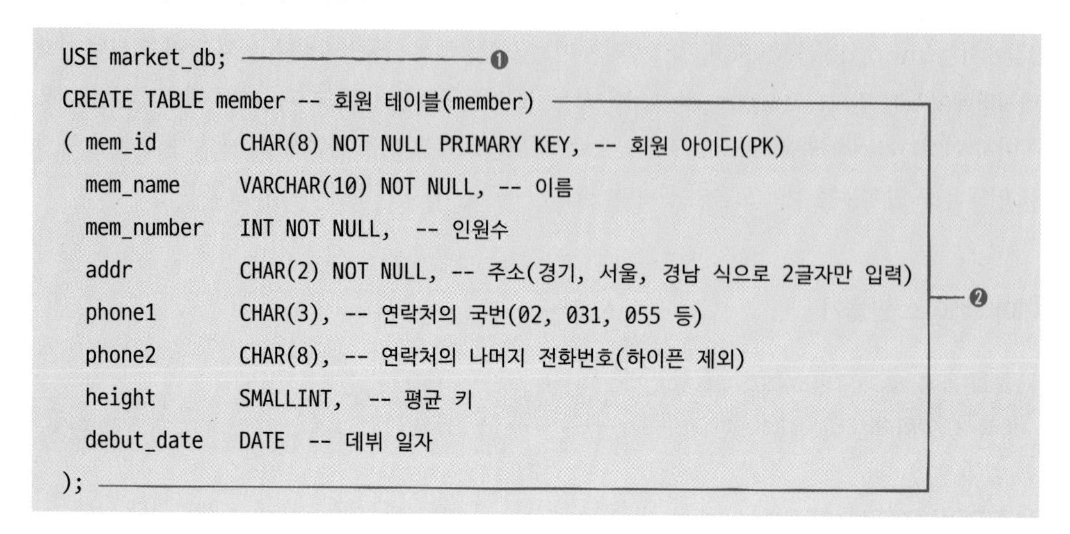

```
USE market_db; ──────────── ❶
CREATE TABLE member -- 회원 테이블(member)
( mem_id        CHAR(8) NOT NULL PRIMARY KEY, -- 회원 아이디(PK)
  mem_name      VARCHAR(10) NOT NULL, -- 이름
  mem_number    INT NOT NULL,  -- 인원수
  addr          CHAR(2) NOT NULL, -- 주소(경기, 서울, 경남 식으로 2글자만 입력)
  phone1        CHAR(3), -- 연락처의 국번(02, 031, 055 등)            ── ❷
  phone2        CHAR(8), -- 연락처의 나머지 전화번호(하이픈 제외)
  height        SMALLINT,  -- 평균 키
  debut_date    DATE  -- 데뷔 일자
);
```

❶ **USE** 문은 market_db 데이터베이스를 선택하는 문장입니다. 2장에서는 MySQL Workbench의 [SCHEMAS] 패널에서 shop_db 데이터베이스를 더블 클릭해서 선택했습니다. 그 동작과 동일한 효과를 갖습니다.

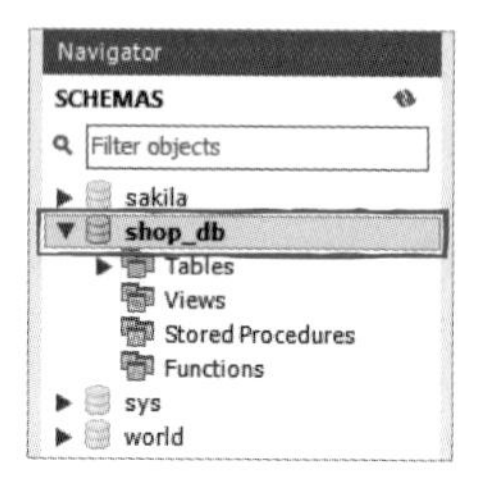

note SQL에서 하이픈(–) 2개가 연속되면, 그 이후는 **주석(remark)**으로 취급합니다. 즉, 코드의 설명으로 처리되어 없는 것과 마찬가지입니다. 주의할 점은 하이픈 2개 이후에 한 칸을 띄고 설명을 작성해야 합니다.

❷ member 테이블을 만드는 과정입니다. '인터넷 마켓 DB 구성도'에는 열 이름이 한글로 표현되었는데, 여기서는 영문으로 표현했습니다. 주석으로 해당하는 한글 이름을 표기해 두었습니다. 그 외에 **VARCHAR**가 처음으로 보이는데요, 이건 일단 CHAR와 동일하게 문자를 입력하는 것으로 생각하고 차이점은 나중에 설명하겠습니다.

2장(MySQL Workbench)에서 테이블을 만든 것과 열 개수나 내용만 다를 뿐 동일한 효과를 갖습니다.

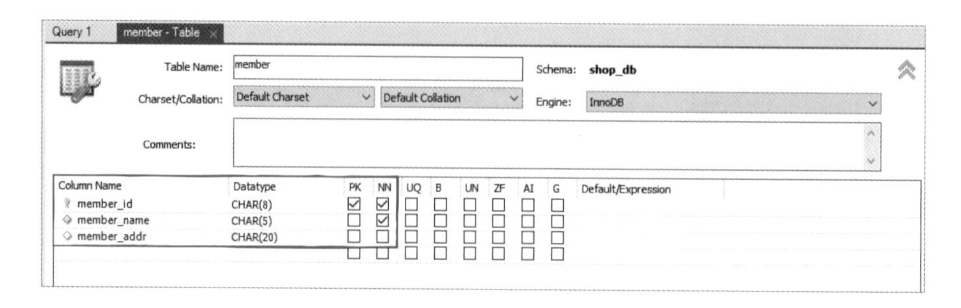

구매 테이블(buy) 만들기

```
CREATE TABLE buy -- 구매 테이블(buy) ❶
(  num          INT AUTO_INCREMENT NOT NULL PRIMARY KEY, -- 순번(PK) ❷
   mem_id       CHAR(8) NOT NULL, -- 아이디(FK)
   prod_name    CHAR(6) NOT NULL, -- 제품 이름
   group_name   CHAR(4)  , -- 분류
   price        INT  NOT NULL, -- 단가
   amount       SMALLINT  NOT NULL, -- 수량
   FOREIGN KEY (mem_id) REFERENCES member(mem_id) ❸
);
```

❶ 구매 테이블(buy)을 생성합니다.

❷ **AUTO_INCREMENT**가 처음 나왔습니다. 이것은 자동으로 숫자를 입력해준다는 의미입니다. 즉, 순번은 직접 입력할 필요 없이 1, 2, 3, ...과 같은 방식으로 자동으로 증가합니다. 잠시 후에 다시 확인해보겠습니다.

❸ FOREIGN KEY도 처음 나왔는데 지금은 신경쓰지 마세요. 5장에서 자세히 다루겠습니다.

데이터 입력하기

이제는 데이터를 입력하는 **INSERT** 문을 살펴보죠. 회원 테이블(member)과 구매 테이블(buy) 1개씩만 살펴보겠습니다.

```
INSERT INTO member VALUES('TWC', '트와이스', 9, '서울', '02', '11111111', 167,
  '2015.10.19'); ❶
INSERT INTO buy VALUES(NULL, 'BLK', '지갑', NULL, 30, 2); ❷
```

❶ 회원 테이블(member)에 값을 입력합니다. CHAR, VARCHAR, DATE형은 작은따옴표로 값을 묶어줬습니다. INT형은 작은따옴표 없이 그냥 넣어주면 됩니다.

❷ 구매 테이블(buy)의 첫 번째 열인 순번(num)은 자동으로 입력되므로 그 자리에는 NULL이라고 써주면 됩니다. 그러면 알아서 1, 2, 3, ...으로 증가하면서 입력됩니다. 여기서는 처음이므로 1이 입력됩니다.

2장(MySQL Workbench)에서 데이터를 입력한 것과 동일한 효과를 갖습니다.

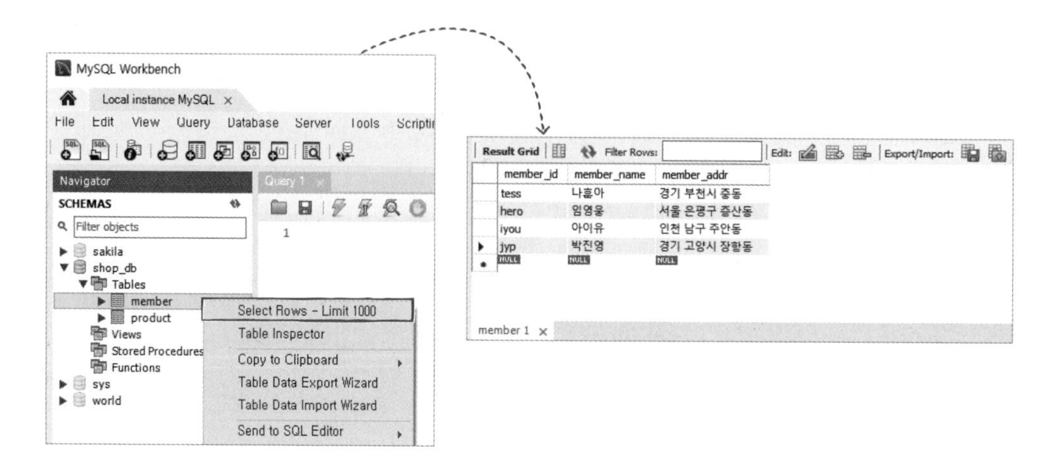

데이터 조회하기

market_db.sql 파일의 마지막 2개 행에서는 입력된 내용을 확인하기 위해서 SELECT로 조회했습니다.

```
SELECT * FROM member;
SELECT * FROM buy;
```

이렇게 해서 MySQL 워크벤치에서 데이터베이스를 구축하는 것과 동일한 작업을 SQL로도 진행할 수 있다는 것을 확인했습니다. 다시 이야기하지만, SQL 내용까지 완전히 이해하지는 못해도 상관없습니다. 앞으로 차근차근 학습하면서 자연스럽게 이해될 테니까요.

기본 조회하기: SELECT ~ FROM

이제는 본격적으로 '인터넷 마켓 DB 구성도'를 활용해서 SELECT 문을 배워보겠습니다.

USE 문

SELECT 문을 실행하려면 먼저 사용할 데이터베이스를 지정해야 합니다. 현재 사용하는 데이터베이스를 지정 또는 변경하는 형식은 다음과 같습니다.

```
USE 데이터베이스_이름;
```

market_db를 사용하려면 쿼리 창에 다음과 같이 입력합니다.

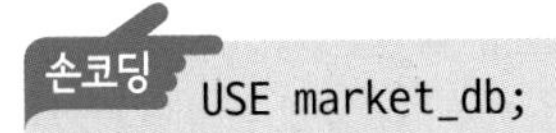


```
USE market_db;
```

이렇게 지정해 놓은 후에 다시 **USE** 문을 사용하거나 다른 DB를 사용하겠다고 명시하지 않으면 앞으로 모든 SQL 문은 market_db에서 수행됩니다.

USE 문은 '지금부터 이 DB를 사용하겠으니 모든 쿼리는 이 DB에서 실행하라'는 의미입니다.

note MySQL 워크벤치를 재시작하거나 쿼리 창을 새로 열면 다시 USE를 실행해야 합니다.

+ 여기서 잠깐 USE를 잘못 사용한 예시

다음 SQL을 실행하면 오류가 발생합니다. 현재 선택된 sys 데이터베이스에는 member라는 테이블이 없기 때문에 발생한 에러입니다. 여기서는 sys가 아닌 market_db를 선택해야 합니다.

```
USE sys;
SELECT * FROM member;
```

오류 메시지

```
Error Code: 1146. Table 'sys.member' doesn't exist
```

SELECT 문의 기본 형식

SELECT 문은 처음에는 사용하기 간단하지만, 사실 상당히 복잡한 구조를 갖습니다. MySQL 매뉴얼에 나온 것은 너무 복잡해서 여기서는 간단한 형태로 먼저 살펴보겠습니다.

```
SELECT select_expr
    [FROM table_references]
    [WHERE where_condition]
    [GROUP BY {col_name | expr | position}]
    [HAVING where_condition]
    [ORDER BY {col_name | expr | position}]
    [LIMIT {[offset,] row_count | row_count OFFSET offset}]
```

대괄호([ ])로 묶인 부분은 생략이 가능합니다.

간단하다고 이야기했지만, 별로 간단해 보이지는 않네요. 좀 더 알아보기 쉽게 핵심만 표현해서 다시 살펴보겠습니다. 3장과 4장에서는 이 문장에 대한 이해와 실습이 대부분입니다. 하나씩 차근차근 살펴보겠습니다.

```
SELECT 열_이름
    FROM 테이블_이름
    WHERE 조건식
    GROUP BY 열_이름
    HAVING 조건식
    ORDER BY 열_이름
    LIMIT 숫자
```

여기서는 다음과 같이 기본적이고 핵심적인 형식을 먼저 살펴보겠습니다.

```
SELECT 열_이름
    FROM 테이블_이름
    WHERE 조건식
```

SELECT와 FROM

다시 USE 문으로 market_db를 선택하고 SELECT 문으로 회원 테이블(member)을 조회해보겠습니다.

SELECT 문을 하나하나 살펴볼까요?

❶ 테이블에서 데이터를 가져올 때 사용하는 예약어입니다. 가장 많이 사용하게 될 것입니다.

❷ 일반적으로 '모든 것'을 의미합니다. 그런데 *가 사용된 위치가 열 이름이 나올 곳이므로 모든 열을 말합니다. 여기서는 member 테이블의 8개 열 모두를 의미합니다.

❸ FROM 다음에 테이블 이름이 나옵니다. 테이블에서 내용을 가져온다는 의미입니다.

❹ 조회할 테이블 이름입니다.

결국 풀어서 쓰면 'member 테이블에서 모든 열의 내용을 가져와라'라는 뜻입니다. 결과는 10건의 회원이 출력되었습니다.

실행 결과

mem_id	mem_name	mem_number	addr	phone1	phone2	height	debut_date
APN	에이핑크	6	경기	031	77777777	164	2011-02-10
BLK	블랙핑크	4	경남	055	22222222	163	2016-08-08
GRL	소녀시대	8	서울	02	44444444	168	2007-08-02
ITZ	잇지	5	경남	NULL	NULL	167	2019-02-12
MMU	마마무	4	전남	061	99999999	165	2014-06-19
OMY	오마이걸	7	서울	NULL	NULL	160	2015-04-21
RED	레드벨벳	4	경북	054	55555555	161	2014-08-01
SPC	우주소녀	13	서울	02	88888888	162	2016-02-25
TWC	트와이스	9	서울	02	11111111	167	2015-10-19
WMN	여자친구	6	경기	031	33333333	166	2015-01-15

원래 테이블의 전체 이름은 **데이터베이스_이름.테이블_이름** 형식으로 표현합니다. '인터넷 마켓 DB 구성도'를 예로 든다면 이 테이블의 전체 이름은 market_db.member입니다. 그렇기 때문에 원칙적으로는 다음과 같이 사용해야 합니다.

```
SELECT * FROM market_db.member;
```

하지만 데이터베이스 이름을 생략하면 USE 문으로 지정해 놓은 데이터베이스가 자동으로 선택됩니다. 현재 선택된 데이터베이스가 market_db이므로 다음 두 쿼리는 동일한 것이 됩니다.

```
SELECT * FROM market_db.member;
SELECT * FROM member;
```

SELECT 문에서 테이블 이름은 원칙적으로 데이터베이스_이름.테이블_이름 형식을 사용해야 하지만 대부분 테이블_이름만 사용합니다.

+ 여기서 잠깐 **[Output] 패널의 의미**

[Output] 패널에서 제일 앞의 아이콘과 [Message] 정도는 확인하는 것이 좋습니다. [Output] 패널의 의미는 다음과 같습니다.

- **초록색 체크 표시:** SQL이 정상적으로 실행되었다는 의미입니다.
- **빨간색 X 표시:** SQL에 오류가 발생했다는 의미입니다.
- **#:** 실행한 SQL의 순번입니다. 실행한 SQL이 여러 개라면 1, 2, 3, ... 순서로 증가합니다.
- **Time:** SQL을 실행한 시각이 표시됩니다.
- **Action:** 실행된 SQL이 표시됩니다.
- **Message:** SELECT 문이 조회된 행의 개수가 나옵니다. 만약 오류 발생 시에는 오류 번호 및 오류 메시지가 표시됩니다.
- **Duration/Fetch:** Duration은 SQL 문이 실행되는 데 걸린 시간(초), Fetch는 데이터베이스에서 가져온 시간(초)입니다.

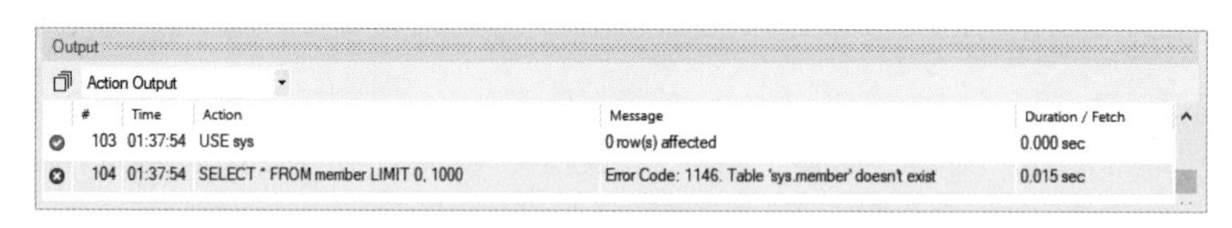

이번에는 해당 테이블에서 전체 열이 아닌 필요한 열만 가져오겠습니다. 다음과 같이 회원 테이블(member)의 이름(mem_name) 열만 가져와봅시다.

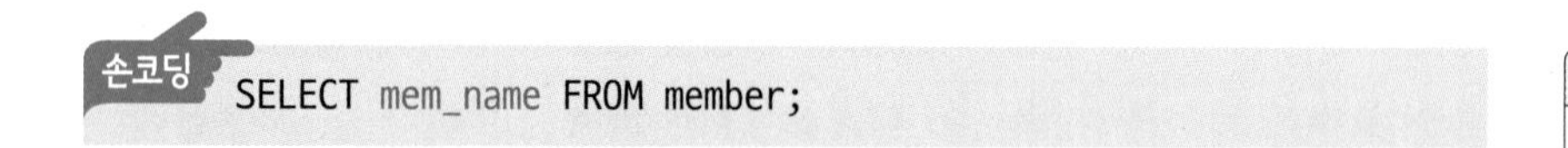

손코딩
```
SELECT mem_name FROM member;
```

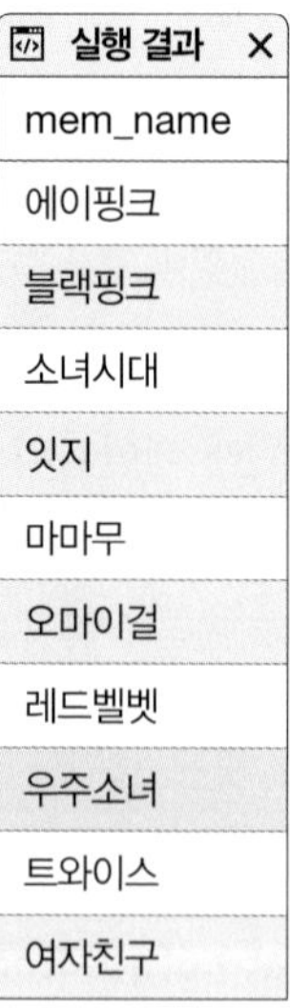

실행 결과

mem_name
에이핑크
블랙핑크
소녀시대
잇지
마마무
오마이걸
레드벨벳
우주소녀
트와이스
여자친구

여러 개의 열을 가져오고 싶으면 콤마(,)로 구분하면 됩니다. 열 이름의 순서는 원래 테이블을 만들 때 순서에 맞출 필요 없습니다. 보고 싶은 순서대로 열을 나열하면 됩니다.

손코딩

```
SELECT addr, debut_date, mem_name
    FROM member;
```

실행 결과

addr	debut_date	mem_name
경기	2011-02-10	에이핑크
경남	2016-08-08	블랙핑크
서울	2007-08-02	소녀시대
경남	2019-02-12	잇지
전남	2014-06-19	마마무
서울	2015-04-21	오마이걸
경북	2014-08-01	레드벨벳
서울	2016-02-25	우주소녀
서울	2015-10-19	트와이스
경기	2015-01-15	여자친구

+ 여기서 잠깐 **열 이름의 별칭**

참고로 열 이름에 별칭(alias)을 지정할 수 있습니다. 열 이름 다음에 지정하고 싶은 별칭을 입력하면 됩니다. 별칭에 공백이 있으면 큰따옴표(")로 묶어줍니다.

```
SELECT addr 주소, debut_date "데뷔 일자",
   mem_name FROM member;
```

실행 결과

주소	데뷔 일자	mem_name
경기	2011-02-10	에이핑크
경남	2016-08-08	블랙핑크
서울	2007-08-02	소녀시대
경남	2019-02-12	잇지

특정한 조건만 조회하기: SELECT ~ FROM ~ WHERE

SELECT ~ FROM은 대부분 WHERE와 함께 사용합니다. WHERE는 필요한 것들만 골라서 결과를 보는 효과를 갖습니다.

WHERE 없이 조회하기

WHERE가 없이 **SELECT ~ FROM**만으로 테이블을 조회하면 테이블의 모든 행이 출력됩니다. market_db처럼 데이터의 건수가 적은 경우에는 별 문제가 없지만, 실제 쿠팡/마켓컬리/지마켓/옥션 등과 같이 회원이 수백만 명 이상 되는 인터넷 쇼핑몰에서 회원 테이블(member)을 다음과 같이 검색하면 어떨까요?

```
SELECT * FROM 쿠팡_회원_테이블(member);
```

결과가 엄청나게 많이 나오겠죠? 출력된 수백만 건 이상의 결과에서 필요한 데이터를 눈으로 찾아내는 것은 상당히 어려울 뿐 아니라, 이렇게 많은 데이터를 출력하면 아무리 고성능의 컴퓨터라도 부담이 될 수밖에 없습니다. 그래서 학습 등을 할 때와 같이 작은 데이터를 조회할 때를 제외한 SELECT 문은 WHERE 절과 함께 사용합니다.

실무에서 SELECT 문을 사용할 때는 대부분 WHERE 절을 함께 사용합니다.

기본적인 WHERE 절

WHERE 절은 조회하는 결과에 특정한 조건을 추가해서 원하는 데이터만 보고 싶을 때 사용합니다. 형식은 다음과 같습니다.

```
SELECT 열_이름 FROM 테이블_이름 WHERE 조건식;
```

또는

```
SELECT 열_이름
   FROM 테이블_이름
   WHERE 조건식;
```

note 이 형식에서 세미콜론(;)이 나오기 전까지는 한 줄로 쓰든, 여러 줄로 쓰든 동일합니다. SQL이 길거나 복잡한 경우에는 여러 줄로 나눠 쓰는 것이 좀 더 읽기 편합니다.

지금 찾는 이름(mem_name)이 '블랙핑크'라면 다음과 같은 조건식을 사용하면 됩니다. **열_이름 = 값**은 열의 값에 해당하는 결과만 출력해줍니다. 지금은 이름(mem_name)이 블랙핑크인 결과만 출력했습니다. 이름(mem_name) 열은 문자형(CHAR)이므로 작은따옴표로 묶어줬습니다.

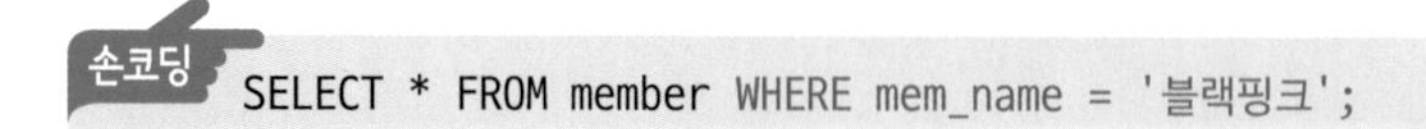

손코딩
```
SELECT * FROM member WHERE mem_name = '블랙핑크';
```

실행 결과

mem_id	mem_name	mem_number	addr	phone1	phone2	height	debut_date
BLK	블랙핑크	4	경남	055	22222222	163	2016-08-08

다음과 같이 인원(mem_number)처럼 숫자형 열을 조회할 때는 작은따옴표가 필요 없습니다. 결과를 보면 인원수가 4명인 회원은 3건이 나왔습니다.

손코딩
```
SELECT * FROM member WHERE mem_number = 4;
```

실행 결과

mem_id	mem_name	mem_number	addr	phone1	phone2	height	debut_date
BLK	블랙핑크	4	경남	055	22222222	163	2016-08-08
MMU	마마무	4	전남	061	99999999	165	2014-06-19
RED	레드벨벳	4	경북	054	55555555	161	2014-08-01

관계 연산자, 논리 연산자의 사용

숫자로 표현된 데이터는 범위를 지정할 수 있습니다. 예를 들어 평균 키(height)가 162 이하인 회원을 검색하려면 다음과 같이 **관계 연산자** <=(작거나 같다)를 사용해서 조회할 수 있습니다.

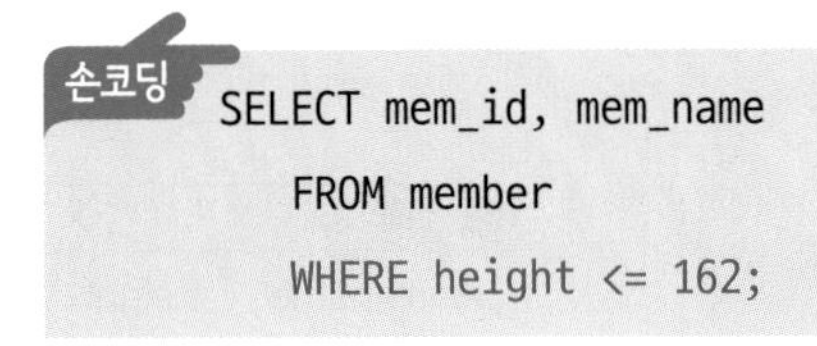

손코딩
```
SELECT mem_id, mem_name
    FROM member
    WHERE height <= 162;
```

실행 결과

mem_id	mem_name
OMY	오마이걸
RED	레드벨벳
SPC	우주소녀

note 관계 연산자는 >, <, >=, <=, = 등이 있습니다.

2가지 이상의 조건을 만족하도록 할 수도 있습니다. 평균 키(height)가 165 이상이면서 인원(mem_number)도 6명 초과인 회원은 다음과 같이 **논리 연산자** AND를 이용해서 조회할 수 있습니다.

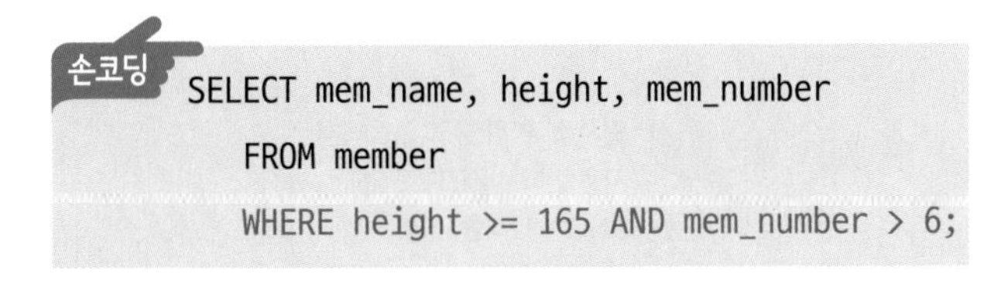

손코딩
```
SELECT mem_name, height, mem_number
    FROM member
    WHERE height >= 165 AND mem_number > 6;
```

실행 결과

mem_name	height	mem_number
소녀시대	168	8
트와이스	167	9

평균 키(height)가 165 이상이거나 인원(mem_number)이 6명 초과인 회원은 다음과 같이 논리 연산자 OR를 이용해서 조회할 수 있습니다. AND가 두 조건이 모두 만족해야 하는 것이라면, OR는 두 조건 중 하나만 만족해도 됩니다.

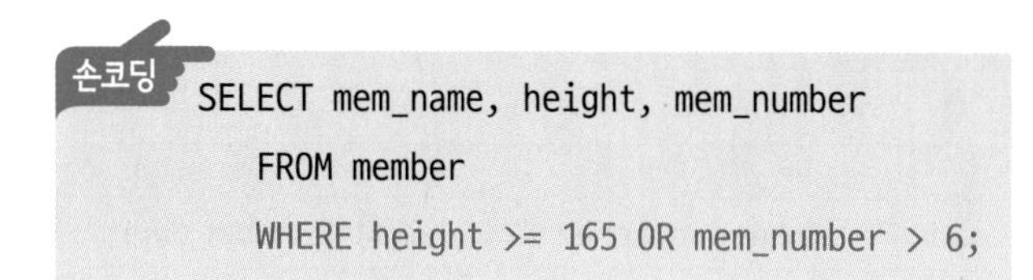

```
손코딩
SELECT mem_name, height, mem_number
    FROM member
    WHERE height >= 165 OR mem_number > 6;
```

실행 결과

mem_name	height	mem_number
소녀시대	168	8
잇지	167	5
마마무	165	4
오마이걸	160	7
우주소녀	162	13
트와이스	167	9
여자친구	166	6

BETWEEN ~ AND

이번에는 AND를 사용해서 평균 키(height)가 163 ~ 165인 회원을 조회해보겠습니다.

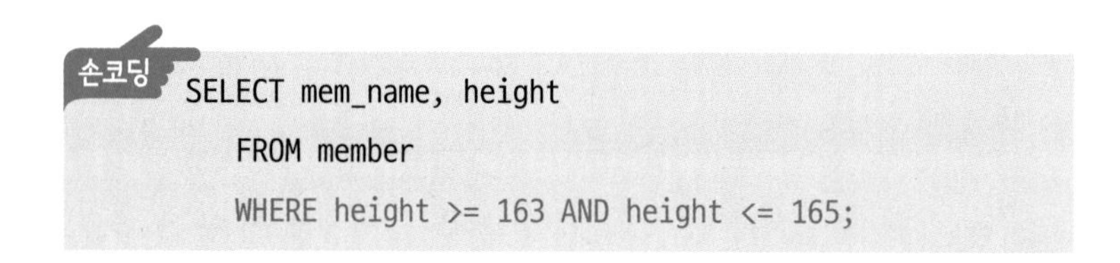

```
손코딩
SELECT mem_name, height
    FROM member
    WHERE height >= 163 AND height <= 165;
```

실행 결과

mem_name	height
에이핑크	164
블랙핑크	163
마마무	165

그런데 범위에 있는 값을 구하는 경우에는 **BETWEEN ~ AND**를 사용해도 됩니다. 다음 SQL은 바로 앞에서 살펴본 AND를 사용한 SQL과 동일합니다.

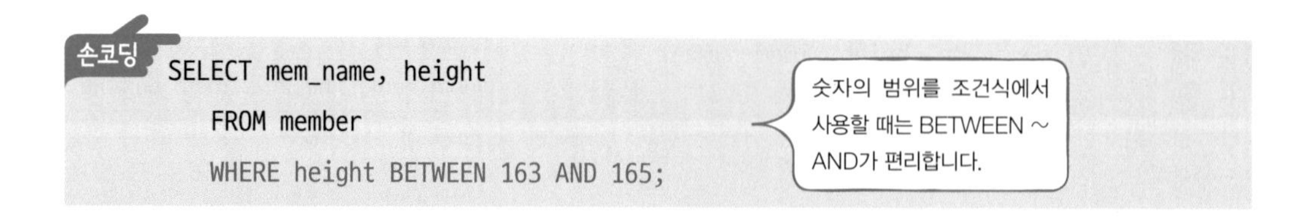

```
손코딩
SELECT mem_name, height
    FROM member
    WHERE height BETWEEN 163 AND 165;
```

IN()

평균 키(height)와 같이 숫자로 구성된 데이터는 크다/작다의 범위를 지정할 수 있으므로 BETWEEN ~ AND를 사용할 수 있지만, 주소(addr)와 같은 데이터는 문자로 표현되기 때문에 어느 범위에 들어 있다고 표현할 수 없습니다. 만약, 경기/전남/경남 중 한 곳에 사는 회원을 검색하려면 다음과 같이 OR로 일일이 써줘야 합니다.

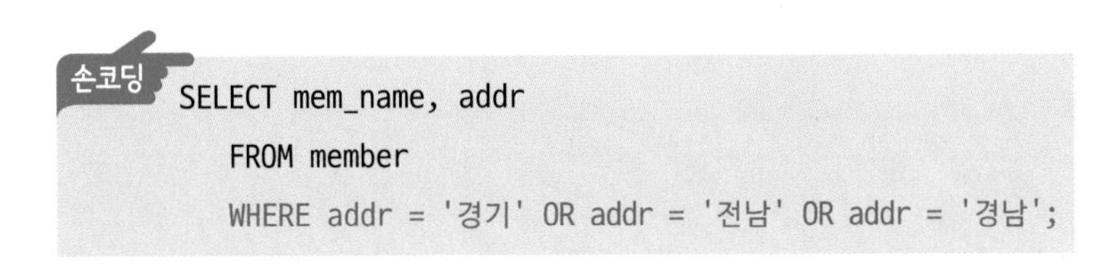

손코딩

```sql
SELECT mem_name, addr
    FROM member
    WHERE addr = '경기' OR addr = '전남' OR addr = '경남';
```

실행 결과

mem_name	addr
에이핑크	경기
블랙핑크	경남
잇지	경남
마마무	전남
여자친구	경기

IN()을 사용하면 코드를 훨씬 간결하게 작성할 수 있습니다. 다음은 바로 앞의 SQL과 동일한 결과를 냅니다.

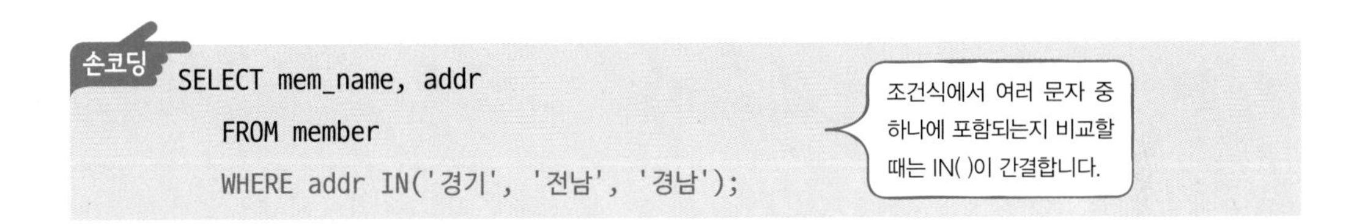

손코딩

```sql
SELECT mem_name, addr
    FROM member
    WHERE addr IN('경기', '전남', '경남');
```


LIKE

문자열의 일부 글자를 검색하려면 LIKE를 사용합니다. 예를 들어 이름(mem_name)의 첫 글자가 '우'로 시작하는 회원은 다음과 같이 검색할 수 있습니다. 결과는 우주소녀가 나왔습니다. 이 조건은 제일 앞 글자가 '우'이고 그 뒤는 무엇이든(%) 허용한다는 의미입니다.

손코딩

```sql
SELECT *
    FROM member
    WHERE mem_name LIKE '우%';
```

실행 결과

mem_id	mem_name	mem_number	addr	phone1	phone2	height	debut_date
SPC	우주소녀	13	서울	02	88888888	162	2016-02-25

한 글자와 매치하기 위해서는 **언더바(_)**를 사용합니다. 다음 SQL은 이름(mem_name)의 앞 두 글자는 상관없고 뒤는 '핑크'인 회원을 검색합니다. 결과는 에이핑크와 블랙핑크가 나왔습니다.

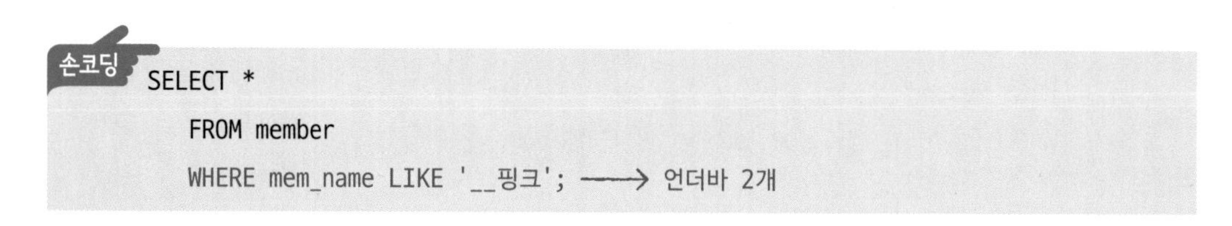

손코딩

```
SELECT *
    FROM member
    WHERE mem_name LIKE '__핑크'; ——> 언더바 2개
```

실행 결과

mem_id	mem_name	mem_number	addr	phone1	phone2	height	debut_date
APN	에이핑크	6	경기	031	77777777	164	2011-02-10
BLK	블랙핑크	4	경남	055	22222222	163	2016-08-08

좀 더 알아보기

서브 쿼리

SELECT 안에는 또 다른 SELECT가 들어갈 수 있습니다. 이것을 서브 쿼리subquery 또는 하위 쿼리라고 부릅니다. 여기서는 이름(mem_name)이 '에이핑크'인 회원의 평균 키(height)보다 큰 회원을 검색하고 싶다고 가정해보겠습니다.

우선 에이핑크의 평균 키(height)를 알아내야 합니다. 에이핑크의 키가 164인 것을 알아냈습니다.

```
SELECT height FROM member WHERE mem_name = '에이핑크';
```

실행 결과

height
164

이제는 164보다 평균 키(height)가 큰 회원을 조회하면 됩니다.

```
SELECT mem_name, height FROM member WHERE height > 164;
```

실행 결과

mem_name	height
소녀시대	168
잇지	167
마마무	165
트와이스	167
여자친구	166

SQL 문 2개를 사용해서 결과를 얻었습니다. 그런데 이 두 SQL을 하나로 만들 수는 없을까요? 가능합니다. 두 번째 SQL의 164 위치에 에이핑크의 평균 키(height)를 조회하는 SQL을 대신 써주면 됩니다.

```
SELECT mem_name, height FROM member
   WHERE height > (SELECT height FROM member WHERE mem_name = '에이핑크');
```

세미콜론(;)이 하나이므로 이 SQL은 하나의 문장입니다. SQL 안에 또 SQL이 들어간 모양이네요. 즉, 괄호 안의 SELECT 결과가 164이므로 이 자리에 164를 직접 써준 것과 동일한 효과를 얻었습니다. 서브 쿼리의 장점은 2개의 SQL을 하나로 만듦으로써 하나의 SQL만 관리하면 되므로 더 간단해진다는 것입니다. 실무에서도 종종 사용되므로 기억해 두세요.

마무리

▶ 5가지 키워드로 끝내는 핵심 포인트

- **USE** 문은 데이터베이스를 선택하는 구문으로 한 번 지정하면 계속 유지됩니다.
- **SELECT ~ FROM ~ WHERE** 문은 가장 기본적인 SQL입니다. SELECT 다음에는 열 이름이, FROM 다음에는 테이블 이름이, WHERE 다음에는 다양한 조건식이 올 수 있습니다.
- **관계 연산자**는 WHERE 절에서 크다/작다/같다 등을 지정하는 기호로 <, <=, >, >=, = 등이 있습니다.
- **논리 연산자**는 관계 연산자가 2개 이상 나오면 AND, OR 등으로 참/거짓을 판별합니다.
- **LIKE**는 문자열 비교 시 모두 허용할 때는 %를, 하나로 지정할 때는 _를 사용합니다.

▶ 표로 정리하는 핵심 포인트

관련 중요 용어

용어	영문 용어	설명
주석	remark	하이픈(-) 2개와 설명으로 구성
VARCHAR		문자형으로 CHAR와 거의 비슷함(자세한 내용은 4장에서 설명함)
AUTO_INCREMENT		자동으로 숫자를 입력시켜줌. 테이블을 생성할 때 지정함
*		모든 열을 지정할 때 사용하는 기호
별칭	alias	SELECT 문에서 실제 열 이름 대신에 출력되도록 설정하는 문자
%		문자열에서 여러 문자에 대응하는 기호
_		문자열에서 한 문자에 대응하는 기호

▶ 확인문제

이번 절에서는 SELECT 문과 함께 기본적인 SQL에 대해서 살펴봤습니다. 확인문제를 통해서 배운 개념을 스스로 정리해보기 바랍니다.

1. 다음은 실습용 데이터베이스 market_db에 대한 내용입니다. 거리가 먼 것을 하나 고르세요.

① 회원 테이블 member와 구매 테이블 buy로 구성되어 있습니다.
② SQL 문을 사용해서 생성했습니다.
③ CHAR, INT, DATE 등 다양한 데이터 형식을 사용했습니다.
④ 회원 테이블(member)과 구매 테이블(buy)은 서로 아무런 연관이 없습니다.

2. 다음은 USE 문에 대한 설명입니다. 거리가 먼 것을 모두 고르세요.

① 데이터베이스를 지정합니다.
② 필요하다면 테이블도 지정할 수 있습니다.
③ 한 번 지정하면 MySQL 워크벤치를 재시작해도 계속 유지됩니다.
④ USE를 여러 번 수행해도 오류가 발생하지는 않습니다.

3 다음 SQL 문의 빈칸에 들어갈 WHERE 절의 문법으로 틀린 것을 고르세요.

```
SELECT * FROM WHERE                    ;
```

① mem_number == 4 ② mem_number >= 4
③ mem_number <= 4 ④ mem_number = 4

4. 주소의 지역이 서울, 경기인 회원을 추출하는 SQL 문입니다. 빈칸에 들어갈 수 있는 것을 모두 고르세요.

```
SELECT * FROM WHERE                    ;
```

① addr IN('서울', '경기') ② addr BETWEEN '서울' AND '경기'
③ addr = '서울' OR addr = '경기' ④ addr = '서울' AND addr = '경기'

03-2 좀 더 깊게 알아보는 SELECT 문

핵심 키워드

ORDER BY LIMIT DISTINCT GROUP BY HAVING

SELECT ~ FROM ~ WHERE는 가장 핵심적인 SQL 문입니다. 이에 부가적으로 결과를 정렬하거나, 중복을 제거하거나, 일부만 보여주는 등의 다양한 처리가 필요할 때도 있습니다. 또 결과를 한 건씩 보는 경우도 있지만 묶음으로 처리해서 봐야 하는 경우도 있습니다. 이에 대해 살펴보겠습니다.

시작하기 전에

SELECT 문에서는 결과의 정렬을 위한 **ORDER BY**, 결과의 개수를 제한하는 **LIMIT**, 중복된 데이터를 제거하는 **DISTINCT** 등을 사용할 수 있습니다.

그리고 **GROUP BY** 절은 지정한 열의 데이터들을 같은 데이터끼리는 묶어서 결과를 추출합니다. 주로 그룹으로 묶는 경우는 합계, 평균, 개수 등을 처리할 때 사용하므로 집계 함수와 함께 사용됩니다. GROUP BY 절에서도 HAVING 절을 통해 조건식을 추가할 수 있습니다. **HAVING** 절은 WHERE 절과 비슷해 보이지만, GROUP BY 절과 함께 사용되는 것이 차이점입니다.

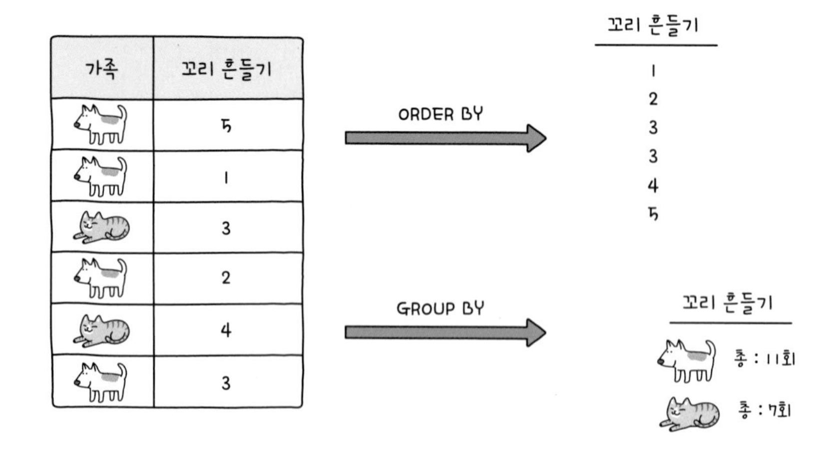

ORDER BY 절

SELECT 절의 형식은 다음과 같습니다. 이 중에서 아직 다루지 않은 ORDER BY와 LIMIT에 대해서 먼저 살펴보고 잠시 후에 GROUP BY, HAVING에 대해서 알아보겠습니다.

```
SELECT 열_이름
    FROM 테이블_이름
    WHERE 조건식
    GROUP BY 열_이름
    HAVING 조건식
    ORDER BY 열_이름
    LIMIT 숫자
```

ORDER BY 절은 결과의 값이나 개수에 대해서는 영향을 미치지 않지만, 결과가 출력되는 순서를 조절합니다. 다음과 같이 입력하여 실행해보겠습니다. 데뷔 일자(debut_date)가 빠른 순서대로 출력되었습니다.

손코딩
```
SELECT mem_id, mem_name, debut_date
    FROM member
    ORDER BY debut_date;
```

실행 결과

mem_id	mem_name	debut_date
GRL	소녀시대	2007-08-02
APN	에이핑크	2011-02-10
MMU	마마무	2014-06-19
RED	레드벨벳	2014-08-01
WMN	여자친구	2015-01-15
OMY	오마이걸	2015-04-21
TWC	트와이스	2015-10-19
SPC	우주소녀	2016-02-25
BLK	블랙핑크	2016-08-08
ITZ	잇지	2019-02-12

데뷔 일자(debut_date)가 늦은 순서대로 정렬하려면 어떻게 해야 할까요? 간단히 제일 뒤에 DESC라고 붙여주면 됩니다. 기본값은 **ASC**인데 Ascending의 약자로 오름차순을 의미하고, **DESC**는 Descending의 약자로 내림차순을 의미합니다.

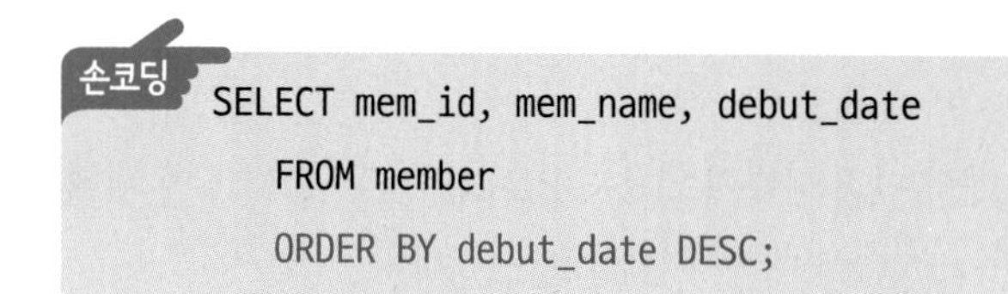

손코딩

```
SELECT mem_id, mem_name, debut_date
   FROM member
   ORDER BY debut_date DESC;
```

실행 결과

mem_id	mem_name	debut_date
ITZ	잇지	2019-02-12
BLK	블랙핑크	2016-08-08
SPC	우주소녀	2016-02-25
TWC	트와이스	2015-10-19
OMY	오마이걸	2015-04-21
WMN	여자친구	2015-01-15
RED	레드벨벳	2014-08-01
MMU	마마무	2014-06-19
APN	에이핑크	2011-02-10
GRL	소녀시대	2007-08-02

ORDER BY는 오름차순 또는 내림차순으로 정렬해서 결과를 보여줍니다.

note ASC 또는 DESC를 생략하면 기본적으로 ASC라고 인식합니다.

ORDER BY 절과 WHERE 절은 함께 사용할 수 있습니다. 평균 키(height)가 164 이상인 회원들을 키가 큰 순서대로 조회해보겠습니다. 그런데 오류가 발생했습니다. 이유는 SQL 구문의 순서가 틀렸기 때문입니다.

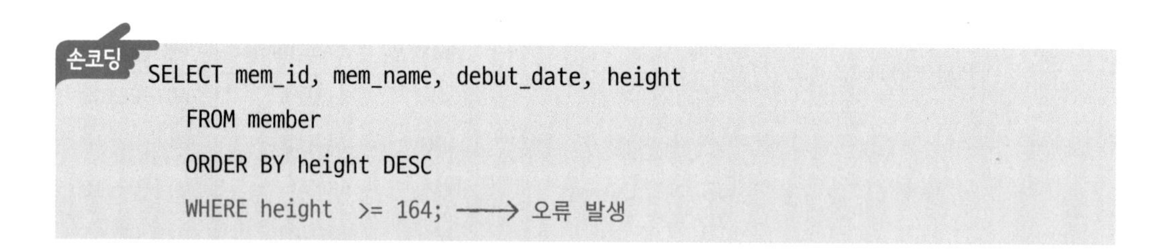

손코딩

```
SELECT mem_id, mem_name, debut_date, height
   FROM member
   ORDER BY height DESC
   WHERE height  >= 164; ——> 오류 발생
```

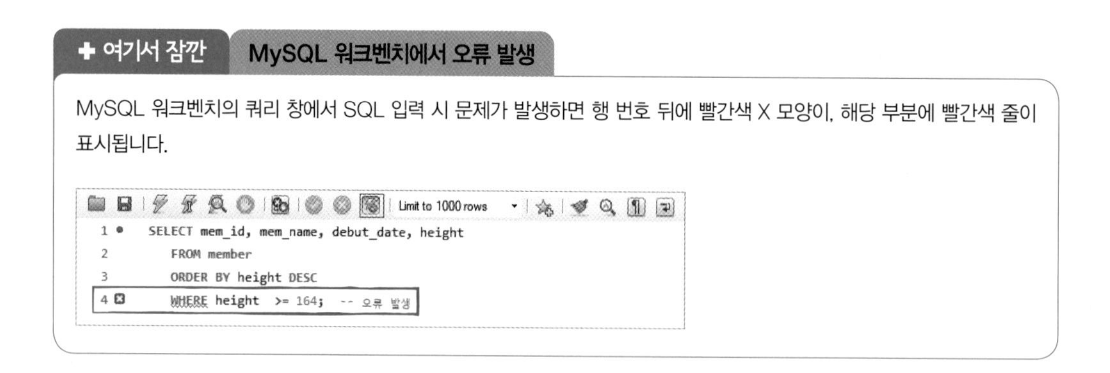

+ 여기서 잠깐 MySQL 워크벤치에서 오류 발생

MySQL 워크벤치의 쿼리 창에서 SQL 입력 시 문제가 발생하면 행 번호 뒤에 빨간색 X 모양이, 해당 부분에 빨간색 줄이 표시됩니다.

ORDER BY 절은 WHERE 절 다음에 나와야 합니다. 다음과 같이 수정하고 다시 실행해보겠습니다. 평균 키(height)가 164 이상인 회원들이 키가 큰 순서대로 출력되었습니다.

손코딩
```
SELECT mem_id, mem_name, debut_date, height
    FROM member
    WHERE height  >= 164
    ORDER BY height DESC;
```

실행 결과

mem_id	mem_name	debut_date	height
GRL	소녀시대	2007-08-02	168
ITZ	잇지	2019-02-12	167
TWC	트와이스	2015-10-19	167
WMN	여자친구	2015-01-15	166
MMU	마마무	2014-06-19	165
APN	에이핑크	2011-02-10	164

SELECT 문에 나오는 절은 생략 가능하지만, 사용해야 한다면 순서를 지켜야 합니다.

하지만 한 가지 더 고려할 사항이 있었네요. 잇지와 트와이스의 평균 키(height)는 167로 동일한데 잇지가 먼저 출력되었습니다. 트와이스 입장에서는 자신들이 데뷔 일자(debut_date)가 더 빠르므로 먼저 나와야 된다고 생각할 수 있습니다.

정렬 기준은 1개 열이 아니라 여러 개 열로 지정할 수 있습니다. 우선 첫 번째 지정 열로 정렬한 후에 동일할 경우에는 다음 지정 열로 정렬할 수 있습니다. 즉, 평균 키가 큰 순서대로 정렬하되, 평균 키가 같으면 데뷔 일자가 빠른 순서로 정렬합니다.

손코딩
```
SELECT mem_id, mem_name, debut_date, height
    FROM member
    WHERE height  >= 164
    ORDER BY height DESC, debut_date ASC;
```

실행 결과

mem_id	mem_name	debut_date	height
GRL	소녀시대	2007-08-02	168
TWC	트와이스	2015-10-19	167
ITZ	잇지	2019-02-12	167
WMN	여자친구	2015-01-15	166
MMU	마마무	2014-06-19	165
APN	에이핑크	2011-02-10	164

출력의 개수를 제한: LIMIT

LIMIT는 출력하는 개수를 제한합니다. 예를 들어, 회원 테이블(member)을 조회하는데 전체 중 앞에서 3건만 조회할 수 있습니다.

손코딩

```
SELECT *
    FROM member
    LIMIT 3;
```

실행 결과

mem_id	mem_name	mem_number	addr	phone1	phone2	height	debut_date
APN	에이핑크	6	경기	031	77777777	164	2011-02-10
BLK	블랙핑크	4	경남	055	22222222	163	2016-08-08
GRL	소녀시대	8	서울	02	44444444	168	2007-08-02

결과에는 문제가 없지만, 이렇게 아무런 기준 없이 앞에서 3건만 뽑는 경우는 별로 없습니다. 먼저 정렬한 후 앞에서 몇 건을 추출하는 것이 대부분입니다. 예를 들어, 데뷔 일자(debut_date)가 빠른 회원 3건만 추출하려면 다음과 같이 ORDER BY와 함께 사용할 수 있습니다.

LIMIT 형식은 **LIMIT 시작, 개수**입니다. 지금과 같이 LIMIT 3만 쓰면 LIMIT 0, 3과 동일합니다. 즉, 0번째부터 3건이라는 의미입니다.

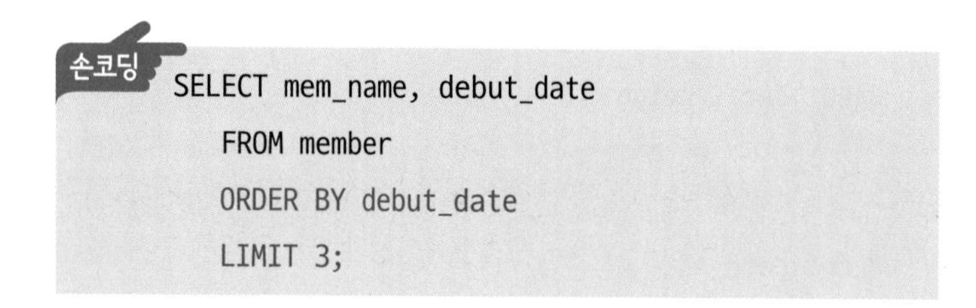

손코딩

```
SELECT mem_name, debut_date
    FROM member
    ORDER BY debut_date
    LIMIT 3;
```

실행 결과

mem_name	debut_date
소녀시대	2007-08-02
에이핑크	2011-02-10
마마무	2014-06-19

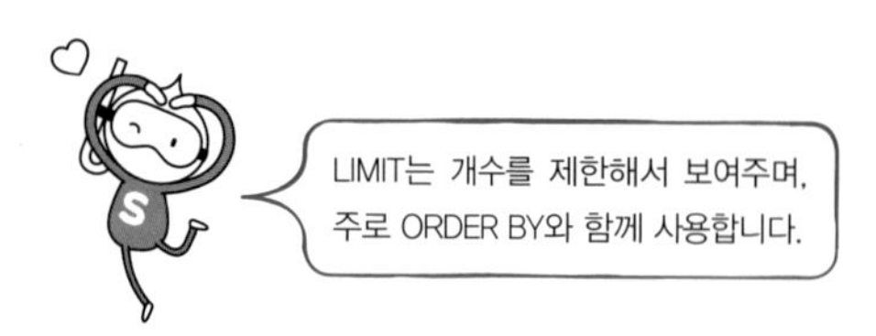

필요하다면 중간부터 출력도 가능합니다. 다음과 같이 평균 키(height)가 큰 순으로 정렬하되, 3번째부터 2건만 조회할 수 있습니다.

```
SELECT mem_name, height
   FROM member
   ORDER BY height DESC
   LIMIT 3, 2;
```

실행 결과

mem_name	height
여자친구	166
마마무	165

note LIMIT 시작, 개수는 LIMIT 개수 OFFSET 시작이라고 쓰는 것과 동일합니다. 또한 LIMIT는 첫 데이터를 0번으로 설정하고 시작합니다.

중복된 결과를 제거: DISTINCT

DISTINCT는 조회된 결과에서 중복된 데이터를 1개만 남깁니다. 여기서는 회원들의 지역(addr)을 출력해보겠습니다.

다음 SQL의 결과를 보면 회원이 사는 지역(addr)은 경기, 경남, 서울, 전남, 경북 등 5군데인 것을 확인할 수 있습니다. 지금은 데이터 건수가 적은데도 중복된 것을 눈으로 골라내기가 좀 어렵네요.

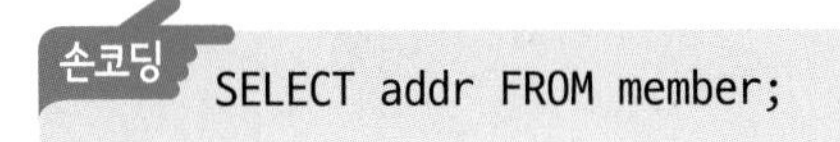

```
SELECT addr FROM member;
```

실행 결과

addr
경기
경남
서울
경남
전남
서울
경북
서울
서울
경기

그래서 앞에서 배운 ORDER BY를 사용해보겠습니다. 같은 지역(addr)이 몰려 있어서 아까보다는 세기가 쉽지만 이 역시 데이터 건수가 수만 개라면 현실적으로 종류를 세는 것은 너무 어려울 것입니다.

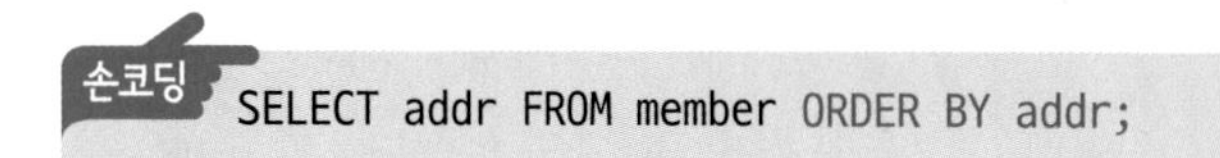

```
손코딩 SELECT addr FROM member ORDER BY addr;
```

실행 결과

addr
경기
경기
경남
경남
경북
서울
서울
서울
서울
전남

이를 간단하게 하는 것이 DISTINCT 문입니다. 열 이름 앞에 DISTINCT를 써주기만 하면 중복된 데이터를 1개만 남기고 제거합니다. 유용하게 사용되는 구문이므로 기억해 놓기 바랍니다.

```
손코딩 SELECT DISTINCT addr FROM member;
```

실행 결과

addr
경기
경남
서울
전남
경북

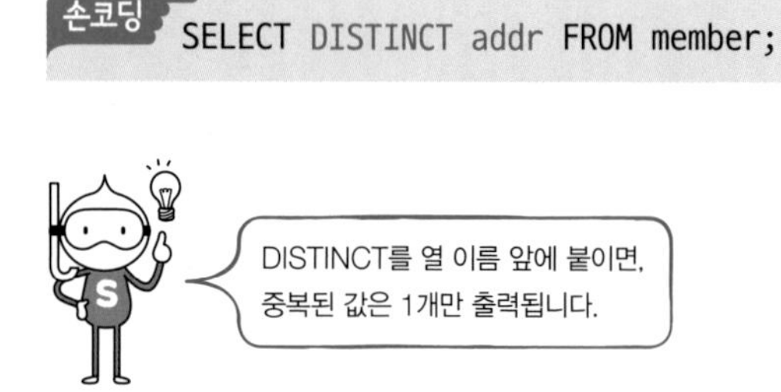

GROUP BY 절

다시 SELECT 절의 형식을 살펴보겠습니다. 이 중에서 아직 다루지 않은 것은 GROUP BY와 HAVING입니다.

```
SELECT 열_이름
    FROM 테이블_이름
    WHERE 조건식
    GROUP BY 열_이름
    HAVING 조건식
    ORDER BY 열_이름
    LIMIT 숫자
```

GROUP BY 절은 말 그대로 그룹으로 묶어주는 역할을 합니다. 103쪽 '인터넷 마켓 DB 구성도'를 살펴봅시다. 다음 SQL을 사용하면 market_db의 구매 테이블(buy)에서 회원(mem_id)이 구매한 물품의 개수(amount)를 구할 수 있습니다.

회원(mem_id)별로 여러 건의 물건 구매가 있었고, 각각의 행이 별도로 출력되었습니다. APN(에이핑크) 회원의 경우에는 1+2+1+1=5개의 물건을 구매했습니다. 그런데 합계를 이렇게 암산이나 계산기로 계산해야 한다면 MySQL을 사용할 이유가 없을 것입니다.

손코딩

```
SELECT mem_id, amount FROM buy ORDER BY mem_id;
```

실행 결과

mem_id	amount
APN	1
APN	2
APN	1
APN	1
BLK	2
BLK	1
BLK	3
GRL	5
MMU	5
MMU	10
MMU	1
MMU	4

이럴 때는 집계 함수를 사용하면 됩니다. 집계 함수는 주로 GROUP BY 절과 함께 쓰이며 데이터를 그룹화grouping해주는 기능을 합니다. 바로 살펴보겠습니다.

집계 함수

GROUP BY와 함께 주로 사용되는 집계 함수aggregate function는 다음 표와 같습니다.

함수명	설명
SUM()	합계를 구합니다.
AVG()	평균을 구합니다.
MIN()	최소값을 구합니다.
MAX()	최대값을 구합니다.
COUNT()	행의 개수를 셉니다.
COUNT(DISTINCT)	행의 개수를 셉니다(중복은 1개만 인정).

각 회원(mem_id)별로 구매한 개수(amount)를 합쳐서 출력하기 위해서는 집계 함수인 SUM()과 GROUP BY 절을 사용하면 됩니다. 즉, GROUP BY로 회원별로 묶어준 후에 SUM() 함수로 구매한 개수를 합치면 됩니다. 결과 열의 이름 부분에 함수 이름이 그대로 나왔습니다.

손코딩
```
SELECT mem_id, SUM(amount) FROM buy GROUP BY mem_id;
```

실행 결과

mem_id	SUM(amount)
APN	5
BLK	6
GRL	5
MMU	20

GROUP BY 절은 주로 집계 함수와 함께 사용됩니다. SUM( )은 대표적인 집계 함수입니다.

앞에서 배운 별칭alias을 사용해서 다음과 같이 결과를 보기 좋게 만들 수 있습니다.

손코딩
```
SELECT mem_id "회원 아이디", SUM(amount) "총 구매 개수"
   FROM buy GROUP BY mem_id;
```

실행 결과	
회원 아이디	총 구매 개수
APN	5
BLK	6
GRL	5
MMU	20

note 별칭에 작은따옴표를 사용해도 되지만, 작은따옴표는 INSERT 등에서 문자를 입력할 때 사용하므로 별칭에는 큰 따옴표를 사용할 것을 권장합니다.

이번에는 회원이 구매한 금액의 총합을 출력해보겠습니다. 구매한 금액은 가격(price) * 수량(amount)입니다. 역시 합계는 SUM()을 사용하면 됩니다.

손코딩
```
SELECT mem_id "회원 아이디", SUM(price*amount) "총 구매 금액"
   FROM buy GROUP BY mem_id;
```

실행 결과	
회원 아이디	총 구매 금액
APN	295
BLK	1210
GRL	75
MMU	1950

전체 회원이 구매한 물품 개수(amount)의 평균을 구해보겠습니다. 즉, 회원이 한 번 구매할 때마다 평균 몇 개를 구매하는지 알아보는 것입니다. 평균 구매 개수의 결과는 3.0개입니다.

손코딩
```
SELECT AVG(amount) "평균 구매 개수" FROM buy;
```

실행 결과
평균 구매 개수
3.0000

이번에는 각 회원이 한 번 구매 시 평균 몇 개를 구매했는지 알아보겠습니다. 회원(mem_id)별로 구해야 하므로 GROUP BY를 사용하면 됩니다.

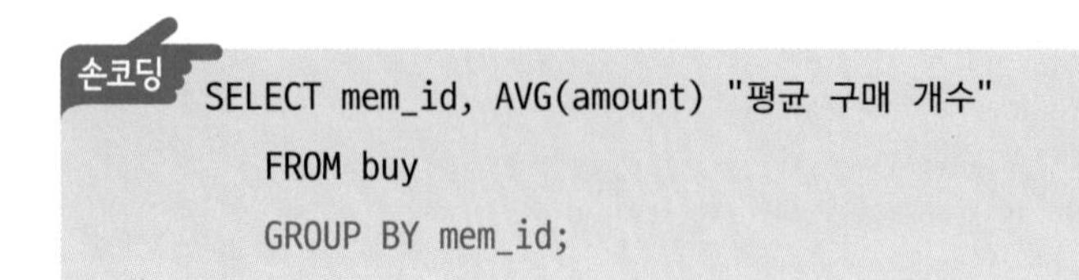

```
SELECT mem_id, AVG(amount) "평균 구매 개수"
    FROM buy
    GROUP BY mem_id;
```

실행 결과

mem_id	평균 구매 개수
APN	1.2500
BLK	2.0000
GRL	5.0000
MMU	5.0000

이번에는 회원 테이블(member)에서 연락처가 있는 회원의 수를 카운트해보겠습니다. 그런데 결과는 전체 회원 수인 10명이 나옵니다.

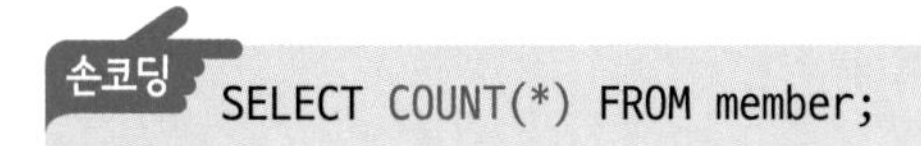

```
SELECT COUNT(*) FROM member;
```

실행 결과

COUNT(*)
10

연락처가 있는 회원만 카운트하려면 국번(phone1) 또는 전화번호(phone2)의 열 이름을 지정해야 합니다. 그러면 NULL 값인 항목은 제외하고 카운트하여 결국 연락처가 있는 회원의 인원만 나옵니다. 예상한 대로 8명이 나왔습니다. 103쪽 '인터넷 마켓 DB 구성도'를 보면 10명 중 오마이걸과 잇지가 연락처가 없는 것을 확인할 수 있습니다.

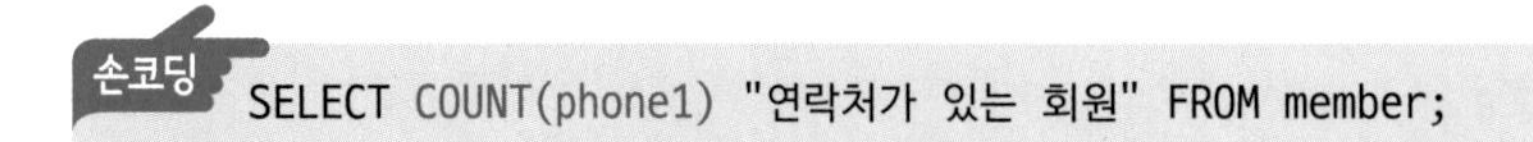

```
SELECT COUNT(phone1) "연락처가 있는 회원" FROM member;
```

COUNT(*)는 모든 행의 개수를 세고, COUNT(열_이름)은 열 이름의 값이 NULL인 것을 제외한 행의 개수를 셉니다.

실행 결과

연락처가 있는 회원
8

Having 절

앞에서 살펴보았던 SUM()으로 회원(mem_id)별 총 구매액을 구해보겠습니다.

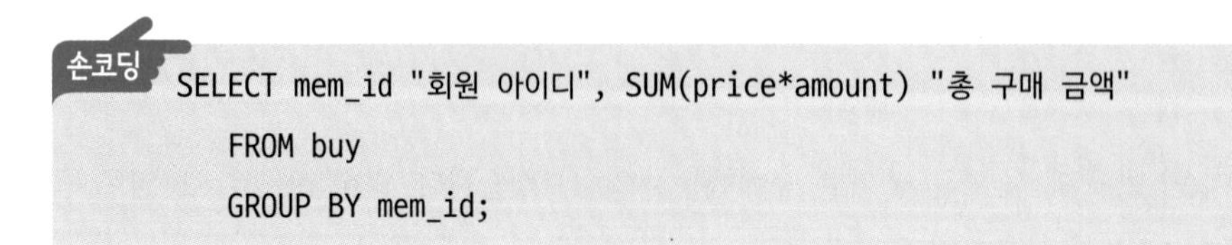

```
SELECT mem_id "회원 아이디", SUM(price*amount) "총 구매 금액"
    FROM buy
    GROUP BY mem_id;
```

실행 결과

회원 아이디	총 구매 금액
APN	295
BLK	1210
GRL	75
MMU	1950

결과 중에서 총 구매액이 1000 이상인 회원에게만 사은품을 증정하려면 어떻게 해야 할까요? 아마도 조건을 포함하는 WHERE 절을 생각했을 것입니다. 그런데 다음과 같이 실행해보니 오류가 발생했습니다. 오류 메시지를 보면 집계 함수는 WHERE 절에 나타날 수 없다는 내용입니다.

손코딩

```
SELECT mem_id "회원 아이디", SUM(price*amount) "총 구매 금액"
    FROM buy
    WHERE SUM(price*amount) > 1000;
    GROUP BY mem_id;
```

오류 메시지

```
Error Code: 1111. Invalid use of group function
```

이럴 때 WHERE 대신에 사용되는 것이 HAVING 절입니다. HAVING은 WHERE와 비슷한 개념으로 조건을 제한하는 것이지만, 집계 함수에 대해서 조건을 제한하는 것이라고 생각하면 됩니다. 그리고 HAVING 절은 꼭 GROUP BY 절 다음에 나와야 합니다.

손코딩

```
SELECT mem_id "회원 아이디", SUM(price*amount) "총 구매 금액"
    FROM buy
    GROUP BY mem_id
    HAVING SUM(price*amount) > 1000;
```

실행 결과

회원 아이디	총 구매 금액
BLK	1210
MMU	1950

GROUP BY와 관련된 조건절은 HAVING을 사용해야 합니다.

만약 총 구매액이 큰 사용자부터 나타내려면 ORDER BY를 사용하면 됩니다.

손코딩

```
SELECT mem_id "회원 아이디", SUM(price*amount) "총 구매 금액"
    FROM buy
    GROUP BY mem_id
    HAVING SUM(price*amount) > 1000
    ORDER BY SUM(price*amount) DESC;
```

실행 결과

회원 아이디	총 구매 금액
MMU	1950
BLK	1210

이로써 SELECT 문과 관련된 기본적인 SQL의 형식은 모두 살펴봤습니다.

마무리

▶ 5가지 키워드로 끝내는 핵심 포인트

- **ORDER BY**는 결과가 출력되는 순서를 조절합니다. 오름차순인 ASC와 내림차순인 DESC 중 선택할 수 있습니다.
- **LIMIT**는 출력하는 개수를 제한하며, 주로 ORDER BY와 함께 사용합니다.
- **DISTINCT**는 조회된 결과에서 중복된 것은 1개만 남기며, 열 이름 앞에 붙여주면 됩니다.
- **GROUP BY**는 데이터를 그룹으로 묶어주는 기능을 합니다.
- **HAVING**은 집계 함수와 관련된 조건을 제한하며, GROUP BY 다음에 나옵니다.

▶ 표로 정리하는 핵심 포인트

집계 함수

함수명	설명
SUM()	합계를 구합니다.
AVG()	평균을 구합니다.
MIN()	최소값을 구합니다.
MAX()	최대값을 구합니다.
COUNT()	행의 개수를 셉니다.
COUNT(DISTINCT)	행의 개수를 셉니다(중복은 1개만 인정).

▶ 확인문제

이번 절에서는 SELECT에서 사용되는 ORDER BY, LIMIT, DISTINCT, GROUP BY, HAVING의 용도에 대해서 배웠습니다. 확인문제를 통해서 배운 개념을 스스로 정리해보기 바랍니다.

1. 다음 SELECT 문에서 사용되는 절을 차례대로 나열하세요.

```
ORDER BY, WHERE, LIMIT, SELECT, FROM
```

2. 다음 보기 중에서 각 문항의 빈칸에 들어갈 것을 고르세요.

```
LIKE, DESC, ORDER BY, DISTINCT, ASC, AND, OR, >=, LIMIT
```

① SELECT * FROM member ________ height;

② SELECT * FROM member ________ 5,2;

③ SELECT ________ phone1 FROM member;

3. 다음 빈칸에 들어갈 예약어를 채우세요.

ORDER BY 절에서 오름차순을 위한 예약어는 ❶ 이고, 내림차순을 위한 예약어는 ❷ 다.

4. 다음 LIMIT에 대한 문법이 틀린 것을 하나 고르세요.

① LIMIT 5　　② LIMIT 3, 5

③ LIMIT 0, 3, 5　　④ LIMIT 5 OFFSET 3

5. 다음은 어떤 예약어에 대한 설명인지 쓰세요.

> 조회된 결과에서 중복된 것은 한 개만 남기며, SELECT 문의 열 이름 앞에 붙여준다.

6. 다음은 GROUP BY에서 사용되는 집계 함수입니다. 거리가 먼 것을 하나 고르세요.

① SUM()　　② AVG()

③ HAVING()　　④ COUNT()

03-3 데이터 변경을 위한 SQL 문

핵심 키워드

INSERT | AUTO_INCREMENT | INSERT INTO ~ SELECT | UPDATE | DELETE

앞서 배운 SELECT는 이미 만들어 놓은 테이블에서 데이터를 추출하는 구문입니다. 이번 절에서는 입력, 수정, 삭제를 통해 행 데이터를 구축하는 방법을 상세하게 알아보겠습니다.

시작하기 전에

데이터베이스와 테이블을 만든 후에는 데이터를 변경하는, 즉 입력/수정/삭제하는 기능이 필요합니다.

예를 들어, 새로 가입한 회원을 테이블에 입력할 때는 **INSERT** 문을, 회원의 주소나 연락처가 변경되어 정보를 수정할 때는 **UPDATE** 문을 사용합니다. 또, 회원이 탈퇴해서 회원을 삭제할 때는 **DELETE** 문을 사용합니다.

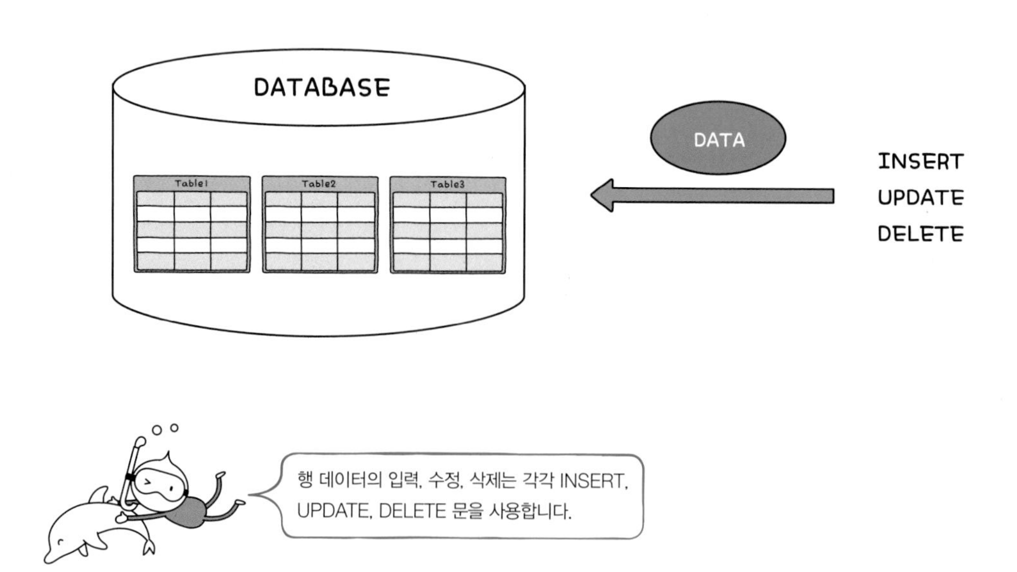

데이터 입력: INSERT

테이블에 행 데이터를 입력하는 기본적인 SQL 문은 INSERT입니다.

INSERT 문의 기본 문법

INSERT는 테이블에 데이터를 삽입하는 명령입니다. 기본적인 형식은 다음과 같습니다.

```
INSERT INTO 테이블 [(열1, 열2, ...)] VALUES (값1, 값2, ...)
```

INSERT 문은 별로 어려울 것이 없으니, 주의할 점만 몇 가지 확인해보겠습니다.

우선 테이블 이름 다음에 나오는 열은 생략이 가능합니다. 열 이름을 생략할 경우에 VALUES 다음에 나오는 값들의 순서 및 개수는 테이블을 정의할 때의 열 순서 및 개수와 동일해야 합니다. 간단한 테이블을 만들어서 연습해봅시다.

테이블의 열이 3개이므로 입력할 때도 차례에 맞춰서 3개를 입력했습니다.

손코딩
```
USE market_db;
CREATE TABLE hongong1 (toy_id  INT, toy_name CHAR(4), age INT);
INSERT INTO hongong1 VALUES (1, '우디', 25);
```

이 예제에서 아이디(toy_id)와 이름(toy_name)만 입력하고 나이(age)는 입력하고 싶지 않다면 다음과 같이 테이블 이름 뒤에 입력할 열의 이름을 써줘야 합니다. 이 경우 생략한 나이(age) 열에는 아무것도 없다는 의미의 NULL 값이 들어갑니다.

손코딩
```
INSERT INTO hongong1 (toy_id, toy_name) VALUES (2, '버즈');
```

열의 순서를 바꿔서 입력하고 싶을 때는 열 이름과 값을 원하는 순서에 맞춰 써주면 됩니다.

손코딩
```
INSERT INTO hongong1 (toy_name, age, toy_id) VALUES ('제시', 20, 3);
```

자동으로 증가하는 AUTO_INCREMENT

AUTO_INCREMENT는 열을 정의할 때 1부터 증가하는 값을 입력해줍니다. INSERT에서는 해당 열이 없다고 생각하고 입력하면 됩니다. 단, 주의할 점은 AUTO_INCREMENT로 지정하는 열은 꼭 **PRIMARY KEY**로 지정해줘야 합니다.

우선 간단한 테이블을 만들어보겠습니다. 아이디(toy_id) 열을 자동 증가로 설정했습니다.

손코딩
```
CREATE TABLE hongong2 (
    toy_id INT AUTO_INCREMENT PRIMARY KEY,
    toy_name CHAR(4),
    age INT);
```

note 전에도 언급했지만, 세미콜론(;)이 나올 때까지는 한 문장으로 취급합니다. 줄바꿈을 해도 되고 안 해도 됩니다.

이제 테이블에 데이터를 입력해봅시다. 자동 증가하는 부분은 NULL 값으로 채워 놓으면 됩니다. 결과를 보면 아이디(toy_id)에 1부터 차례대로 채워진 것을 확인할 수 있습니다.

손코딩
```
INSERT INTO hongong2 VALUES (NULL, '보핍', 25);
INSERT INTO hongong2 VALUES (NULL, '슬링키', 22);
INSERT INTO hongong2 VALUES (NULL, '렉스', 21);
SELECT * FROM hongong2;
```

실행 결과

toy_id	toy_name	age
1	보핍	25
2	슬링키	22
3	렉스	21

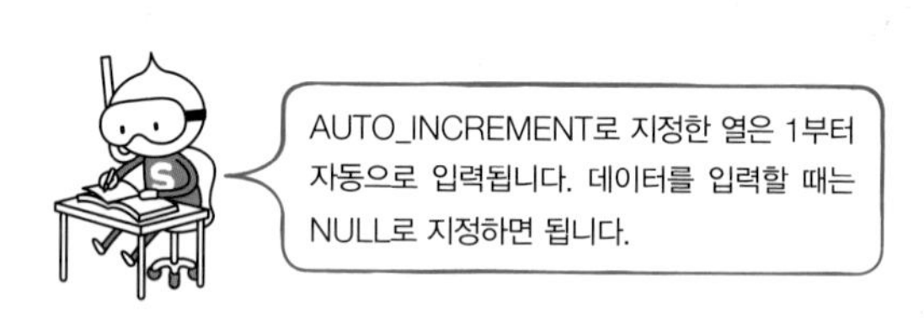

계속 입력하다 보면 현재 어느 숫자까지 증가되었는지 확인이 필요합니다. 다음 SQL을 입력해봅시다. 책과 동일하게 실습했다면 3이 나올텐데, 자동 증가로 3까지 입력되었다는 의미입니다.

손코딩
```
SELECT LAST_INSERT_ID();
```

실행 결과

LAST_INSERT_ID()
3

만약 AUTO_INCREMENT로 입력되는 다음 값을 100부터 시작하도록 변경하고 싶다면 다음과 같이 실행합니다. ALTER TABLE 뒤에는 테이블 이름을 입력하고, 자동 증가를 100부터 시작하기 위해 AUTO_INCREMENT를 100으로 지정했습니다.

손코딩

```
ALTER TABLE hongong2 AUTO_INCREMENT=100;
INSERT INTO hongong2 VALUES (NULL, '재남', 35);
SELECT * FROM hongong2;
```

실행 결과

toy_id	toy_name	age
1	보핍	25
2	슬링키	22
3	렉스	21
100	재남	35

note ALTER TABLE은 테이블을 변경하라는 의미입니다. 테이블의 열 이름 변경, 새로운 열 정의, 열 삭제 등의 작업을 합니다. 5장에서 자세히 다루겠습니다.

이번에는 처음부터 입력되는 값을 1000으로 지정하고, 다음 값은 1003, 1006, 1009, ...으로 3씩 증가하도록 설정하는 방법을 살펴보겠습니다.

이런 경우에는 시스템 변수인 **@@auto_increment_increment**를 변경시켜야 합니다. 테이블을 새로 만들고 자동 증가의 시작값은 1000으로 설정했습니다. 그리고 증가값은 3으로 하기 위해 @@auto_increment_increment를 3으로 지정했습니다. 다음 SQL을 실행합니다.

손코딩

```
CREATE TABLE hongong3 (
    toy_id INT AUTO_INCREMENT PRIMARY KEY,
    toy_name CHAR(4),
    age INT);
ALTER TABLE hongong3 AUTO_INCREMENT=1000; ──> 시작값은 1000으로 지정
SET @@auto_increment_increment=3; ──> 증가값은 3으로 지정
```

+ 여기서 잠깐 시스템 변수

시스템 변수란 MySQL에서 자체적으로 가지고 있는 설정값이 저장된 변수를 말합니다. 주로 MySQL의 환경과 관련된 내용이 저장되어 있으며, 그 개수는 500개 이상입니다.

시스템 변수는 앞에 @@가 붙는 것이 특징이며, 시스템 변수의 값을 확인하려면 **SELECT @@시스템변수**를 실행하면 됩니다. 만약, 전체 시스템 변수의 종류를 알고 싶다면 **SHOW GLOBAL VARIABLES**를 실행하면 됩니다.

Variable_name	Value
activate_all_roles_on_login	OFF
admin_address	
admin_port	33062
admin_ssl_ca	
admin_ssl_capath	
admin_ssl_cert	
admin_ssl_cipher	
admin_ssl_crl	
admin_ssl_crlpath	
admin_ssl_key	
admin_tls_ciphersuites	
admin_tls_version	TLSv...
auto_generate_certs	ON
auto_increment_increment	1
auto_increment_offset	1

다음 SQL을 실행해 처음 시작되는 값과 증가값을 확인해봅시다.

손코딩

```
INSERT INTO hongong3 VALUES (NULL, '토마스', 20);
INSERT INTO hongong3 VALUES (NULL, '제임스', 23);
INSERT INTO hongong3 VALUES (NULL, '고든', 25);
SELECT * FROM hongong3;
```

실행 결과

toy_id	toy_name	age
1000	토마스	20
1003	제임스	23
1006	고든	25

AUTO_INCREMENT로 자동 증가하도록 설정된 열의 시작값이나, 증가값을 변경할 수 있습니다.

+ 여기서 잠깐 **여러 줄을 한줄로 작성**

지금까지 3건을 입력하기 위해서는 다음과 같이 3줄로 입력했습니다.

```
INSERT INTO 테이블_이름 VALUES (값1, 값2, ...);
INSERT INTO 테이블_이름 VALUES (값3, 값4, ...);
INSERT INTO 테이블_이름 VALUES (값5, 값6, ...);
```

이는 다음과 같이 1줄로 입력할 수 있습니다. 그 이상도 마찬가지입니다.

```
INSERT INTO 테이블_이름 VALUES (값1, 값2, ...), (값3, 값4, ...), (값5, 값6, ...);
```

다른 테이블의 데이터를 한 번에 입력하는 INSERT INTO ~ SELECT

많은 양의 데이터를 지금까지 했던 방식으로 직접 타이핑해서 입력하려면 오랜 시간이 걸릴 것입니다. 다른 테이블에 이미 데이터가 입력되어 있다면 **INSERT INTO ~ SELECT** 구문을 사용해 해당 테이블의 데이터를 가져와서 한 번에 입력할 수 있습니다.

```
INSERT INTO 테이블_이름 (열_이름1, 열_이름2, ...)
   SELECT 문 ;
```

주의할 점은 SELECT 문의 열 개수는 INSERT할 테이블의 열 개수와 같아야 합니다. 즉 SELECT의 열이 3개라면 INSERT될 테이블의 열도 3개여야 합니다.

먼저 MySQL을 설치할 때 함께 생성된 world 데이터베이스의 city 테이블의 개수를 조회해보겠습니다. 앞에서 배운 **COUNT(*)**를 사용합니다. 4079개가 나왔습니다. 도시가 4079개 저장되어 있다는 의미입니다.

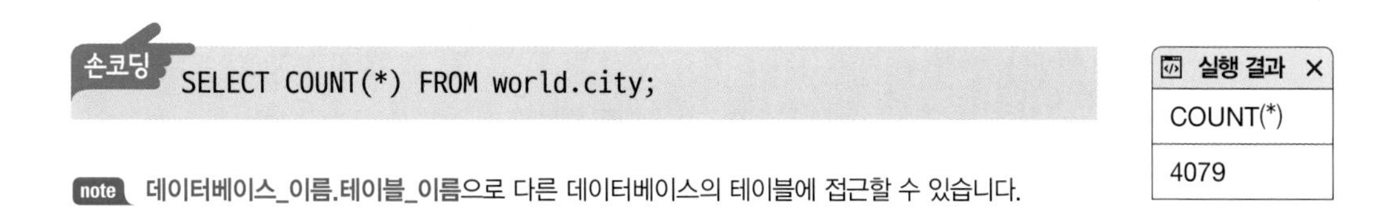

손코딩
```
SELECT COUNT(*) FROM world.city;
```

실행 결과

COUNT(*)
4079

note 데이터베이스_이름.테이블_이름으로 다른 데이터베이스의 테이블에 접근할 수 있습니다.

이번에는 world.city 테이블의 구조를 살펴보겠습니다. **DESC** 명령으로 테이블 구조를 확인할 수 있습니다. DESC는 Describe의 약자로 테이블의 구조를 출력해주는 기능을 합니다. 즉, CREATE TABLE을 어떻게 했는지 예상할 수 있습니다.

손코딩
```
DESC world.city;
```

실행 결과

Field	Type	Null	Key	Default	Extra
ID	int	NO	PRI	NULL	auto_increment
Name	char(35)	NO			
CountryCode	char(3)	NO	MUL		
District	char(20)	NO			
Population	int	NO		0	

데이터도 몇 건 살펴보는 것이 좋겠습니다. LIMIT을 사용해서 5건 정도만 살펴봅시다.

손코딩
```
SELECT * FROM world.city LIMIT 5;
```

실행 결과				
ID	Name	CountryCode	District	Population
1	Kabul	AFG	Kabol	1780000
2	Qandahar	AFG	Qandahar	237500
3	Herat	AFG	Herat	186800
4	Mazar-e-Sharif	AFG	Balkh	127800
5	Amsterdam	NLD	Noord-Holland	731200

이 중에서 도시 이름(Name)과 인구(Population)를 가져와봅시다. 먼저 테이블을 만들겠습니다. 테이블은 DESC로 확인한 열 이름(Filed)과 데이터 형식(Type)을 사용하면 됩니다. 필요하다면 열 이름은 바꿔도 상관없습니다.

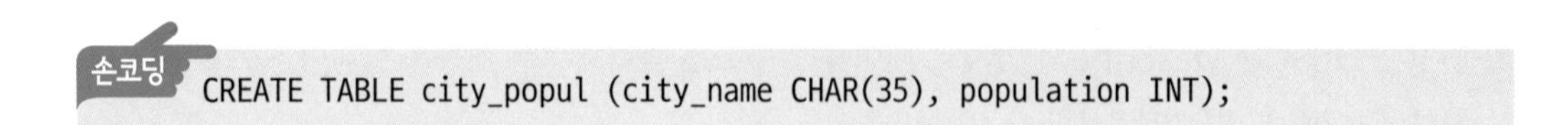

손코딩

```
CREATE TABLE city_popul (city_name CHAR(35), population INT);
```

이제는 world.city 테이블의 내용을 city_popul 테이블에 입력해보겠습니다. 결과 메시지로는 4079행이 처리된 것으로 나옵니다. 이렇게 다른 테이블의 데이터를 한 번에 가져오는 방법을 확인해 봤습니다.

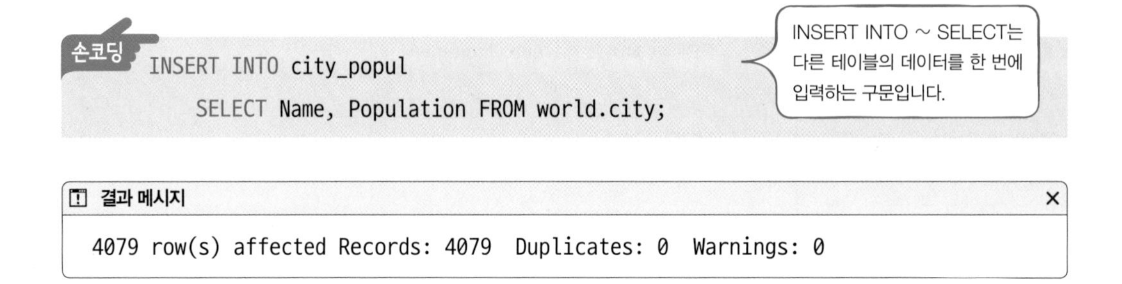

손코딩

```
INSERT INTO city_popul
    SELECT Name, Population FROM world.city;
```

INSERT INTO ~ SELECT는 다른 테이블의 데이터를 한 번에 입력하는 구문입니다.

결과 메시지

```
4079 row(s) affected Records: 4079  Duplicates: 0  Warnings: 0
```

데이터 수정: UPDATE

회원의 주소가 변경되는 경우처럼 행 데이터를 수정해야 하는 경우도 빈번하게 발생합니다. 이럴 때 UPDATE를 사용해서 내용을 수정합니다.

UPDATE 문의 기본 문법

UPDATE는 기존에 입력되어 있는 값을 수정하는 명령입니다. 기본적인 형식은 다음과 같습니다.

```
UPDATE 테이블_이름
    SET 열1=값1, 열2=값2, ...
    WHERE 조건 ;
```

+ 여기서 잠깐 **MySQL Workbench 설정 변경**

MySQL 워크벤치에서는 기본적으로 UPDATE 및 DELETE를 허용하지 않기 때문에 **UPDATE**를 실행하기 전에 설정을 변경해야 합니다. 먼저 기존에 열린 쿼리 창을 모두 종료합니다. [Edit] – [Preferences] 메뉴를 실행하고 Workbench Preferences 창의 [SQL Editor]에서 'Safe Updates (rejects UPDATEs and DELETEs with no restrictions)'를 체크 해제한 후 [OK] 버튼을 클릭합니다.

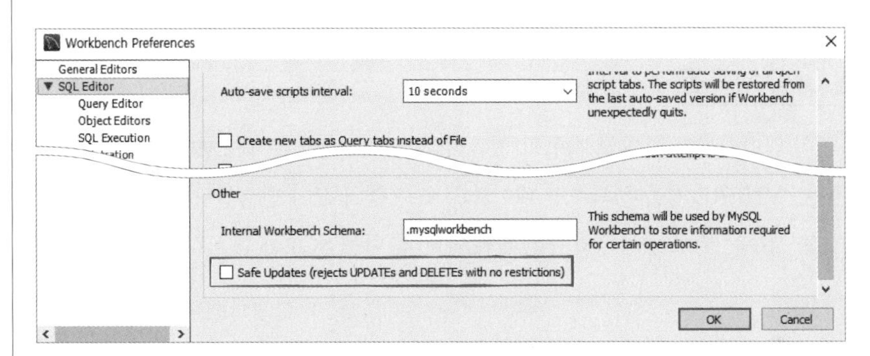

설정한 내용을 적용하려면 MySQL 워크벤치를 재시작해야 합니다. MySQL 워크벤치를 종료하고 다시 실행해서 'root/0000'으로 접속한 후 새 쿼리 창을 열어서 작업을 계속 진행합니다.

앞에서 생성한 city_popul 테이블의 도시 이름(city_name) 중에서 'Seoul'을 '서울'로 변경해보겠습니다. 새 쿼리 창을 열고 다음 SQL을 실행합니다. 결과를 보면 한글로 잘 변경되었습니다.

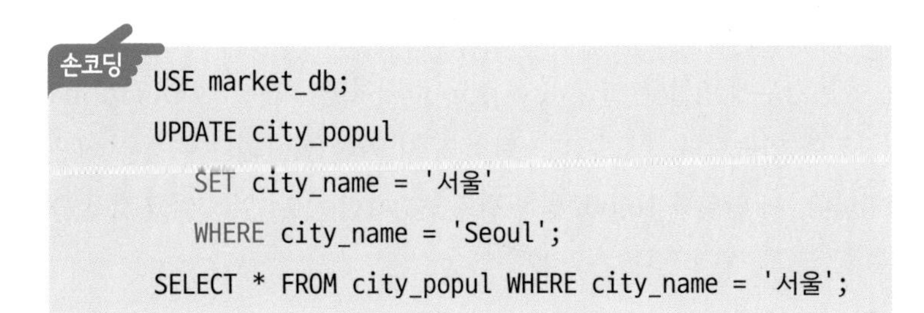

손코딩

```
USE market_db;
UPDATE city_popul
    SET city_name = '서울'
    WHERE city_name = 'Seoul';
SELECT * FROM city_popul WHERE city_name = '서울';
```

실행 결과

city_name	population
서울	9981619

필요하면 한꺼번에 여러 열의 값을 변경할 수도 있습니다. 콤마(,)로 분리해서 여러 개의 열을 변경하면 됩니다. 다음 SQL은 도시 이름(city_name)인 'New York'을 '뉴욕'으로 바꾸면서 동시에 인구(population)는 0으로 설정하는 내용입니다.

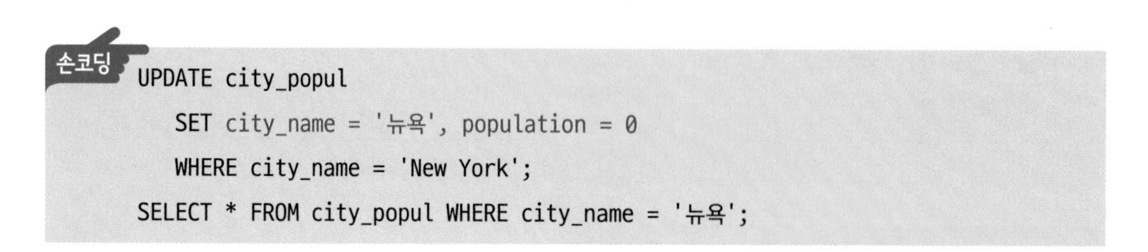
손코딩

```
UPDATE city_popul
    SET city_name = '뉴욕', population = 0
    WHERE city_name = 'New York';
SELECT * FROM city_popul WHERE city_name = '뉴욕';
```

실행 결과

city_name	population
뉴욕	0

데이터를 변경하려면 UPDATE ~ SET ~ WHERE 절을 사용합니다.

WHERE가 없는 UPDATE 문

UPDATE는 사용법이 간단하지만 주의할 사항이 있습니다. UPDATE 문에서 **WHERE** 절은 문법상 생략이 가능하지만, WHERE 절을 생략하면 테이블의 모든 행의 값이 변경됩니다. 일반적으로 전체 행의 값을 변경하는 경우는 별로 없으므로 주의해야 합니다. 다음 SQL은 문제가 있으니 실행하지는 마세요.

손코딩

```
UPDATE city_popul
    SET city_name = '서울';
```

만약 이 SQL을 실행했다면 4000개가 넘는 모든 도시 이름(city_name)이 '서울'로 바뀌었을 것입니다. WHERE 절이 없기 때문에 도시 이름(city_name) 열의 모든 값을 '서울'로 바꿔버립니다. 그러므로 UPDATE 문에 WHERE가 없다면 꼭 SQL을 상세히 확인해보기 바랍니다.

그렇다면 전체 테이블의 내용은 어떤 경우에 변경할까요? city_popul 테이블의 인구(population) 열은 1명 단위로 데이터가 저장되어 있습니다. 아프가니스탄의 도시 카불(Kabul)의 경우 인구(population)가 1,780,000명인데, 이 단위를 10,000명 단위로 변경하면 좀 더 읽기 쉬울 것 같습니다.

다음 SQL을 이용해서 모든 인구 열(population)을 한꺼번에 10,000으로 나눌 수 있습니다. 5개 행만 조회해봅시다. 인구 열이 10,000명 단위로 변경되어서 한눈에 보기 편해졌습니다.

```
UPDATE city_popul
    SET population = population / 10000;
SELECT * FROM city_popul LIMIT 5;
```

실행 결과

city_name	population
Kabul	178
Qandahar	24
Herat	19
Mazar-e-Sharif	13
Amsterdam	73

데이터 삭제: DELETE

테이블의 행 데이터를 삭제해야 하는 경우도 발생합니다. 예를 들어 회원이 탈퇴한 경우에 해당 회원의 정보를 삭제해야 합니다. 이럴 때 DELETE를 사용해서 행 데이터를 삭제합니다.

DELETE도 UPDATE와 거의 비슷하게 사용할 수 있습니다. DELETE는 행 단위로 삭제하며, 형식은 다음과 같습니다.

```
DELETE FROM 테이블이름 WHERE 조건 ;
```

city_popul 테이블에서 'New'로 시작하는 도시를 삭제하기 위해 다음과 같이 실행합니다. 도시 이름에 앞에 New가 들어가는 도시는 Newcastle, Newport, New Orleans 등 11개 정도가 있습니다.

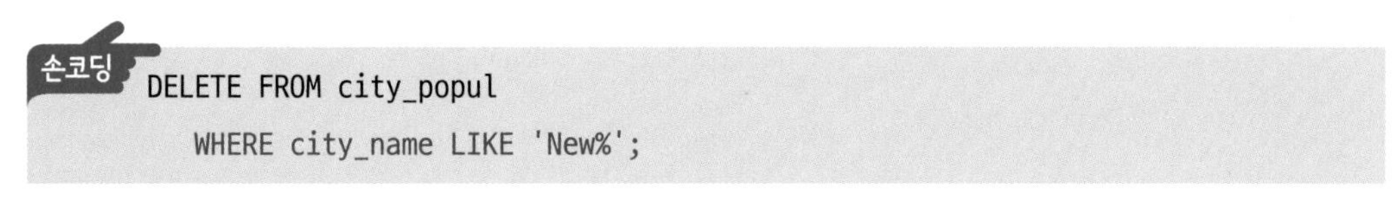

```
DELETE FROM city_popul
    WHERE city_name LIKE 'New%';
```

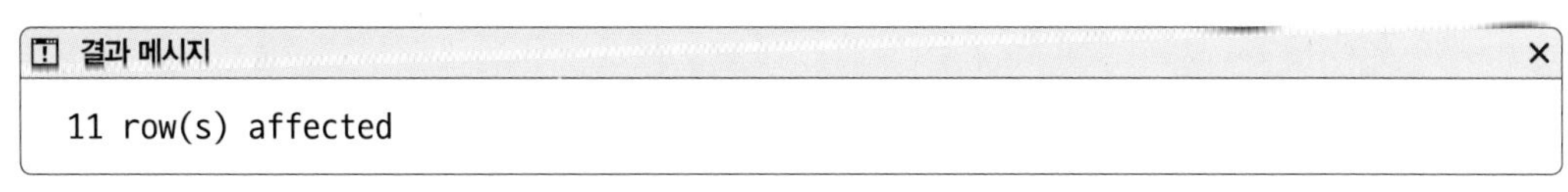

결과 메시지

```
11 row(s) affected
```

note UPDATE와 마찬가지로 WHERE 절이 생략되면 전체 행 데이터를 삭제하므로 주의해야 합니다.

만약 'New' 글자로 시작하는 11건의 도시를 모두 지우는 것이 아니라, 'New' 글자로 시작하는 도시 중 상위 몇 건만 삭제하려면 LIMIT 구문과 함께 사용하면 됩니다. 다음과 같이 실행하면 'New' 글자로 시작하는 도시 중에서 상위 5건만 삭제됩니다(이미 앞에서 관련 데이터가 삭제되어서 다음 SQL은 실행해도 0건이 삭제됩니다).

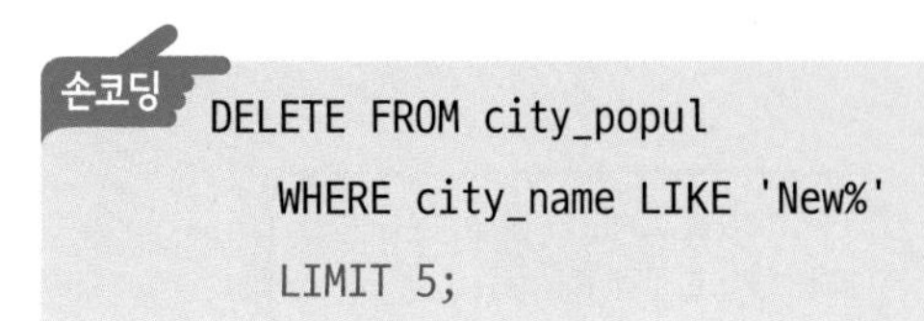

손코딩

```
DELETE FROM city_popul
    WHERE city_name LIKE 'New%'
    LIMIT 5;
```

좀 더 알아보기

대용량 테이블의 삭제

만약 몇억 건의 데이터가 있는 대용량의 테이블이 더 이상 필요 없다면 어떻게 삭제하는 것이 좋을까요?

우선 대용량 테이블을 3개 준비하겠습니다. 다음 SQL을 실행하면 각각 몇십만 건의 데이터를 가진 big_table1, big_table2, big_table3이 생성됩니다. 데이터는 모두 동일합니다. 결과를 확인하면 44만 건 정도가 있을 것입니다.

손코딩

```
CREATE TABLE big_table1 (SELECT * FROM world.city, sakila.country);
CREATE TABLE big_table2 (SELECT * FROM world.city, sakila.country);
CREATE TABLE big_table3 (SELECT * FROM world.city, sakila.country);
SELECT COUNT(*) FROM big_table1;
```

실행 결과

COUNT(*)
444611

note 이 SQL에서 생성된 데이터는 단지 대량의 테이블을 만들기 위한 것이며 내용에 의미는 없습니다. 이러한 SQL을 상호 조인(cross join)이라고 부르는데, 4장에서 배우니 지금은 그냥 대량의 데이터를 만든다는 정도로만 이해하고 넘어가세요.

이제 동일한 내용의 대용량 테이블 3개를 DELETE, DROP, TRUNCATE 각각 다른 방법으로 삭제해보겠습니다.

우선 **DELETE** 문은 삭제가 오래 걸립니다. 필자는 3.5초 정도가 걸렸는데 만약 데이터가 수억 건 이상이라면 훨씬 오랫동안 삭제할 수도 있습니다. **DROP** 문은 테이블 자체를 삭제합니다. 그래서 순식간에 삭제되었습니다. **TRUNCATE** 문도 DELETE와 동일한 효과를 내지만 속도가 무척 빠릅니다. DROP은 테이블이 아예 없어지지만, DELETE와 TRUNCATE는 빈 테이블을 남깁니다.

손코딩

```
DELETE FROM big_table1;
DROP TABLE big_table2;
TRUNCATE TABLE big_table3;
```

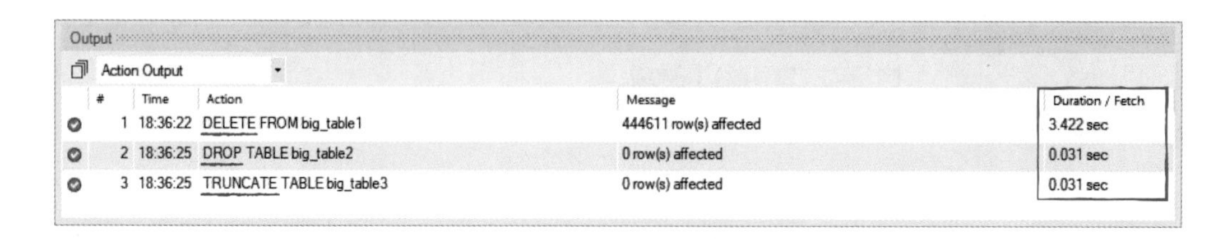

note TRUNCATE는 DELETE와 달리 WHERE 문을 사용할 수 없습니다. 그러므로 TRUNCATE는 조건 없이 전체 행을 삭제할 때만 사용됩니다.

결론적으로 대용량 테이블의 전체 내용을 삭제할 때 테이블 자체가 필요 없을 경우에는 DROP으로 삭제하고, 테이블의 구조는 남겨놓고 싶다면 TRUNCATE로 삭제하는 것이 효율적입니다.

대량의 행 데이터를 모두 삭제할 때는 DELETE보다 TRUNCATE가 효율적입니다.

마무리

▶ 5가지 키워드로 끝내는 핵심 포인트

- INSERT 문은 테이블에 데이터를 입력하는 명령입니다.
- AUTO_INCREMENT는 1부터 증가하는 값을 자동으로 입력해줍니다. 해당 열은 PRIMARY KEY로 지정해야 합니다.
- INSERT INTO ~ SELECT는 다른 테이블의 데이터를 가져와서 한 번에 대량으로 입력합니다.
- UPDATE는 기존에 입력되어 있는 값을 수정하며 주로 WHERE와 함께 사용합니다.
- DELETE는 행 단위로 삭제하며 WHERE가 없으면 전체 행이 삭제됩니다.

▶ 표로 정리하는 핵심 포인트

관련 중요 용어

용어	약자	설명
NULL		아무 것도 없는 값. AUTO_INCREMENT 열에 값을 입력할 때는 NULL로 지정함
PRIMARY KEY	PK	기본 키. AUTO_INCREMENT 열은 기본 키로 지정해야 함
ALTER TABLE		테이블의 구조를 변형하는 SQL
시스템 변수		MySQL에서 자체적으로 가지고 있는 설정값이 저장된 변수
@@auto_increment_increment		AUTO_INCREMENT의 증가값을 지정하는 시스템 변수
DESCRIBE	DESC	테이블의 구조를 확인하는 SQL
TRUNCATE		DELETE와 비슷한 기능이지만 전체 행을 삭제할 때 사용

▶ 확인문제

이번 절에서는 데이터를 입력/수정/삭제하는 방법을 살펴봤습니다. 확인문제를 통해서 배운 개념을 스스로 정리해보기 바랍니다.

1. 다음은 INSERT 문에 대한 형식입니다. 거리가 먼 것을 하나 고르세요.

```
INSERT INTO 테이블 (열1, 열2, ...) VALUES (값1, 값2, ...)
```

① (열1, 열2, ...)은 생략이 가능합니다.

② (열1, 열2, ...)을 표시했으면, (값1, 값2, ...)의 개수와 같아야 합니다.

③ 열의 순서는 바꿀 수 있습니다.

④ 필요하면 테이블의 이름은 생략할 수 있습니다.

2. 다음은 AUTO_INCREMENT에 대한 설명입니다. 거리가 먼 것을 2개 고르세요.

① 자동으로 값이 증가합니다.

② 지정된 열은 PRIMARY KEY로 설정해야 합니다.

③ 필요하다면 1, 2, 3 등의 값을 입력할 수 있습니다.

④ INSERT 문에서 해당 위치의 열은 ''으로 남겨둬야 합니다.

3. 다음 중 AUTO_INCREMENT로 지정한 열에 현재 어디까지 입력되었는지 확인하는 함수를 고르세요.

① LAST_INSERT_ID()

② FIRST_INSERT_ID()

③ LAST_AUTO_ID()

④ FIRST_AUTO_ID()

4. 다른 테이블의 데이터를 한 번에 입력하는 SQL 문의 형식을 고르세요.

① SELECT INTO ~ INSERT

② INSERT INTO ~ SELECT

③ INSERT FROM ~ SELECT

④ SELECT FROM ~ INSERT

5. 다음은 UPDATE 문의 예제입니다. 빈칸에 들어갈 내용이 차례로 나열된 것을 고르세요.

```
UPDATE city_popul
    ______ city_name = '서울'
    ______ city_name = 'Seoul';
```

① INTO, FROM

② WHERE, TO

③ FROM, INTO

④ SET, WHERE

6. 다음이 설명하는 SQL이 무엇인지 쓰세요.

- 데이터를 삭제합니다.
- DELETE와 동일한 효과를 내지만 속도가 무척 빠릅니다.
- 삭제 후에 빈 테이블이 남아 있습니다.

Chapter 04

3장에서 SQL의 가장 기본적인 SELECT/INSERT/UPDATE/DELETE에 대해 학습했습니다. 이번 장에서는 여기서 한 걸음 더 나아가 고급 SQL을 활용하기 위한 데이터 형식과 조인에 대해 살펴보고, SQL 프로그래밍을 가능하도록 도와주는 스토어드 프로시저 형식에 대해 배워보겠습니다.

SQL 고급 문법

학습목표

- 다양한 데이터 형식에 대해서 배웁니다.
- 두 테이블을 연결하는 조인을 이해하고 활용합니다.
- SQL에서 일반 프로그래밍 기능을 구현합니다.

04-1 MySQL의 데이터 형식

핵심 키워드

정수형 문자형 실수형 날짜형 변수 형 변환

앞서 배운 SELECT, INSERT, UPDATE, DELETE만 잘 이해하면 테이블에서 원하는 내용을 추출해서 사용할 수 있습니다. 하지만 좀 더 효율적인 SQL을 만들고 활용하기 위해서는 데이터의 내부적인 구성을 이해하는 것이 좋습니다. 이번 절에서는 데이터의 형식에 대해 알아보겠습니다.

시작하기 전에

테이블을 만들 때는 데이터 형식을 설정해야 합니다. 데이터 형식에는 크게 숫자형, 문자형, 날짜형이 있습니다. 또 세부적으로는 여러 개로 나뉘기도 합니다. 이렇게 다양한 데이터 형식이 존재하는 이유는 실제로 저장될 데이터의 형태가 다양하기 때문입니다. 각 데이터에 맞는 데이터 형식을 지정함으로써 효율적으로 저장할 수 있습니다.

예를 들어, 이름을 저장하기 위해 내부적으로 100 글자를 저장할 칸을 준비하는 것은 상당한 낭비입니다. 이러한 낭비가 누적되면 SQL을 아무리 잘 만들어도 비효율적일 수밖에 없습니다. **데이터 형식**에 대해서 제대로 이해하고, 적절한 데이터 형식을 고르는 안목을 키우면 SQL도 더 고급스럽게 작성할 수 있습니다.

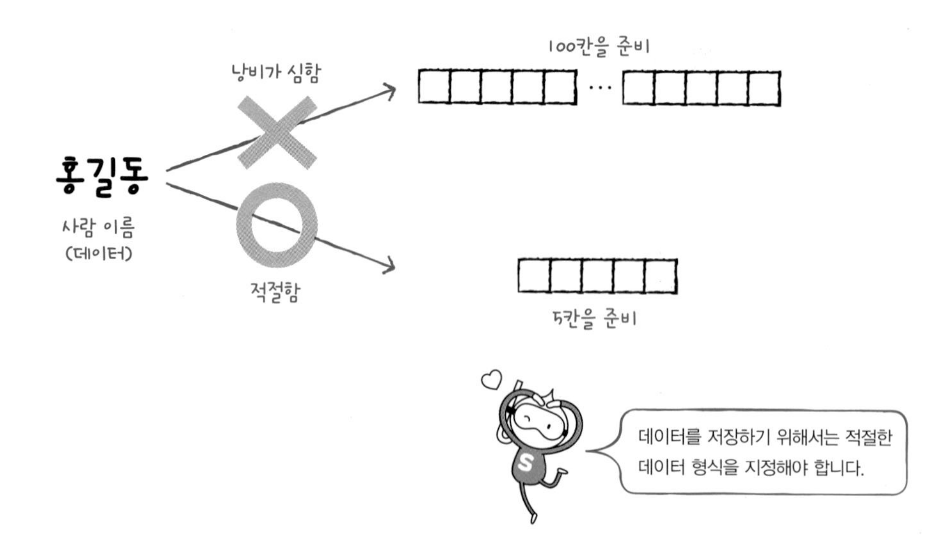

데이터 형식

MySQL에서 제공하는 데이터 형식의 종류는 수십 개 정도이고, 각 데이터 형식마다 크기나 표현할 수 있는 숫자의 범위가 다릅니다. 이를 모두 외울 필요는 없으니 자주 사용하는 것만 살펴보도록 하겠습니다.

정수형

정수형은 소수점이 없는 숫자, 즉 인원 수, 가격, 수량 등에 많이 사용합니다. 정수형의 크기와 범위는 다음과 같습니다.

데이터 형식	바이트 수	숫자 범위
TINYINT	1	–128 ~ 127
SMALLINT	2	–32,768 ~ 32,767
INT	4	약 –21억 ~ + 21억
BIGINT	8	약 –900경 ~ +900경

정수형에는 TINYINT, SMALLINT, INT, BIGINT가 있습니다.

note 이름만 봐도 대략 감이 올 겁니다. TINY는 '가장 작다', SMALL은 '작다', BIG은 '크다'의 의미를 갖습니다. 추가로 BIT, MEDIUMINT도 있으나 잘 사용하지 않습니다.

4개의 정수형으로 표현할 수 있는 숫자는 다음과 같습니다.

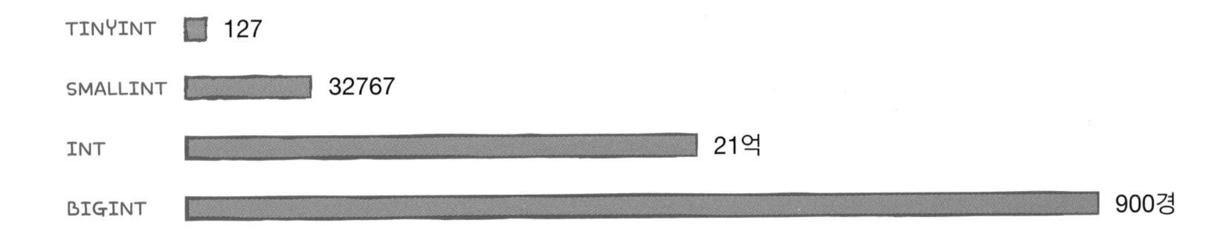

확인 차원에서 간단하게 테이블을 만들어보겠습니다.

손코딩

```
USE market_db;
CREATE TABLE hongong4 (
    tinyint_col  TINYINT,
    smallint_col SMALLINT,
    int_col      INT,
    bigint_col   BIGINT );
```

각 열의 최대값을 입력해봅시다. 이상 없이 입력될 것입니다.

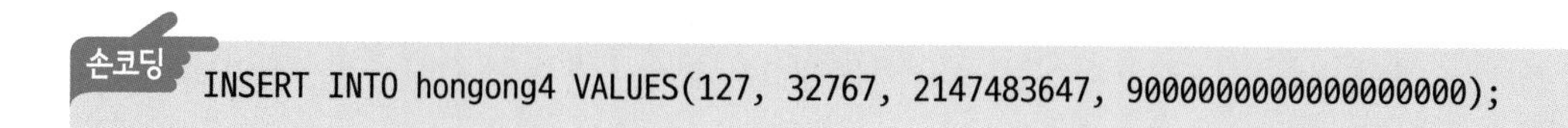

note bigint_col의 입력값은 0이 18개입니다.

이번에는 각 숫자에 1을 더해서 입력해봅시다. 마지막 값에는 0을 하나 더 붙였습니다.

다음과 같이 오류가 발생했습니다. **Out of range**는 입력값의 범위를 벗어났다는 의미입니다.

오류 메시지

```
Error Code: 1264. Out of range value for column 'tinyint_col' at row 1
```

정수형을 사용하는 예제를 살펴보겠습니다. 앞에서 만들었던 인터넷 마켓의 회원 테이블(member)에서 인원수(mem_number) 열은 INT로, 평균 키(height) 열은 SMALLINT로 지정했습니다. 회원 테이블을 생성하는 SQL 문을 다시 살펴봅시다.

```
CREATE TABLE member -- 회원 테이블
( mem_id        CHAR(8) NOT NULL PRIMARY KEY, -- 회원 아이디(PK)
  mem_name      VARCHAR(10) NOT NULL, -- 이름
  mem_number    INT NOT NULL,  -- 인원수
  addr          CHAR(2) NOT NULL, -- 주소(경기, 서울, 경남 식으로 2글자만 입력)
  phone1        CHAR(3), -- 연락처의 국번(02, 031, 055 등)
  phone2        CHAR(8), -- 연락처의 나머지 전화번호(하이픈 제외)
  height        SMALLINT,  -- 평균 키
  debut_date    DATE  -- 데뷔 일자
);
```

인원수(member_num) 열은 **INT**로 지정해서 −21억~+21억까지 저장할 수 있습니다. 가수 그룹의 인원이 이렇게 많을 필요는 없겠죠? 그래서 최대 127명까지 지정할 수 있는 **TINYINT**로 지정해도 충분합니다.

평균 키(height) 열은 **SMALLINT**로 지정해서 −32768~32767까지 저장할 수 있습니다. 키 역시 30000cm가 넘을 리는 없으므로 TINYINT를 고려할 수 있습니다. 하지만 TINYINT는 −128~+127로 200CM가 넘는 사람도 있으므로 범위가 부족합니다.

이를 해결하기 위해 값의 범위가 0부터 시작되는 **UNSIGNED** 예약어를 사용할 수 있습니다. 다음 그림과 같이 TINYINT와 TINYINT UNSIGNED 모두 1바이트의 크기입니다. 1바이트는 256개를 표현하므로 −128~+127로 표현하거나, 0~255로 표현하거나 모두 256개를 표현하는 것입니다.

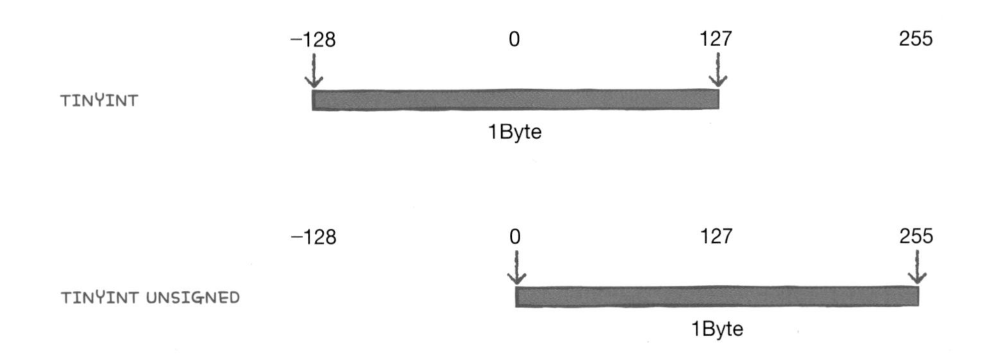

결국 회원 테이블은 다음과 같이 구성하는 것이 더 효율적입니다.

```
CREATE TABLE member -- 회원 테이블
( mem_id       CHAR(8) NOT NULL PRIMARY KEY, -- 회원 아이디(PK)
  mem_name     VARCHAR(10) NOT NULL, -- 이름
  mem_number   TINYINT  NOT NULL,  -- 인원수
  addr         CHAR(2) NOT NULL, -- 주소(경기, 서울, 경남 식으로 2글자만 입력)
  phone1       CHAR(3), -- 연락처의 국번(02, 031, 055 등)
  phone2       CHAR(8), -- 연락처의 나머지 전화번호(하이픈 제외)
  height       TINYINT UNSIGNED,  -- 평균 키
  debut_date   DATE  -- 데뷔 일자
);
```

나머지 정수형도 마찬가지로 UNSIGNED를 붙이면 0부터 범위가 지정됩니다. 예를 들어 SAMLLINT UNSIGNED는 0부터 65535까지 저장됩니다.

> 정수형에 UNSIGNED를 붙이면 범위가 0부터 지정됩니다.

문자형

문자형은 글자를 저장하기 위해 사용하며, 입력할 최대 글자의 개수를 지정해야 합니다. 대표적인 문자형은 다음과 같습니다.

데이터 형식	바이트 수
CHAR(개수)	1~255
VARCHAR(개수)	1~16383

note 문자형에는 BINARY, VARBINARY도 있지만 잘 사용하지 않습니다.

CHAR는 문자를 의미하는 Character의 약자로, 고정길이 문자형이라고 부릅니다. 즉, 자릿수가 고정되어 있습니다. 예를 들어 CHAR(10)에 '가나다' 3글자만 저장해도 10자리를 모두 확보한 후에 앞에 3자리를 사용하고 뒤의 7자리는 낭비하게 됩니다. 이와 달리 **VARCHAR**(Variable Character)는 가변길이 문자형으로, VARCHAR(10)에 '가나다' 3글자를 저장할 경우 3자리만 사용합니다.

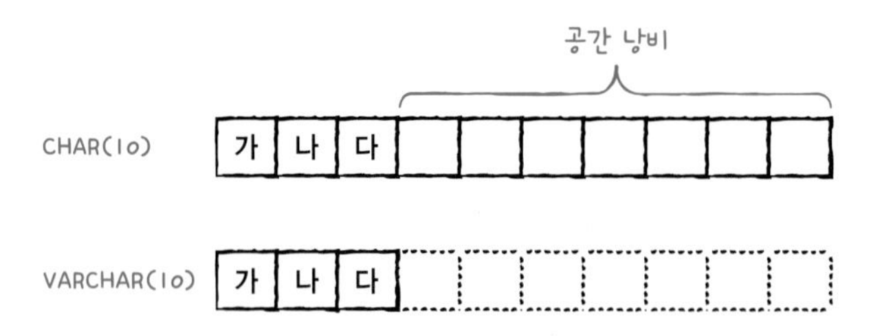

note CHAR, VARCHAR로만 쓰면 CHAR(1), VACHAR(1)과 동일합니다.

VARCHAR가 CHAR보다 공간을 효율적으로 운영할 수 있지만, MySQL 내부적으로 성능(빠른 속도)면에서는 CHAR로 설정하는 것이 조금 더 좋습니다.

CHAR는 글자의 개수가 고정된 경우, VARCHAR는 글자의 개수가 변동될 경우에 사용하는 것이 좋습니다.

예를 들어, 거주 지역을 서울/부산/경기/경북/전남과 같이 시도만 저장할 경우에는 모두 2글자로 일정합니다. 이때는 CHAR(2)로 설정하는 것이 좋습니다. 반면 가수 그룹의 이름은 '잇지'처럼 2글자도 있지만, '방탄소년단'과 같이 좀 더 긴 글자도 있습니다. 그래서 그룹 이름은 VARCHAR로 설정하는 것이 좋습니다.

note 좀 더 긴 이름을 위해서 VARCHAR(10) 정도로 여유 있게 설정하는 것이 적절합니다.

회원 테이블의 문자형을 확인해보겠습니다.

```
CREATE TABLE member -- 회원 테이블
( mem_id        CHAR(8) NOT NULL PRIMARY KEY, -- 회원 아이디(PK)
  mem_name      VARCHAR(10) NOT NULL, -- 이름
  mem_number    TINYINT  NOT NULL,  -- 인원수
  addr          CHAR(2) NOT NULL, -- 주소(경기, 서울, 경남 식으로 2글자만 입력)
  phone1        CHAR(3), -- 연락처의 국번(02, 031, 055 등)
  phone2        CHAR(8), -- 연락처의 나머지 전화번호(하이픈 제외)
  height        TINYINT UNSIGNED,  -- 평균 키
  debut_date    DATE  -- 데뷔 일자
);
```

회원 아이디(mem_id)는 BLK, APK, GRL 등 3글자로 입력되는데, 데이터 형식은 CHAR(8)로 설정되어 있습니다. CHAR(8)을 CHAR(3)으로 줄여도 되지만 향후에 더 긴 회원 아이디를 만들 수 있다고 가정하고 CHAR(8)로 설정했습니다. VARCHAR(8)로 변경해도 별 문제는 없습니다.

또, 관심있게 볼 부분이 연락처 국번(phone1)과 연락처 전화번호(phone2)입니다. 연락처 국번은 02, 031, 055 등과 같이 제일 앞에 0이 붙어야 하는데 정수형으로 지정하면 0이 사라집니다. 그래서 CHAR로 지정했습니다.

전화번호 역시 모두 숫자로 이루어져서 정수형으로 지정해야 할 것 같습니다. 그런데 CHAR로 지정되어 있습니다. 이유는 전화번호가 숫자로서 의미가 없기 때문입니다. 숫자로서 의미를 가지려면 다음 2가지 중 1가지는 충족해야 합니다.

- 더하기/빼기 등의 연산에 의미가 있다.
- 크다/작다 또는 순서에 의미가 있다.

데이터가 숫자 형태라도 연산이나 크기에 의미가 없다면 문자형으로 지정하는 것이 좋습니다.

전화번호는 위 2가지 중 어떤 것에도 해당하지 않습니다. 그래서 전화번호는 숫자가 아닌 문자로 지정했습니다.

note 전화번호는 문자형이 더 효과적이기는 하지만, 정수형으로 지정했다고 해서 반드시 틀렸다고 할 수는 없습니다. 효율성이나 튜닝 면에서 좀 더 비효율적일 뿐입니다.

대량의 데이터 형식

문자형인 CHAR는 최대 255자까지, VARCHAR는 최대 16383자까지 지정이 가능합니다. 즉, 다음과 같은 테이블 만들기는 오류가 발생합니다. 열의 길이를 너무 크게 설정했다는 오류입니다.

손코딩

```
CREATE TABLE big_table (
  data1  CHAR(256),
  data2  VARCHAR(16384) );
```

오류 메시지

```
Error Code: 1074. Column length too big for column 'data1' (max = 255); use BLOB
or TEXT instead
```

그래서 더 큰 데이터를 저장하려면 다음과 같은 형식을 사용합니다.

데이터 형식		바이트 수
TEXT 형식	TEXT	1~65535
	LONGTEXT	1~4294967295
BLOB 형식	BLOB	1~65535
	LONGBLOB	1~4294967295

note 추가로 TINYTEXT, MEDIUMTEXT, TINYBLOB, MEDIUMBLOB 등도 있지만 잘 사용하지 않습니다.

TEXT로 지정하면 최대 65535자까지, **LONGTEXT**로 지정하면 최대 약 42억자까지 저장됩니다. '이렇게 많은 글자를 저장할 일이 있을까?'라고 생각할 수 있지만, 소설이나 영화 대본과 같은 내용을 저장한다면 필요한 데이터 형식입니다.

또, **BLOB**라는 용어가 등장했는데 BLOB는 Binary Long Object의 약자로 글자가 아닌 이미지, 동영상 등의 데이터라고 생각하면 됩니다. 이런 것을 이진(Binary) 데이터라고 부릅니다. 테이블에 사진이나 동영상과 같은 것을 저장하고 싶다면 BLOB이나 **LONGBLOB**로 데이터 형식을 지정해야 합니다.

예를 들어, 넷플릭스와 같은 동영상 사이트라면 다음과 비슷한 테이블을 운영할 것입니다.

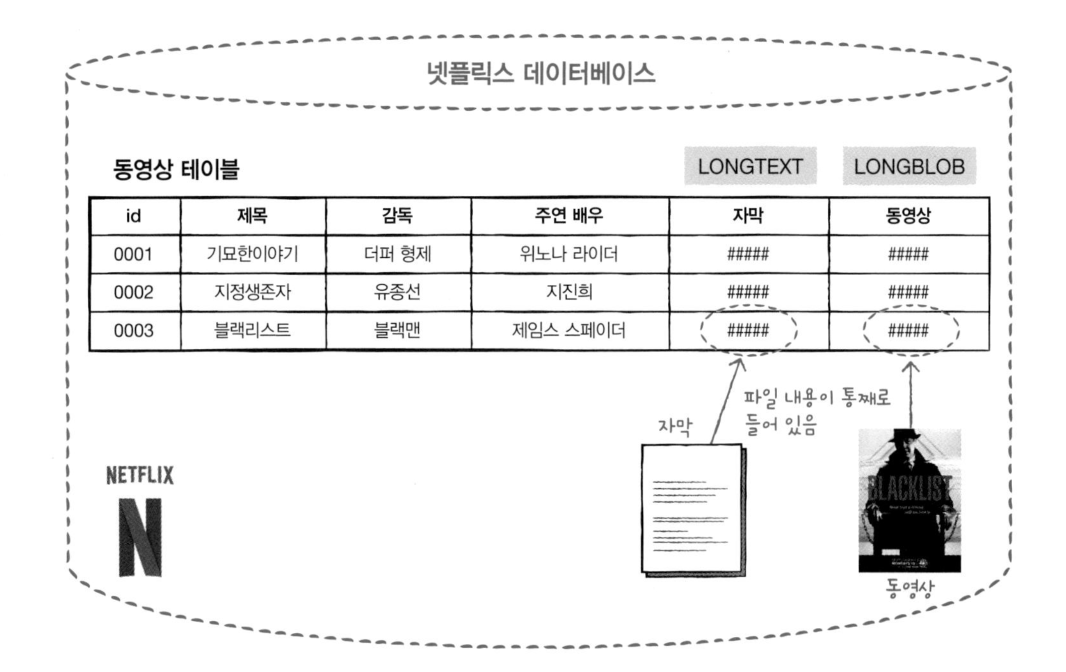

테이블은 다음과 같이 만들 수 있습니다.

손코딩

```
CREATE DATABASE netflix_db;
USE netflix_db;
CREATE TABLE movie
  (movie_id        INT,
   movie_title     VARCHAR(30),
   movie_director  VARCHAR(20),
   movie_star      VARCHAR(20),
   movie_script    LONGTEXT,
   movie_film      LONGBLOB
)
```

다른 열은 정수형이나 문자형으로 지정하면 되며, 자막(movie_script) 열은 **LONGTEXT**, 동영상(movie_film)열은 **LONGBLOB**로 설정해야 대용량의 텍스트와 이진 데이터를 저장할 수 있습니다. LONGTEXT 및 LONGBLOB로 설정하면 각 데이터는 최대 4GB까지 입력할 수 있습니다.

대량의 텍스트는 LONGTEXT, 대량의 이진 데이터는 LONGBLOB로 설정합니다.

실수형

실수형은 소수점이 있는 숫자를 저장할 때 사용합니다.

데이터 형식	바이트 수	설명
FLOAT	4	소수점 아래 7자리까지 표현
DOUBLE	8	소수점 아래 15자리까지 표현

FLOAT와 **DOUBLE**은 거의 비슷합니다. 소수점 아래를 어디까지 정밀하게 표현하는지의 차이인데, 과학 기술용 데이터가 아닌 이상 FLOAT면 충분합니다.

예를 들어 시력은 2.0, 1.5, 0.7 등과 같이 나오므로 FLOAT로 설정하는 것이 적합합니다.

날짜형

날짜형은 날짜 및 시간을 저장할 때 사용합니다.

데이터 형식	바이트 수	설명
DATE	3	날짜만 저장. YYYY-MM-DD 형식으로 사용
TIME	3	시간만 저장. HH:MM:SS 형식으로 사용
DATETIME	8	날짜 및 시간을 저장. YYYY-MM-DD HH:MM:SS 형식으로 사용

DATE는 날짜만, **TIME**은 시간만 저장합니다. 날짜와 시간을 둘 다 저장하고 싶으면 **DATETIME**을 사용합니다.

인터넷 마켓 데이터베이스의 데뷔 일자(debut_date)는 DATE로 설정했습니다. 만약 구매 테이블의 구매한 기록이 필요하면 DATETIME으로 설정하는 것이 적절합니다. 구매한 날짜 및 시간까지 저장해야 하기 때문입니다. 참고로, 날짜 또는 시간을 입력할 때는 문자와 마찬가지로 작은따옴표로 묶어줘야 합니다.

DATE는 날짜만, TIME은 시간만, DATETIME은 날짜와 시간을 모두 저장할 때 사용합니다.

변수의 사용

SQL도 다른 일반적인 프로그래밍 언어처럼 변수를 선언하고 사용할 수 있습니다. **변수**의 선언과 값의 대입은 다음 형식을 따릅니다.

```
SET @변수이름 = 변수의 값 ;      ——> 변수의 선언 및 값 대입
SELECT @변수이름 ;               ——> 변수의 값 출력
```

변수는 MySQL 워크벤치를 재시작할 때까지는 유지되지만, 종료하면 없어집니다. 그러므로 임시로 사용한다고 생각하면 됩니다. 간단한 예를 살펴보겠습니다.

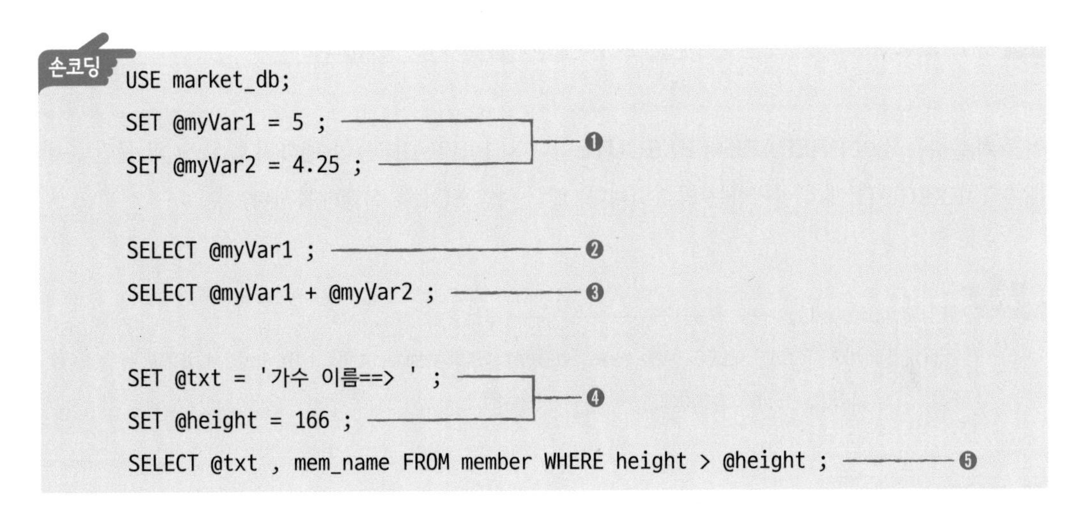

손코딩

```
USE market_db;
SET @myVar1 = 5 ;          ─┐
SET @myVar2 = 4.25 ;       ─┘─ ❶

SELECT @myVar1 ;           ─── ❷
SELECT @myVar1 + @myVar2 ; ─── ❸

SET @txt = '가수 이름==> ' ; ─┐
SET @height = 166 ;         ─┘─ ❹
SELECT @txt , mem_name FROM member WHERE height > @height ; ─── ❺
```

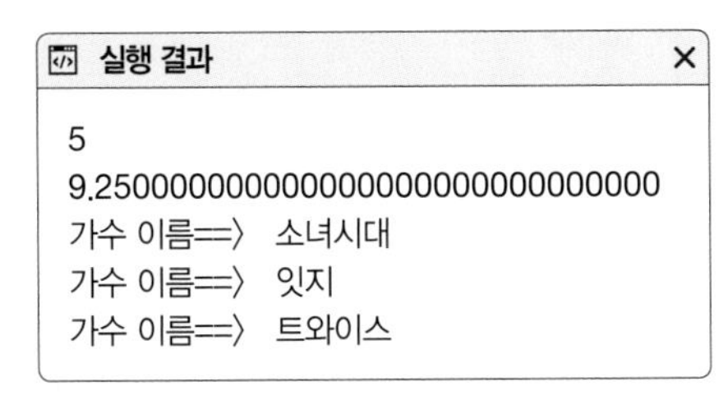

실행 결과

```
5
9.250000000000000000000000000000
가수 이름==> 소녀시대
가수 이름==> 잇지
가수 이름==> 트와이스
```

❶ 변수를 선언하고 정수 또는 실수를 대입했습니다.

❷ 변수의 내용을 출력합니다.

❸ 변수끼리 연산한 후에 출력합니다.

❹ 변수를 선언하고 문자열 또는 정수를 대입했습니다.

❺ 테이블을 조회하면서 변수를 활용했습니다. 조건문은 height 〉 166와 동일합니다.

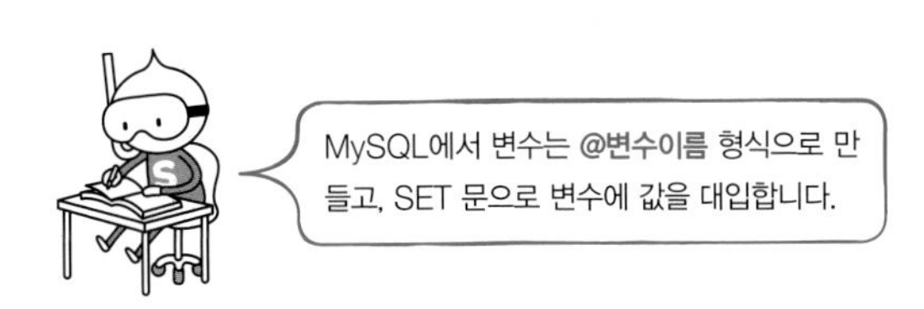

SELECT 문에서 행의 개수를 제한하는 **LIMIT**에도 변수를 사용해보겠습니다. 이 SQL은 SELECT 문에서 오류가 발생합니다. LIMIT에는 변수를 사용할 수 없기 때문에 문법상 오류입니다.

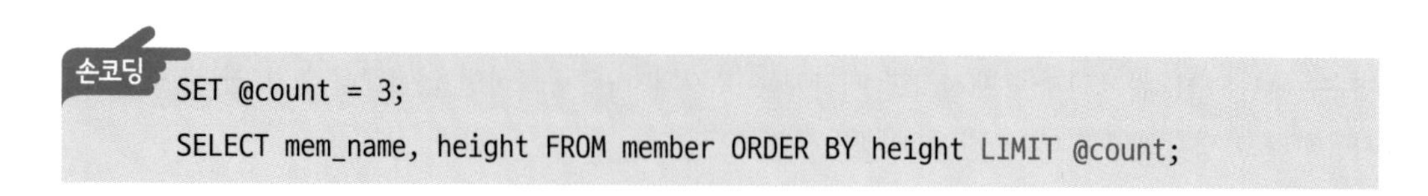
손코딩

```
SET @count = 3;
SELECT mem_name, height FROM member ORDER BY height LIMIT @count;
```

note MySQL 워크벤치 화면을 보면 두 번째 SELECT에 빨간색 밑줄로 오류가 표시됩니다.

이를 해결하는 것이 **PREPARE**와 **EXECUTE**입니다. PREPARE는 실행하지 않고 SQL 문만 준비해 놓고 EXECUTE에서 실행하는 방식입니다. 일단 다음 SQL을 실행해봅시다.

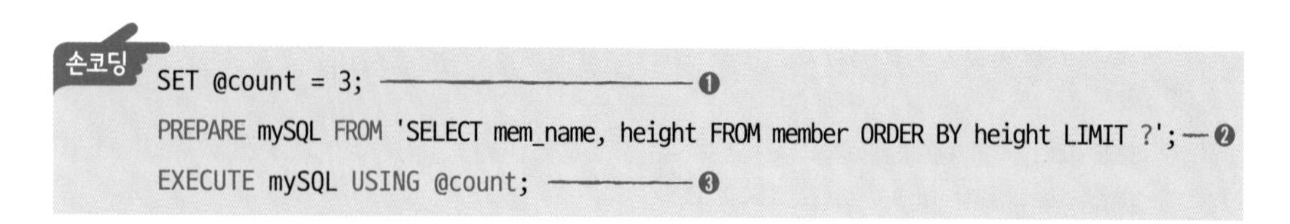
손코딩

```
SET @count = 3; ──────── ❶
PREPARE mySQL FROM 'SELECT mem_name, height FROM member ORDER BY height LIMIT ?'; ─ ❷
EXECUTE mySQL USING @count; ──── ❸
```

실행 결과

오마이걸	160
레드벨벳	161
우주소녀	162

LIMIT에는 변수를 사용하지 못합니다. 대신 PREPARE, EXECUTE를 사용할 수 있습니다.

❶ @count 변수에 3을 대입했습니다.

❷ PREPARE는 'SELECT ~~ LIMIT ?' 문을 실행하지 않고 mySQL이라는 이름으로 준비만 해 놓습니다. 주의해서 볼 것은 LIMIT 다음에 오는 물음표(?)입니다. ?는 '현재는 모르지만 나중에 채워짐' 정도로 이해하면 됩니다.

❸ EXECUTE로 mySQL에 저장된 SELECT 문을 실행할 때, **USING**으로 물음표(?)에 @count 변수의 값을 대입하는 것입니다. 결론적으로 다음과 같은 SQL이 실행되는 것입니다.

```
SELECT mem_name, height FROM member ORDER BY height LIMIT 3;
```

데이터 형 변환

문자형을 정수형으로 바꾸거나, 반대로 정수형을 문자형으로 바꾸는 것을 데이터의 **형 변환**type conversion이라고 부릅니다. 형 변환에는 직접 함수를 사용해서 변환하는 **명시적인 변환**explicit conversion과 별도의 지시 없이 자연스럽게 변환되는 **암시적인 변환**implicit conversion이 있습니다.

함수를 이용한 명시적인 변환

데이터 형식을 변환하는 함수는 CAST(), CONVERT()입니다. CAST(), CONVERT()는 형식만 다를 뿐 동일한 기능을 합니다.

```
CAST ( 값 AS 데이터_형식 [ (길이) ] )
CONVERT ( 값, 데이터_형식 [ (길이) ] )
```

간단한 예를 살펴보면 좀 더 쉽게 이해할 수 있습니다. 다음은 market_db의 구매 테이블(buy)에서 평균 가격을 구하는 SQL입니다. 결과가 실수로 나왔습니다.

가격은 실수보다 정수로 표현하는 것이 보기 좋을 것 같습니다. 다음과 같이 CAST()나 CONVERT() 함수를 사용해서 정수로 표현할 수 있습니다. CAST()나 CONVERT() 함수 안에 올 수 있는 데이터 형식은 CHAR, SIGNED, UNSIGNED, DATE, TIME, DATETIME 등입니다. SIGNED는 부호가 있는 정수, UNSIGNED는 부호가 없는 정수를 의미합니다.

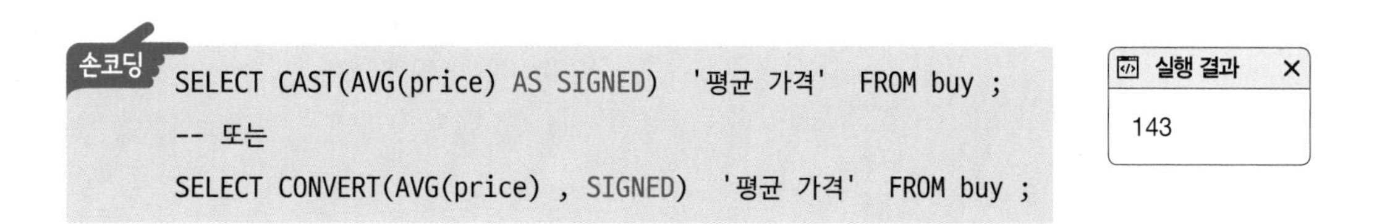

note SIGNED는 SIGNED INTEGER, UNSIGNED는 UNSIGNED INTEGER라고 써도 됩니다.

이번에는 날짜를 확인해보겠습니다. 다양한 구분자를 날짜형으로 변경할 수도 있습니다.

손코딩

```
SELECT CAST('2022$12$12' AS DATE);
SELECT CAST('2022/12/12' AS DATE);
SELECT CAST('2022%12%12' AS DATE);
SELECT CAST('2022@12@12' AS DATE);
```

실행 결과

2020-12-12

SQL의 결과를 원하는 형태로 표현할 때도 사용할 수 있습니다. 가격(price)과 수량(amount)을 곱한 실제 구매액을 표시하는 SQL을 다음과 같이 작성할 수 있습니다.

손코딩

```
SELECT num, CONCAT(CAST(price AS CHAR), 'X', CAST(amount AS CHAR), '=' )
        '가격X수량', price*amount '구매액'
  FROM buy ;
```

가격(price)과 수량(amount)은 정수지만, **CAST()** 함수를 통해 문자로 바꿨습니다. **CONCAT()** 함수는 문자를 이어주는 역할을 하며, 여기서는 '30X2='과 같은 형태의 문자로 만들어서 출력했습니다.

실행 결과

num	가격X수량	구매액
1	30X2=	60
2	1000X1=	1000
3	200X1=	200
4	200X5=	1000
5	50X3=	150
6	80X10=	800
7	15X5=	75
8	15X2=	30
9	50X1=	50
10	30X1=	30
11	15X1=	15
12	30X4=	120

데이터 형식을 변환하는 함수는 CAST()와 CONVERT()입니다.

암시적인 변환

암시적인 변환은 CAST()나 CONVERT() 함수를 사용하지 않고도 자연스럽게 형이 변환되는 것을 말합니다.

말이 좀 어렵죠? 다음 예를 살펴봅시다. 문자 '100'과 '200'을 더했습니다. 문자는 더할 수 없으므로 자동으로 숫자 100과 200으로 변환해서 덧셈을 수행했습니다.

만약에 문자 '100'과 '200'을 연결한 '100200'으로 만들려면 앞에서 배운 CONCAT() 함수를 사용해야 합니다.

숫자와 문자를 CONCAT() 함수로 연결하면 어떻게 될까요? 결과를 보면 숫자 100이 문자 '100'으로 변환되어서 연결된 것을 확인할 수 있습니다. CONCAT() 함수를 사용하지 않고 숫자 100과 문자 '200'을 더하면 뒤의 문자가 숫자 200으로 자동 변환되어 300이 출력됩니다.

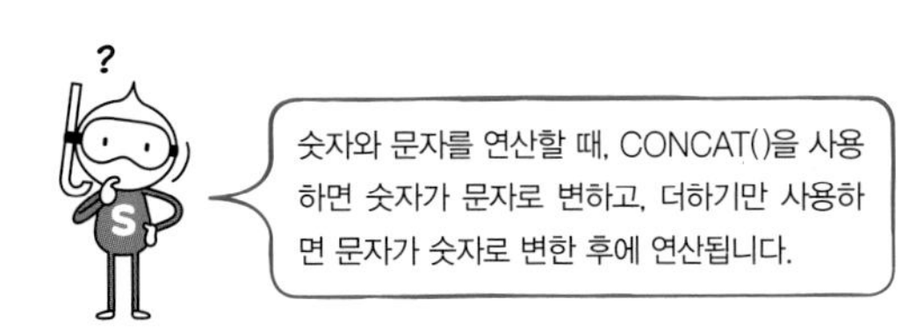

마무리

▶ 6가지 키워드로 끝내는 핵심 포인트

- **정수형**은 소수점이 없는 숫자이며, TINYINT, SMALLINT, INT, BIGINT 등이 있습니다.
- **문자형**은 고정형 문자형인 CHAR와 가변형 문자형인 VARCHAR가 있습니다.
- **실수형**은 소수점 아래 7자리까지 표현되는 FLOAT와 소수점 아래 15자리까지 표현되는 DOUBLE이 있습니다.
- **날짜형**은 날짜를 저장하는 DATE, 시간을 저장하는 TIME, 날짜와 시간을 저장하는 DATETIME이 있습니다.
- MySQL에서 제공되는 **변수** 앞에는 @를 붙입니다.
- 데이터 형식을 변경하는 **형 변환** 함수에는 CAST(), CONVERT()가 있습니다.

▶ 표로 정리하는 핵심 포인트

정수형

데이터 형식	바이트 수	숫자 범위
TINYINT	1	−128~127
SMALLINT	2	−32,768~32,767
INT	4	약 −21억 ~ + 21억
BIGINT	8	약 −900경 ~ +900경

문자형

데이터 형식	바이트 수
CHAR(개수)	1~255
VARCHAR(개수)	1~16383

대량의 데이터 형식

데이터 형식		바이트 수
TEXT 형식	TEXT	1~65535
	LONGTEXT	1~4294967295
BLOB 형식	BLOB	1~65535
	LONGBLOB	1~4294967295

실수형

데이터 형식	바이트 수	설명
FLOAT	4	소수점 아래 7자리까지 표현
DOUBLE	8	소수점 아래 15자리까지 표현

날짜형

데이터 형식	바이트 수	설명
DATE	3	날짜만 저장. YYYY-MM-DD 형식으로 사용
TIME	3	시간만 저장. HH:MM:SS 형식으로 사용
DATETIME	8	날짜 및 시간을 저장. YYYY-MM-DD HH:MM:SS 형식으로 사용

▶ 확인문제

이번 절에서는 데이터 형식에 대해서 학습했습니다. 확인문제를 통해서 배운 개념을 스스로 정리해보기 바랍니다.

1. 다음은 정수형 데이터입니다. 크기가 작은 것부터 차례대로 나열하세요.

SMALLINT, TINYINT, INT, BIGINT

2. TINYINT는 최대 127까지만 입력됩니다. 만약 128을 입력하면 발생하는 오류 메시지를 고르세요.

① Int Value Error ② Out of range
③ Insert Error ④ Max Value Error

3. 정수형 데이터에 UNSIGNED를 붙이면 발생하는 효과를 고르세요.

① 데이터가 음수만 저장됨
② 데이터가 양수만 저장됨
③ 범위가 음수, 양수 모두 2배로 늘어남
④ 범위가 음수, 양수 모두 1/2로 줄어듦

4. 문자형 데이터에 대한 설명으로 가장 거리가 먼 것을 고르세요.

① CHAR는 고정형 문자형입니다.
② VARCHAR는 가변형 문자형입니다.
③ CHAR는 최대 4GB까지 저장됩니다.
④ VARCHAR는 최대 16383글자까지 저장됩니다.

5. 숫자를 CHAR 형으로 지정하기에 적합한 것을 2개 고르세요.

① 전화번호 국번
② 전화번호 뒷자리
③ 물품의 가격
④ 물품의 구매 개수

6. 대량의 데이터 형식을 저장하는 방식에 대한 설명입니다. 빈칸에 순서대로 들어갈 내용을 고르세요.

> 영화 테이블에서 자막을 저장하기에 적합한 데이터 형식은 ________ 이며,
> 동영상 파일을 저장하기에 적합한 데이터 형식은 ________ 다.

① LONGTEXT, LONGBLOB
② DATE, TIME
③ FLOATE, DOUBLE
④ TEXT, BLOB

7. 다음 보기에서 데이터 형식의 변환에 사용되는 함수를 2개 고르세요.

> CONVERT(), DATA(), CAST(), MOVE(), TYPE(), SUM(), AVG(),
> CURRENT_DATE()

04-2 두 테이블을 묶는 조인

핵심 키워드

일대다 관계 | 조인 | 내부 조인 | 외부 조인 | 상호 조인 | 자체 조인

지금까지 하나의 테이블을 다루는 작업을 위주로 공부했습니다. 이를 기반으로 지금부터는 두 개의 테이블이 서로 관계되어 있는 상태를 고려해서 학습을 진행하겠습니다.

시작하기 전에

조인join이란 두 개의 테이블을 서로 묶어서 하나의 결과를 만들어 내는 것을 말합니다. 두 테이블을 엮어야만 원하는 형태가 나오는 경우도 많습니다. 인터넷 마켓 데이터베이스의 회원 테이블과 구매 테이블을 예로 들 수 있습니다.

회원 테이블에는 회원의 이름과 연락처가 있고, 구매 테이블에는 회원이 구매한 물건이 있습니다. 물건을 배송하려면 회원 테이블의 회원 이름과 연락처, 구매 테이블의 회원이 구매한 물건에 대한 정보가 함께 필요합니다. 이렇게 두 테이블을 엮어서 하나의 배송을 위한 정보를 추출하는 것이 대표적인 조인입니다.

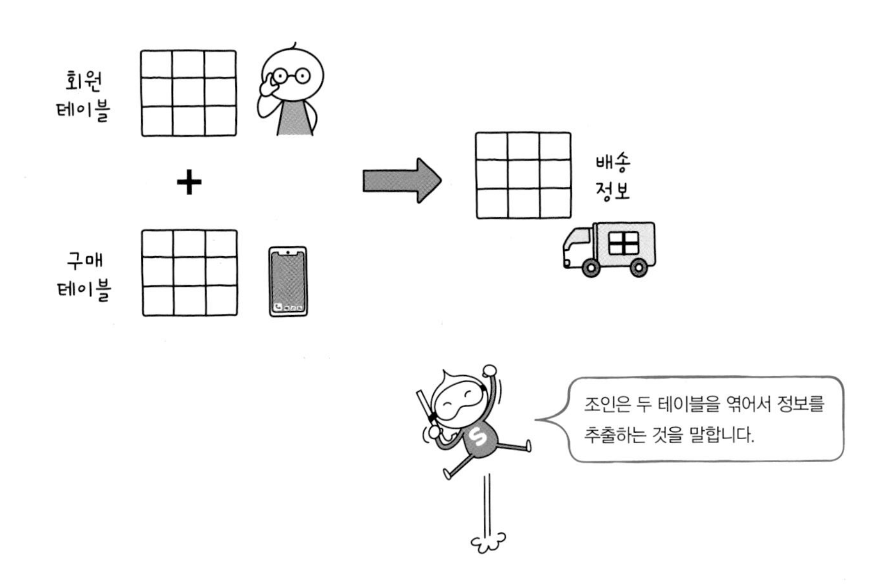

내부 조인

두 테이블을 연결할 때 가장 많이 사용되는 것이 내부 조인입니다. 그냥 조인이라 부르면 내부 조인을 의미하는 것입니다.

일대다 관계의 이해

두 테이블의 조인을 위해서는 테이블이 **일대다(one to many)** 관계로 연결되어야 합니다. 먼저 일대다 관계에 대해서 알아보겠습니다.

데이터베이스의 테이블은 하나로 구성되는 것보다는 여러 정보를 주제에 따라 분리해서 저장하는 것이 효율적입니다. 이 분리된 테이블은 서로 **관계**relation를 맺고 있습니다. 이러한 대표적인 사례가 인터넷 마켓 데이터베이스(market_db)의 회원 테이블과 구매 테이블입니다.

다음 그림과 같이 market_db에서 회원 테이블의 아이디와 구매 테이블의 아이디는 일대다 관계입니다. 일대다 관계란 한쪽 테이블에는 하나의 값만 존재해야 하지만, 연결된 다른 테이블에는 여러 개의 값이 존재할 수 있는 관계를 말합니다.

예를 들어, 회원 테이블에서 블랙핑크의 아이디는 'BLK'로 1명(1, one) 밖에 없습니다. 그래서 회원 테이블의 아이디를 **기본 키**Primary Key, PK로 지정했습니다. 구매 테이블의 아이디에서는 3개의 BLK를 찾을 수 있습니다. 즉, 회원은 1명이지만 이 회원은 구매를 여러 번(다, many) 할 수 있는 것입니다. 그래서 구매 테이블의 아이디는 기본 키가 아닌 **외래 키**Foreign Key, FK로 설정했습니다.

회원 테이블(member)

아이디	이름	인원	주소	국번	전화번호	평균 키	데뷔 일자
TWC	트와이스	9	서울	02	11111111	167	2015.10.19
BLK	블랙핑크	4	경남	055	22222222	163	2016.08.08
WMN	여자친구	6	경기	031	33333333	166	2015.01.15
OMY	오마이걸	7	서울			160	2015.04.21
GRL	소녀시대	8	서울	02	44444444	168	2007.08.02
ITZ	잇지	5	경남			167	2019.02.12
RED	레드벨벳	4	경북	054	55555555	161	2014.08.01
APN	에이핑크	6	경기	031	77777777	164	2011.02.10
SPC	우주소녀	13	서울	02	88888888	162	2016.02.25
MMU	마마무	4	전남	061	99999999	165	2014.06.19

PK

구매 테이블(buy)

순번	아이디	물품명	분류	단가	수량
1	BLK	지갑		30	2
2	BLK	맥북프로	디지털	1000	1
3	APN	아이폰	디지털	200	1
4	MMU	아이폰	디지털	200	5
5	BLK	청바지	패션	50	3
6	MMU	에어팟	디지털	80	10
7	GRL	혼공SQL	서적	15	5
8	APN	혼공SQL	서적	15	2
9	APN	청바지	패션	50	1
10	MMU	지갑		30	1
11	APN	혼공SQL	서적	15	1
12	MMU	지갑		30	4

PK FK

note 일대다 관계는 주로 기본 키(PK)와 외래 키(FK) 관계로 맺어져 있습니다. 그래서 일대다 관계를 'PK-FK 관계'라고 부르기도 합니다.

인터넷 마켓 외에도 일대다 관계는 많은 현실 세계에서 발견할 수 있습니다. 회사원 테이블과 급여 테이블도 마찬가지입니다. 1명의 회사원이 여러 번의 급여를 받아야 하므로 일대다 관계입니다. 학생 테이블과 학점 테이블도 1명의 학생이 여러 과목의 학점을 받아야 하므로 일대다 관계로 설정됩니다.

두 테이블의 조인을 위해서는 기본 키-외래 키 관계로 맺어져야 하고, 이를 '일대다 관계'라고 부릅니다.

note 꼭 기본 키-외래 키 관계가 아니어도 가능한 조인도 있습니다. 잠시 후에 배울 상호 조인이 대표적입니다. 상호 조인 외의 조인은 기본 키-외래 키 관계가 핵심 요소입니다.

내부 조인의 기본

일반적으로 조인이라고 부르는 것은 **내부 조인**inner join을 말하는 것으로, 조인 중에서 가장 많이 사용됩니다. 조인은 3개 이상의 테이블로도 할 수 있지만 대부분은 2개로 조인하므로 2개에 대해서만 언급하겠습니다.

내부 조인의 형식은 다음과 같습니다.

```
SELECT <열 목록>
FROM <첫 번째 테이블>
    INNER JOIN <두 번째 테이블>
    ON <조인될 조건>
[WHERE 검색 조건]
```

note INNER JOIN을 그냥 JOIN이라고만 써도 INNER JOIN으로 인식합니다.

구매 테이블에는 물건을 구매한 회원의 아이디와 물건 등의 정보만 있습니다. 이 물건을 배송하기 위해서는 구매한 회원의 주소 및 연락처를 알아야 합니다. 이 회원의 주소, 연락처를 알기 위해 정보가 있는 회원 테이블과 결합하는 것이 내부 조인입니다.

구매 테이블에서 GRL이라는 아이디를 가진 사람이 구매한 물건을 발송하기 위해 다음과 같이 조인해서 이름/주소/연락처 등을 검색할 수 있습니다.

손코딩
```
USE market_db;
SELECT *
   FROM buy
```

```
    INNER JOIN member
    ON buy.mem_id = member.mem_id
  WHERE buy.mem_id = 'GRL';
```

실행 결과

num	mem_id	prod_name	group_name	price	amount	mem_id	mem_name	mem_number	addr	phone1	phone2	height	debut_date
7	GRL	혼공SQL	서적	15	5	GRL	소녀시대	8	서울	02	44444444	168	2007-08-02

note 두 개의 테이블(buy, member)을 조인하는 경우 동일한 열 이름이 존재한다면 꼭 **테이블_이름.열_이름** 형식으로 표기해야 합니다. 여기서는 ON 구문과 WHERE 구문에서 구매 테이블의 아이디(buy.mem_id)와 회원 테이블의 아이디(member.men_id)를 사용했습니다.

두 테이블을 내부 조인하는 SQL은 다음 그림과 같은 과정을 거칩니다. 중요한 개념이므로 잘 기억하도록 합니다.

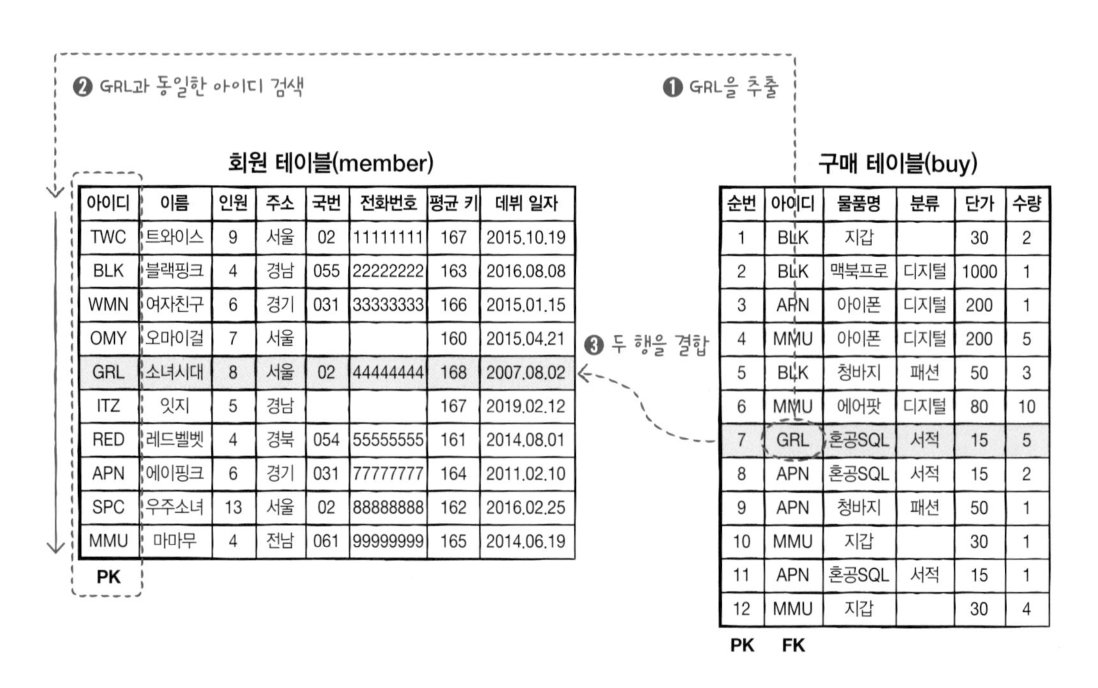

회원 테이블(member)

아이디	이름	인원	주소	국번	전화번호	평균 키	데뷔 일자
TWC	트와이스	9	서울	02	11111111	167	2015.10.19
BLK	블랙핑크	4	경남	055	22222222	163	2016.08.08
WMN	여자친구	6	경기	031	33333333	166	2015.01.15
OMY	오마이걸	7	서울			160	2015.04.21
GRL	소녀시대	8	서울	02	44444444	168	2007.08.02
ITZ	잇지	5	경남			167	2019.02.12
RED	레드벨벳	4	경북	054	55555555	161	2014.08.01
APN	에이핑크	6	경기	031	77777777	164	2011.02.10
SPC	우주소녀	13	서울	02	88888888	162	2016.02.25
MMU	마마무	4	전남	061	99999999	165	2014.06.19

구매 테이블(buy)

순번	아이디	물품명	분류	단가	수량
1	BLK	지갑		30	2
2	BLK	맥북프로	디지털	1000	1
3	APN	아이폰	디지털	200	1
4	MMU	아이폰	디지털	200	5
5	BLK	청바지	패션	50	3
6	MMU	에어팟	디지털	80	10
7	GRL	혼공SQL	서적	15	5
8	APN	혼공SQL	서적	15	2
9	APN	청바지	패션	50	1
10	MMU	지갑		30	1
11	APN	혼공SQL	서적	15	1
12	MMU	지갑		30	4

❶ 구매 테이블의 mem_id(buy.mem_id)인 'GRL'을 추출합니다.

❷ 'GRL'과 동일한 값을 회원 테이블의 mem_id(member.mem_id) 열에서 검색합니다.

❸ 'GRL'이라는 아이디를 찾으면 구매 테이블과 회원 테이블의 두 행을 결합(JOIN)합니다.

만약, **WHERE buy.mem_id = 'GRL'**을 생략하면 어떻게 될까요? 원래는 구매 테이블의 7번째에 있는 GRL에 대해서만 결합했지만, WHERE 절을 생략하면 1번째 BLK부터 12번째 MMU까지 구매 테이블의 모든 행이 회원 테이블과 결합합니다. 다음 SQL로 결과를 직접 확인해봅시다.

손코딩
```
SELECT *
   FROM buy
     INNER JOIN member
     ON buy.mem_id = member.mem_id;
```

실행 결과

num	mem_id	prod_name	group_name	price	amount	mem_id	mem_name	mem_number	addr	phone1	phone2	height	debut_date
3	APN	아이폰	디지털	200	1	APN	에이핑크	6	경기	31	77777777	164	2011-02-10
8	APN	혼공SQL	서적	15	2	APN	에이핑크	6	경기	31	77777777	164	2011-02-10
9	APN	청바지	패션	50	1	APN	에이핑크	6	경기	31	77777777	164	2011-02-10
11	APN	혼공SQL	서적	15	1	APN	에이핑크	6	경기	31	77777777	164	2011-02-10
1	BLK	지갑	NULL	30	2	BLK	블랙핑크	4	경남	55	22222222	163	2016-08-08
2	BLK	맥북프로	디지털	1000	1	BLK	블랙핑크	4	경남	55	22222222	163	2016-08-08
5	BLK	청바지	패션	50	3	BLK	블랙핑크	4	경남	55	22222222	163	2016-08-08
7	GRL	혼공SQL	서적	15	5	GRL	소녀시대	8	서울	2	44444444	168	2007-08-02
4	MMU	아이폰	디지털	200	5	MMU	마마무	4	전남	61	99999999	165	2014-06-19
6	MMU	에어팟	디지털	80	10	MMU	마마무	4	전남	61	99999999	165	2014-06-19
10	MMU	지갑	NULL	30	1	MMU	마마무	4	전남	61	99999999	165	2014-06-19
12	MMU	지갑	NULL	30	4	MMU	마마무	4	전남	61	99999999	165	2014-06-19

note MySQL 버전에 따라 실행 결과의 차례는 다를 수 있습니다.

내부 조인의 간결한 표현

열이 너무 많아 복잡해 보이므로 이번에는 필요한 아이디/이름/구매 물품/주소/연락처만 추출해보겠습니다.

손코딩
```
SELECT mem_id, mem_name, prod_name, addr, CONCAT(phone1, phone2) '연락처'
   FROM buy
     INNER JOIN member
     ON buy.mem_id = member.mem_id;
```

오류 메시지

```
Error Code: 1052. Column 'mem_id' in field list is ambiguous
```

오류가 발생했습니다. 열 이름인 mem_id가 불확실하다는 오류 메시지입니다. 즉, 회원 아이디(mem_id)는 회원 테이블, 구매 테이블에 모두 들어 있어서 어느 테이블의 mem_id인지 헷갈린다는 의미입니다.

이럴 때는 어느 테이블의 mem_id를 추출할지 정확하게 작성해야 합니다. 지금은 구매 테이블을 기준으로 하는 것이므로 buy.mem_id가 논리적으로 더 맞을 것 같습니다.

손코딩

```
SELECT buy.mem_id, mem_name, prod_name, addr, CONCAT(phone1, phone2) '연락처'
   FROM buy
     INNER JOIN member
     ON buy.mem_id = member.mem_id;
```

예상대로 구매 테이블의 12건에 대해서 각각의 아이디/이름/구매 물품/주소/연락처를 조회했습니다.

실행 결과

mem_id	mem_name	prod_name	addr	연락처
APN	에이핑크	아이폰	경기	03177777777
APN	에이핑크	혼공SQL	경기	03177777777
APN	에이핑크	청바지	경기	03177777777
APN	에이핑크	혼공SQL	경기	03177777777
BLK	블랙핑크	지갑	경남	05522222222
BLK	블랙핑크	맥북프로	경남	05522222222
BLK	블랙핑크	청바지	경남	05522222222
GRL	소녀시대	혼공SQL	서울	0244444444
MMU	마마무	아이폰	전남	06199999999
MMU	마마무	에어팟	전남	06199999999
MMU	마마무	지갑	전남	06199999999
MMU	마마무	지갑	전남	06199999999

SQL을 좀 더 명확히 하기 위해서 SELECT 다음의 열 이름(컬럼 이름)에도 모두 **테이블_이름.열_이름** 형식으로 작성해보겠습니다. 결과는 동일합니다.

손코딩

```
SELECT buy.mem_id, member.mem_name, buy.prod_name, member.addr,
                   CONCAT(member.phone1, member.phone2) '연락처'
    FROM buy
      INNER JOIN member
      ON buy.mem_id = member.mem_id;
```

각 열이 어느 테이블에 속한 것인지 명확해졌지만 코드가 너무 길어져서 오히려 복잡해 보입니다. 이를 간결하게 표현하기 위해서는 다음과 같이 FROM 절에 나오는 테이블의 이름 뒤에 **별칭**alias을 줄 수 있습니다. 앞으로 여러 개의 테이블이 관련된 조인에서는 이와 같은 방식을 사용할 것을 적극 권장합니다.

손코딩

```
SELECT B.mem_id, M.mem_name, B.prod_name, M.addr,
                 CONCAT(M.phone1, M.phone2) '연락처'
    FROM buy B ──────────┐
      INNER JOIN member M ──┘→ 테이블 이름에 별칭을 붙임
      ON B.mem_id = M.mem_id;
```

내부 조인의 활용

이번에는 전체 회원의 아이디/이름/구매한 제품/주소를 출력하겠습니다. 지금 '전체 회원'이라고 이야기한 것을 일단 기억해 놓으세요. 결과는 보기 쉽게 회원 아이디 순으로 정렬하겠습니다.

손코딩

```
SELECT M.mem_id, M.mem_name, B.prod_name, M.addr
    FROM buy B
      INNER JOIN member M
      ON B.mem_id = M.mem_id
    ORDER BY M.mem_id;
```

구매 테이블의 목록이 12건이었으므로 이상 없이 잘 나왔습니다. 결과는 아무런 이상이 없지만, 조금 전에 말했던 '전체 회원'과는 차이가 좀 있습니다. 결과는 '전체 회원'이 아닌 '구매한 기록이 있는 회원들'의 목록입니다.

실행 결과			
mem_id	mem_name	prod_name	addr
APN	에이핑크	아이폰	경기
APN	에이핑크	혼공SQL	경기
APN	에이핑크	청바지	경기
APN	에이핑크	혼공SQL	경기
BLK	블랙핑크	지갑	경남
BLK	블랙핑크	맥북프로	경남
BLK	블랙핑크	청바지	경남
GRL	소녀시대	혼공SQL	서울
MMU	마마무	아이폰	전남
MMU	마마무	에어팟	전남
MMU	마마무	지갑	전남
MMU	마마무	지갑	전남

결과에 한 번도 구매하지 않은 회원의 정보는 없습니다. 우리가 원하는 결과는 구매한 회원의 구매 기록과 더불어 구매하지 않은 회원의 이름/주소가 같이 검색되도록 하는 것입니다.

지금까지 사용한 내부 조인은 두 테이블에 모두 있는 내용만 조인되는 방식입니다. 만약, 양쪽 중에 한곳이라도 내용이 있을 때 조인하려면 외부 조인을 사용해야 합니다.

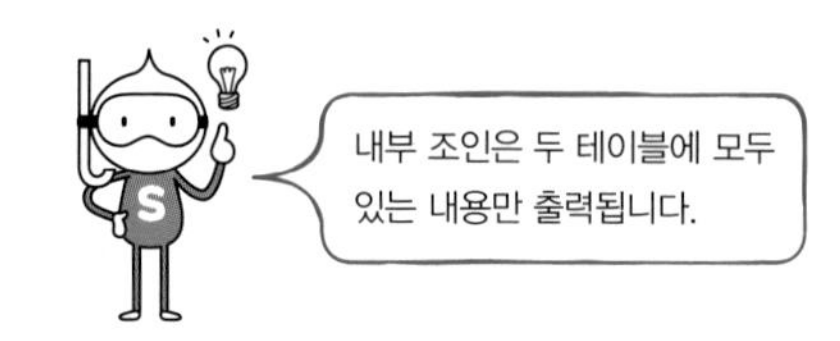

좀 더 알아보기

중복된 결과 1개만 출력하기

내부 조인이 양쪽에 모두 있는 내용만 나오기 때문에 유용한 경우도 있습니다. 예를 들어, 인터넷 마켓 운영자라면 다음과 같이 생각할 수 있습니다.

"우리 사이트에서 한 번이라도 구매한 기록이 있는 회원들에게 감사의 안내문을 발송합시다."

이런 경우라면 앞의 SQL 처럼 내부 조인을 사용해서 추출한 회원에게만 안내문을 발송하면 됩니다. 그리고 어차피 중복된 이름은 필요 없으므로 3장에서 배운 **DISTINCT** 문을 활용해서 회원의 주소를 조회할 수 있습니다.

손코딩

```
SELECT DISTINCT M.mem_id, M.mem_name, M.addr
   FROM buy B
     INNER JOIN member M
     ON B.mem_id = M.mem_id
   ORDER BY M.mem_id;
```

실행 결과

mem_id	mem_name	addr
APN	에이핑크	경기
BLK	블랙핑크	경남
GRL	소녀시대	서울
MMU	마마무	전남

원하는 결과인 우리 사이트에서 구매한 기록이 있는 회원만 나왔습니다. 이 4명에게 안내문을 발송하면 됩니다.

외부 조인

내부 조인은 두 테이블에 모두 데이터가 있어야만 결과가 나옵니다. 이와 달리 외부 조인은 한쪽에만 데이터가 있어도 결과가 나옵니다.

외부 조인의 기본

외부 조인outer join은 두 테이블을 조인할 때 필요한 내용이 한쪽 테이블에만 있어도 결과를 추출할 수 있습니다. 자주 사용되지는 않지만, 가끔 사용되는 방식이므로 알아두면 유용합니다.

외부 조인의 형식은 다음과 같습니다.

```
SELECT <열 목록>
FROM <첫 번째 테이블(LEFT 테이블)>
    <LEFT | RIGHT | FULL> OUTER JOIN <두 번째 테이블(RIGHT 테이블)>
    ON <조인될 조건>
[WHERE 검색 조건] ;
```

내부 조인보다는 조금 복잡해 보이지만 사용 방법은 거의 비슷합니다. 먼저 내부 조인에서 해결하지 못한 '전체 회원의 구매 기록(구매 기록이 없는 회원의 정보도 함께) 출력'을 외부 조인으로 만들어보겠습니다.

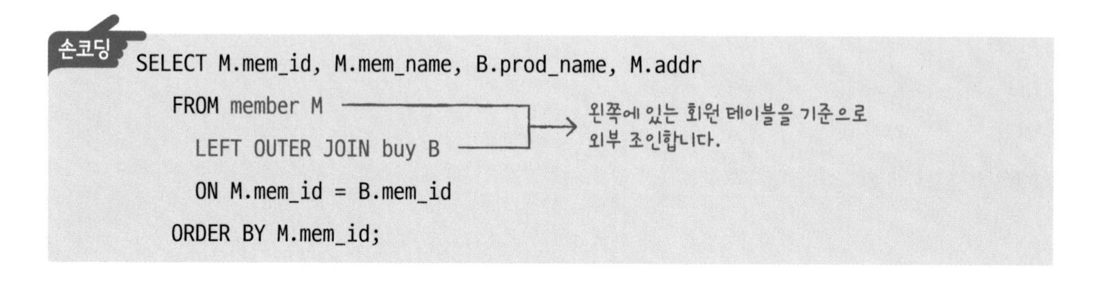


```
SELECT M.mem_id, M.mem_name, B.prod_name, M.addr
   FROM member M
     LEFT OUTER JOIN buy B
     ON M.mem_id = B.mem_id
   ORDER BY M.mem_id;
```

note LEFT OUTER JOIN을 줄여서 LEFT JOIN이라고만 써도 됩니다.

LEFT OUTER JOIN 문의 의미를 '왼쪽 테이블(member)의 내용은 모두 출력되어야 한다' 정도로 해석하면 기억하기 쉽습니다.

실행 결과

mem_id	mem_name	prod_name	addr
APN	에이핑크	아이폰	경기
APN	에이핑크	혼공SQL	경기
APN	에이핑크	청바지	경기
APN	에이핑크	혼공SQL	경기
MMU	마마무	지갑	전남
MMU	마마무	지갑	전남
OMY	오마이걸	NULL	서울
RED	레드벨벳	NULL	경북
SPC	우주소녀	NULL	서울
TWC	트와이스	NULL	서울
WMN	여자친구	NULL	경기

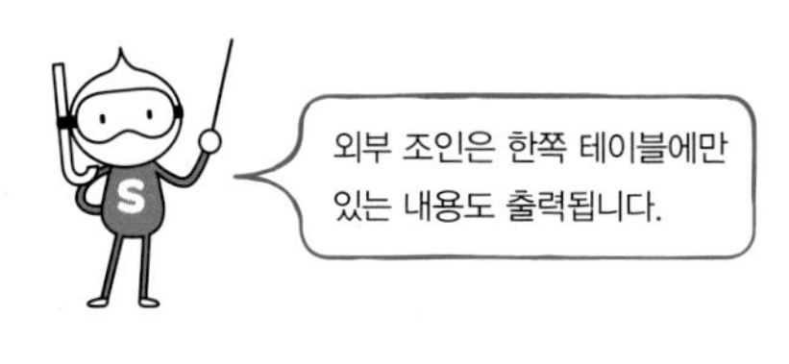

RIGHT OUTER JOIN으로 동일한 결과를 출력하려면 다음과 같이 단순히 왼쪽과 오른쪽 테이블의 위치만 바꿔주면 됩니다.

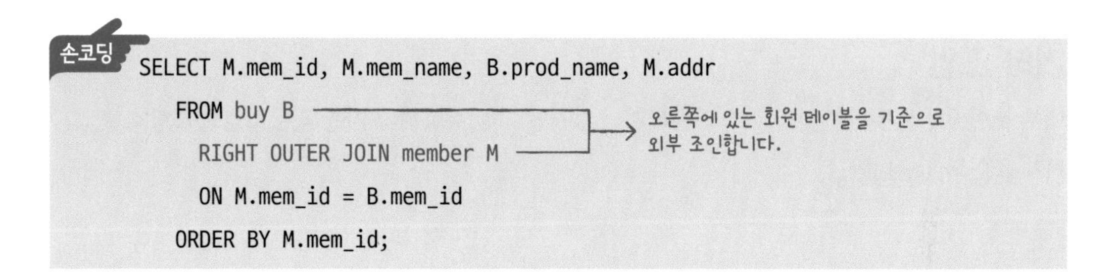

손코딩

```
SELECT M.mem_id, M.mem_name, B.prod_name, M.addr
   FROM buy B
     RIGHT OUTER JOIN member M
     ON M.mem_id = B.mem_id
   ORDER BY M.mem_id;
```


외부 조인의 활용

내부 조인으로 구매한 기록이 있는 회원들의 목록만 추출해서 감사문을 보냈었습니다. 이번에는 반대로 회원으로 가입만 하고, 한 번도 구매한 적이 없는 회원의 목록을 추출해보겠습니다.

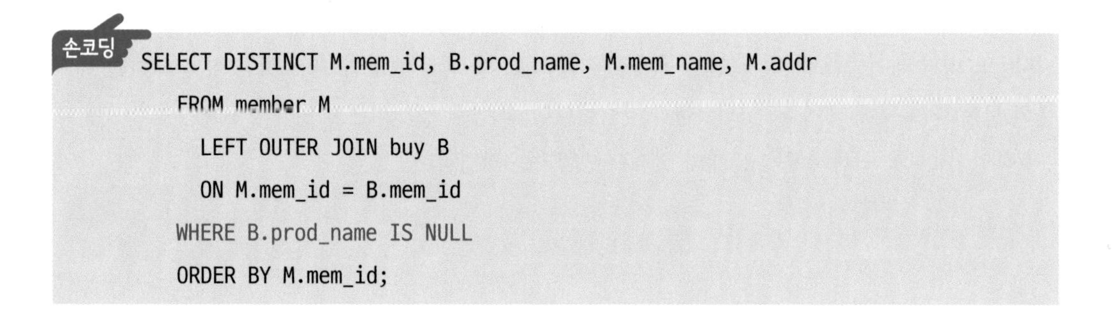

손코딩

```
SELECT DISTINCT M.mem_id, B.prod_name, M.mem_name, M.addr
   FROM member M
     LEFT OUTER JOIN buy B
     ON M.mem_id = B.mem_id
   WHERE B.prod_name IS NULL
   ORDER BY M.mem_id;
```

한 번도 구매하지 않았으므로 조인된 결과의 물건 이름(prod_name)이 당연히 비어있을 것입니다. IS NULL 구문은 널(NULL) 값인지 비교합니다. 한 번도 구매하지 않은 6명의 회원이 나왔습니다.

실행 결과

mem_id	prod_name	mem_name	addr
ITZ	NULL	잇지	경남
OMY	NULL	오마이걸	서울
RED	NULL	레드벨벳	경북
SPC	NULL	우주소녀	서울
TWC	NULL	트와이스	서울
WMN	NULL	여자친구	경기

FULL OUTER JOIN은 왼쪽 외부 조인과 오른쪽 외부 조인이 합쳐진 것이라고 생각하면 됩니다. 왼쪽이든 오른쪽이든 한쪽에 들어 있는 내용이면 출력합니다. 자주 사용되지는 않으니 이 정도만 알아두면 됩니다.

기타 조인

내부 조인이나 외부 조인처럼 자주 사용되지는 않지만 가끔 유용하게 사용되는 조인으로 상호 조인과 자체 조인도 있습니다.

상호 조인

상호 조인cross join은 한쪽 테이블의 모든 행과 다른 쪽 테이블의 모든 행을 조인시키는 기능을 말합니다. 그래서 상호 조인 결과의 전체 행 개수는 두 테이블의 각 행의 개수를 곱한 개수가 됩니다. 역시 말이 좀 어렵죠?

다음 그림을 통해 조금 더 쉽게 알아보겠습니다. 회원 테이블의 첫 행은 구매 테이블의 모든 행과 조인됩니다. 나머지 행도 마찬가지입니다. 즉, 회원 테이블의 첫 행이 구매 테이블의 12개 행과 결합됩니다. 또 회원 테이블의 두 번째 행이 구매 테이블의 12개 행과 결합됩니다. 이런 식으로 회원 테이블의 모든 행이 구매 테이블의 모든 행과 결합됩니다. 최종적으로 회원 테이블의 10개 행과 구매 테이블의 12개 행을 곱해서 총 120개의 결과가 생성되는 것입니다.

회원 테이블(member)

아이디	이름	인원	주소	국번	전화번호	평균 키	데뷔 일자
TWC	트와이스	9	서울	02	11111111	167	2015.10.19
BLK	블랙핑크	4	경남	055	22222222	163	2016.08.08
WMN	여자친구	6	경기	031	33333333	166	2015.01.15
OMY	오마이걸	7	서울			160	2015.04.21
GRL	소녀시대	8	서울	02	44444444	168	2007.08.02
ITZ	잇지	5	경남			167	2019.02.12
RED	레드벨벳	4	경북	054	55555555	161	2014.08.01
APN	에이핑크	6	경기	031	77777777	164	2011.02.10
SPC	우주소녀	13	서울	02	88888888	162	2016.02.25
MMU	마마무	4	전남	061	99999999	165	2014.06.19

PK

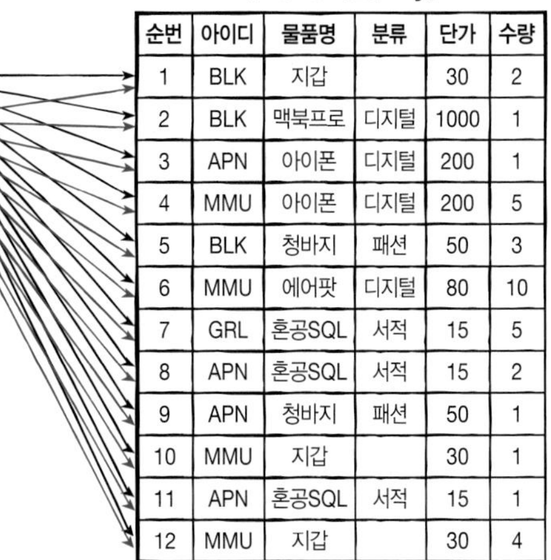

구매 테이블(buy)

순번	아이디	물품명	분류	단가	수량
1	BLK	지갑		30	2
2	BLK	맥북프로	디지털	1000	1
3	APN	아이폰	디지털	200	1
4	MMU	아이폰	디지털	200	5
5	BLK	청바지	패션	50	3
6	MMU	에어팟	디지털	80	10
7	GRL	혼공SQL	서적	15	5
8	APN	혼공SQL	서적	15	2
9	APN	청바지	패션	50	1
10	MMU	지갑		30	1
11	APN	혼공SQL	서적	15	1
12	MMU	지갑		30	4

PK FK

note 상호 조인을 카티션 곱(cartesian product)이라고도 부릅니다.

회원 테이블과 구매 테이블의 상호 조인은 다음과 같습니다.

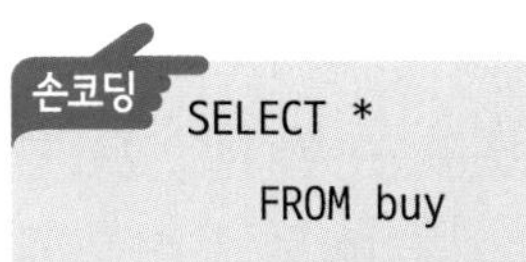


```
SELECT *
   FROM buy
     CROSS JOIN member ;
```

실행 결과

num	mem_id	prod_name	group_name	price	amount	mem_id	mem_name	mem_number	addr	phone1	phone2	height	debut_date
1	BLK	지갑	NULL	30	2	APN	에이핑크	6	경기	031	77777777	164	2011-02-10
1	BLK	지갑	NULL	30	2	BLK	블랙핑크	4	경남	055	22222222	163	2016-08-08
1	BLK	지갑	NULL	30	2	GRL	소녀시대	8	서울	02	44444444	168	2007-08-02
1	BLK	지갑	NULL	30	2	ITZ	잇지	5	경남	NULL	NULL	167	2019-02-12
1	BLK	지갑	NULL	30	2	MMU	마마무	4	전남	061	99999999	165	2014-06-19
1	BLK	지갑	NULL	30	2	OMY	오마이걸	7	서울	NULL	NULL	160	2015-04-21
1	BLK	지갑	NULL	30	2	RED	레드벨벳	4	경북	054	55555555	161	2014-08-01
1	BLK	지갑	NULL	30	2	SPC	우주소녀	13	서울	02	88888888	162	2016-02-25
1	BLK	지갑	NULL	30	2	TWC	트와이스	9	서울	02	11111111	167	2015-10-19
1	BLK	지갑	NULL	30	2	WMN	여자친구	6	경기	031	33333333	166	2015-01-15
2	BLK	맥북프로	디지털	1000	1	APN	에이핑크	6	경기	031	77777777	164	2011-02-10
2	BLK	맥북프로	디지털	1000	1	BLK	블랙핑크	4	경남	055	22222222	163	2016-08-08
2	BLK	맥북프로	디지털	1000	1	GRL	소녀시대	8	서울	02	44444444	168	2007-08-02
2	BLK	맥북프로	디지털	1000	1	ITZ	잇지	5	경남	NULL	NULL	167	2019-02-12
2	BLK	맥북프로	디지털	1000	1	MMU	마마무	4	전남	061	99999999	165	2014-06-19
2	BLK	맥북프로	디지털	1000	1	OMY	오마이걸	7	서울	NULL	NULL	160	2015-04-21
2	BLK	맥북프로	디지털	1000	1	RED	레드벨벳	4	경북	054	55555555	161	2014-08-01
		맥북프로	디지털					13	서울				2016-02-25

상호 조인은 다음과 같은 특징을 갖습니다.

- ON 구문을 사용할 수 없습니다.
- 결과의 내용은 의미가 없습니다. 랜덤으로 조인하기 때문입니다.
  예) BLK를 에이핑크, 잇지, 소녀시대 등과도 조인합니다.
- 상호 조인의 주 용도는 테스트하기 위해 대용량의 데이터를 생성할 때입니다.

예를 들어, 샘플 데이터베이스인 sakila의 inventory 테이블에는 4,581건, world의 city 테이블에는 4,079건이 있습니다. 두 테이블을 상호 조인시키면 4,581X4,079=18,685,899건의 데이터를 생성할 수 있습니다. 개수를 한 번 확인해봅시다. 결과는 18,685,899가 나왔습니다.

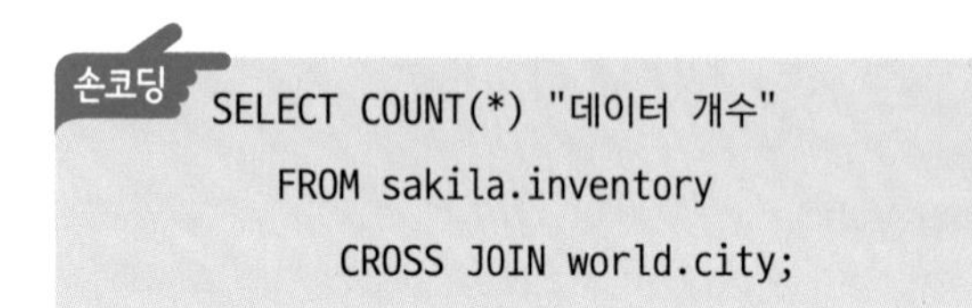

손코딩

```
SELECT COUNT(*) "데이터 개수"
   FROM sakila.inventory
      CROSS JOIN world.city;
```

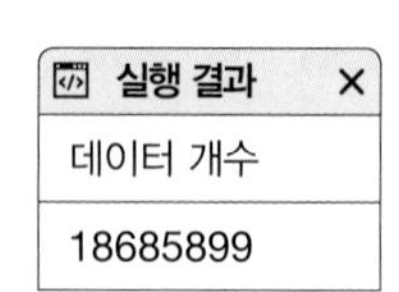

실행 결과

데이터 개수
18685899

진짜로 대용량의 테이블을 만들고 싶으면 **CREATE TABLE ~ SELECT** 문을 사용합니다. 앞서 만든 2개의 테이블은 크기가 너무 커서 실제 테이블에 데이터를 생성하면 실습 시간이 오래 걸리므로 약간 작은 테이블을 사용해서 새로운 테이블을 생성하고 5건을 조회해봅시다.

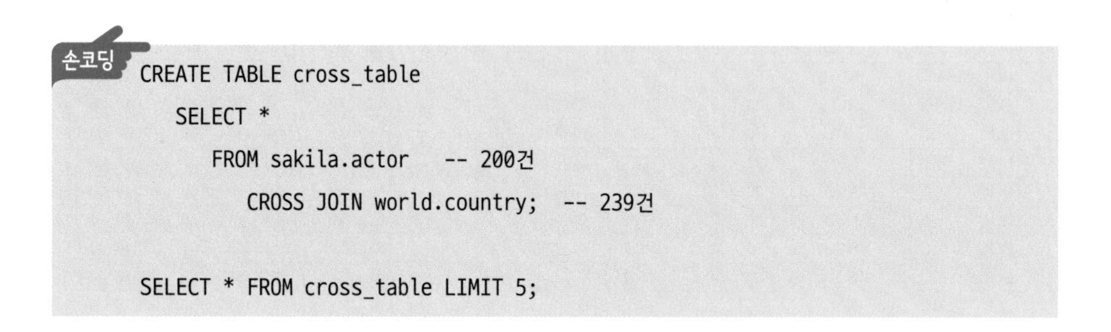

손코딩

```
CREATE TABLE cross_table
   SELECT *
      FROM sakila.actor    -- 200건
         CROSS JOIN world.country;   -- 239건

SELECT * FROM cross_table LIMIT 5;
```

47,800건의 행이 생겼습니다. 앞에서 이야기했듯이 데이터 내용에는 의미가 없습니다.

> 상호 조인은 대용량의 테스트용 테이블을 만들 때 사용합니다.

actor_id	first_name	last_name	last_update	Code	Name	Continent	Region	Surface Area	Indep Year	Population
1	PENELOPE	GUINESS	2006-02-15 4:34	ABW	Aruba	North America	Caribbean	193.00	NULL	103000
2	NICK	WAHLBERG	2006-02-15 4:34	ABW	Aruba	North America	Caribbean	193.00	NULL	103000
3	ED	CHASE	2006-02-15 4:34	ABW	Aruba	North America	Caribbean	193.00	NULL	103000
4	JENNIFER	DAVIS	2006-02-15 4:34	ABW	Aruba	North America	Caribbean	193.00	NULL	103000
5	JOHNNY	LOLLOBRIGIDA	2006-02-15 4:34	ABW	Aruba	North America	Caribbean	193.00	NULL	103000

자체 조인

내부 조인, 외부 조인, 상호 조인은 모두 2개의 테이블을 조인했습니다. **자체 조인**self join은 자신이 자신과 조인한다는 의미입니다. 그래서 자체 조인은 1개의 테이블을 사용합니다. 또, 별도의 문법이 있는 것은 아니고 1개로 조인하면 자체 조인이 되는 것입니다.

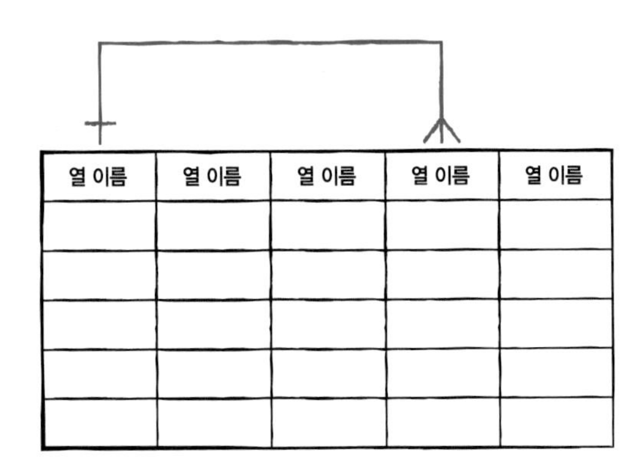

실무에서 자체 조인을 많이 사용하지는 않지만, 대표적인 사례로 회사의 조직 관계를 살펴볼 수 있습니다. 다음은 일반적인 회사의 조직 관계를 간단히 표현한 것입니다. 대표 아래에 이사들이 있고, 그 아래에 직원들이 있습니다.

note 테이블을 단순히 표현하기 위해서 직책만 표현하고 기본 키로 사용했습니다. 실제라면 사번, 이름 등을 사용할 것입니다.

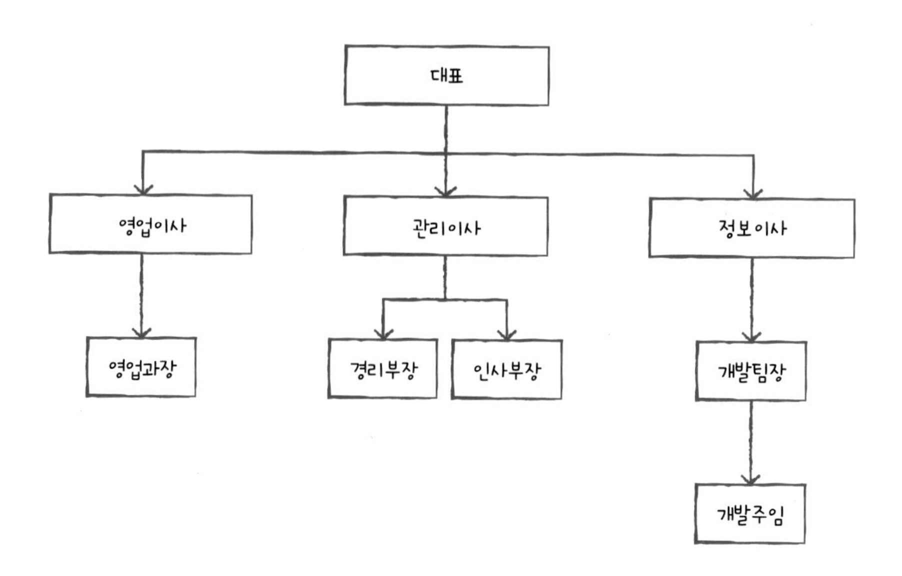

다음과 같이 조직도를 테이블로 표현해보겠습니다. 예를 들어, 관리이사는 직원이므로 직원 열에 속합니다. 그러면서 동시에 경리부장과 인사부장의 상관이어서 직속 상관 열에도 속합니다. 만약, 직원 중 경리부장의 직속상관인 관리이사의 사내 연락처를 알고 싶다면 EMP 열과 MANAGER 열을 조인해야 합니다.

직원(EMP) - 기본 키	직속 상관(MANAGER)	사내 연락처
대표	없음 (NULL)	0000
영업이사	대표	1111
관리이사	대표	2222
정보이사	대표	3333
영업과장	영업이사	1111-1
경리부장	관리이사	2222-1
인사부장	관리이사	2222-2
개발팀장	정보이사	3333-1
개발주임	정보이사	3333-1-1

먼저 직원 테이블을 만들고, 데이터도 표와 동일하게 입력합니다.

손코딩
```
USE market_db;
CREATE TABLE emp_table (emp CHAR(4), manager CHAR(4), phone VARCHAR(8));

INSERT INTO emp_table VALUES('대표', NULL, '0000');
INSERT INTO emp_table VALUES('영업이사', '대표', '1111');
INSERT INTO emp_table VALUES('관리이사', '대표', '2222');
INSERT INTO emp_table VALUES('정보이사', '대표', '3333');
INSERT INTO emp_table VALUES('영업과장', '영업이사', '1111-1');
INSERT INTO emp_table VALUES('경리부장', '관리이사', '2222-1');
INSERT INTO emp_table VALUES('인사부장', '관리이사', '2222-2');
INSERT INTO emp_table VALUES('개발팀장', '정보이사', '3333-1');
INSERT INTO emp_table VALUES('개발주임', '정보이사', '3333-1-1');
```

자체 조인의 형식은 다음과 같습니다. 테이블이 1개지만 다른 별칭을 사용해서 서로 다른 것처럼 사용하면 됩니다.

```
SELECT <열 목록>
FROM <테이블> 별칭A
    INNER JOIN <테이블> 별칭B
    ON <조인될 조건>
[WHERE 검색 조건]
```

자체 조인을 활용해보겠습니다. 경리부장 직속 상관의 연락처를 알고 싶다면 다음과 같은 SQL을 사용하면 됩니다. emp_table을 emp_table A, emp_table B로 별칭을 지정해 각각 별개의 테이블처럼 사용했습니다.

손코딩
```
SELECT A.emp "직원" , B.emp "직속상관", B.phone "직속상관연락처"
   FROM emp_table A
      INNER JOIN emp_table B
      ON A.manager = B.emp
   WHERE A.emp = '경리부장';
```

실행 결과

직원	직속상관	직속상관연락처
경리부장	관리이사	2222

즉, 다음 그림과 같이 2개의 테이블이 조인되는 것처럼 구성된 것입니다. 이렇듯 하나의 테이블에 같은 데이터가 있지만 2개 이상의 열로 존재할 때 자체 조인을 할 수 있습니다.

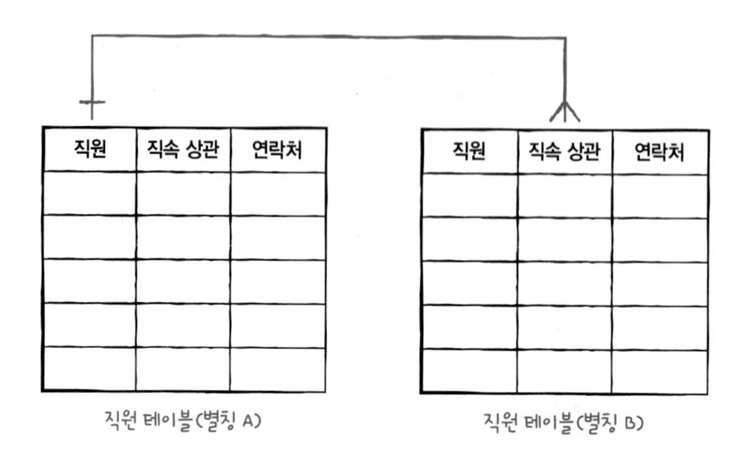

마무리

▶ 6가지 키워드로 끝내는 핵심 포인트

- **일대다 관계**란 한쪽 테이블에는 하나의 값만, 다른 쪽 테이블에는 여러 개의 값이 존재할 수 있는 관계를 말합니다.
- **조인**은 두 개의 테이블을 서로 묶어서 하나의 결과를 만들어 내는 것을 말합니다.
- **내부 조인**은 두 테이블을 조인할 때, 두 테이블에 모두 지정한 열의 데이터가 있어야 합니다.
- **외부 조인**은 두 테이블을 조인할 때, 1개의 테이블에만 데이터가 있어도 결과가 나옵니다.
- **상호 조인**은 한쪽 테이블의 모든 행과 다른 쪽 테이블의 모든 행을 조인시키는 기능입니다.
- **자체 조인**은 자신이 자신과 조인된다는 의미로, 1개의 테이블을 사용합니다.

▶ 표로 정리하는 핵심 포인트

관련 중요 용어

용어	설명
관계	두 테이블이 서로 연관되는 것
기본 키-외래 키 관계	두 테이블이 일대다 관계로 연결되기 위한 조건
별칭(alias)	조인에서 테이블의 이름을 짧게 표현하는 이름
DISTINCT 문	중복된 열의 값을 1개만 표현하는 구문
LEFT OUTER JOIN	왼쪽 테이블의 모든 값이 출력되는 조인
RIGHT OUTER JOIN	오른쪽 테이블의 모든 값이 출력되는 조인
FULL OUTER JOIN	왼쪽 또는 오른쪽 테이블의 모든 값이 출력되는 조인
CREATE TABLE ~ SELECT	SELECT의 결과가 테이블로 생성되는 구문

▶ 확인문제

이번 절에서는 두 테이블을 연결하는 조인에 대해서 학습했습니다. 확인문제를 통해서 배운 개념을 스스로 정리해보기 바랍니다.

1. 두 테이블이 일대다의 관계로 연결하기 위한 관계의 전제 조건으로 적절한 것을 고르세요.

① 기본 키–기본 키 관계
② 외래 키–외래 키 관계
③ 기본 키–외래 키 관계
④ 외래 키–기본 키 관계

2. 다음 설명은 어떤 조인에 대한 내용인지 보기에서 각각 고르세요.

① 가장 많이 사용되는 조인으로, 일반적으로 부르는 조인이다. •	• 자체 조인
② 한쪽 테이블에만 데이터가 있어도 결과가 나오는 조인이다. •	• 상호 조인
③ 한쪽 테이블의 모든 행과 다른 쪽 테이블의 모든 행을 조인시킨다. •	• 내부 조인
④ 한 개의 테이블이 자신과 조인되는 것을 말한다. •	• 외부 조인

3. 외부 조인의 종류가 아닌 것을 1개 고르세요.

① LEFT OUTER JOIN
② RIGHT OUTER JOIN
③ CENTER OUTER JOIN
④ FULL OUTER JOIN

4. 다음 SQL은 회원으로 가입만 하고, 한 번도 구매한 적이 없는 회원의 목록입니다. 빈칸에 들어갈 가장 적합한 것을 고르세요.

```
SELECT DISTINCT M.mem_id, B.prod_name, M.mem_name, M.addr
   FROM member M
     LEFT OUTER JOIN buy B
     ON M.mem_id = B.mem_id
   ____________________
   ORDER BY M.mem_id;
```

① JOIN B.prod_name IS NULL
② LIMIT B.prod_name IS NULL
③ HAVING B.prod_name IS NULL
④ WHERE B.prod_name IS NULL

5. 다음 빈칸에 들어갈 용어를 보기에서 고르세요.

내부 조인, 외부 조인, 상호 조인, 자체 조인

______❶______은 한쪽 테이블의 모든 행과 다른 쪽 테이블의 모든 행을 조인시키는 기능을 말합니다. 그래서 상호 조인 결과의 개수는 두 테이블 개수를 곱한 개수가 됩니다. ______❷______은 자신이 자신과 조인된다는 의미입니다. 그래서 자체 조인은 1개의 테이블을 사용합니다.

04-3 SQL 프로그래밍

핵심 키워드

IF 문 | 변수 | CASE 문 | WHILE 문 | 동적 SQL

SQL은 앞서 배운 것처럼 SELECT, INSERT, UPDAE, DELETE 등을 사용합니다. 그래서 C, 자바, 파이썬과 같은 프로그래밍 언어와는 많이 달라 보입니다. 하지만 필요하다면 SQL만으로도 멋진 프로그램을 만들 수 있습니다.

시작하기 전에

스토어드 프로시저는 MySQL에서 프로그래밍 기능이 필요할 때 사용하는 데이터베이스 개체입니다. SQL 프로그래밍은 기본적으로 스토어드 프로시저 안에 만들어야 합니다.

스토어드 프로시저는 다음과 같은 구조를 갖습니다.

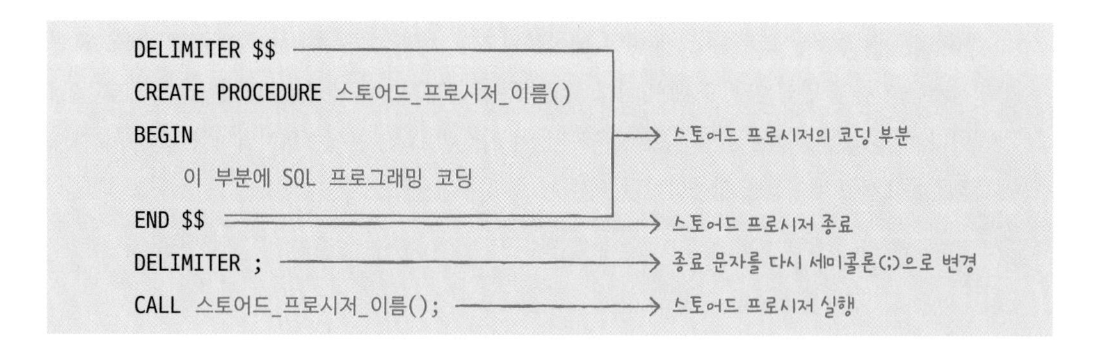

note 일반적으로 구분 문자(DELIMITER)는 $$를 많이 사용하지만, 원한다면 /, &, @ 등을 사용해도 상관없습니다. 다른 기호와 중복될 수 있으므로 기호 2개를 연속해서 사용하는 것이 좋습니다.

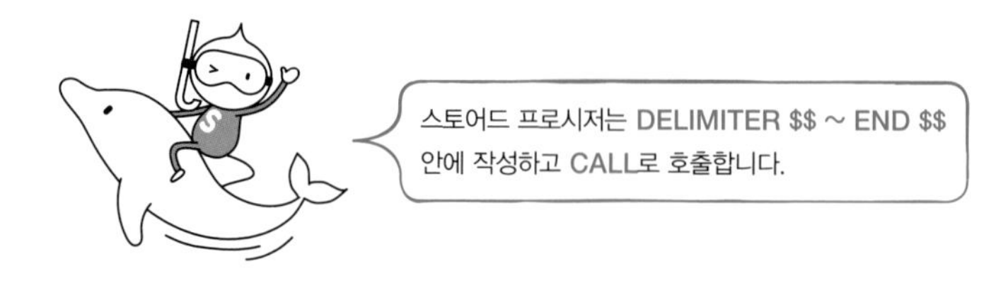

IF 문

IF 문은 조건문으로 가장 많이 사용되는 프로그래밍 문법 중 하나입니다. IF 문을 활용하면 다양한 조건을 처리할 수 있습니다.

IF 문의 기본 형식

IF 문은 조건식이 참이라면 'SQL문장들'을 실행하고, 그렇지 않으면 그냥 넘어갑니다.

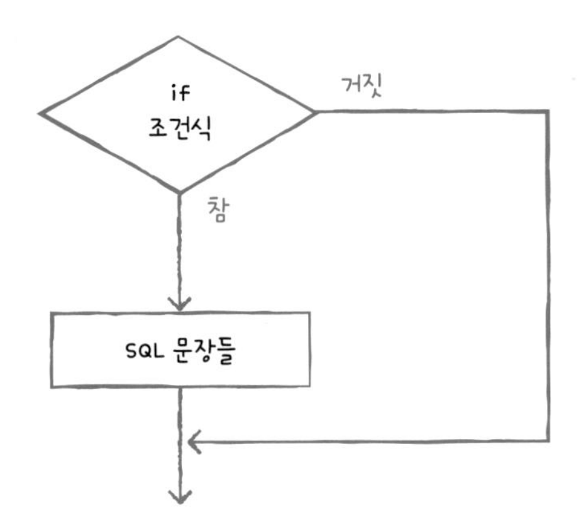

기본 IF 문의 형식을 먼저 살펴봅시다.

```
IF <조건식> THEN
        SQL문장들
END IF;
```

'SQL문장들'이 한 문장이라면 그 문장만 써도 되지만, 두 문장 이상이 처리되어야 할 때는 **BEGIN~END**로 묶어줘야 합니다. 현재는 한 문장이더라도 나중에 추가될 수 있으니 습관적으로 BEGIN~END로 묶어주는 것을 권장합니다. 간단한 예를 살펴보겠습니다.

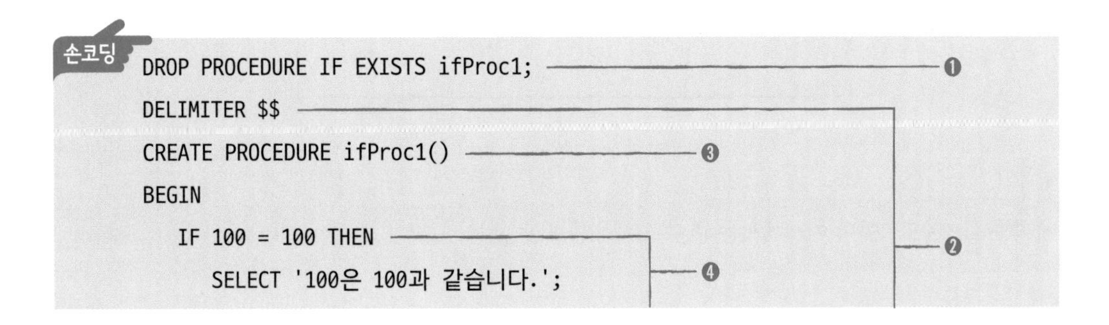


```
DROP PROCEDURE IF EXISTS ifProc1;
DELIMITER $$
CREATE PROCEDURE ifProc1()
BEGIN
   IF 100 = 100 THEN
      SELECT '100은 100과 같습니다.';
```

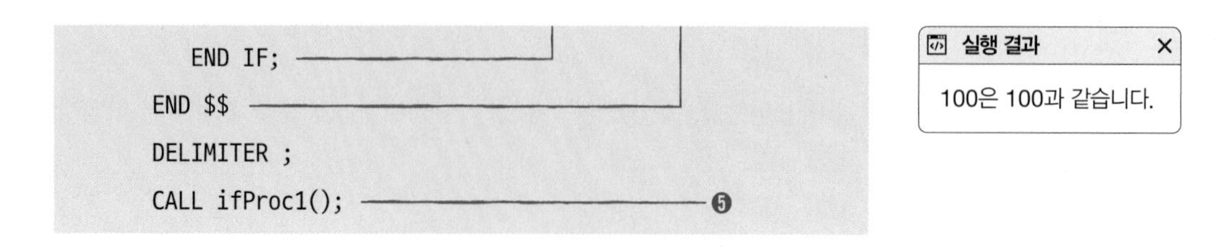

```
    END IF;
END $$
DELIMITER ;
CALL ifProc1();
```


❶ 만약 기존에 ifProc1()을 만든 적이 있다면 삭제합니다.

❷ 세미콜론(;)으로는 SQL의 끝인지, 스토어드 프로시저의 끝인지 구별할 수 없어서 $$를 사용합니다.

❸ 스토어드 프로시저의 이름을 ifProc1()로 지정했습니다.

❹ 조건식으로 100과 100이 같은지 비교했습니다. 당연히 참(True)일 테니 다음 행이 실행될 것입니다.

IF 문은 조건식이 참이면 실행합니다.

❺ CALL로 호출하면 ifProc1()이 실행됩니다.

note 다른 프로그래밍 언어에서는 같다는 의미로 ==을 사용하지만, SQL은 =을 사용합니다. 그리고 SELECT 뒤에 문자가 나오면 그냥 화면에 출력해줍니다. 다른 언어의 print( )와 비슷한 기능을 합니다.

IF ~ ELSE 문

IF ~ ELSE 문은 조건에 따라 다른 부분을 수행합니다. 조건식이 참이라면 'SQL문장들1'을 실행하고, 그렇지 않으면 'SQL문장들2'를 실행합니다.

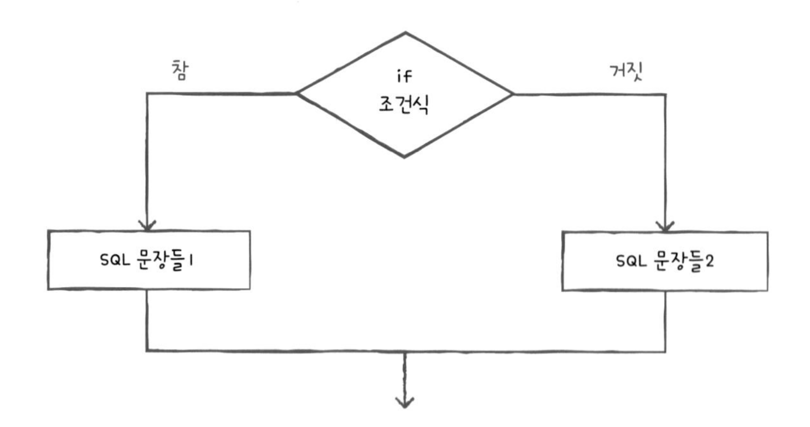

예제를 살펴보죠. 이번 예제에서는 변수도 사용해보겠습니다.

손코딩

```
DROP PROCEDURE IF EXISTS ifProc2;
DELIMITER $$
CREATE PROCEDURE ifProc2()
BEGIN
   DECLARE myNum INT; ———————— ❶
   SET myNum = 200; ————————— ❷
   IF myNum = 100 THEN ——————┐
      SELECT '100입니다.';        │
   ELSE                          ├— ❸
      SELECT '100이 아닙니다.';   │
   END IF; ———————————————————┘
END $$
DELIMITER ;
CALL ifProc2();
```

실행 결과

```
100이 아닙니다.
```

❶ DECLARE 예약어를 사용해서 myNum 변수를 선언했습니다. 제일 뒤에는 변수의 데이터 형식을 INT로 지정했습니다.

❷ SET 예약어로 myNum 변수에 200을 대입했습니다.

IF~ELSE 문은 조건식이 참일 때와 거짓일 때 다른 부분이 실행합니다.

❸ myNum이 100인지 아닌지를 구분합니다.

IF 문의 활용

기존 테이블과 함께 IF 문을 활용해보겠습니다. 아이디가 APN(에이핑크)인 회원의 데뷔 일자가 5년이 넘었는지 확인해보고 5년이 넘었으면 축하 메시지를 출력해보겠습니다. 코드가 조금 길고, 배우지 않은 것도 나오지만 차근차근 살펴보죠.

손코딩

```
DROP PROCEDURE IF EXISTS ifProc3;
DELIMITER $$
CREATE PROCEDURE ifProc3()
BEGIN
   DECLARE debutDate DATE; -- 데뷔 일자 ——┐
   DECLARE curDate DATE; -- 오늘           ├— ❶
   DECLARE days INT; -- 활동한 일수 ———————┘
```

```
    SELECT debut_date INTO debutDate ─────────────┐
       FROM market_db.member                       ├─❷
       WHERE mem_id = 'APN'; ──────────────────────┘

    SET curDate = CURRENT_DATE(); -- 현재 날짜 ──────────── ❸
    SET days =  DATEDIFF(curDate, debutDate); -- 날짜의 차이, 일 단위 ── ❹

    IF (days/365) >= 5 THEN -- 5년이 지났다면 ──────────────────┐
        SELECT CONCAT('데뷔한 지 ', days, '일이나 지났습니다. 핑순이들 축하합니다!');
    ELSE                                                          │
        SELECT '데뷔한 지 ' + days + '일밖에 안되었네요. 핑순이들 화이팅~';  ❺
    END IF; ──────────────────────────────────────────────────────┘
END $$
DELIMITER ;
CALL ifProc3();
```

실행 결과

데뷔한 지 0000일이나 지났습니다. 핑순이들 축하합니다!

❶ 변수를 3개 준비했습니다. 데뷔 일자는 debutDate에, 오늘 날짜는 curDate에, 데뷔 일자부터 오늘까지 몇일이 지났는지는 days에 저장할 예정입니다.

❷ APN(에이핑크)의 데뷔 일자(debut_date)를 추출하는 SELECT 문입니다. 그런데 그냥 SELECT와 달리 **INTO 변수**가 붙었습니다. 이럴 경우 결과를 변수에 저장합니다. 결국 에이핑크의 데뷔 일자가 debutDate에 저장됩니다.

❸ CURRENT_DATE() 함수로 현재 날짜를 curDate에 저장했습니다.

❹ DATEDIFF() 함수로 데뷔 일자부터 현재 날짜까지 일수를 days에 저장했습니다.

❺ 일자가 저장된 days를 365로 나눠서 연으로 변환한 후 5년이 넘는 것과 그렇지 않은 경우에 메시지를 다르게 출력했습니다.

✚ 여기서 잠깐 **날짜 관련 함수**

MySQL은 날짜와 관련된 함수를 여러 개 제공해줍니다. 그중 이번 예제에서 사용한 함수에 대해서 살펴보겠습니다.

- **CURRNT_DATE():** 오늘 날짜를 알려줍니다.
- **CURRENT_TIMESTAMP():** 오늘 날짜 및 시간을 함께 알려줍니다.
- **DATEDIFF(날짜1, 날짜2):** 날짜2부터 날짜1까지 일수로 몇일인지 알려줍니다.

```
SELECT CURRENT_DATE(), DATEDIFF('2021-12-31', '2000-1-1');
```

실행 결과

오늘 날짜, 8035

CASE 문

여러 가지 조건 중에서 선택해야 하는 경우도 있습니다. 이럴 때 CASE 문을 사용해서 조건을 설정할 수 있습니다.

CASE 문의 기본 형식

IF 문은 참 아니면 거짓 두 가지만 있기 때문에 2중 분기라는 용어를 사용합니다. CASE 문은 2가지 이상의 여러 가지 경우일 때 처리가 가능하므로 '다중 분기'라고 부릅니다.

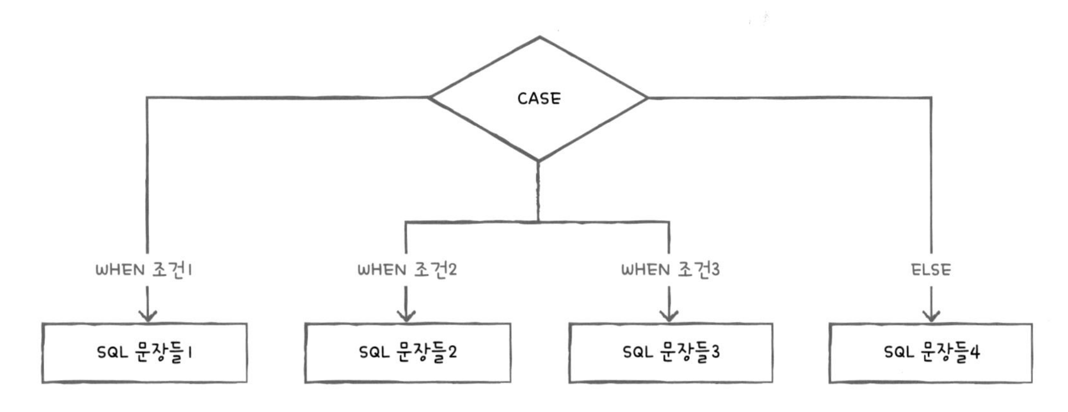

note SQL의 CASE 문은 다른 프로그래밍 언어의 SWITCH ~ CASE 문과 비슷한 기능을 합니다.

CASE 문의 형식을 먼저 살펴보죠.

```
CASE
   WHEN  조건1  THEN
      SQL문장들1
   WHEN  조건2  THEN
      SQL문장들2
   WHEN  조건3  THEN
      SQL문장들3
   ELSE
      SQL문장들4
END CASE;
```

CASE와 END CASE 사이에는 여러 조건을 넣을 수 있습니다. **WHEN** 다음에 조건이 나오는데, 조건이 여러 개라면 WHEN을 여러 번 반복합니다. 그리고 모든 조건에 해당하지 않으면 마지막 ELSE 부분을 수행합니다.

예로 시험 점수와 학점을 생각해봅시다. 90점 이상은 A, 80점 이상은 B, 70점 이상은 C, 60점 이상은 D, 60점 미만은 F로 나눌 수 있습니다. 이때 5가지의 경우에 따라 달라지므로 CASE를 사용합니다.

손코딩

```
DROP PROCEDURE IF EXISTS caseProc;
DELIMITER $$
CREATE PROCEDURE caseProc()
BEGIN
    DECLARE point INT ;          ─┐
    DECLARE credit CHAR(1);       ├─ ❶
    SET point = 88 ;             ─┘

    CASE                         ─┐
      WHEN point >= 90 THEN       │
         SET credit = 'A';        │
      WHEN point >= 80 THEN       │
         SET credit = 'B';        ├─ ❷
      WHEN point >= 70 THEN       │
         SET credit = 'C';        │
      WHEN point >= 60 THEN       │
```

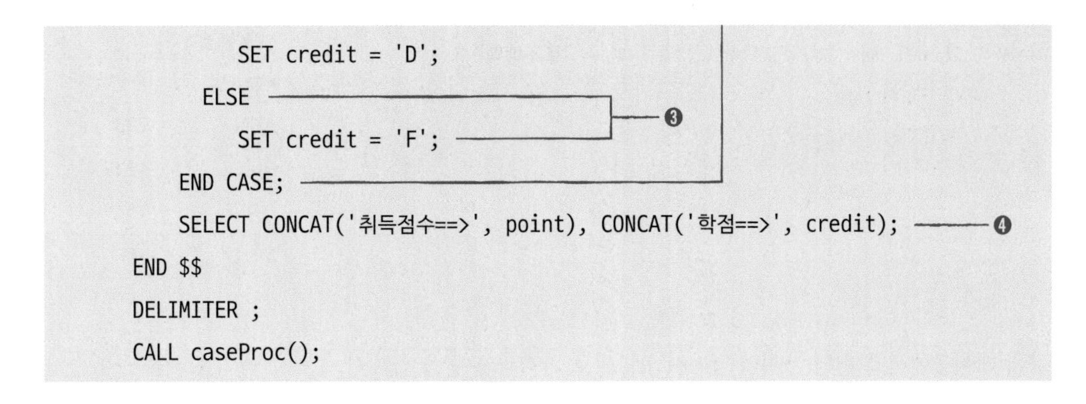

```
            SET credit = 'D';
        ELSE ─────────────┐
            SET credit = 'F'; ─┘── ❸
    END CASE; ──────────────
    SELECT CONCAT('취득점수==>', point), CONCAT('학점==>', credit); ── ❹
END $$
DELIMITER ;
CALL caseProc();
```

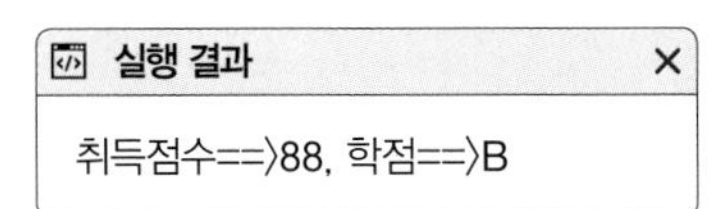

실행 결과

취득점수==>88, 학점==>B

❶ 시험 점수 point 변수에 88을 입력했고, 학점을 저장한 credit 변수를 준비했습니다.

❷ point에 따라서 credit을 A부터 F까지 설정했습니다.

❸ 앞의 모든 조건에 해당하지 않으면 F 학점으로 처리합니다.

❹ 결과를 출력합니다.

CASE 문은 다중 분기로, 여러 조건에 따라 다른 SQL을 실행시킬 수 있습니다.

CASE 문의 활용

이번에는 CASE 문을 활용하는 방법을 알아보겠습니다. 초보자에게는 어렵게 느껴질 수 있지만 실전에서 사용되는 SQL이므로 한번 도전해보겠습니다.

인터넷 마켓 데이터베이스의 회원들은 물건을 구매합니다. 회원들의 총 구매액을 계산해서 회원의 등급을 다음과 같이 4단계로 나누려 합니다.

총 구매액	회원 등급
1500 이상	최우수고객
1000 ~ 1499	우수고객
1 ~ 999	일반고객
0 이하 (구매한적 없음)	유령고객

최종 결과를 위해서 차근차근 SQL을 작성해보겠습니다. 먼저 구매 테이블(buy)에서 회원별로 총 구매액을 구해봅시다. 이전에 배운 **GROUP BY**를 이용해서 다음과 같이 만들 수 있습니다.

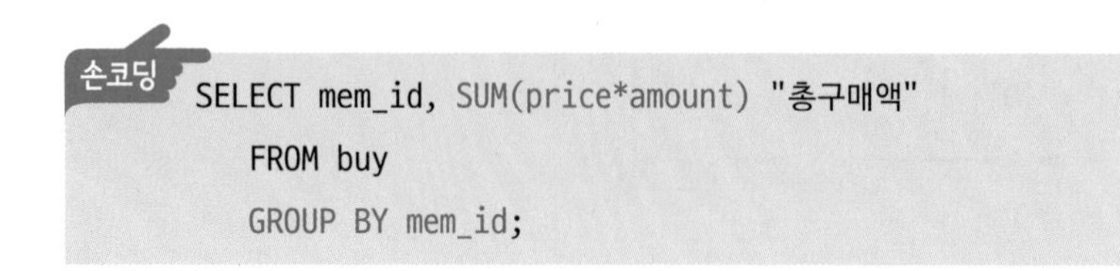

```sql
SELECT mem_id, SUM(price*amount) "총구매액"
    FROM buy
    GROUP BY mem_id;
```

실행 결과

mem_id	총구매액
APN	295
BLK	1210
GRL	75
MMU	1950

구매 테이블에서 회원의 아이디(mem_id)별로 가격과 수량을 곱해서 총 구매액의 합계를 구했습니다. 추가로 ORDER BY를 사용해서 총 구매액이 많은 순서로 정렬하겠습니다.

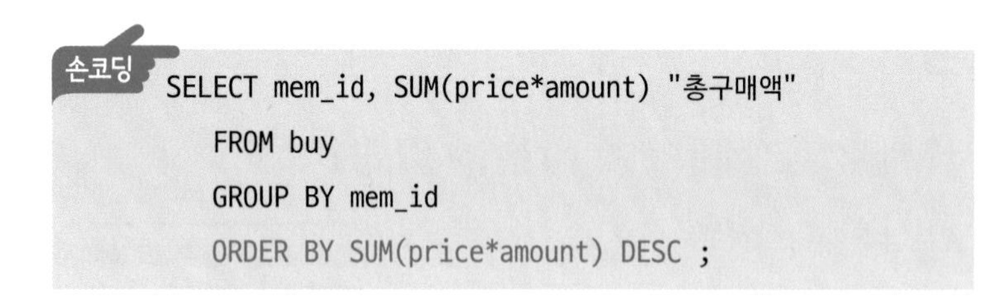

```sql
SELECT mem_id, SUM(price*amount) "총구매액"
    FROM buy
    GROUP BY mem_id
    ORDER BY SUM(price*amount) DESC ;
```

실행 결과

mem_id	총구매액
MMU	1950
BLK	1210
APN	295
GRL	75

이번에는 회원의 이름도 출력해보겠습니다. 그런데 회원의 이름은 회원 테이블(member)에 있으므로 구매 테이블(buy)과 조인시켜야 합니다.

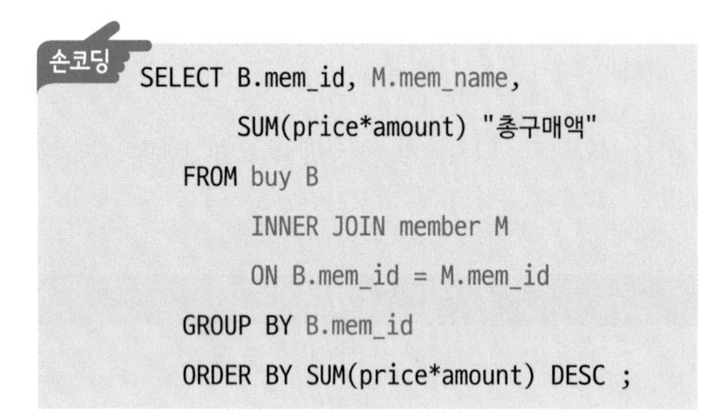

```sql
SELECT B.mem_id, M.mem_name,
        SUM(price*amount) "총구매액"
    FROM buy B
        INNER JOIN member M
        ON B.mem_id = M.mem_id
    GROUP BY B.mem_id
    ORDER BY SUM(price*amount) DESC ;
```

실행 결과

mem_id	mem_name	총구매액
MMU	마마무	1950
BLK	블랙핑크	1210
APN	에이핑크	295
GRL	소녀시대	75

note 내부 조인은 앞에서 여러 번 다뤘습니다. 혹 기억이 나지 않는다면 176쪽을 다시 살펴보면 도움이 될 것입니다.

이번에는 구매하지 않은 회원의 아이디와 이름도 출력해보겠습니다. 내부 조인 대신에 외부 조인을 시키면 됩니다. 그리고 구매 테이블에는 구매한 적이 없어도 회원 테이블에 있는 회원은 모두 출력해야 하므로 **INNER JOIN**을 **RIGHT OUTER JOIN**으로 변경합니다.

주의할 점은 구매 테이블에는 4명만 구매했으므로, 나머지 6명에 대한 아이디 등의 정보가 없습니다. 그래서 SELECT에서 회원 테이블의 아이디인 M.mem_id를 조회하고 GROUP BY도 M.mem_id로 변경했습니다.

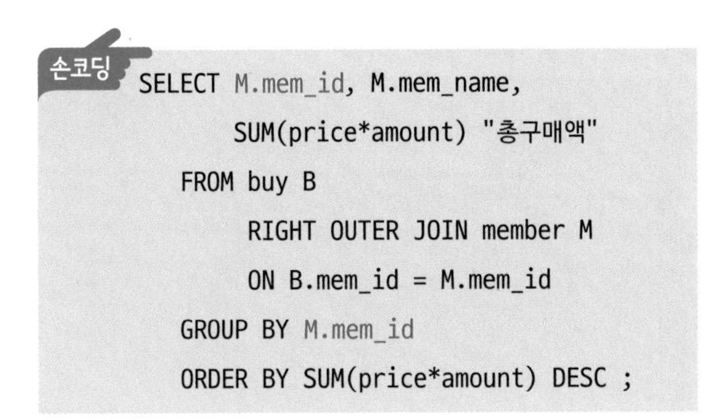

손코딩

```
SELECT M.mem_id, M.mem_name,
       SUM(price*amount) "총구매액"
   FROM buy B
      RIGHT OUTER JOIN member M
      ON B.mem_id = M.mem_id
   GROUP BY M.mem_id
   ORDER BY SUM(price*amount) DESC ;
```

실행 결과

mem_id	mem_name	총구매액
MMU	마마무	1950
BLK	블랙핑크	1210
APN	에이핑크	295
GRL	소녀시대	75
ITZ	잇지	NULL
OMY	오마이걸	NULL
RED	레드벨벳	NULL
SPC	우주소녀	NULL
TWC	트와이스	NULL
WMN	여자친구	NULL

이제는 계획한 대로 총 구매액에 따라 회원 등급을 구분해보겠습니다. CASE 문을 사용하면 다음과 같습니다. 다음은 실행하지 마세요.

```
CASE
    WHEN (총구매액  >= 1500) THEN '최우수고객'
    WHEN (총구매액  >= 1000) THEN '우수고객'
    WHEN (총구매액 >= 1 ) THEN '일반고객'
    ELSE '유령고객'
END
```

이제 이 CASE 문을 새로운 열로 추가하면 됩니다. 다음과 같이 콤마(,)로 구분해서 열의 마지막에 추가합니다. 열 이름에 별칭도 지정했습니다.

손코딩

```
SELECT M.mem_id, M.mem_name, SUM(price*amount) "총구매액",
        CASE
            WHEN (SUM(price*amount)  >= 1500) THEN '최우수고객'
            WHEN (SUM(price*amount)  >= 1000) THEN '우수고객'
            WHEN (SUM(price*amount) >= 1 ) THEN '일반고객'
            ELSE '유령고객'
        END "회원등급"
    FROM buy B
            RIGHT OUTER JOIN member M
            ON B.mem_id = M.mem_id
    GROUP BY M.mem_id
    ORDER BY SUM(price*amount) DESC ;
```

실행 결과

mem_id	mem_name	총구매액	회원등급
MMU	마마무	1950	최우수고객
BLK	블랙핑크	1210	우수고객
APN	에이핑크	295	일반고객
GRL	소녀시대	75	일반고객
ITZ	잇지	NULL	유령고객
OMY	오마이걸	NULL	유령고객
RED	레드벨벳	NULL	유령고객
SPC	우주소녀	NULL	유령고객
TWC	트와이스	NULL	유령고객
WMN	여자친구	NULL	유령고객

새로운 '회원등급' 열이 추가되고 총 구매액에 따라서 회원이 분류되었습니다. 이 부분은 상당히 어려운 부분이므로 혹시 완벽하게 이해가 되지 않더라도 나중에 다시 복습하는 것으로 하고 넘어가기 바랍니다.

WHILE 문

프로그래밍에서 꼭 필요한 부분 중 하나가 반복입니다. WHILE 문은 필요한 만큼 계속 같은 내용을 반복할 수 있습니다.

WHILE 문의 기본 형식

WHILE 문은 조건식이 참인 동안에 'SQL문장들'을 계속 반복합니다.

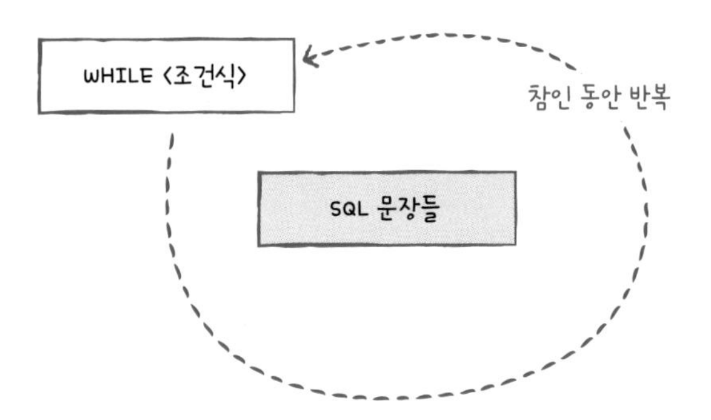

note SQL의 WHILE 문은 일반 프로그래밍 언어의 WHILE 문과 같은 개념입니다.

WHILE 문의 형식은 다음과 같습니다.

```
WHILE <조건식> DO
     SQL 문장들
END WHILE;
```

1에서 100까지의 값을 모두 더하는 간단한 기능을 WHILE 문으로 구현해봅시다.

손코딩

```
DROP PROCEDURE IF EXISTS whileProc;
DELIMITER $$
CREATE PROCEDURE whileProc()
BEGIN
   DECLARE i INT; -- 1에서 100까지 증가할 변수
   DECLARE hap INT; -- 더한 값을 누적할 변수
   SET i = 1;
   SET hap = 0;                                        ❶

   WHILE (i <= 100) DO
      SET hap = hap + i;  -- hap의 원래 값에 i를 더해서 다시 hap에 넣으라는 의미
      SET i = i + 1;      -- i의 원래 값에 1을 더해서 다시 i에 넣으라는 의미   ❷
   END WHILE;
```

```
    SELECT '1부터 100까지의 합 ==>', hap;
END $$
DELIMITER ;
CALL whileProc();
```

실행 결과

1부터 100까지의 합 ==> 5050

❶ 1, 2, 3, ...으로 증가할 변수 i와 합계를 누적할 변수 hap을 준비했습니다.

❷ i가 100 이하인 동안에 계속 반복합니다.

❸ i를 계속 hap에 누적시키고, i는 1씩 증가시켰습니다.

WHILE 문은 조건식이 참인 동안에 계속 반복합니다.

WHILE 문의 응용

WHILE 문은 단순히 조건식이 참인 동안에 반복하기 때문에 이해하는 데 별로 어렵지 않았습니다. 그런데 1에서 100까지 합계에서 4의 배수를 제외시키려면 어떻게 해야 할까요? 즉 1+2+3+5+6+7+9+...의 합계를 구하고 싶다면 어떻게 해야 할까요? 추가로 숫자를 더하는 중간에 합계가 1,000이 넘으면 더하는 것을 그만두고, 1,000이 넘는 순간의 숫자를 출력한 후 프로그램을 종료하고 싶다면 어떻게 해야 할까요? 이런 경우에는 **ITERATE** 문과 **LEAVE** 문을 활용할 수 있습니다.

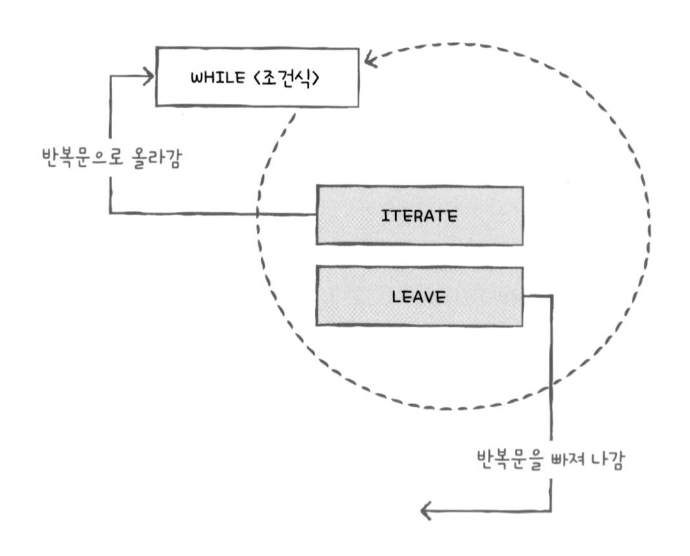

- **ITERATE [레이블]:** 지정한 레이블로 가서 계속 진행합니다.
- **LEAVE [레이블]:** 지정한 레이블을 빠져나갑니다. 즉 WHILE 문이 종료됩니다.

note ITERATE 문은 프로그래밍 언어의 CONTINUE와, LEAVE 문은 BREAK 문과 비슷한 역할을 합니다.

손코딩

```
DROP PROCEDURE IF EXISTS whileProc2;
DELIMITER $$
CREATE PROCEDURE whileProc2()
BEGIN
    DECLARE i INT; -- 1에서 100까지 증가할 변수
    DECLARE hap INT; -- 더한 값을 누적할 변수
    SET i = 1;
    SET hap = 0;

    myWhile: ---------------------------- ❶
    WHILE (i <= 100) DO
       IF (i%4 = 0) THEN                                    ┐
          SET i = i + 1;                                     ├─ ❷
          ITERATE myWhile; -- 지정한 label 문으로 가서 계속 진행  │
       END IF;                                               ┘
       SET hap = hap + i; -------------------------------------- ❸
       IF (hap > 1000) THEN                                  ┐
          LEAVE myWhile; -- 지정한 label 문을 떠남. 즉 While 종료 ├─ ❹
       END IF;                                               ┘
       SET i = i + 1;
    END WHILE;

    SELECT '1부터 100까지의 합(4의 배수 제외), 1000 넘으면 종료 ==>', hap;
END $$
DELIMITER ;
CALL whileProc2();
```

실행 결과

1부터 100까지의 합(4의 배수 제외), 1000 넘으면 종료 ==> 1014

❶ WHILE 문을 myWhile이라는 레이블로 지정했습니다.

❷ i가 4의 배수라면 i를 1증가시키고 ITERATE를 만나서 ❶로 올라갑니다. 즉, WHILE 문을 계속 진행합니다.

❸ i가 4의 배수가 아니면 hap에 누적시킵니다.

ITERATE는 반복문을 계속 진행하고, LEAVE는 반복문을 빠져 나갑니다.

❹ hap이 1,000을 초과하면 LEAVE를 만나서 myWhile 레이블을 빠져 나갑니다.

동적 SQL

SQL 문은 내용이 고정되어 있는 경우가 대부분입니다. 하지만 상황에 따라 내용 변경이 필요할 때 동적 SQL을 사용하면 변경되는 내용을 실시간으로 적용시켜 사용할 수 있습니다.

PREPARE와 EXECUTE

이번 장의 앞에서 잠깐 살펴본 PREPARE와 EXECUTE 문을 다시 살펴보겠습니다. **PREPARE**는 SQL 문을 실행하지는 않고 미리 준비만 해놓고, **EXECUTE**는 준비한 SQL 문을 실행합니다. 그리고 실행 후에는 **DEALLOCATE PREPARE**로 문장을 해제해주는 것이 바람직합니다. 간단한 예제로 살펴보겠습니다.

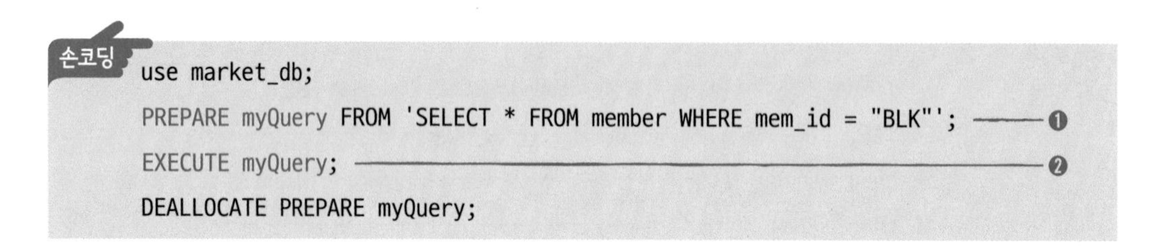

손코딩
```
use market_db;
PREPARE myQuery FROM 'SELECT * FROM member WHERE mem_id = "BLK"'; ——❶
EXECUTE myQuery; ——❷
DEALLOCATE PREPARE myQuery;
```

❶ PREPARE 문에서는 **SELECT * FROM member WHERE mem_id = "BLK"**를 바로 실행하지 않고 myQuery에 입력만 시켜놓습니다.

❷ 실행이 필요한 시점에서 **EXECUTE myQuery** 문으로 실행합니다.

이렇게 미리 SQL을 준비한 후에 나중에 실행하는 것을 **동적 SQL**이라고 부릅니다. 이 동적 SQL은 종종 유용하게 사용될 수 있으니 기억하기 바랍니다.

동적 SQL의 활용

PREPARE 문에서는 ?로 향후에 입력될 값을 비워 놓고, EXECUTE에서 USING으로 ?에 값을 전달할 수 있습니다. 그러면 실시간으로 필요한 값들을 전달해서 동적으로 SQL이 실행됩니다. 말이 좀 어렵죠? 예제로 살펴보겠습니다. 다음 예제는 실무에서 종종 발생하는 경우입니다.

보안이 중요한 출입문에서는 출입한 내역을 테이블에 기록해 놓습니다. 이때 출입증을 태그하는 순간의 날짜와 시간이 INSERT 문으로 만들어져서 입력되도록 해야 합니다.

손코딩

```
DROP TABLE IF EXISTS gate_table;
CREATE TABLE gate_table (id INT AUTO_INCREMENT PRIMARY KEY, entry_time
   DATETIME);                                                          ❶

SET @curDate = CURRENT_TIMESTAMP(); -- 현재 날짜와 시간                ❷

PREPARE myQuery FROM 'INSERT INTO gate_table VALUES(NULL, ?)';         ❸
EXECUTE myQuery USING @curDate;                                        ❹
DEALLOCATE PREPARE myQuery;

SELECT * FROM gate_table;
```

실행 결과

id	entry_time
1	연-월-일 시:분:초

note 일반 SQL에서 변수는 **@변수명**으로 지정하는데 별도의 선언은 없어도 됩니다. 스토어드 프로시저에서 변수는 DECLARE로 선언한 후에 사용해야 합니다.

❶ 출입용 테이블을 간단히 만들었습니다. 아이디는 자동으로 증가되도록 하고, 출입하는 시간을 DATETIME형으로 준비했습니다.

❷ 현재 날짜와 시간을 @curDate 변수에 넣었습니다.

❸ ?를 사용해서 entry_time에 입력할 값을 비워 놓습니다.

❹ USING 문으로 앞에서 준비한 @curDate 변수를 넣은 후에 실행됩니다. 결국 이 SQL을 실행한 시점의 날짜와 시간이 입력됩니다.

마무리

▶ 5가지 키워드로 끝내는 핵심 포인트

- **IF 문**은 조건식이며 참일 때 수행하는 IF, 참과 거짓일 때 각각 다른 부분이 수행되는 IF ~ ELSE가 있습니다.
- **변수**는 DECLARE로 선언하고, SET으로 값을 대입합니다.
- **CASE 문**은 2가지 이상일 때 처리 가능합니다. 그래서 CASE를 '다중 분기'로도 부릅니다.
- **WHILE 문**은 조건식이 참인 동안에는 계속 반복합니다. WHILE 문을 계속 실행하는 ITERATE와 WHILE 문을 빠져나가는 LEAVE로 사용할 수 있습니다.
- PREPARE는 SQL 문을 실행하지 않고 미리 준비해놓고, EXECUTE는 준비한 SQL 문을 실행합니다. 이러한 방식을 **동적 SQL**이라 부릅니다.

▶ 확인문제

이번 절에서는 SQL 프로그래밍을 학습했습니다. 확인문제를 통해서 배운 개념을 스스로 정리해 보기 바랍니다.

1. 스토어드 프로시저를 묶어주는 구분 문자를 부르는 용어를 고르세요.

① END
② DELIMITER
③ SEPARATOR
④ IF

2. 다음은 변수의 값이 100과 같은 경우를 구분하는 IF 문입니다. 빈칸에 들어갈 코드를 고르세요.

```
DECLARE myNum INT;
   SET myNum = 200;
   ____________
      SELECT '100입니다.';
   ELSE
      SELECT '100이 아닙니다.';
   END IF;
```

① IF myNum == 100 THEN
② IF myNum = 100 THEN
③ IF myNum 〈〉 100 THEN
④ IF myNum != 100 THEN

3. 다음은 CASE 문의 형식입니다. 빈칸에 들어갈 적합한 명령어를 보기에서 고르세요.

WHEN, THEN, CURRENT, DATE, TIME, IF, END IF, CASE

```
CASE
   ❶ 조건1 THEN
      SQL문장들1
   ELSE
      SQL문장들4
END ❷ ;
```

4. 다음 설명 중 빈칸에 들어갈 내용을 보기에서 고르세요.

ITERATE, LEAVE, BREAK, CONTINUE, WHILE, FOR, IF, ELSE, CASE

❶ 은 조건식이 참인 동안에는 'SQL 문장들'을 계속 반복합니다. ❷ 는 지정한 레이블로 가서 계속 진행합니다. ❸ 는 지정한 레이블을 빠져나갑니다. 즉 WHILE 문이 종료됩니다.

Chapter 05

데이터베이스에는 다양한 개체가 존재합니다. 그중에서 가장 중요한 것이 테이블입니다. 테이블이 있어야만 다른 개체들도 연계하여 사용할 수 있습니다. 뷰는 가상의 테이블이라고 2장에서 살짝 알아보았습니다. 이번 장에서는 테이블과 뷰에 대해 살펴보겠습니다.

테이블과 뷰

학습목표

- 테이블의 구조에 대해 완벽하게 이해합니다.
- 테이블의 핵심인 제약조건을 학습하고 적절하게 지정할 수 있습니다.
- 뷰의 개념과 실제 작동하는 방법에 대해 배웁니다.

05-1 테이블 만들기

핵심 키워드

CREATE TABLE　AUTO_INCREMENT　NOT NULL　PRIMARY KEY　FOREIGN KEY

테이블은 MySQL 워크벤치 환경에서 간단히 마우스 클릭으로 만들 수 있지만, 실무에서는 SQL 문을 사용하는 것을 더 선호합니다. 2가지 방법 모두 유용하게 사용되므로 차례대로 알아보겠습니다.

시작하기 전에

테이블table은 표 형태로 구성된 2차원 구조로, 행과 열로 구성되어 있습니다. 행은 **로우**row나 **레코드**record라고 부르며, 열은 **컬럼**column 또는 **필드**field라고 부릅니다.

테이블은 마이크로소프트 엑셀Microsoft Excel의 시트Sheet와 거의 비슷한 구조로 이루어져 있습니다.

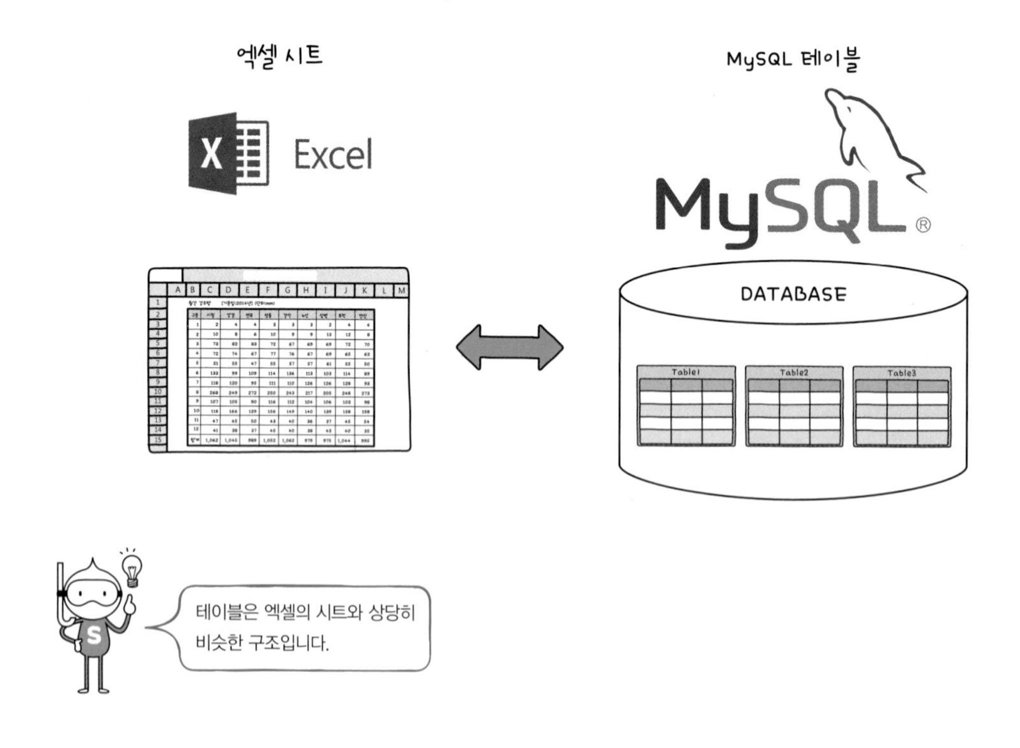

데이터베이스와 테이블 설계하기

우리는 이미 2장에서 데이터베이스 모델링에 대한 간단한 개념과 **MySQL 워크벤치**를 이용해서 테이블을 만드는 방법을 알아봤습니다. 여기서는 앞에서 배운 내용을 복습하는 개념으로 테이블을 생성하고 관리하는 것에 초점을 맞춰 살펴보도록 하겠습니다.

테이블의 구조를 쉽게 이해하기 위해서는 새로운 테이블보다는 이미 익숙해진 테이블 구조를 사용하는 것이 도움이 될 것입니다. 여기서는 기존에 사용했던 '인터넷 마켓' 데이터베이스와 동일한 구조로 실습해보겠습니다. 일반적인 쇼핑몰 데이터베이스로, '네이버 쇼핑' 데이터베이스를 준비했습니다. 구조를 다시 살펴봅시다.

아이디	이름	인원	주소	국번	전화번호	평균 키	데뷔 일자
TWC	트와이스	9	서울	02	11111111	167	2015.10.19
BLK	블랙핑크	4	경남	055	22222222	163	2016.08.08
WMN	여자친구	6	경기	031	33333333	166	2015.01.15
OMY	오마이걸	7	서울			160	2015.04.21
GRL	소녀시대	8	서울	02	44444444	168	2007.08.02
ITZ	잇지	5	경남			167	2019.02.12
RED	레드벨벳	4	경북	054	55555555	161	2014.08.01
APN	에이핑크	6	경기	031	77777777	164	2011.02.10
SPC	우주소녀	13	서울	02	88888888	162	2016.02.25
MMU	마마무	4	전남	061	99999999	165	2014.06.19

순번	아이디	물품명	분류	단가	수량
1	BLK	지갑		30	2
2	BLK	맥북프로	디지털	1000	1
3	APN	아이폰	디지털	200	1
4	MMU	아이폰	디지털	200	5
5	BLK	청바지	패션	50	3
6	MMU	에어팟	디지털	80	10
7	GRL	혼공SQL	서적	15	5
8	APN	혼공SQL	서적	15	2
9	APN	청바지	패션	50	1
10	MMU	지갑		30	1
11	APN	혼공SQL	서적	15	1
12	MMU	지갑		30	4

먼저 테이블의 구조를 정의해보겠습니다. 4장에서 배운 데이터 형식을 활용해서 각 열에 가장 적합한 **데이터 형식**을 지정합니다. 여러분의 생각과 필자가 생각한 것을 비교해보는 것도 좋겠습니다.

회원 테이블(member)은 다음과 같은 구조로 설계했습니다. 특히 데이터 형식에 주의해서 확인해보세요. 아이디(mem_id)를 **기본 키**로 지정하고, 평균 키(height)는 TINYINT UNSIGNED를 사용해서 0~255 범위로 지정하면 적당합니다. 나머지는 기존에 했던 것이니 참고하세요.

열 이름(한글)	열 이름(영문)	데이터 형식	널 허용 안함 (Not Null)	기타
아이디	mem_id	CHAR(8)	Yes	기본 키(PK)
회원 이름	mem_name	VARCHAR(10)	Yes	
인원수	mem_number	TINYINT	Yes	
주소	addr	CHAR(2)	Yes	
연락처 국번	phone1	CHAR(3)	No	
전화번호	phone2	CHAR(8)	No	
평균 키	height	TINYINT	No	UNSIGNED
데뷔 일자	debut_date	DATE	No	

구매 테이블(buy)은 다음과 같은 구조로 설계했습니다. 순번을 1, 2, 3, ...으로 자동 입력하도록 설정하고, 아이디는 **외래 키**로 설정합니다. 외래 키로 설정하려면 '네이버 쇼핑 DB 구성도'처럼 구매 테이블의 아이디와 회원 테이블의 아이디를 연결해야 합니다. 문법적인 것은 잠시 후에 살펴보겠습니다.

열 이름(한글)	열 이름(영문)	데이터 형식	널 허용 안 함 (Not Null)	기타
순번	num	INT	Yes	기본 키(PK), 자동 증가
아이디	mem_id	CHAR(8)	Yes	외래 키(FK)
제품 이름	prod_name	CHAR(6)	Yes	
분류	group_name	CHAR(4)	No	
가격	price	INT	Yes	UNSIGNED
수량	amount	SMALLINT	Yes	UNSIGNED

note 테이블에 데이터 형식을 지정하는 데 정답은 없습니다. 필자는 최대한 적합한 데이터 형식을 지정하겠으나, 여러분만의 방식으로 지정해도 괜찮습니다.

테이블을 만들기 전에 설계를 먼저 해야 합니다. 테이블 설계는 테이블 이름, 열 이름, 데이터 형식, 기본 키 등을 설정하는 것을 말합니다.

GUI 환경에서 테이블 만들기

먼저 GUI 환경에서 테이블을 만드는 방법에 대해 배워보겠습니다.

데이터베이스 생성하기

01 MySQL Workbench를 실행해서 'root/0000'으로 접속한 후 새 쿼리 창을 생성합니다. 데이터베이스는 간단히 SQL로 만들겠습니다. 다음과 같이 입력하고 Execute the selected portion of the script or everything(⚡) 아이콘을 클릭합니다.

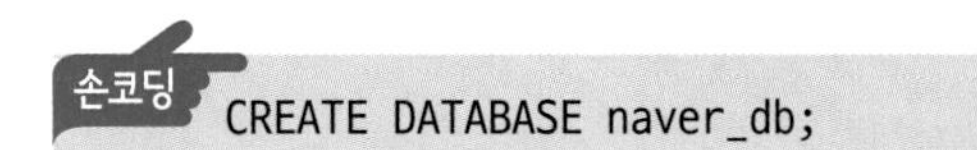
손코딩

```
CREATE DATABASE naver_db;
```

02 SQL로 만든 데이터베이스는 화면에 바로 적용되지 않기 때문에 [SCHEMAS] 패널에 보이지 않습니다. [SCHEMAS] 패널의 빈 곳에서 마우스 오른쪽 버튼을 클릭하고 [Refresh All]을 선택합니다.

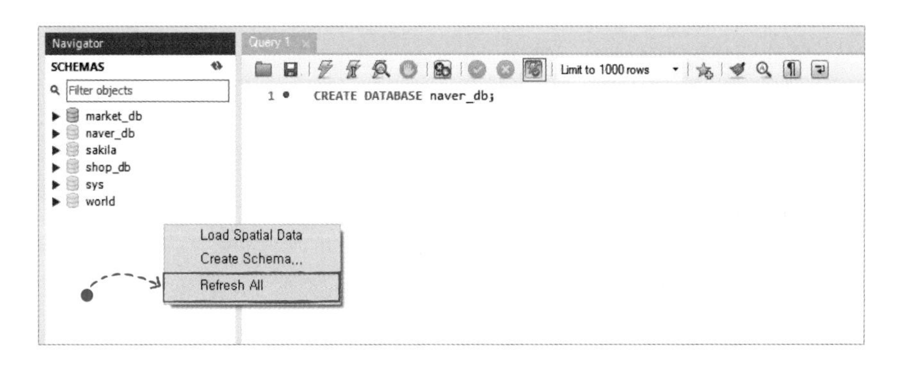

note 만약 데이터베이스를 잘못 만들었다면 삭제하고 다시 만들면 됩니다. DROP DATABASE naver_db를 입력하면 데이터베이스를 삭제할 수 있습니다.

테이블 생성하기

01 먼저 회원 테이블을 생성해봅시다. naver_db 데이터베이스를 확장해서 'Tables'를 선택하고 마우스 오른쪽 버튼을 클릭한 후 [Create Table]을 선택합니다.

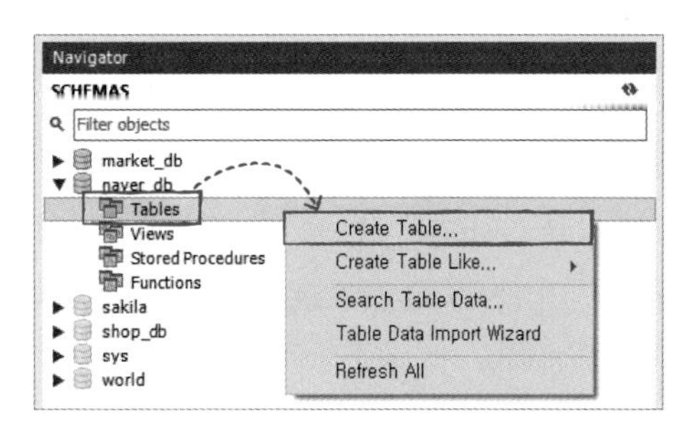

02 앞에서 설계한 대로 회원 테이블(member)을 다음과 같이 구성합니다. 평균 키(height)는 [height]의 [Datatype]을 'TINYINT'로 설정하고 [UN]을 체크합니다. 완료되었으면 [Apply] 버튼을 클릭하여 적용합니다.

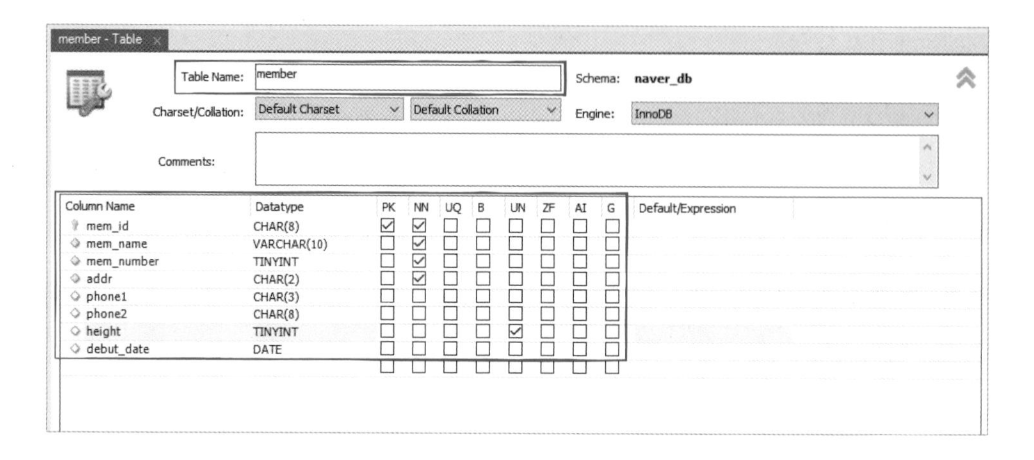

03 Apply SQL Script to Database 창에서 생성된 **CREATE TABLE** 코드를 확인할 수 있습니다. 이 내용은 잠시 후에 직접 입력해보는 것으로 하고 지금은 [Apply], [Finish] 버튼을 차례로 클릭해서 내용을 적용한 후 [File] – [Close Tab] 메뉴를 실행하여 쿼리 창을 종료합니다.

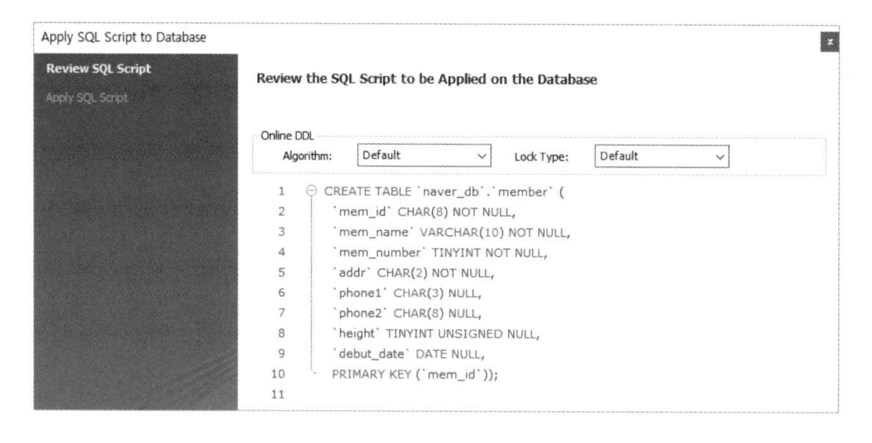

note 자동으로 생성된 SQL의 테이블 이름, 열 이름 등은 **백틱**(`)으로 묶여 있지만, 묶지 않아도 상관없습니다.

04 같은 방식으로 구매 테이블(buy)을 생성합니다. 순번(num)은 **자동 증가**(AUTO_INCREMENT)를 위해서 AI로 지정했고, 가격(price)과 수량(amount)은 음수가 들어가지 않아서 'UN'으로 처리했습니다. [Apply] 버튼을 클릭하면 CREATE TABLE 코드가 생성됩니다.

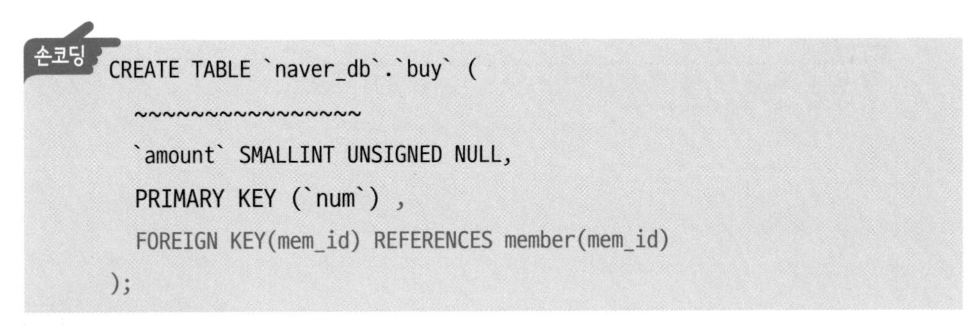

05 GUI에서는 '네이버 쇼핑 DB 구성도'에서의 기본 키-외래 키 관계를 선택할 수 없습니다. 그래서 코드를 약간 수정해야 합니다. 8~10행을 다음과 같이 수정하고 [Apply]와 [Finish] 버튼을 클릭한 후 [File] - [Close Tab] 메뉴를 실행하여 쿼리 창을 종료합니다.

손코딩

```
CREATE TABLE `naver_db`.`buy` (
  ~~~~~~~~~~~~~~~~
  `amount` SMALLINT UNSIGNED NULL,
  PRIMARY KEY (`num`) ,
  FOREIGN KEY(mem_id) REFERENCES member(mem_id)
);
```

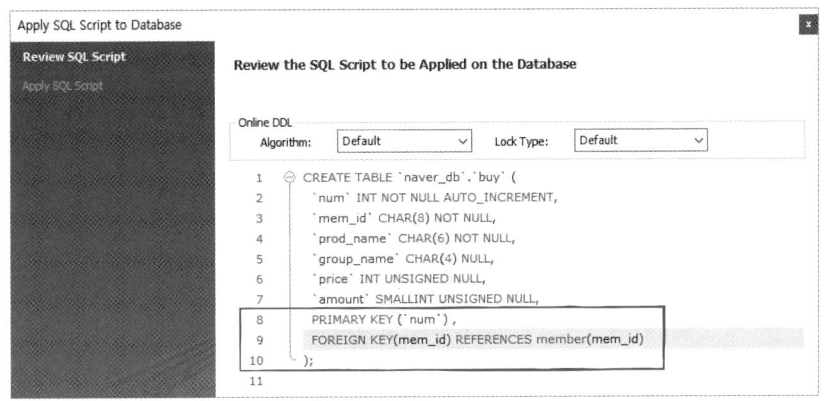

06 생성된 외래 키는 [SCHEMAS] 패널에서 확인할 수 있습니다.

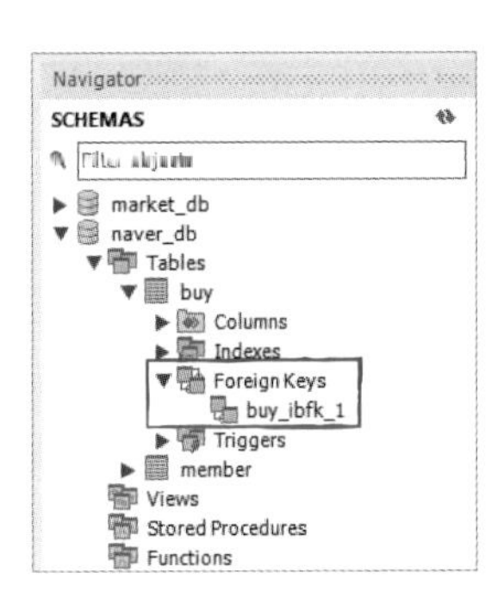

데이터 입력하기

01 MySQL Workbench에서 회원 테이블에 데이터를 입력해봅시다. [SCHEMAS] 패널에서 [naver_db] – [Tables] – [member]를 선택하고 마우스 오른쪽 버튼을 클릭한 후 [Select Rows – Limit 1000]을 선택합니다.

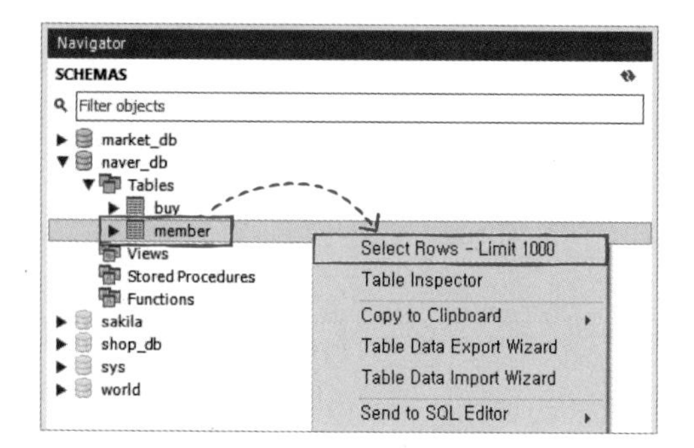

02 SELECT 문이 자동으로 생성되고 [Result Grid] 창에 다음과 같은 결과도 보입니다. 아직은 데이터를 입력한 적이 없으므로 행이 비어 있습니다.

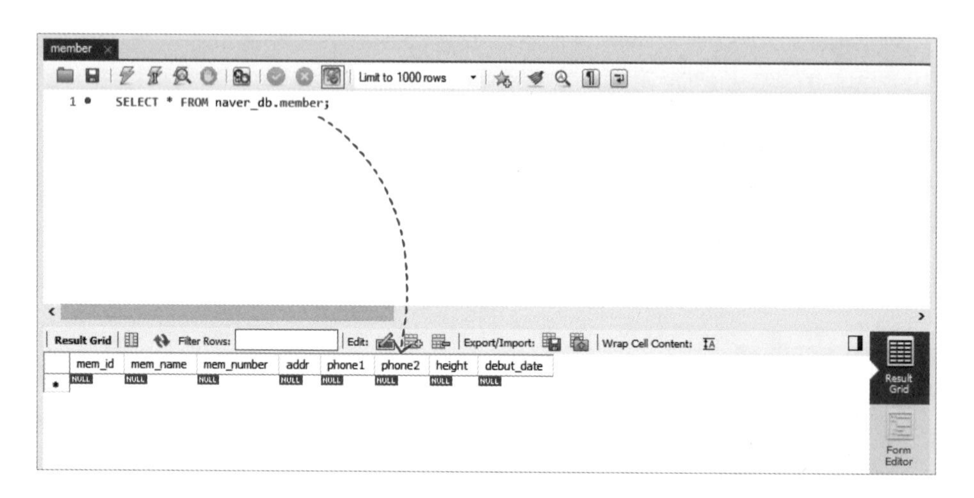

03 Insert new row( ) 아이콘을 클릭하고 '네이버 쇼핑 DB 구성도'의 값을 3개 행만 입력합니다. 입력이 완료되었으면 우측 하단에서 [Apply]와 [Finish] 버튼을 차례대로 클릭하여 적용 후 [File] – [Close Tab] 메뉴를 실행해서 SQL 탭을 종료합니다.

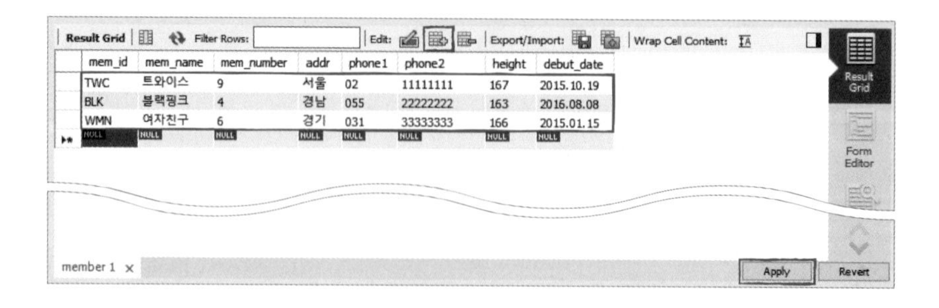

mem_id	mem_name	mem_number	addr	phone1	phone2	height	debut_date
TWC	트와이스	9	서울	02	11111111	167	2015.10.19
BLK	블랙핑크	4	경남	055	22222222	163	2016.08.08
WMN	여자친구	6	경기	031	33333333	166	2015.01.15
NULL	NULL	NULL	NULL	NULL	NULL	NULL	NULL

note 입력할 때, Tab 키를 누르면 다음 칸으로 바로 이동합니다.

04 이번에는 구매 테이블의 데이터를 입력해봅시다. [SCHEMAS] 패널의 [buy]에서 마우스 오른쪽 버튼을 클릭하고 [Select Rows – Limit 1000]을 선택합니다. Insert new row( ) 아이콘을 클릭하고 '네이버 쇼핑 DB 구성도'의 값을 3개 행만 입력합니다. 입력이 완료되었으면 우측 하단에서 [Apply] 버튼을 연속으로 클릭합니다.

	num	mem_id	prod_name	group_name	price	amount
	NULL	BLK	지갑	NULL	30	2
	NULL	BLK	맥북프로	디지털	1000	1
	NULL	APN	아이폰	디지털	200	1
▶*	NULL	NULL	NULL	NULL	NULL	NULL

note 입력 시 순번(num) 열은 자동 입력되므로 **NULL** 값은 그대로 두고 나머지 열만 입력하면 됩니다.

05 그런데 오류가 발생했습니다. '네이버 쇼핑 DB 구성도'의 회원 테이블과 구매 테이블은 **기본 키–외래 키**로 연결되어 있습니다. 이는 구매 테이블의 mem_id 값은 반드시 회원 테이블의 mem_id로 존재해야 한다는 의미입니다. 우리는 아직 회원 테이블에 APN(에이핑크)이라는 회원을 입력하지 않았습니다. 일단 [Cancel] 버튼을 클릭해서 Apply SQL Script to Database 창을 종료합니다.

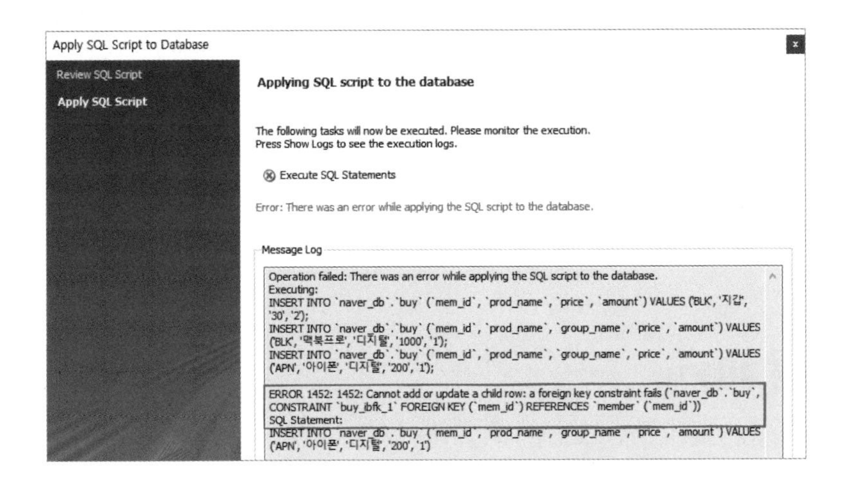

좀 더 쉽게 이야기하면 물건을 구매하려면 먼저 회원가입을 해야 한다는 것입니다. 즉, 아직 APN은 회원으로 가입하기 전인데 물건을 구매하려고 한 것입니다.

06 행을 삭제하기 위해 [Result Grid] 창에서 APN 앞의 빈 부분을 클릭해서 선택하고 마우스 오른쪽 버튼을 클릭해서 [Delete Rows(s)]를 선택합니다. 다시 [Apply] 버튼을 클릭합니다.

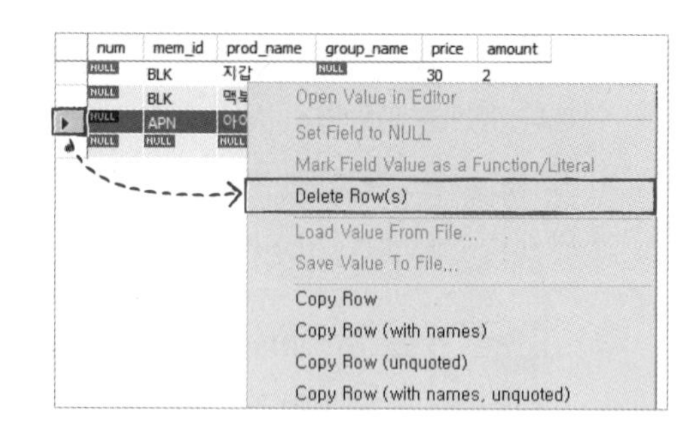

07 Apply SQL Script to Database 창에서 코드를 확인한 후 [Apply]와 [Finish] 버튼을 차례대로 클릭해서 데이터 입력을 완료합니다. 일단 2건은 잘 입력되었습니다. [File] – [Close Tab] 메뉴를 실행해서 쿼리 창을 종료합니다.

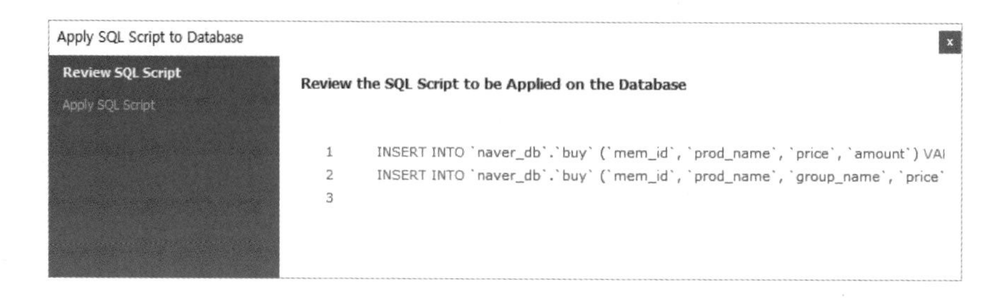

이 정도로 MySQL 워크벤치에서 데이터를 입력하는 방법을 마치겠습니다. 다음 절에서는 동일한 과정을 모두 SQL로 진행해보겠습니다. MySQL 워크벤치를 사용하면 편리하고 직관적이기는 하지만, SQL로 입력하는 방법도 많이 사용되므로 잘 알아두기 바랍니다.

SQL로 테이블 만들기

3장에서 SQL로 market_db를 생성해보았습니다. 물론, 시간이 조금 지났으므로 기억나지 않을 수 있습니다. SQL을 이용해서 처음부터 다시 테이블을 생성해보겠습니다.

다음은 MySQL 도움말에서 테이블을 생성하는 기본적인 형식 중 필수적인 부분만 가져온 것입니다. 최대한 단순화시켰음에도 상당히 복잡해 보입니다. 하지만 다양한 옵션이 모두 표현되어서 그렇지 실제로 사용되는 것은 크게 복잡하지 않습니다.

```
CREATE [TEMPORARY] TABLE [IF NOT EXISTS] tbl_name
    col_name column_definition
  | {INDEX|KEY} [index_name] [index_type] (key_part,...)
      [index_option] ...
  | {FULLTEXT|SPATIAL} [INDEX|KEY] [index_name] (key_part,...)
      [index_option] ...
  | [CONSTRAINT [symbol]] PRIMARY KEY
      [index_type] (key_part,...)
      [index_option] ...
  | [CONSTRAINT [symbol]] UNIQUE [INDEX|KEY]
      [index_name] [index_type] (key_part,...)
      [index_option] ...
  | [CONSTRAINT [symbol]] FOREIGN KEY
      [index_name] (col_name,...)
      reference_definition
  | check_constraint_definition
```

지금까지 실습에서 테이블을 만들 때는 다음과 같이 사용했습니다. 아주 간단합니다.

```
CREATE TABLE sample_table (num INT);
```

이렇게 간단한 SQL 문에 필요한 것을 추가해서 데이터베이스와 회원 테이블을 생성하고, 데이터를 입력할 수 있습니다. 앞에서 MySQL 워크벤치로 실습한 과정을 이번에는 SQL로 진행해보겠습니다.

데이터베이스 생성하기

MySQL Workbench에서 새 쿼리 창을 하나 준비하고, 다음과 같이 실행하여 앞에서 사용한 naver_db를 삭제한 후 다시 생성합니다. 그리고 [Schemas] 패널의 빈 곳에서 마우스 오른쪽 버튼을 클릭한 후 [Refresh All]을 선택합니다.

손코딩

```
DROP DATABASE IF EXISTS naver_db;
CREATE DATABASE naver_db;
```

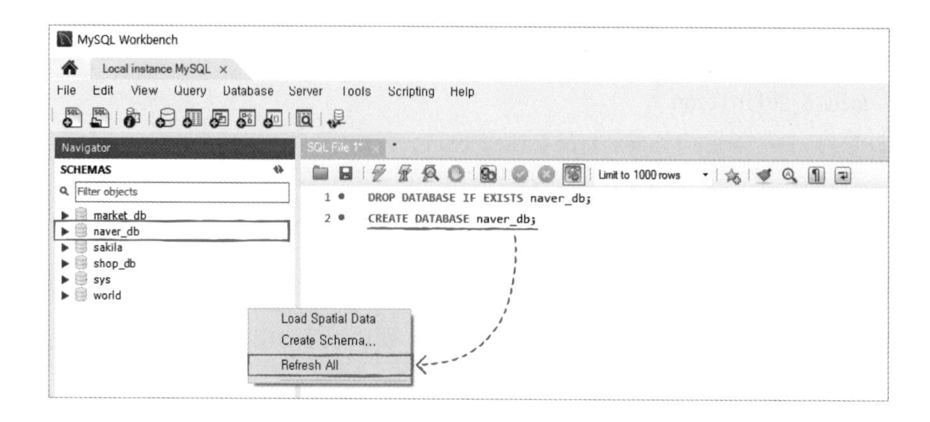

테이블 생성하기

01 CREATE TABLE 구문으로 회원 테이블을 생성해보겠습니다. 우선은 열 이름과 데이터 형식만 지정합니다.

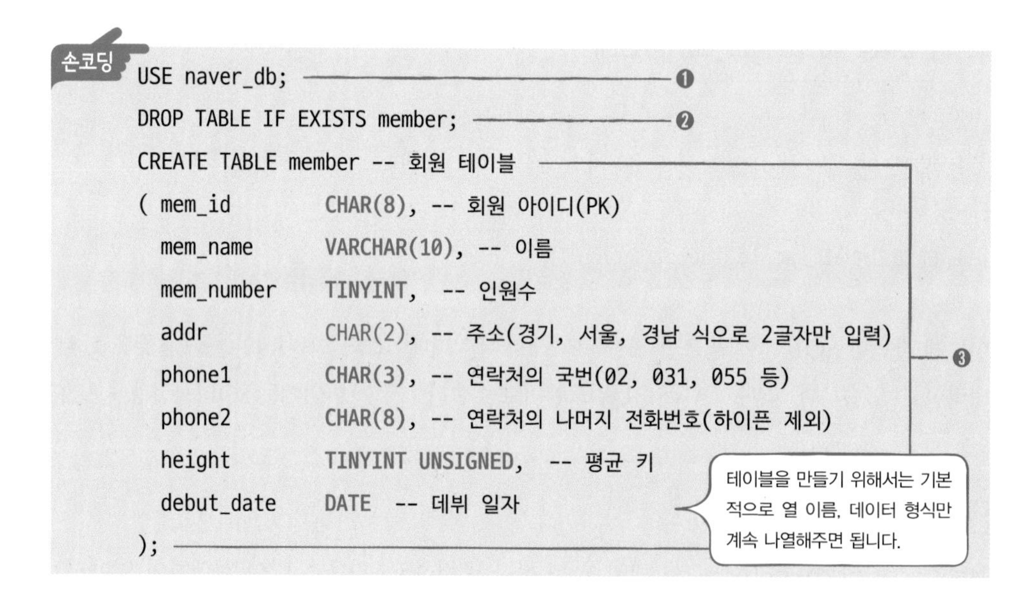

손코딩

```
USE naver_db; ———————— ❶
DROP TABLE IF EXISTS member; ———————— ❷
CREATE TABLE member -- 회원 테이블
( mem_id        CHAR(8), -- 회원 아이디(PK)
  mem_name      VARCHAR(10), -- 이름
  mem_number    TINYINT,  -- 인원수
  addr          CHAR(2), -- 주소(경기, 서울, 경남 식으로 2글자만 입력)
  phone1        CHAR(3), -- 연락처의 국번(02, 031, 055 등)
  phone2        CHAR(8), -- 연락처의 나머지 전화번호(하이픈 제외)
  height        TINYINT UNSIGNED,  -- 평균 키
  debut_date    DATE  -- 데뷔 일자
);                                                          ❸
```


❶ 여러 번 살펴봤던 내용입니다. 네이버 쇼핑몰 데이터베이스를 사용하겠다는 의미입니다.

❷ 기존에 member 테이블이 있다면 삭제하라는 의미로 현재는 필요 없는 내용입니다.

❸ 테이블을 만드는 구문입니다. 앞에서 설계했던 표와 동일하게 만들었습니다. 열 이름과 데이터 형식만 지정한 후 콤마(,)로 분리해서 계속 나열해줍니다. 즉, 테이블을 설계했던 표만 있으면 테이블을 만드는 건 쉬운 일입니다. 단, PK, NOT NULL 등은 아직 지정하지 않았습니다.

note SQL에서 하이픈(-) 2개가 연속되면 그 이후는 주석(remark)으로 취급합니다. 주의할 점은 하이픈 2개 이후에 한 칸을 띄고 설명을 써야 합니다.

02 이제 옵션을 추가해서 테이블을 다시 생성해봅시다. 먼저 **NULL** 및 **NOT NULL**을 지정해서 테이블을 다시 생성하겠습니다. 아무것도 지정하지 않으면 기본값으로 NULL을 허용합니다. 하지만 혼란스러울 수도 있으니 직접 NULL이나 NOT NULL을 모두 지정해주는 것이 좋습니다.

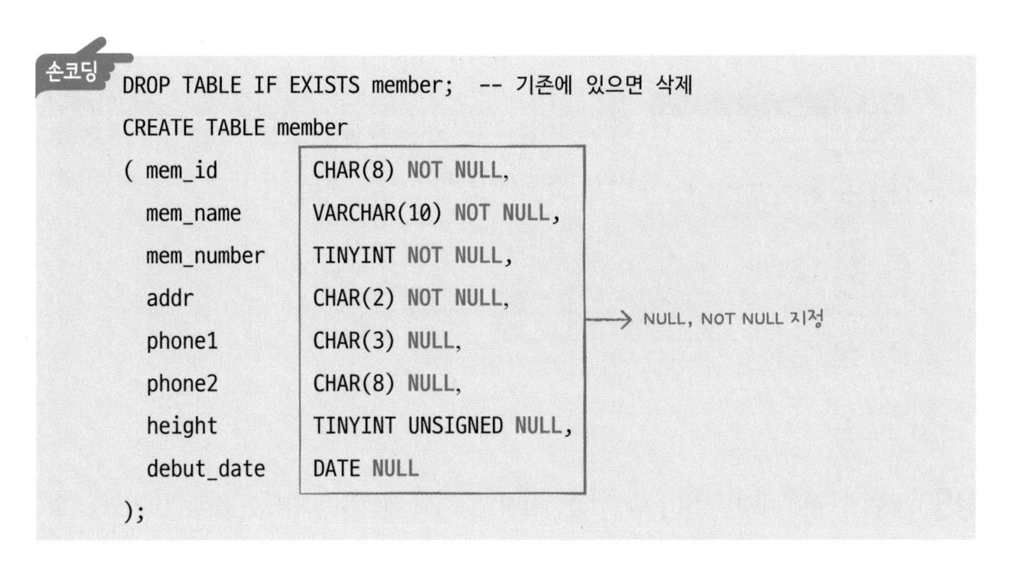

손코딩

```
DROP TABLE IF EXISTS member;  -- 기존에 있으면 삭제
CREATE TABLE member
( mem_id        CHAR(8) NOT NULL,
  mem_name      VARCHAR(10) NOT NULL,
  mem_number    TINYINT NOT NULL,
  addr          CHAR(2) NOT NULL,
  phone1        CHAR(3) NULL,
  phone2        CHAR(8) NULL,
  height        TINYINT UNSIGNED NULL,
  debut_date    DATE NULL
);
```


note NULL은 빈 값을 허용한다는 의미이고, NOT NULL은 반드시 값을 넣어야 한다는 의미입니다.

03 이어서 테이블에 기본 키를 설정해봅시다. **기본 키**로 설정하기 위해서는 지정할 열 뒤에 **PRIMARY KEY** 문을 붙여주면 됩니다. 네이버 회원이면서 아이디가 없으면 안 되겠죠? 그러므로 기본 키로 지정된 열에는 NOT NULL을 생략해도 당연히 NOT NULL로 취급합니다.

손코딩

```
DROP TABLE IF EXISTS member;  -- 기존에 있으면 삭제
CREATE TABLE member
( mem_id        CHAR(8) NOT NULL PRIMARY KEY,
  mem_name      VARCHAR(10) NOT NULL,
  mem_number    TINYINT NOT NULL,
  addr          CHAR(2) NOT NULL,
  phone1        CHAR(3) NULL,
  phone2        CHAR(8) NULL,
  height        TINYINT UNSIGNED NULL,
  debut_date    DATE NULL
);
```

기본 키 설정

기본 키로 설정된 열은 당연히 NULL 값이 허용되지 않습니다.

04 이렇게 SQL로 회원 테이블을 만들어보았습니다. 열 이름과 데이터 형식을 먼저 지정한 후에, 나머지 조건들을 차근차근 설정하면 SQL로도 어렵지 않게 테이블을 만들 수 있습니다. 테이블을 생성한 후에 MySQL Workbench의 [Schemas] 패널에서 [naver_db] - [Tables]를 마우스 오른쪽 버튼으로 클릭하고 [Refresh All]을 선택하면 생성한 테이블을 확인할 수 있습니다.

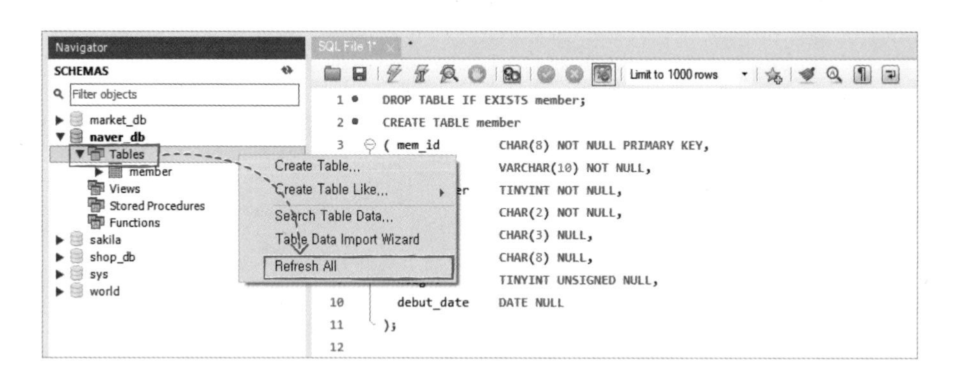

05 SQL로 구매 테이블(buy)도 만들어봅시다. 회원 테이블을 만드는 것과 큰 차이는 없으니 이번에는 외래 키를 제외하고 한 번에 SQL을 작성해보겠습니다. 한 가지 순번(num) 열에 AUTO_INCREMENT를 설정하는 것만 조금 다릅니다. 주의할 점은 AUTO_INCREMENT로 지정한 열은 PRIMARY KEY나 **UNIQUE**로 꼭 지정해야 한다는 것입니다.

손코딩

```
DROP TABLE IF EXISTS buy;  -- 기존에 있으면 삭제
CREATE TABLE buy -- 구매 테이블
(  num          INT AUTO_INCREMENT NOT NULL PRIMARY KEY, -- 순번(PK)
   mem_id       CHAR(8) NOT NULL, -- 아이디(FK)
   prod_name    CHAR(6) NOT NULL, --  제품 이름
   group_name   CHAR(4) NULL , -- 분류
   price        INT UNSIGNED NOT NULL, -- 가격
   amount       SMALLINT UNSIGNED  NOT NULL -- 수량
);
```

note UNIQUE는 아직 배우지 않았습니다. 잠시 후에 배우니 지금은 그냥 넘어가세요.

06 이번에는 구매 테이블의 아이디 열을 회원 테이블의 아이디 열의 외래 키로 설정할 차례입니다. 마지막 열의 뒤에 콤마(,)를 입력한 후 외래 키와 관련된 문장을 입력합니다. '이 테이블의 mem_id 열을 member 테이블의 mem_id 열과 외래 키 관계로 연결해라'라는 의미입니다.

손코딩

```
DROP TABLE IF EXISTS buy;  -- 기존에 있으면 삭제
CREATE TABLE buy
(  num          INT AUTO_INCREMENT NOT NULL PRIMARY KEY,
   mem_id       CHAR(8) NOT NULL,
   prod_name    CHAR(6) NOT NULL,
   group_name   CHAR(4) NULL ,
   price        INT UNSIGNED NOT NULL,
   amount       SMALLINT UNSIGNED  NOT NULL ,
   FOREIGN KEY(mem_id) REFERENCES member(mem_id)   → 추가
);
```

외래 키는 테이블을 만들 때 제일 마지막에 FOREIGN KEY 예약어로 지정합니다.

note 즉, 이 테이블의 mem_id 열은 혼자 존재하는 것이 아니라, 꼭 member 테이블의 mem_id에도 값이 있어야 한다는 것입니다.

데이터 입력하기

01 회원 테이블에 3건의 데이터를 입력해보겠습니다.

손코딩

```
INSERT INTO member VALUES('TWC', '트와이스', 9, '서울', '02',
   '11111111', 167, '2015-10-19');
INSERT INTO member VALUES('BLK', '블랙핑크', 4, '경남', '055',
   '22222222', 163, '2016-8-8');
INSERT INTO member VALUES('WMN', '여자친구', 6, '경기', '031',
   '33333333', 166, '2015-1-15');
```

note DATE로 지정된 열에는 연.월.일 또는 연-월-일 형식으로 값을 입력합니다.

02 이번에는 구매 테이블에 3건의 데이터를 입력해보겠습니다. MySQL 워크벤치에서 진행했던 것과 동일하게 세 번째 APN(에이핑크)은 아직 회원 테이블에 존재하지 않아서 오류가 발생했습니다.

손코딩

```
INSERT INTO buy VALUES( NULL, 'BLK', '지갑', NULL, 30, 2);
INSERT INTO buy VALUES( NULL, 'BLK', '맥북프로', '디지털', 1000, 1);
INSERT INTO buy VALUES( NULL, 'APN', '아이폰', '디지털', 200, 1);
```

오류 메시지

```
E Error Code: 1452. Cannot add or update a child row: a foreign key
constraint fails (`naver_db`.`buy`, CONSTRAINT `buy_ibfk_1` FOREIGN KEY
(`mem_id`) REFERENCES `member` (`mem_id`))
```

지금까지 MySQL 워크벤치의 GUI 환경과 SQL 문으로 동일한 작업을 수행했습니다. 어떤 방식을 사용해도 좋지만, SQL 방법을 우선 익힌 후에 부가적으로 워크벤치에서 진행하는 방법을 권장합니다.

note SQL로 테이블을 만드는 방법은 MySQL 외에 Oracle, SQL Server 등도 비슷하게 사용 가능하지만, MySQL 워크벤치로 테이블을 만드는 방법은 다른 DBMS와 방식이 많이 다릅니다.

마무리

▶ 5가지 키워드로 끝내는 핵심 포인트

- **CREATE TABLE**은 테이블을 생성하는 SQL로, 테이블 이름, 열 이름, 데이터 형식 등을 지정합니다.
- 열에 입력될 값이 1부터 자동 증가하도록 설정하려면 GUI에서는 AI를 체크하고, SQL에서는 **AUTO_INCREMENT**를 입력합니다.
- 열에 빈 값을 허용하지 않으려면 GUI에서는 NN을 체크하고, SQL에서는 **NOT NULL**을 입력합니다.
- 열을 기본 키로 지정하려면 GUI에서는 PK를 체크하고, SQL에서는 **PRIMARY KEY**를 입력합니다.
- 열을 외래 키로 지정하려면 **FOREIGN KEY** 예약어를 입력합니다.

▶ 표로 정리하는 핵심 포인트

회원 테이블의 설계

열 이름(한글)	열 이름(영문)	데이터 형식	기타
아이디	mem_id	CHAR(8)	기본 키(PK)
회원 이름	mem_name	VARCHAR(10)	
인원수	mem_number	TINYINT	
주소	addr	CHAR(2)	
연락처 국번	phone1	CHAR(3)	
전화번호	phone2	CHAR(8)	
평균 키	height	TINYINT	UNSIGNED
데뷔 일자	debut_date	DATE	

구매 테이블의 설계

열 이름(한글)	열 이름(영문)	데이터 형식	기타
순번	num	INT	기본 키(PK), 자동 증가
아이디	mem_id	CHAR(8)	외래 키(FK)
제품 이름	prod_name	CHAR(6)	
분류	group_name	CHAR(4)	
가격	price	INT	UNSIGNED
수량	amount	SMALLINT	UNSIGNED

관련 중요 용어

용어	설명
GUI	Graphical User Interface의 약자로, 윈도에서 진행하는 작업을 의미
로우(row)	테이블의 행, 레코드(record)라고도 부름
컬럼(column)	테이블의 열, 필드(field)라고도 부름
UNSIGNED	정수형 뒤에 붙이면 0부터 양의 정수만 입력됨
백틱(`)	키보드 1 바로 왼쪽에 있는 키로, 테이블 이름이나 열 이름을 묶을 때 사용
NULL	열에 비어 있는 값을 허용할 때 설정함(별도로 지정하지 않으면 기본은 NULL)
기본 키-외래 키	두 테이블이 일대다로 연결되는 관계
주석(remark)	하이픈(–) 2개 이후에 한 칸을 띄고 설명을 써야 함

▶ 확인문제

이번 절에서는 GUI 및 SQL로 테이블을 생성하는 방법을 학습했습니다. 확인문제를 통해서 배운 개념을 스스로 정리해보기 바랍니다.

1. 다음은 테이블의 열에 설정하는 데이터 형식입니다. 문자를 저장할 때 사용하는 것을 2개 고르세요.

CHAR, INT, TINYINT, DOUBLE, VARCHAR, SMALLINT, DATE

2. 다음 각 설명이 의미하는 것을 관련 용어와 연결해보세요.

① 정수형 데이터를 0부터 입력되도록 설정합니다.	•	•	TINYINT
② −128 ~ +127까지 값이 저장됩니다.	•	•	VARCHAR
③ '2022−11−12'와 같은 데이터가 저장됩니다.	•	•	DATE
④ 가변형 문자형으로 짧거나 긴 문자가 뒤죽박죽 입력될 때 적절합니다.	•	•	UNSIGNED

3. GUI에서 테이블을 생성하는 방식의 설명입니다. 거리가 먼 것을 하나 고르세요.

① 기본 키는 PK 부분을 체크합니다.
② Not Null은 NN 부분을 체크합니다.
③ UNSIGNED는 UQ 부분을 체크합니다.
④ 자동 증가는 AI 부분을 체크합니다.

4. 두 테이블을 기본 키−외래 키로 설정하는 것에 대한 설명입니다. 거리가 먼 것을 하나 고르세요.

① 기본 키는 PRIMARY KEY 문을 사용합니다.
② 외래 키는 FOREIGN KEY 문을 사용합니다.
③ 기본 키와 외래 키는 일반적으로 한 테이블에 모두 설정합니다.
④ 기본 키−외래 키 관계를 설정한 후에는 기본 키 테이블에 먼저 데이터를 입력해야 합니다.

5. 다음은 SQL로 회원 테이블을 생성하는 구문입니다. 데이터 형식 또는 제약조건이 적절하지 않은 행 번호를 2개 고르세요.

```
CREATE TABLE member
( mem_id        CHAR(8) NOT NULL FOREIGN KEY,
  mem_name      VARCHAR(10) NOT NULL,
  mem_number    TINYINT NOT NULL,
  addr          CHAR(2) NOT NULL,
  phone1        CHAR(3) NULL,
  phone2        CHAR(8) NULL,
  height        TINYINT NULL,
  debut_date    DATE NULL
);
```

05-2 제약조건으로 테이블을 견고하게

핵심 키워드

기본 키 | 외래 키 | 고유 키 | 체크 | 기본값 | NOT NULL

테이블에는 기본 키, 외래 키와 같은 제약조건을 설정할 수 있습니다. 제약조건은 테이블을 구성하는 핵심 개념으로, 이를 잘 이해하고 활용하면 데이터의 오류를 줄여 완전무결한 코드를 만들 수 있습니다.

시작하기 전에

테이블을 만들 때는 테이블의 구조에 필요한 제약조건을 설정해줘야 합니다. 앞에서 확인한 **기본 키** Primary key와 **외래 키** Foreign Key가 대표적인 **제약조건**입니다. 기본 키는 학번, 아이디, 사번 등과 같은 고유한 번호를 의미하는 열에, 외래 키는 기본 키와 연결되는 열에 지정합니다.

이메일, 휴대폰과 같이 중복되지 않는 열에는 **고유 키** Unique를 지정할 수 있습니다. 회원의 평균 키는 당연히 200cm를 넘지 않겠죠? 이때 실수로 200을 입력하는 것을 방지하는 제약조건이 **체크** Check입니다. 회원 테이블에 국적을 입력한다면 99%는 대한민국일 것입니다. 매번 입력하기 귀찮다면 제약조건으로 **기본값** Default을 설정할 수 있습니다. 또한, 값을 꼭 입력해야 하는 **NOT NULL** 제약조건도 있습니다.

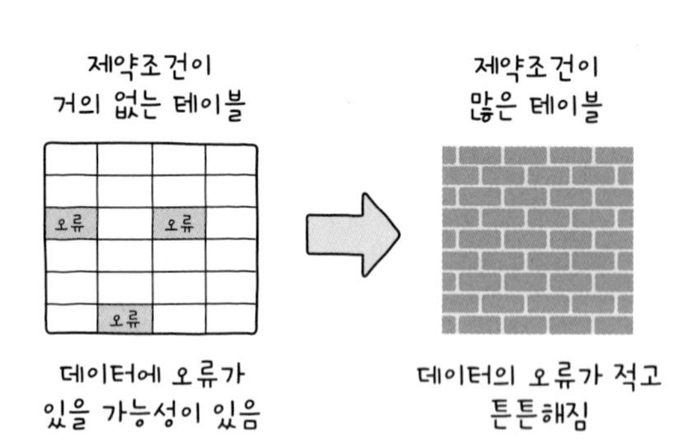

제약조건의 기본 개념과 종류

제약조건constraint은 데이터의 무결성을 지키기 위해 제한하는 조건입니다. 일단 데이터의 무결성이란 '데이터에 결함이 없음'이란 의미입니다. 간단한 예로 네이버 회원의 아이디가 중복되면 어떤 일이 일어날까요? 이메일, 블로그, 쇼핑 기록 등 상당한 혼란이 일어날 것입니다. 이런 것이 바로 데이터의 결함이고, 이런 결함이 없는 것을 **데이터의 무결성**이라고 표현합니다.

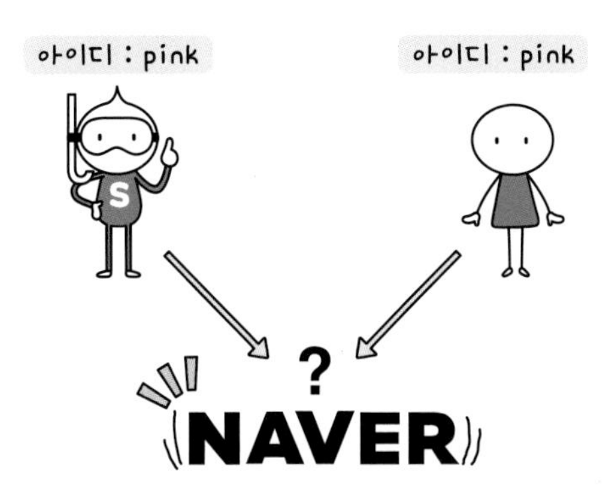

이러한 결함을 미리 방지하기 위해서 회원 테이블의 아이디를 **기본 키**Primary Key로 지정할 수 있습니다. 기본 키의 조건은 '중복되지 않고, 비어 있지도 않음'이므로, 실수로 중복된 아이디를 넣으려고 해도 입력 조차 불가능합니다. 기본 키 외에 MySQL에서 제공하는 대표적인 제약조건은 다음과 같습니다.

- PRIMARY KEY 제약조건
- FOREIGN KEY 제약조건
- UNIQUE 제약조건
- CHECK 제약조건
- DEFAULT 정의
- NULL 값 허용

이제 각 제약조건을 하나씩 자세하게 학습해보겠습니다.

기본 키 제약조건

테이블에는 많은 행 데이터가 있습니다. 이 중에서 데이터를 구분할 수 있는 식별자를 **기본 키**Primary Key 라고 부릅니다. 예로 회원 테이블의 아이디, 학생 테이블의 학번, 직원 테이블의 사번 등이 이에 해당합니다.

기본 키에 입력되는 값은 중복될 수 없으며, NULL 값이 입력될 수 없습니다. 인터넷 쇼핑몰에 회원 가입했던 것을 떠올려보세요. 대부분의 인터넷 쇼핑몰에서는 회원 테이블의 기본 키를 회원 아이디로 설정해 놓았을 것입니다.

회원가입 시에 생성하는 회원 아이디가 중복된 것을 본적이 있나요? 또, 회원 아이디 없이 회원가입을 할 수 있나요? 아마도 불가능할 것입니다. 이는 회원 아이디가 기본 키로 설정되어 있기 때문입니다.

✚ 여기서 잠깐 **인터넷 쇼핑몰의 기본 키 설정**

많은 인터넷 쇼핑몰에서 회원을 구분하기 위해서 기본 키를 아이디로 지정하고 있습니다. 하지만 설계 방법에 따라서 아이디가 아닌 다른 열을 기본 키로 지정할 수 있습니다. 기본 키는 중복되지 않고, 비어 있지 않으면 되기 때문에 최근에는 주민등록번호나 Email 또는 휴대폰 번호 등으로 지정해서 회원을 구분하는 사이트도 많이 등장하고 있습니다.

대부분의 테이블은 기본 키를 가져야 합니다. 물론, 기본 키가 없어도 테이블 구성이 가능하지만 실무에서 사용하는 테이블에는 기본 키를 설정해야 중복된 데이터가 입력되지 않습니다. 예를 들어 기본 키는 아이디가 동일한 회원이 입력되지 않도록 합니다. 기본 키로 생성한 것은 자동으로 클러스터형 인덱스가 생성됩니다.

note 클러스터형 인덱스는 6장에서 살펴보는 것으로 하고, 우선은 기본 키로 지정하면 클러스터형 인덱스가 자동으로 생성된다는 정도만 기억하세요.

한 가지 더 기억할 것은 테이블은 기본 키를 1개만 가질 수 있습니다. 예로 회원 테이블에 아이디, 주민등록번호, 이메일 등이 있다면 3개 열은 모두 중복되지도 않고 비어 있지도 않을 것입니다. 그렇다고 각 열마다 기본 키를 설정할 수는 없으며 하나의 열에만 기본 키를 설정해야 합니다. 어떤 열에 설정해도 문법상 문제는 없으나 테이블의 특성을 가장 잘 반영하는 열을 선택하는 것이 좋습니다.

CREATE TABLE에서 설정하는 기본 키 제약조건

기본 키를 생성하는 방법은 227쪽에서 실습해봤습니다. CREATE TABLE 문에 **PRIMARY KEY** 예약어를 넣어주었습니다.

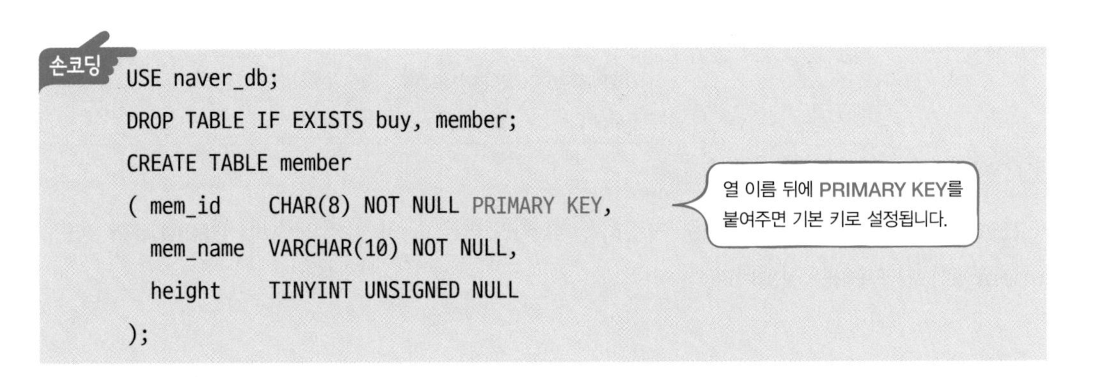


```
USE naver_db;
DROP TABLE IF EXISTS buy, member;
CREATE TABLE member
( mem_id    CHAR(8) NOT NULL PRIMARY KEY,
  mem_name  VARCHAR(10) NOT NULL,
  height    TINYINT UNSIGNED NULL
);
```

note 지금부터는 회원 테이블(member) 및 구매 테이블(buy)의 열을 일부 생략해서 단순화시키겠습니다. 설명할 때 열이 너무 많으면 더 혼란스러울 수 있습니다.

이렇게 설정함으로써 회원 아이디(mem_id)는 회원 테이블(member)의 기본 키가 되었으며, 앞으로 입력되는 회원 아이디는 당연히 중복될 수 없고, 비어 있을 수도 없습니다.

+ 여기서 잠깐 테이블을 삭제하는 순서

회원 테이블과 구매 테이블은 기본 키-외래 키로 연결되어 있습니다. 즉, 회원 테이블의 회원만 구매 테이블에 입력될 수 있습니다. 만약 구매 테이블이 있는데 회원 테이블을 삭제(DROP)하면 어떻게 될까요?

예를 들어, 구매 테이블의 BLK 이름과 연락처를 알고 싶어도 회원 테이블은 이미 삭제되었기 때문에 알 수 있는 방법이 없습니다. 그러므로 기본 키-외래 키 관계로 연결된 테이블은 외래 키가 설정된 테이블을 먼저 삭제해야 합니다.

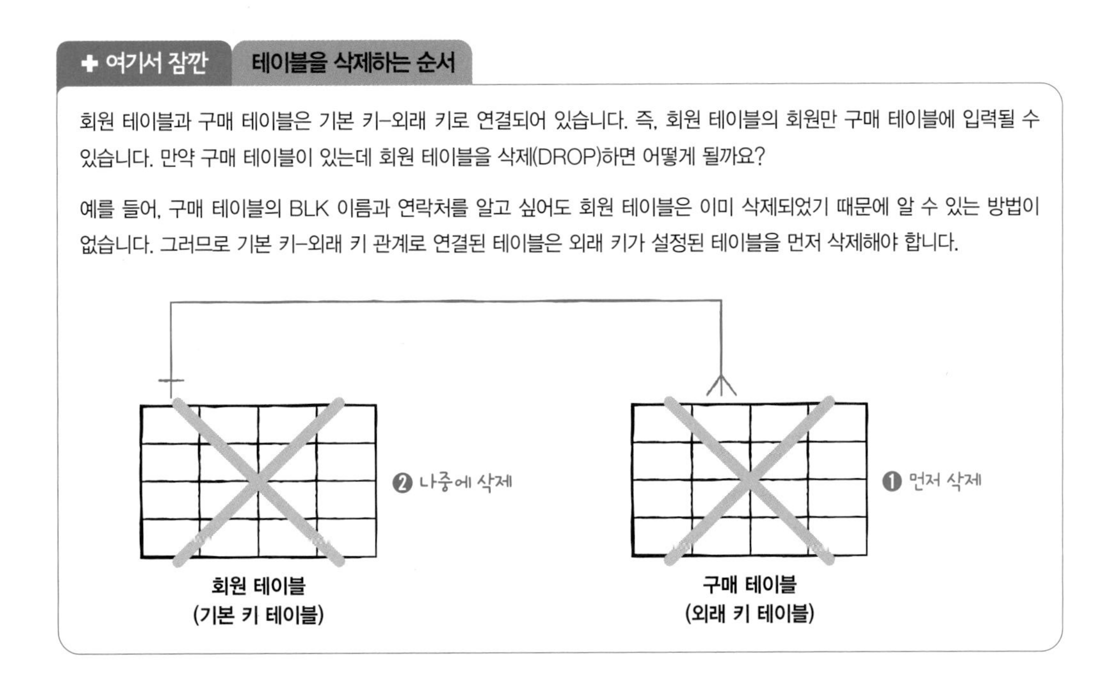

DESCRIBE 문을 사용하여 테이블의 정보를 살펴봅시다.

```
DESCRIBE member;
```

실행 결과

Field	Type	Null	Key	Default	Extra
mem_id	char(8)	NO	PRI	NULL	
mem_name	varchar(10)	NO		NULL	
height	tinyint unsigned	YES		NULL	

CREATE TABLE에서 기본 키를 지정하는 다른 방법은 제일 마지막 행에 **PRIMARY KEY (mem_id)**를 추가하는 것입니다.

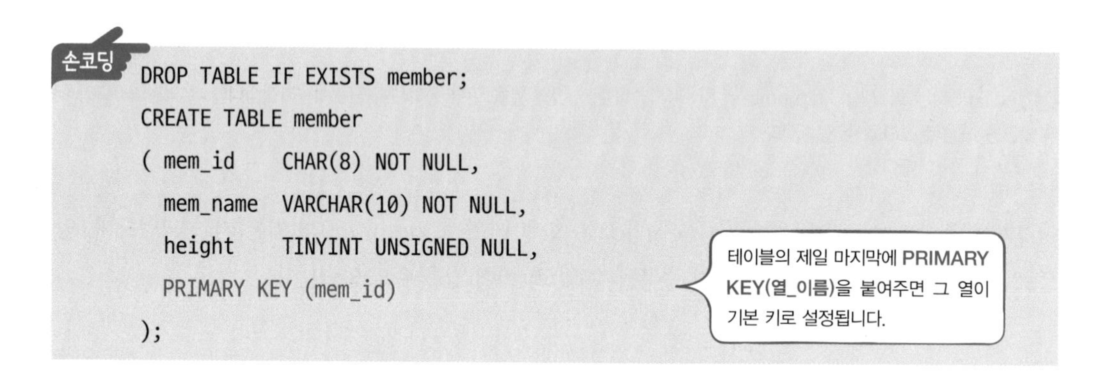

```
DROP TABLE IF EXISTS member;
CREATE TABLE member
( mem_id    CHAR(8) NOT NULL,
  mem_name  VARCHAR(10) NOT NULL,
  height    TINYINT UNSIGNED NULL,
  PRIMARY KEY (mem_id)
);
```


ALTER TABLE에서 설정하는 기본 키 제약조건

제약조건을 설정하는 또 다른 방법은 이미 만들어진 테이블을 수정하는 **ALTER TABLE** 구문을 사용하는 것입니다. ALTER TABLE은 다음과 같이 사용할 수 있습니다.

```
DROP TABLE IF EXISTS member;
CREATE TABLE member
( mem_id    CHAR(8) NOT NULL,
  mem_name  VARCHAR(10) NOT NULL,
  height    TINYINT UNSIGNED NULL
);
ALTER TABLE member ──────── ❶
    ADD CONSTRAINT ──────── ❷
    PRIMARY KEY (mem_id); ── ❸
```

ALTER TABLE 문으로 기본 키를 설정할 수 있습니다.

❶ member를 변경합니다.

❷ 제약조건을 추가합니다.

❸ mem_id 열에 기본 키 제약조건을 설정합니다.

앞서 CREATE TABLE 안에 PRIMARY KEY를 설정한 것과 지금 ALTER TABLE로 PRIMARY KEY를 지정한 것은 모두 동일한 결과를 갖습니다.

+ 여기서 잠깐 **기본 키에 이름 지정하기**

기본 키는 별도의 이름이 없으며, DESCRIBE 명령으로 확인하면 그냥 PRI로만 나옵니다. 필요하다면 기본 키의 이름을 직접 지어줄 수 있습니다. 예를 들어 PK_member_mem_id와 같은 이름을 붙여주면, 이름 만으로도 'PK가 member 테이블의 mem_id 열에 지정됨'이라고 이해할 수 있겠죠? 그러기 위해서는 다음과 같이 사용하면 됩니다.

```
DROP TABLE IF EXISTS member;
CREATE TABLE member
( mem_id    CHAR(8) NOT NULL,
  mem_name  VARCHAR(10) NOT NULL,
  height    TINYINT UNSIGNED NULL,
  CONSTRAINT PRIMARY KEY PK_member_mem_id (mem_id)
);
```

외래 키 제약조건

외래 키 Foreign Key 제약조건은 두 테이블 사이의 관계를 연결해주고, 그 결과 데이터의 무결성을 보장해주는 역할을 합니다. 외래 키가 설정된 열은 꼭 다른 테이블의 기본 키와 연결됩니다.

우리가 사용하는 회원 테이블과 구매 테이블이 바로 대표적인 기본 키-외래 키 관계입니다. 여기서 기본 키가 있는 회원 테이블을 **기준 테이블**이라고 부르며, 외래 키가 있는 구매 테이블을 **참조 테이블**이라고 부릅니다.

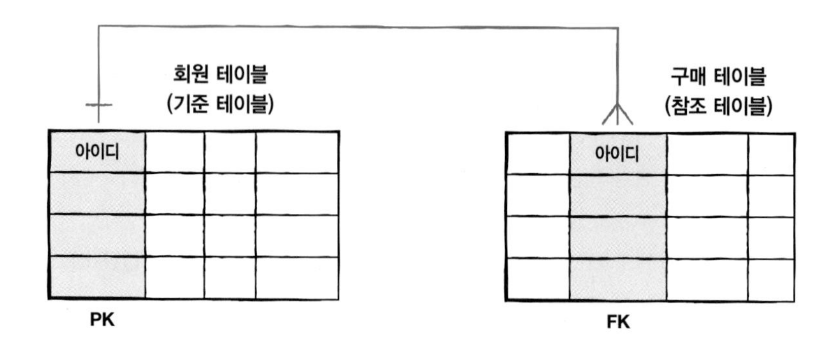

구매 테이블의 아이디(FK)는 반드시 회원 테이블의 아이디(PK)로 존재합니다. '네이버 쇼핑' 데이터베이스에 제품을 구매한 기록이 있는 사람은 네이버 회원이라는 의미입니다. 그러므로 구매한 기록은 있으나 구매한 사람이 누구인지 모르는 심각한 일은 절대 발생하지 않습니다. 구매 테이블의 데이터는 모두 누가 구매했는지 확실히 알 수 있는, 무결한(오류가 없는) 데이터가 되는 것입니다.

기본 키-외래 키 관계를 맺으면 오류가 없는 데이터가 됩니다.

223쪽의 실습에서 구매 테이블에 APN(에이핑크)을 입력할 때, 오류가 발생했던 것을 기억하나요? 이유는 외래 키 제약조건을 위반했기 때문입니다. 아직 가입도 하지 않은 APN이 물건을 구매하려고 시도했기 때문이죠.

또 하나 기억할 것은 참조 테이블이 참조하는 기준 테이블의 열은 반드시 **기본 키**Primary Key나, **고유 키**Unique로 설정되어 있어야 합니다. 고유 키 제약조건은 잠시 후에 살펴보겠습니다.

CREATE TABLE에서 설정하는 외래 키 제약조건

외래 키를 생성하는 방법은 CREATE TABLE 끝에 **FOREIGN KEY** 키워드를 설정하는 것입니다.

손코딩

```
DROP TABLE IF EXISTS buy, member;
CREATE TABLE member
( mem_id    CHAR(8) NOT NULL PRIMARY KEY,
  mem_name  VARCHAR(10) NOT NULL,
  height    TINYINT UNSIGNED NULL
);
CREATE TABLE buy
(  num      INT AUTO_INCREMENT NOT NULL PRIMARY KEY,
   mem_id   CHAR(8) NOT NULL,
```

```
    prod_name CHAR(6) NOT NULL,
    FOREIGN KEY(mem_id) REFERENCES member(mem_id)
);
```

외래 키의 형식은 **FOREIGN KEY(열_이름) REFERENCES 기준_테이블(열_이름)**입니다. 이 예에서 보면 구매 테이블(buy)의 열(mem_id)이 참조references하는 기준 테이블(member)의 열(mem_id)은 기본 키로 설정되어 있는 것을 알 수 있습니다. 만약, 기준 테이블의 열이 Primary Key 또는 Unique가 아니라면 외래 키 관계는 설정되지 않습니다.

+ 여기서 잠깐 **기준 테이블의 열 이름과 참조 테이블의 열 이름**

'네이버 쇼핑'의 예에서는 기준 테이블의 열 이름(mem_id)과 참조 테이블의 열 이름(mem_id)이 동일합니다. 하지만 꼭 같아야 하는 것은 아닙니다. 즉, 참조 테이블(buy)의 아이디 열 이름이 user_id와 같이 기준 테이블(member)의 mem_id와 달라도 상관없습니다.

```
DROP TABLE IF EXISTS buy, member;
CREATE TABLE member
( mem_id      CHAR(8) NOT NULL PRIMARY KEY,
  mem_name    VARCHAR(10) NOT NULL,
  height      TINYINT UNSIGNED NULL
);
CREATE TABLE buy
(  num        INT AUTO_INCREMENT NOT NULL PRIMARY KEY,
   user_id    CHAR(8) NOT NULL,
   prod_name  CHAR(6) NOT NULL,
   FOREIGN KEY(user_id) REFERENCES member(mem_id)
);
```

외래 키를 설정하는 형식은 FOREIGN KEY(열_이름) REFERENCES 기준_테이블(열_이름)입니다.

ALTER TABLE에서 설정하는 외래 키 제약조건

외래 키를 설정하는 다른 방법은 ALTER TABLE 구문을 이용하는 것입니다.

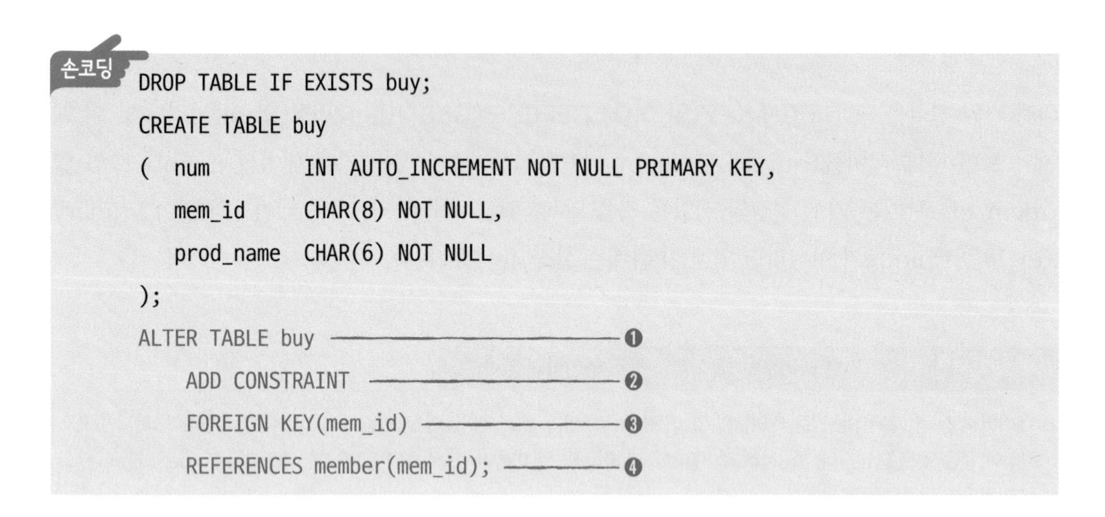

손코딩

```
DROP TABLE IF EXISTS buy;
CREATE TABLE buy
(  num        INT AUTO_INCREMENT NOT NULL PRIMARY KEY,
   mem_id     CHAR(8) NOT NULL,
   prod_name  CHAR(6) NOT NULL
);
ALTER TABLE buy ──────────────── ❶
    ADD CONSTRAINT ───────────── ❷
    FOREIGN KEY(mem_id) ──────── ❸
    REFERENCES member(mem_id); ── ❹
```

❶ buy를 수정합니다.

❷ 제약조건을 추가합니다.

❸ 외래 키 제약조건을 buy 테이블의 mem_id에 설정합니다.

❹ 참조할 기준 테이블은 member 테이블의 mem_id 열입니다.

기준 테이블의 열이 변경될 경우

기준 테이블의 열이 변경되는 경우를 생각해봅시다. 예를 들어 회원 테이블의 BLK가 물품을 2건 구매한 상태에서 회원 아이디를 PINK로 변경하면 어떻게 될까요? 두 테이블의 정보가 일치하지 않게 됩니다.

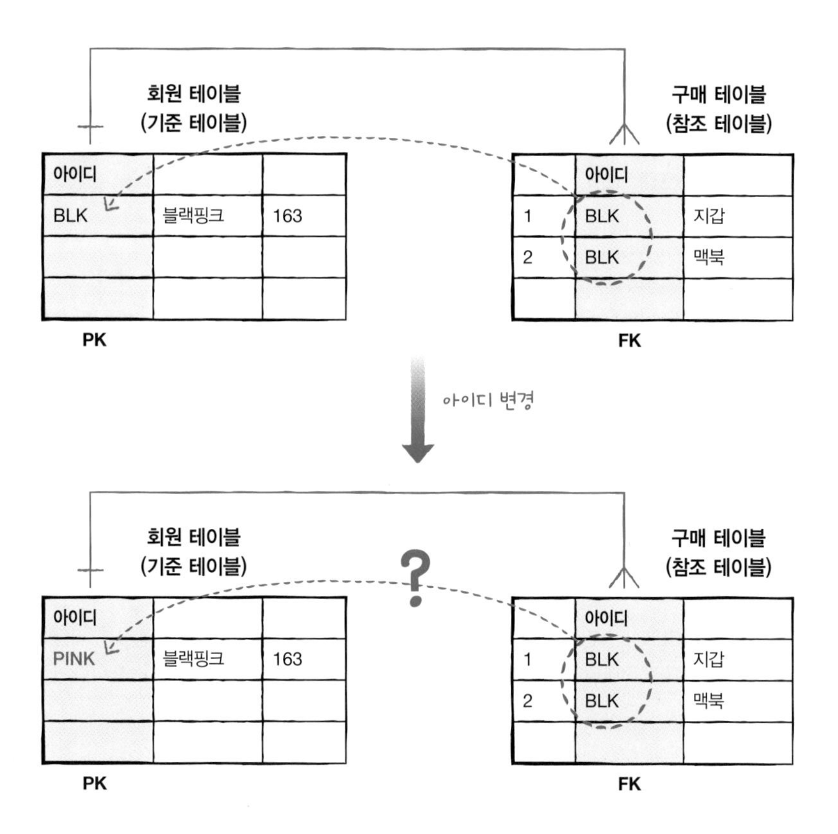

이 그림을 코드로 확인해보겠습니다. 먼저 첫 번째 그림처럼 정상적으로 데이터를 입력했습니다.

손코딩

```
INSERT INTO member VALUES('BLK', '블랙핑크', 163);
INSERT INTO buy VALUES(NULL, 'BLK', '지갑');
INSERT INTO buy VALUES(NULL, 'BLK', '맥북');
```

내부 조인을 사용해서 물품 정보 및 사용자 정보를 확인해봅시다. 결과가 제대로 나왔습니다.

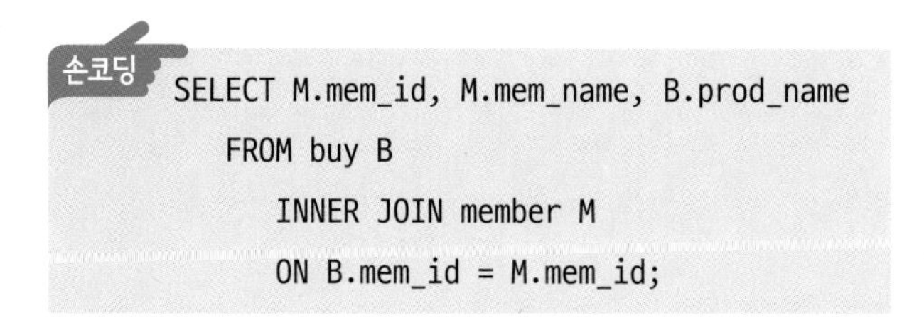

손코딩

```
SELECT M.mem_id, M.mem_name, B.prod_name
   FROM buy B
      INNER JOIN member M
      ON B.mem_id = M.mem_id;
```

실행 결과

mem_id	mem_name	prod_name
BLK	블랙핑크	지갑
BLK	블랙핑크	맥북

이번에는 BLK의 아이디를 PINK로 변경해보겠습니다. 오류가 발생했습니다.

손코딩

```
UPDATE member SET mem_id = 'PINK' WHERE mem_id='BLK';
```

오류 메시지

```
Error Code: 1451. Cannot delete or update a parent row: a foreign key constraint fails (`naver_db`.`buy`, CONSTRAINT `buy_ibfk_1` FOREIGN KEY (`mem_id`) REFERENCES `member` (`mem_id`))
```

기본 키-외래 키로 맺어진 후에는 기준 테이블의 열 이름이 변경되지 않습니다. 열 이름이 변경되면 참조 테이블의 데이터에 문제가 발생하기 때문입니다.

note 지금은 회원 테이블의 BLK가 물건을 구매한 기록이 구매 테이블에 존재하기 때문에 변경할 수 없는 것입니다. 만약, BLK가 물건을 구매한 적인 없다면(구매 테이블에 데이터가 없다면) 회원 테이블의 BLK는 변경 가능합니다.

삭제도 시도해봅시다. 역시 같은 오류로 삭제되지 않을 것입니다.

손코딩

```
DELETE FROM member WHERE mem_id='BLK';
```

기본 키-외래 키 관계가 설정되면 기준 테이블의 열은 변경되거나 삭제되지 않습니다.

기준 테이블의 열 이름이 변경될 때 참조 테이블의 열 이름이 자동으로 변경되면 더 효율적일 것 같습니다. 즉, 회원 테이블의 BLK가 PINK로 변경되면 자동으로 구매 테이블의 BLK도 PINK로 변경되는 것입니다.

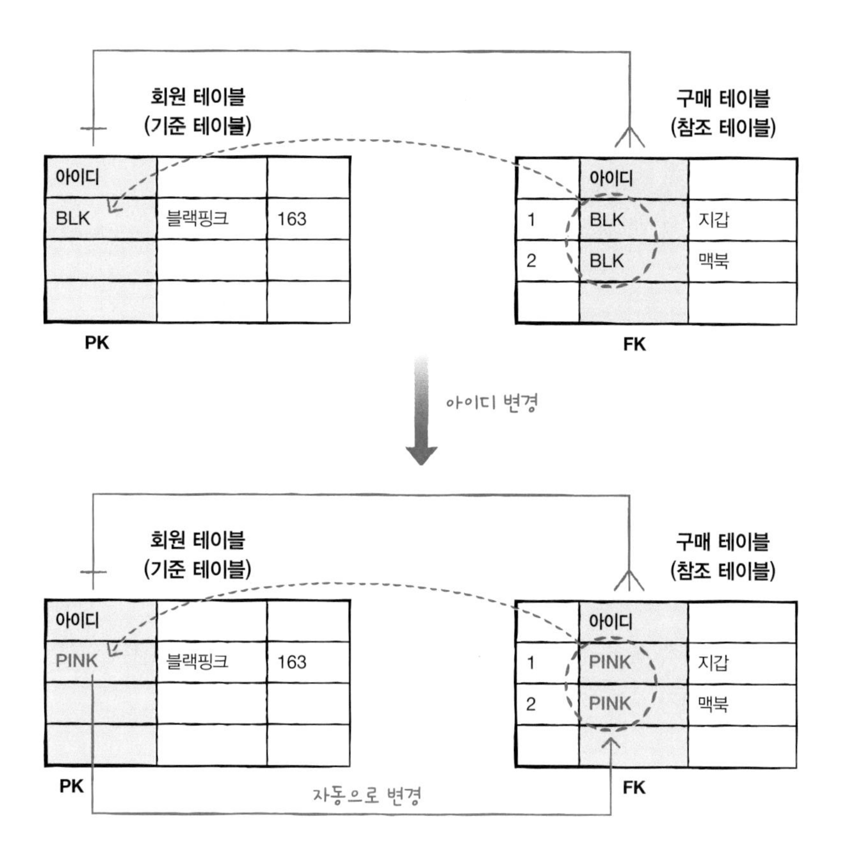

이런 기능을 지원하는 것이 **ON UPDATE CASCADE** 문입니다. **ON DELETE CASCADE** 문은 기준 테이블의 데이터가 삭제되면 참조 테이블의 데이터도 삭제되는 기능입니다. 다시 테이블을 생성하고 ALTER TABLE 문도 수행해보겠습니다.

손코딩

```
DROP TABLE IF EXISTS buy;
CREATE TABLE buy
(  num         INT AUTO_INCREMENT NOT NULL PRIMARY KEY,
   mem_id      CHAR(8) NOT NULL,
   prod_name   CHAR(6) NOT NULL
);
ALTER TABLE buy
    ADD CONSTRAINT
    FOREIGN KEY(mem_id) REFERENCES member(mem_id)
    ON UPDATE CASCADE
    ON DELETE CASCADE;
```

구매 테이블에 데이터를 다시 입력합니다.

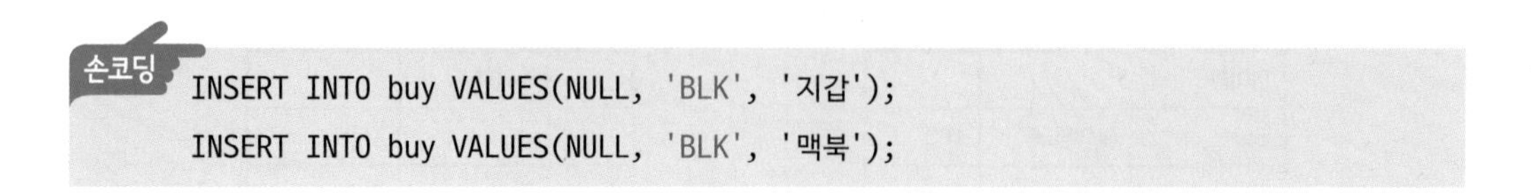

```
손코딩
INSERT INTO buy VALUES(NULL, 'BLK', '지갑');
INSERT INTO buy VALUES(NULL, 'BLK', '맥북');
```

note 회원 테이블은 BLK를 입력한 후 변경된 적이 없으므로 그대로 사용합니다.

이제 회원 테이블의 BLK를 PINK로 변경해봅시다. 이번에는 오류 없이 잘 변경될 것입니다.

```
손코딩
UPDATE member SET mem_id = 'PINK' WHERE mem_id='BLK';
```

다시 내부 조인을 사용해서 물품 정보 및 사용자 정보를 확인해보겠습니다. 결과를 보면 기준 테이블과 참조 테이블의 아이디가 모두 변경된 것을 확인할 수 있습니다.

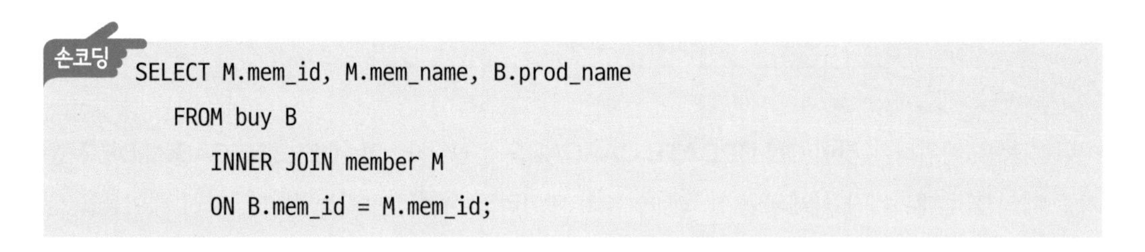

```
손코딩
SELECT M.mem_id, M.mem_name, B.prod_name
   FROM buy B
      INNER JOIN member M
      ON B.mem_id = M.mem_id;
```

실행 결과

mem_id	mem_name	prod_name
PINK	블랙핑크	지갑
PINK	블랙핑크	맥북

ON CASCADE UPDATE가 설정되면 기준 테이블이 변경될 때 참조 테이블도 자동으로 변경됩니다.

이번에는 PINK가 탈퇴한 것으로 가정하고 기준 테이블에서 삭제해봅시다. 이번에도 오류 없이 잘 실행됩니다.

```
손코딩
DELETE FROM member WHERE mem_id='PINK';
```

구매 테이블의 데이터를 확인하면 아무것도 없습니다.

손코딩

```
SELECT * FROM buy;
```

실행 결과

num	mem_id	prod_name

현재는 다음 그림과 같은 상태가 된 것입니다. 즉, 회원 테이블의 PINK를 삭제하면 PINK의 구매 기록도 함께 삭제됩니다.

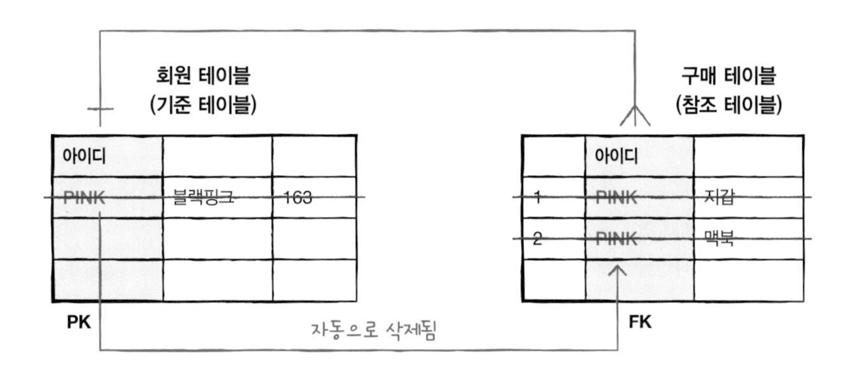

기타 제약조건

앞에서 중요한 핵심 제약조건을 다뤘습니다. 이 외에도 실무에서 데이터베이스를 운영하다 보면 필요한 여러 가지 제약조건이 있습니다.

고유 키 제약조건

고유 키 Unique 제약조건은 '중복되지 않는 유일한 값'을 입력해야 하는 조건입니다. 이것은 기본 키 제약조건과 거의 비슷하지만, 차이점은 고유 키 제약조건은 **NULL** 값을 허용한다는 것입니다. NULL 값은 여러 개가 입력되어도 상관없습니다. 또, 기본 키는 테이블에 1개만 설정해야 하지만, 고유 키는 여러 개를 설정해도 됩니다.

만약 회원 테이블에 Email 주소가 있다면 중복되지 않으므로 고유 키로 설정할 수 있습니다. SQL 코드로 확인해보겠습니다.

손코딩

```
DROP TABLE IF EXISTS buy, member;
CREATE TABLE member
( mem_id     CHAR(8) NOT NULL PRIMARY KEY,
  mem_name   VARCHAR(10) NOT NULL,
  height     TINYINT UNSIGNED NULL,
  email      CHAR(30) NULL UNIQUE
);
```

note 고유 키로 설정할 열을 NOT NULL로 지정하면 고유 키도 기본 키와 동일하게 중복도 안 되고 비어 있어도 안 됩니다.

데이터를 입력해봅시다. 다음 세 번째 행은 이메일이 중복되기 때문에 오류가 발생합니다.

손코딩

```
INSERT INTO member VALUES('BLK', '블랙핑크', 163, 'pink@gmail.com');
INSERT INTO member VALUES('TWC', '트와이스', 167, NULL);
INSERT INTO member VALUES('APN', '에이핑크', 164, 'pink@gmail.com');
```

체크 제약조건

체크Check 제약조건은 입력되는 데이터를 점검하는 기능을 합니다. 예를 들어 평균 키(height)에 마이너스 값이 입력되지 않도록 하거나, 연락처의 국번에 02, 031, 041, 055 중 하나만 입력되도록 할 수 있습니다.

먼저 테이블을 정의하면서 CHECK 제약조건을 설정해봅시다. 평균 키는 반드시 100 이상의 값만 입력되도록 설정했습니다. 열의 정의 뒤에 **CHECK(조건)**을 추가해주면 됩니다.

손코딩

```
DROP TABLE IF EXISTS member;
CREATE TABLE member
( mem_id     CHAR(8) NOT NULL PRIMARY KEY,
  mem_name   VARCHAR(10) NOT NULL,
  height     TINYINT UNSIGNED NULL CHECK (height >= 100),
```

```
    phone1    CHAR(3)  NULL
);
```

데이터를 입력해봅시다. 다음 두 번째 행은 체크 제약조건에 위배되므로 오류가 발생합니다. Check constraint 오류는 체크 제약조건에서 설정한 값의 범위를 벗어났기 때문에 발생한 것입니다.

손코딩
```
INSERT INTO member VALUES('BLK', '블랙핑크', 163, NULL);
INSERT INTO member VALUES('TWC', '트와이스', 99, NULL);
```

오류 메시지
```
Error Code: 3819. Check constraint 'member_chk_1' is violated.
```

필요하다면 테이블을 만든 후에 ALTER TABLE 문으로 제약조건을 추가해도 됩니다. 연락처의 국번(phone1)에 02, 031, 032, 054, 055, 061 중 하나만 입력되도록 설정해봅시다. 3장에서 배운 IN()을 활용했습니다.

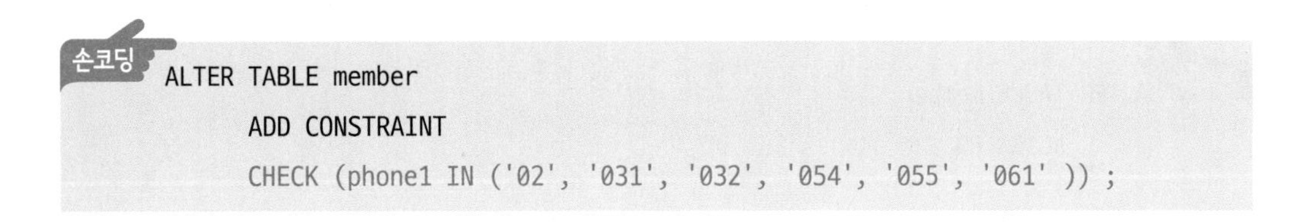
손코딩
```
ALTER TABLE member
     ADD CONSTRAINT
     CHECK (phone1 IN ('02', '031', '032', '054', '055', '061' )) ;
```

note IN( )은 괄호 안에 있는 값 중 하나와 같아야 참이 됩니다.

데이터를 입력해봅시다. 다음 두 번째 행은 체크 제약조건에 위배되므로 오류가 발생합니다.

손코딩
```
INSERT INTO member VALUES('TWC', '트와이스', 167, '02');
INSERT INTO member VALUES('OMY', '오마이걸', 167, '010');
```

오류 메시지
```
Error Code: 3819. Check constraint 'member_chk_2' is violated.
```

체크 제약조건을 설정한 후에 조건에 위배되는 값을 입력하면 오류가 발생합니다.

기본값 정의

기본값Default **정의**는 값을 입력하지 않았을 때 자동으로 입력될 값을 미리 지정해 놓는 방법입니다. 예를 들어 키를 입력하지 않고 기본적으로 160이라고 입력되도록 하고 싶다면 다음과 같이 정의할 수 있습니다.

손코딩
```
DROP TABLE IF EXISTS member;
CREATE TABLE member
( mem_id     CHAR(8) NOT NULL PRIMARY KEY,
  mem_name   VARCHAR(10) NOT NULL,
  height     TINYINT UNSIGNED NULL DEFAULT 160,
  phone1     CHAR(3)  NULL
);
```

ALTER TABLE 사용 시 열에 DEFAULT를 지정하기 위해서는 ALTER COLUMN 문을 사용합니다. 예를 들어 다음과 같이 연락처의 국번을 입력하지 않으면 자동으로 02가 입력되도록 할 수 있습니다.

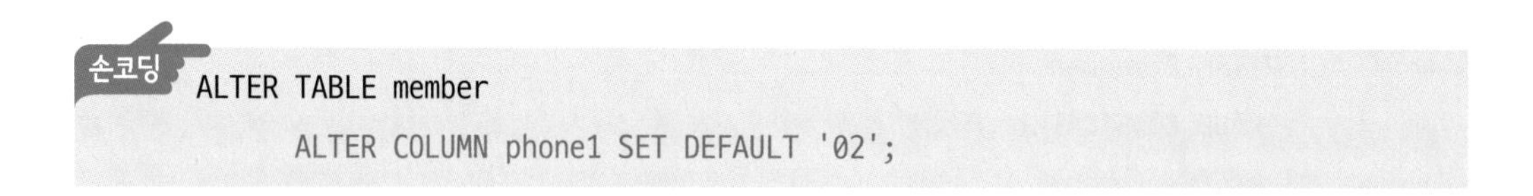

손코딩
```
ALTER TABLE member
      ALTER COLUMN phone1 SET DEFAULT '02';
```

기본값이 설정된 열에 기본값을 입력하려면 **default**라고 써주고, 원하는 값을 입력하려면 해당 값을 써주면 됩니다.

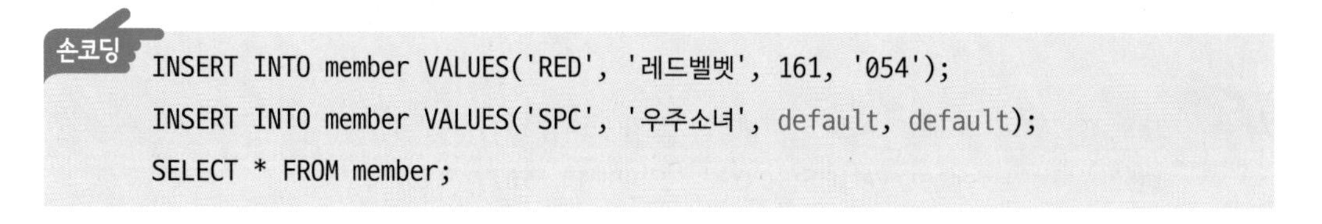

손코딩
```
INSERT INTO member VALUES('RED', '레드벨벳', 161, '054');
INSERT INTO member VALUES('SPC', '우주소녀', default, default);
SELECT * FROM member;
```

실행 결과

mem_id	mem_name	height	phone1
RED	레드벨벳	161	054
SPC	우주소녀	160	02

기본값을 설정한 후에 default로 지정하면 설정된 기본값이 입력됩니다.

널 값 허용

지금까지 계속 실습에서 살펴보았으므로 이미 잘 이해하고 있을 것입니다. 널(Null) 값을 허용하려면 생략하거나 NULL을 사용하고, 허용하지 않으려면 **NOT NULL**을 사용합니다. 다만 PRIMARY KEY가 설정된 열에는 NULL 값이 있을 수 없으므로 생략하면 자동으로 NOT NULL로 인식됩니다.

NULL 값은 '아무 것도 없다'라는 의미입니다. 공백(' ')이나 0과는 다르다는 점에 주의하세요.

마무리

▶ 6가지 키워드로 끝내는 핵심 포인트

- **기본 키**는 행 데이터 중에서 데이터를 구분할 수 있는 식별자 역할을 합니다.
- **외래 키**는 두 테이블의 관계를 연결해줍니다. 외래 키가 설정된 열은 꼭 다른 테이블의 기본 키와 연결됩니다.
- **고유 키**는 중복되지 않는 유일한 값입니다. 기본 키와 차이점은 NULL 값을 허용합니다.
- **체크**는 입력되는 데이터를 점검하는 기능입니니다.
- **기본값**은 값을 입력하지 않았을 때 자동으로 입력될 값을 미리 지정합니다.
- 널(Null) 값을 허용하려면 생략하거나 NULL을 사용하고, 허용하지 않으려면 **NOT NULL**을 사용합니다.

▶ 표로 정리하는 핵심 포인트

관련 중요 용어

용어	설명
제약조건	데이터의 무결성을 지키기 위한 제한된 조건
ALTER TABLE	이미 만들어진 테이블을 수정하는 SQL 문
ADD CONSTRAINT	제약조건을 추가하는 SQL 문
기준 테이블	기본 키-외래 키 관계가 맺어진 테이블 중 기본 키가 설정된 테이블
참조 테이블	기본 키-외래 키 관계가 맺어진 테이블 중 외래 키가 설정된 테이블
ON UPDATE CASCADE	기준 테이블의 기본 키를 변경하면 참조 테이블의 외래 키도 변경되는 기능
ON DELETE CASCADE	기준 테이블의 기본 키를 삭제하면 참조 테이블의 외래 키도 삭제되는 기능

▶ 확인문제

이번 절에서는 테이블의 제약조건을 학습했습니다. 확인문제를 통해서 배운 개념을 스스로 정리해보기 바랍니다.

1. 다음은 기본 키 제약조건에 대한 설명입니다. 거리가 먼 것을 하나 고르세요.

① 예약어는 PRIMARY KEY를 사용합니다.
② 기본 키로 설정된 열의 값은 중복될 수 없습니다.
③ 기본 키로 설정된 열은 NULL 값이 입력됩니다.
④ 기본 키로 설정하면 클러스터형 인덱스가 생성됩니다.

2. 다음은 기본 키를 설정하는 문법에 대한 설명입니다. 거리가 먼 것을 하나 고르세요.

① 열 이름 뒤에 PRIMARY KEY를 사용합니다.
② 테이블의 제일 마지막에 PRIMARY KEY(열 이름)을 붙여줍니다.
③ ALTER TABLE ~ ADD CONSTRAINT 문으로 설정합니다.
④ 기본 키로 설정한 열은 NOT NULL을 생략할 수 없으므로 반드시 써줘야 합니다.

3. 다음 SQL에서 두 테이블을 연결하는 외래 키를 설정하는 빈칸에 들어갈 내용을 고르세요.

```
CREATE TABLE member
( mid  CHAR(8) NOT NULL PRIMARY KEY,
  mem_name    VARCHAR(10) NOT NULL,
  height      TINYINT UNSIGNED NULL
);
CREATE TABLE buy
(  num          INT AUTO_INCREMENT NOT NULL PRIMARY KEY,
   mem_id       CHAR(8) NOT NULL,
   prod_name      CHAR(6) NOT NULL,
   
);
```

① FOREIGN KEY(mem_id) REFERENCES member(mem_id)
② FOREIGN KEY(mid) REFERENCES member(mid)
③ FOREIGN KEY(mid) REFERENCES member(mem_id)
④ FOREIGN KEY(mem_id) REFERENCES member(mid)

4. 다음 보기 중에서 각 문항이 설명하는 것을 고르세요.

CREATE TABLE, ALTER TABLE, ON UPDATE CASCADE ,DROP TABLE, ON DELETE CASCADE

① 기준 테이블의 기본 키를 삭제하면 참조 테이블의 외래 키도 삭제시키는 구문
② 기준 테이블의 기본 키를 변경하면 참조 테이블의 외래 키도 변경시키는 구문

5. 다음 보기 중에서 각 문항이 설명하는 것을 고르세요.

CHECK, DEFAULT, PRIMAY KEY, UNIQUE, NOT NULL, FOREIGN KEY

① 입력되는 데이터가 조건에 맞는지 검사하는 기능
② 값을 입력하지 않으면 자동으로 들어갈 값
③ 빈 값을 입력하는 것을 허용하지 않음

05-3 가상의 테이블: 뷰

핵심 키워드

데이터베이스 개체 | 뷰 | SELECT | 단순 뷰 | 복합 뷰 | 보안

뷰는 한 마디로 '가상의 테이블'이라 부릅니다. 일반 사용자 입장에서는 테이블과 동일하게 보이기 때문입니다. 그렇다면 테이블이 있는데, 왜 뷰를 사용할까요? 뷰를 사용하면 사용자에게 테이블의 필요한 내용만 보이도록 할 수 있습니다. 뷰의 사용 방법에 대해 알아보겠습니다.

시작하기 전에

뷰view는 **데이터베이스 개체** 중에 하나입니다. 모든 데이터베이스 개체는 테이블과 관련이 있지만, 특히 뷰는 테이블과 아주 밀접하게 연관되어 있습니다. 뷰는 한 번 생성해 놓으면 테이블이라고 생각하고 사용해도 될 정도로 사용자들의 입장에서는 테이블과 거의 동일한 개체로 취급합니다.

뷰는 테이블처럼 데이터를 가지고 있지는 않습니다. 뷰의 실체는 SELECT 문으로 만들어져 있기 때문에 뷰에 접근하는 순간 SELECT가 실행되고 그 결과가 화면에 출력되는 방식입니다. 비유하자면 바탕 화면의 '바로 가기 아이콘'과 비슷합니다. 뷰는 **단순 뷰**와 **복합 뷰**로 나뉘는데, 단순 뷰는 하나의 테이블과 연관된 뷰를 말하고, 복합 뷰는 2개 이상의 테이블과 연관된 뷰를 말합니다.

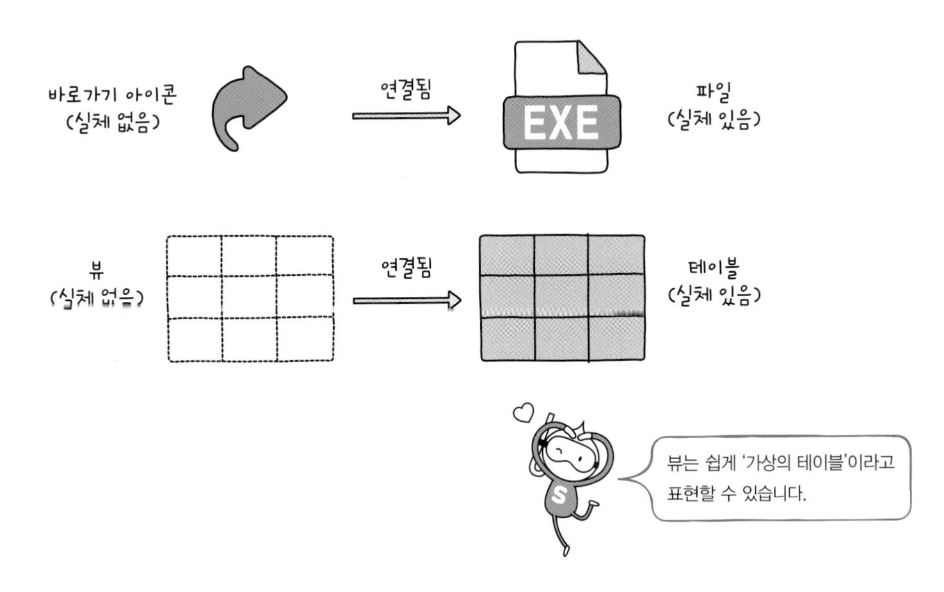

뷰의 개념

뷰 실습을 위해 먼저 '인터넷 마켓' 데이터베이스를 생성한 후 진행하겠습니다. 한빛미디어 사이트의 혼공 자료실(https://www.hanbit.co.kr/src/10473)에서 다운로드받았던 파일을 계속 사용합니다.

뷰의 기본 생성

MySQL Workbench를 실행해서 열린 쿼리 창은 모두 닫고 [File] – [Open SQL Script] 메뉴를 선택해서 다운로드한 'market_db.sql'을 엽니다. Execute the selected portion of the script or everything(⚡) 아이콘을 클릭해서 SQL을 실행합니다.

새로운 쿼리 창을 열고, 간단히 회원 테이블을 조회해보겠습니다. SELECT 문으로 아이디, 이름, 주소를 가져와서 출력한 결과입니다. 그런데 출력된 결과를 보니 결국 테이블의 모양을 가지고 있습니다. 즉, SELECT 문으로 실행해서 나온 결과를 mem_id, mem_name, addr 3개의 열을 가진 테이블로 봐도 되지 않을까요?

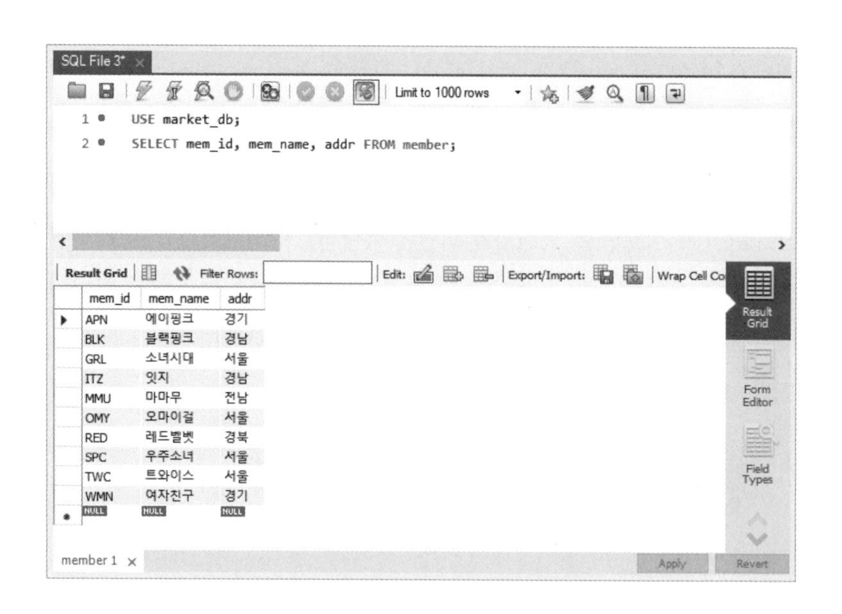

뷰는 바로 이러한 개념입니다. 그래서 뷰의 실체가 SELECT 문이 되는 것입니다. 이 예제의 실행 결과를 v_member라고 부른다면, 앞으로는 v_member를 그냥 테이블이라고 생각하고 접근하면 됩니다.

note 뷰의 이름만 보고도 뷰인지 알아볼 수 있도록 이름 앞에 v_를 붙이는 것이 일반적입니다.

뷰를 만드는 형식은 다음과 같습니다. 상당히 단순합니다.

```
CREATE VIEW 뷰_이름
AS
   SELECT 문;
```

뷰를 만든 후에 뷰에 접근하는 방식은 테이블과 동일하게 SELECT 문을 사용합니다. 전체에 접근할 수도 있고, 필요하면 조건식도 테이블과 동일하게 사용할 수 있습니다.

```
SELECT 열_이름 FROM 뷰_이름
   [WHERE 조건];
```

이제 회원 테이블의 아이디, 이름, 주소에 접근하는 뷰를 생성해봅시다.

손코딩

```
USE market_db;
CREATE VIEW v_member
AS
        SELECT mem_id, mem_name, addr FROM member;
```

뷰를 새로운 테이블로 생각하고 접근하면 됩니다. 테이블이 있는데 굳이 뷰를 사용하는 이유는 잠시 후에 살펴보고, 우선은 뷰를 사용해봅시다.

손코딩

```
SELECT * FROM v_member;
```

실행 결과

mem_id	mem_name	addr
APN	에이핑크	경기
BLK	블랙핑크	경남
GRL	소녀시대	서울
ITZ	잇지	경남
MMU	마마무	전남
OMY	오마이걸	서울
RED	레드벨벳	경북
SPC	우주소녀	서울
TWC	트와이스	서울
WMN	여자친구	경기

필요한 열만 보거나 조건식을 넣을 수도 있습니다.

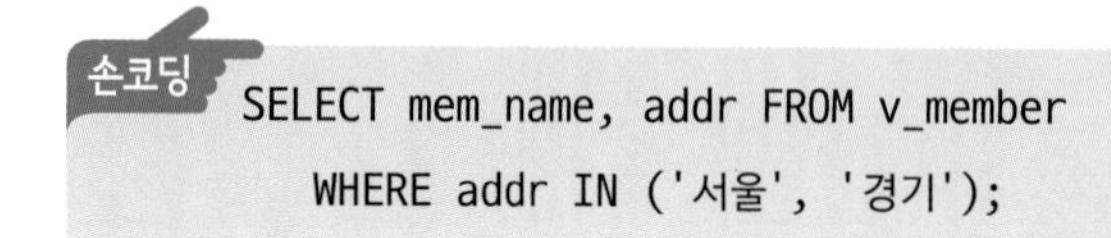

손코딩

```
SELECT mem_name, addr FROM v_member
    WHERE addr IN ('서울', '경기');
```

실행 결과

mem_name	addr
에이핑크	경기
소녀시대	서울
오마이걸	서울
우주소녀	서울
트와이스	서울
여자친구	경기

테이블과 동일하죠? 뷰는 테이블에 접근한 것과 동일한 결과를 얻을 수 있습니다.

뷰의 실체는 SELECT 문입니다. 뷰를 만든 후에는 테이블과 동일하게 사용하면 됩니다.

뷰의 작동

사용자가 뷰에 접근하는 방식은 다음 그림과 같습니다.

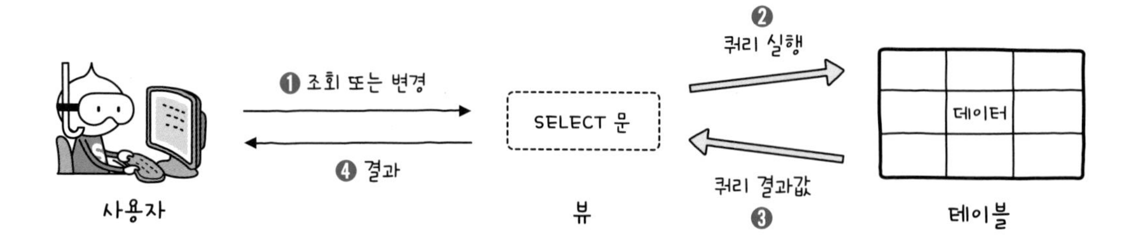

그림에서 사용자는 뷰를 테이블이라고 생각하고 접근합니다. 그러면 MySQL이 뷰 안에 있는 SELECT를 실행해서 그 결과를 사용자에게 보내주므로 사용자 입장에서는 ❶번과 ❹만, 즉 뷰에서 모두 처리된 것으로 이해합니다.

그렇다면 뷰는 수정이 가능할까요? 뷰는 기본적으로 '읽기 전용'으로 사용되지만, 뷰를 통해서 원본 테이블의 데이터를 수정할 수도 있습니다. 하지만 무조건 가능한 것은 아니고 몇 가지 조건을 만족해야 합니다. 이에 대해서는 잠시 후 실제 작동과 함께 확인해보겠습니다.

뷰를 사용하는 이유

뷰를 만들면 테이블과 동일하게 접근이 가능하다는 것을 알았습니다. 그렇다면 테이블을 사용하면 되지 굳이 뷰를 사용하는 이유는 무엇일까요? 뷰를 사용해서 얻을 수 있는 장점은 여러 가지가 있습니다.

보안(security)에 도움이 됩니다.

앞의 예에서 만든 v_member 뷰에는 사용자의 아이디, 이름, 주소만 있을 뿐 사용자의 중요한 개인 정보인 연락처, 평균 키, 데뷔 일자 등의 정보는 들어 있지 않습니다.

note 회원 테이블에서 사용자의 연락처, 평균 키, 데뷔 일자가 중요한 개인 정보라고 가정하겠습니다.

예를 들어, 인터넷 마켓 회원의 이름과 주소를 확인하는 작업을 진행하려고 합니다. 작업량이 너무 많아서 아르바이트생에게 요청할 계획입니다. 그런데 아르바이트생이 회원 테이블(member)에 접근할 수 있도록 한다면 사용자의 중요한 개인 정보(연락처, 평균 키, 데뷔 일자 등)까지 모두 노출될 것입니다. 그렇다고 회원 테이블에 접근하지 못하게 하면 일을 진행할 수가 없습니다.

이런 경우 아이디, 이름, 주소만 보이는 뷰(v_member)를 생성해서 아르바이트생은 회원 테이블(member)에 접근하지 못하도록 권한을 제한하고, 뷰에만 접근할 수 있도록 권한을 준다면 이러한 문제를 쉽게 해결할 수 있습니다.

✚ 여기서 잠깐 데이터베이스 보안

데이터베이스에서 '보안'은 상당히 중요한 주제입니다. 비록 이 책이 보안을 다루기에는 범위를 벗어나지만, 기본적인 개념은 알고 있는 것이 좋습니다.

우리는 MySQL 워크벤치를 실행할 때 계속 root 사용자로 접속했습니다. root 사용자는 모든 권한이 있는 관리자로 못하는 작업이 없습니다. 테이블의 생성, 삭제는 물론 테이블의 데이터를 마음대로 조작할 수 있는 막강한 권한이 있습니다.

은행을 예로 들어볼까요? 은행도 데이터베이스의 테이블에 정보를 저장합니다. 통장 테이블에 고객의 예금을 관리한다고 가정해봅시다. 은행에서 일하는 모든 직원에게 root의 권한을 부여한다면, 고의든 실수든 고객의 예금을 마음대로 사용할 수 있게 됩니다. 큰 사고가 일어날 수 있는 상황입니다.

이런 사고를 미연에 방지하기 위해 직원의 등급에 따라 고객 정보에 접근할 수 있는 권한을 차등해서 부여합니다. 예를 들어 1억 원 이상의 예금 이체, 적금 해지, 통장 개설 등의 작업은 어느 정도 직급이 있는 사람에게만 권한을 부여하는 것입니다

이런 방식으로 데이터베이스도 사용자마다 테이블에 접근하는 권한에 차별을 둬서 처리하고 있으며, 사용자별 권한이 데이터베이스 보안의 중요한 주제 중 하나입니다.

복잡한 SQL을 단순하게 만들 수 있습니다.

다음은 4장 181쪽에서 학습했던 물건을 구매한 회원들에 대한 SQL입니다.

손코딩
```
SELECT B.mem_id, M.mem_name, B.prod_name, M.addr,
                CONCAT(M.phone1, M.phone2) '연락처'
   FROM buy B
     INNER JOIN member M
     ON B.mem_id = M.mem_id;
```

내용이 길고 좀 복잡합니다. 만약 이 쿼리를 자주 사용해야 한다면, 사용자들은 매번 위와 같은 복잡한 쿼리를 입력해야 할 것입니다. 그런데 이 SQL을 다음과 같이 뷰로 생성해 놓고 사용자들은 해당 뷰에만 접근하도록 하면 복잡한 SQL을 입력할 필요가 없어집니다.

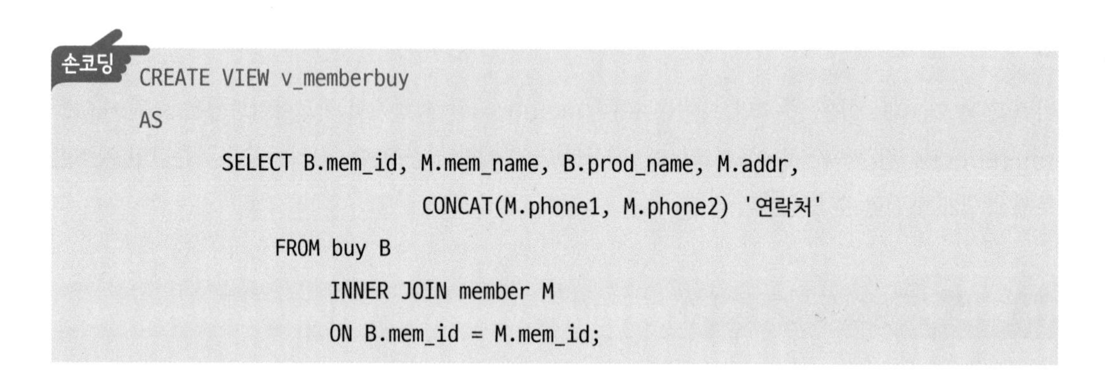
손코딩
```
CREATE VIEW v_memberbuy
AS
       SELECT B.mem_id, M.mem_name, B.prod_name, M.addr,
                       CONCAT(M.phone1, M.phone2) '연락처'
           FROM buy B
               INNER JOIN member M
               ON B.mem_id = M.mem_id;
```

이제부터는 v_memberbuy를 테이블이라 생각하고 접근하면 됩니다. 필요하면 **WHERE** 절도 사용할 수 있습니다. '블랙핑크'의 구매 기록을 알고 싶다면 다음과 같이 사용하면 됩니다.

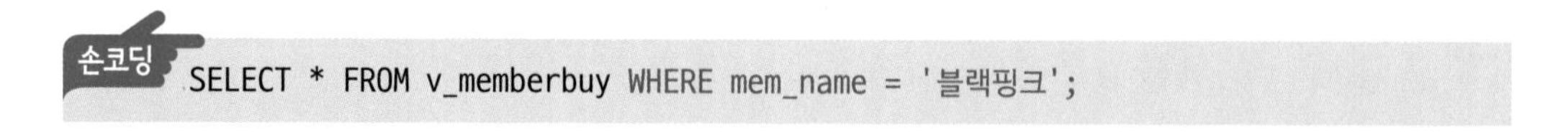
손코딩
```
SELECT * FROM v_memberbuy WHERE mem_name = '블랙핑크';
```

실행 결과

mem_id	mem_name	prod_name	addr	연락처
BLK	블랙핑크	지갑	경남	05522222222
BLK	블랙핑크	맥북프로	경남	05522222222
BLK	블랙핑크	청바지	경남	05522222222

뷰의 실제 작동

뷰의 단순한 형태에 대해 살펴보았는데, 실무에서는 좀 더 복잡하게 사용합니다. 실제로 사용하는 방법을 익혀보겠습니다.

뷰의 실제 생성, 수정, 삭제

기본적인 뷰를 생성하면서 뷰에서 사용될 열 이름을 테이블과 다르게 지정할 수도 있습니다. 기존에 배운 **별칭**을 사용하면 되는데, 중간에 띄어쓰기 사용이 가능합니다. 별칭은 열 이름 뒤에 작은따옴표 또는 큰따옴표로 묶어주고, 형식상 **AS**를 붙여줍니다. AS를 붙이면 코드가 명확해 보이는 장점이 있습니다.

단, 뷰를 조회할 때는 열 이름에 공백이 있으면 **백틱**(`)으로 묶어줘야 합니다.

note 백틱(`)은 키보드 1 왼쪽에 있는 키입니다.

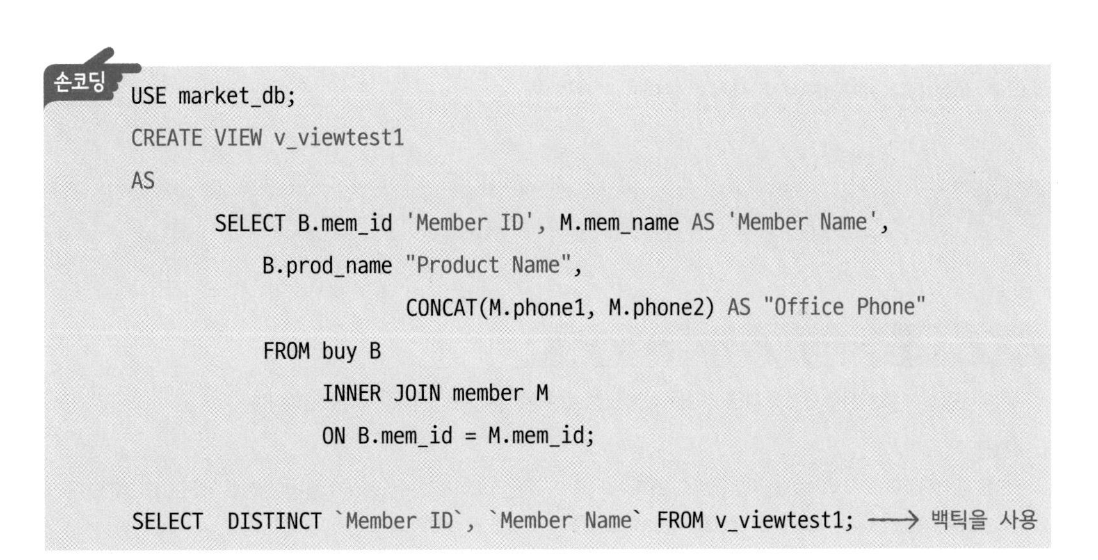
손코딩

```
USE market_db;
CREATE VIEW v_viewtest1
AS
        SELECT B.mem_id 'Member ID', M.mem_name AS 'Member Name',
            B.prod_name "Product Name",
                        CONCAT(M.phone1, M.phone2) AS "Office Phone"
            FROM buy B
                INNER JOIN member M
                ON B.mem_id = M.mem_id;

SELECT  DISTINCT `Member ID`, `Member Name` FROM v_viewtest1; ──> 백틱을 사용
```

실행 결과

Member ID	Member Name
APN	에이핑크
BLK	블랙핑크
GRL	소녀시대
MMU	마마무

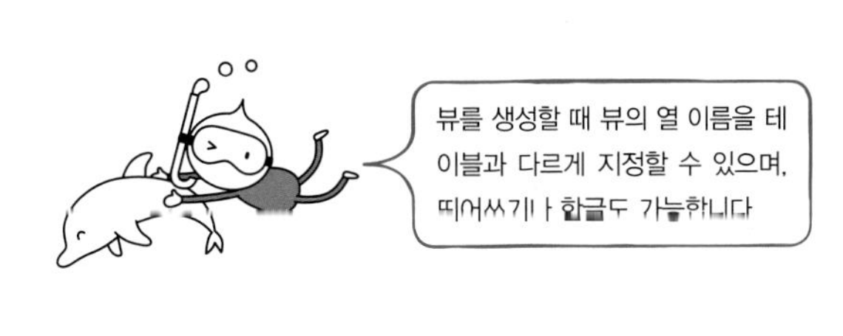

뷰의 수정은 **ALTER VIEW** 구문을 사용하며, 열 이름에 한글을 사용해도 됩니다.

```
ALTER VIEW v_viewtest1
AS
        SELECT B.mem_id '회원 아이디', M.mem_name AS '회원 이름',
            B.prod_name "제품 이름",
                        CONCAT(M.phone1, M.phone2) AS "연락처"
            FROM buy B
                INNER JOIN member M
                ON B.mem_id = M.mem_id;

SELECT  DISTINCT `회원 아이디`, `회원 이름` FROM v_viewtest1; ──> 백틱을 사용
```

note 열 이름에 한글을 사용하면 한글 운영 체제 외에는 인식되지 않을 수도 있으므로 권장하지 않습니다.

뷰의 삭제는 **DROP VIEW**를 사용합니다.

```
DROP VIEW v_viewtest1;
```

+ 여기서 잠깐 데이터베이스 개체의 생성/수정/삭제

데이터베이스 개체는 서로 완전히 다른 기능을 하지만 생성/수정/삭제하는 문법은 거의 동일합니다.

- **생성**
  모든 데이터베이스 개체(테이블, 뷰, 인덱스, 스토어드 프로시저, 스토어드 함수, 트리거 등)를 생성할 때는 **CREATE 개체_종류**를 사용합니다. 예로 뷰를 생성할 때는 **CREATE VIEW**를 사용합니다.
- **수정**
  이미 생성된 데이터베이스 개체를 수정할 때는 **ALTER 개체_종류**를 사용합니다. 예로 테이블을 수정할 때는 **ALTER TABLE**을 사용합니다.
- **삭제**
  기존의 데이터베이스 개체를 삭제할 때는 **DROP 개체_종류**를 사용합니다. 예로 스토어드 프로시저를 삭제할 때는 **DROP PROCEDURE**를 사용합니다.

뷰의 정보 확인

기존에 생성된 뷰에 대한 정보를 확인할 수 있습니다. 우선 간단한 뷰를 다시 생성해봅시다.

```
USE market_db;
CREATE OR REPLACE VIEW v_viewtest2
AS
        SELECT mem_id, mem_name, addr FROM member;
```

✚ 여기서 잠깐 **CREATE OR REPLACE VIEW**

뷰를 생성할 때 **CREATE VIEW**는 기존에 뷰가 있으면 오류가 발생하지만, **CREATE OR REPLACE VIEW**는 기존에 뷰가 있어도 덮어쓰는 효과를 내기 때문에 오류가 발생하지 않습니다. 즉, DROP VIEW와 CREATE VIEW를 연속으로 작성한 효과를 갖습니다.

DESCRIBE 문으로 기존 뷰의 정보를 확인할 수 있습니다.

```
DESCRIBE v_viewtest2;
```

실행 결과

Field	Type	Null	Key	Default	Extra
mem_id	char(8)	NO		NULL	
mem_name	varchar(10)	NO		NULL	
addr	char(2)	NO		NULL	

note DESCRIBE는 줄여서 DESC라고 써도 됩니다.

뷰도 테이블과 동일하게 정보를 보여줍니다. 주의할 점은 PRIMARY KEY 등의 정보는 확인되지 않습니다. 다음 테이블과 비교해보세요.

손코딩

```
DESCRIBE member;
```

실행 결과

Field	Type	Null	Key	Default	Extra
mem_id	char(8)	NO	PRI	NULL	
mem_name	varchar(10)	NO		NULL	
mem_number	int	NO		NULL	
addr	char(2)	NO		NULL	
phone1	char(3)	YES		NULL	
phone2	char(8)	YES		NULL	
height	smallint	YES		NULL	
debut_date	date	YES		NULL	

SHOW CREATE VIEW 문으로 뷰의 소스 코드도 확인할 수 있습니다. [Result Grid] 창에서 결과가 잘 보이지 않는다면 [Form Editor] 창에서 자세히 확인해봅니다.

손코딩

```
SHOW CREATE VIEW v_viewtest2;
```

note SHOW 결과는 뷰를 생성할 때보다 훨씬 복잡하게 나옵니다. 복잡해 보이지만 핵심적인 코드는 생성할 때 사용한 코드와 동일합니다.

뷰를 통한 데이터의 수정/삭제

뷰를 통해서 테이블의 데이터를 수정할 수도 있습니다. v_member 뷰를 통해 데이터를 수정해보겠습니다.

```
UPDATE v_member SET addr = '부산' WHERE mem_id='BLK' ;
```

오류 없이 수정되었습니다. 이번에는 데이터를 입력해봅시다.

```
INSERT INTO v_member(mem_id, mem_name, addr) VALUES('BTS','방탄소년단','경기') ;
```

오류 메시지

```
Error Code: 1423. Field of view 'market_db.v_member' underlying table doesn't
have a default value
```

v_member(뷰)가 참조하는 member(테이블)의 열 중에서 mem_number 열은 NOT NULL로 설정되어서 반드시 입력해줘야 합니다. 하지만 현재의 v_member에서는 mem_number 열을 참조하고 있지 않으므로 값을 입력할 방법이 없습니다.

> 뷰를 통해서 데이터를 입력하려면, 뷰에서 보이지 않는 테이블의 열에 NOT NULL이 없어야 합니다.

만약 v_member 뷰를 통해서 member 테이블에 값을 입력하고 싶다면 v_member에 mem_number 열을 포함하도록 뷰를 재정의하거나, 아니면 member에서 mem_number 열의 속성을 NULL로 바꾸거나, 기본값(Default)을 지정해야 합니다.

이번에는 지정한 범위로 뷰를 생성해보겠습니다. 평균 키가 167 이상인 뷰를 생성해봅시다. 평균 키가 167 이상만 조회되었습니다.

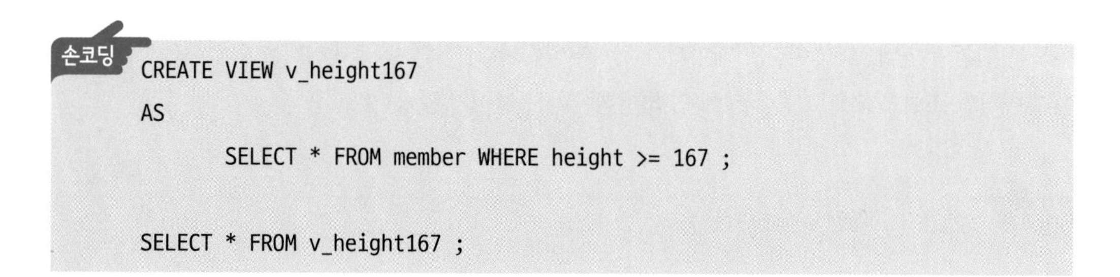

```
CREATE VIEW v_height167
AS
        SELECT * FROM member WHERE height >= 167 ;

SELECT * FROM v_height167 ;
```

실행 결과

mem_id	mem_name	mem_number	addr	phone1	phone2	height	debut_date
GRL	소녀시대	8	서울	02	44444444	168	2007-08-02
ITZ	잇지	5	경남	NULL	NULL	167	2019-02-12
TWC	트와이스	9	서울	02	11111111	167	2015-10-19

v_height167 뷰에서 키가 167 미만인 데이터를 삭제해봅시다.

손코딩
```
DELETE FROM v_height167  WHERE  height < 167;
```

결과 메시지

```
0 row(s) affected
```

당연히 v_height167 뷰에는 167 미만인 데이터가 없습니다. 그러므로 삭제될 데이터도 없는 것입니다.

뷰를 통한 데이터의 입력

이번에는 v_height167 뷰에서 키가 167 미만인 데이터를 입력해보겠습니다.

손코딩
```
INSERT INTO v_height167 VALUES('TRA','티아라', 6,  '서울', NULL, NULL, 159,
    '2005-01-01') ;
```

결과 메시지

```
1 row(s) affected
```

일단 입력은 되었습니다. 그런데 생각해보니 약간 이상합니다. v_height167 뷰는 167 이상만 보이도록 만든 뷰인데, 167 미만인 데이터가 입력되었습니다. 일단 뷰의 데이터를 확인해봅시다. 역시 167 이상만 조회가 되므로 방금 전에 입력한 티아라는 보이지 않습니다.

손코딩
```
SELECT * FROM v_height167;
```

실행 결과

mem_id	mem_name	mem_number	addr	phone1	phone2	height	debut_date
GRL	소녀시대	8	서울	02	44444444	168	2007-08-02
ITZ	잇지	5	경남	NULL	NULL	167	2019-02-12
TWC	트와이스	9	서울	02	11111111	167	2015-10-19

이번 예를 보면 키가 167 이상인 뷰에 키가 159인 데이터를 입력한 것은 별로 바람직해 보이지 않습니다. 즉, 예상치 못한 경로를 통해서 입력되면 안 되는 데이터가 입력된 듯한 느낌입니다. 키가 167 이상인 뷰이므로 167 이상의 데이터만 입력되도록 하는 것이 논리적으로 바람직합니다.

이럴 때 예약어 **WITH CHECK OPTION**을 통해 뷰에 설정된 값의 범위가 벗어나는 값은 입력되지 않도록 할 수 있습니다.

```
ALTER VIEW v_height167
AS
      SELECT * FROM member WHERE height >= 167
              WITH CHECK OPTION ;

INSERT INTO v_height167 VALUES('TOB','텔레토비', 4,  '영국', NULL, NULL, 140,
   '1995-01-01') ;
```

오류 메시지

```
Error Code: 1369. CHECK OPTION failed 'market_db.v_height167'
```

이제 키가 167 미만인 데이터는 입력되지 않고, 167 이상의 데이터만 입력됩니다. 이러한 방식이 좀 더 합리적입니다.

뷰의 WITH CHECK OPTION은 설정한 범위의 데이터만 입력되도록 제한합니다.

+ 여기서 잠깐 **단순 뷰와 복합 뷰**

하나의 테이블로 만든 뷰를 단순 뷰라 하고, 두 개 이상의 테이블로 만든 뷰를 복합 뷰라고 합니다. 복합 뷰는 주로 두 테이블을 조인한 결과를 뷰로 만들 때 사용합니다. 복합 뷰의 예는 다음과 같습니다.

```
CREATE VIEW v_complex
AS
      SELECT B.mem_id, M.mem_name, B.prod_name, M.addr
         FROM buy B
              INNER JOIN member M
              ON B.mem_id = M.mem_id;
```

복합 뷰는 읽기 전용입니다. 복합 뷰를 통해 테이블에 데이터를 입력/수정/삭제할 수 없습니다.

뷰가 참조하는 테이블의 삭제

뷰가 참조하는 테이블을 삭제해보겠습니다. 회원 테이블과 구매 테이블을 모두 삭제하겠습니다.

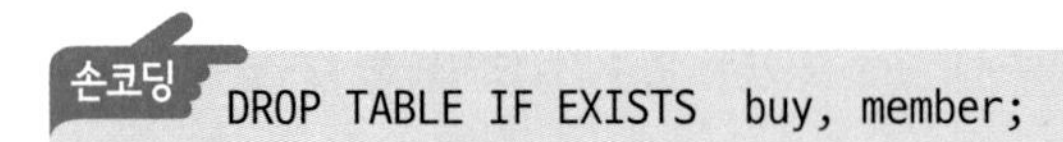

```
DROP TABLE IF EXISTS  buy, member;
```

현재 여러 개의 뷰가 두 테이블과 관련이 있는데도 테이블이 삭제되었습니다. 두 테이블 중 아무거나 연관되는 뷰를 다시 조회해봅시다.

```
SELECT * FROM v_height167;
```

오류 메시지

```
Error Code: 1356. View 'market_db.v_height167' references invalid table(s) or
column(s) or function(s) or definer/invoker of view lack rights to use them
```

당연히 참조하는 테이블이 없기 때문에 조회할 수 없다는 메시지가 나옵니다. 바람직하지는 않지만, 관련 뷰가 있더라도 테이블은 쉽게 삭제됩니다.

뷰가 조회되지 않으면 **CHECK TABLE** 문으로 뷰의 상태를 확인해볼 수 있습니다. 뷰가 참조하는 테이블이 없어서 오류가 발생하는 것을 확인할 수 있습니다.

```
CHECK TABLE v_height167;
```

실행 결과

Table	Op	Msg_type	Msg_text
market_db.v_height167	check	Error	View 'market_db.v_height167' references invalid table(s) or column(s) or function(s) or definer/invoker of view lack rights to use them
market_db.v_height167	check	error	Corrupt

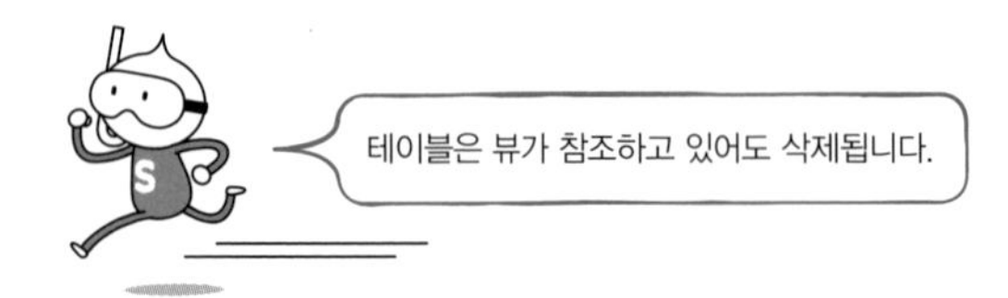

마무리

▶ 6가지 키워드로 끝내는 핵심 포인트

- 모든 **데이터베이스 개체**는 테이블과 관련이 있지만, 특히 뷰는 테이블에 직접 접근하므로 밀접하게 연관됩니다.
- **뷰**를 한마디로 표현하면 '가상의 테이블'이라고 할 수 있습니다. 뷰의 실체는 **SELECT** 문으로 구성되어 있습니다.
- 하나의 테이블과 관련되면 **단순 뷰**, 2개 이상의 테이블과 관련되면 **복합 뷰**라고 부릅니다. 복합 뷰로는 테이블의 데이터를 수정할 수 없습니다.
- 뷰는 특정 사용자가 테이블에 접근하지 못하도록 하고, 필요한 부분에만 접근하도록 함으로써 **보안**에 도움이 됩니다.

▶ 표로 정리하는 핵심 포인트

관련 중요 용어

용어	설명
CREATE VIEW	뷰를 생성하는 SQL
별칭	뷰에서 사용될 열의 이름을 별칭을 사용해서 테이블과 다르게 지정할 수도 있음
백틱	뷰를 조회할 때 열 이름에 공백이 있으면 붙여주는 기호
ALTER VIEW	뷰를 수정하는 SQL
DROP VIEW	뷰를 삭제하는 SQL
CREATE OR REPLACE VIEW	기존에 뷰가 있으면 덮어쓰고, 없으면 새로 생성하는 SQL
DESCRIBE	뷰 또는 테이블의 정보를 조회하는 SQL
SHOW CREATE VIEW	뷰의 소스 코드를 보여주는 SQL
WITH CHECK OPTION	뷰에 설정된 조건만 입력되도록 지정하는 SQL
CHECK TABLE	뷰 또는 테이블의 상태를 확인하는 SQL

▶ 확인문제

이번 절에서는 뷰에 대해서 학습했습니다. 확인문제를 통해서 배운 개념을 스스로 정리해보기 바랍니다.

1. 다음은 뷰에 대한 설명입니다. 거리가 먼 것을 하나 고르세요.

① 뷰는 가상의 테이블이라 부를 수 있습니다.
② 뷰의 실체는 CREATE TABLE 문입니다.
③ 뷰 이름은 앞에 v_를 붙이는 것이 일반적입니다.
④ 뷰를 만든 후에는 테이블과 동일하게 접근합니다.

2. 다음은 뷰의 특징입니다. 거리가 먼 것을 하나 고르세요.

① 뷰에는 테이블의 모든 열을 포함시켜야 합니다.
② 뷰는 복잡한 SQL을 단순하게 만드는 효과가 있습니다.
③ 뷰는 보안에 도움이 됩니다.
④ 일부 사용자가 테이블에는 접근하지 못하게 하고, 뷰에만 접근하도록 설정할 수 있습니다.

3. 다음은 뷰의 별칭과 관련된 설명입니다. 가장 거리가 먼 것을 고르세요.

① 별칭은 뷰의 열 이름으로 사용할 수 있습니다.
② 별칭은 한글도 사용이 가능합니다.
③ 별칭은 띄어쓰기도 가능합니다.
④ SELECT에서는 별칭에 공백이 없어도 백틱으로 묶어줘야 합니다.

4. 다음은 기존에 뷰가 있으면 덮어쓰고, 없으면 새로 생성하는 SQL입니다. 빈칸에 들어갈 내용을 고르세요.

```
                         뷰_이름
AS
    SELECT 문;
```

① CREATE AND REPLACE VIEW
② CREATE OR REPLACE VIEW
③ CREATE AND OVERWRITE VIEW
④ CREATE OR OVERWRITE VIEW

5. 다음 보기 중에서 각 문항이 설명하는 것을 고르세요.

SHOW CREATE VIEW, UPDATE VIEW, DELETE VIEW, WITH CHECK OPTION, CHECK TABLE

① 뷰의 소스 코드를 확인합니다.
② 뷰에 설정된 값의 범위만 입력됩니다.
③ 뷰의 상태를 확인할 수 있습니다.

Chapter

06

지금까지 우리가 학습한 SQL만 사용해도 실무 데이터베이스에서 원하는 정보를 추출하는 데 문제는 없습니다. 하지만 실무에서 사용하는 데이터베이스에는 상당히 많은 데이터가 입력되어 있고, 이렇게 용량이 큰 데이터베이스에서 정보를 추출할 경우 많은 시간이 소요됩니다. 이번 장에서는 이런 문제점을 해결해주는 인덱스에 대해 살펴보겠습니다.

인덱스

학습목표

- 인덱스의 개념과 종류를 이해합니다.
- 인덱스의 작동 원리와 구조를 이해합니다.
- 실제로 인덱스를 만들고 사용하는 방법을 학습합니다.

06-1 인덱스 개념을 파악하자

핵심 키워드

클러스터형 인덱스 | 보조 인덱스 | 고유 인덱스

인덱스는 SELECT를 사용해서 테이블을 조회할 때 결과를 빠르게 추출하도록 도와주는 기능입니다. 지금까지 인덱스가 없이도 별 문제가 없었던 이유는 데이터의 양이 적었기 때문입니다. 먼저 실무에서 사용하는 인덱스의 개념에 대해 살펴보겠습니다.

시작하기 전에

인덱스index는 데이터를 빠르게 찾을 수 있도록 도와주는 도구로, 실무에서는 현실적으로 인덱스 없이 데이터베이스 운영이 불가능합니다.

인덱스에는 클러스터형 인덱스와 보조 인덱스가 있습니다. **클러스터형 인덱스**Clustered Index는 기본 키로 지정하면 자동 생성되며 테이블에 1개만 만들 수 있습니다. 기본 키로 지정한 열을 기준으로 자동 정렬됩니다. **보조 인덱스**Secondary Index는 고유 키로 지정하면 자동 생성되며 여러 개를 만들 수도 있지만 자동 정렬되지는 않습니다.

인덱스를 만들면 SELECT 문의 출력 속도가 빨라집니다.

인덱스의 개념

책을 예로 살펴보면 인덱스의 개념을 훨씬 쉽게 이해할 수 있습니다. 여러분이 데이터베이스 이론에 관련된 책을 보고 있다고 가정해보겠습니다. 책의 내용 중 'UNIQUE'에 대해서 찾아보고 싶다면 어떻게 해야 할까요? 무려 1000 페이지가 넘는 책이라면요.

어떤 사람은 책의 첫 페이지부터 찾아보겠지만, 센스가 있는 사람이라면 책의 제일 뒤에 수록되어 있는 '찾아보기'를 열어볼 것입니다. 찾아보기는 ABC 또는 가나다 순으로 이미 정렬되어 있어 'U' 부분을 살펴보면 쉽게 'UNIQUE' 단어를 찾을 수 있고, 단어 옆에 본문의 페이지 번호가 적혀 있어서 원하는 내용으로 빨리 이동할 수 있습니다.

note 책 뒤의 '찾아보기'는 '색인', '인덱스'라고도 부릅니다.

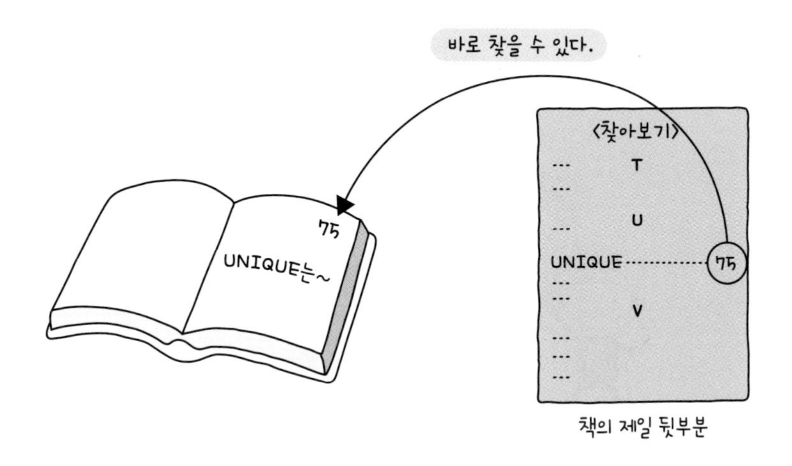

그런데 찾아보기가 없는 책도 있습니다. 그럴 경우에는 어떻게 해야 할까요? 책을 첫 페이지부터 열심히 넘겨가며 확인해보는 수밖에 없습니다. 혹시 운이 좋아 책의 앞쪽에서 찾는 글자가 나올 수도 있지만 좋아할 필요는 없습니다. 찾는 글자가 한 번 이상 나올 수 있으므로, 어차피 책의 끝까지 계속 찾아봐야 합니다.

지금 이야기한 찾아보기는 MySQL의 인덱스와 상당히 비슷한 개념입니다. 지금까지 우리가 사용한 테이블은 인덱스를 고려하지 않았습니다. 즉, 찾아보기가 없는 책과 마찬가지의 테이블을 사용해 왔던 겁니다. 인덱스가 없어도 별 문제가 되지 않았던 이유는 데이터의 양이 워낙 적었기 때문입니다. 책으로 치면 1~2 페이지 분량의 책이어서 찾아보기가 없어도 찾는 글자가 금방 눈에 띄는 것처럼요.

실무에서 운영하는 테이블에서는 인덱스의 사용 여부에 따라 성능 차이가 날 수 있습니다. 대용량의 테이블일 경우에는 더욱 그러하며, 이것이 인덱스를 사용하는 이유입니다.

인덱스는 데이터를 빠르게 찾을 수 있도록 해주는 도구입니다.

note 데이터를 찾을 때, 인덱스의 사용 여부에 따른 결과값의 차이는 없습니다. 즉, 책의 찾아보기가 없다고 글자를 못 찾는 것은 아닙니다. 단지 시간이 오래 걸릴 뿐입니다.

인덱스의 문제점

앞서 인덱스를 사용하면 좋은 점에 대해 살펴보았습니다. 주의할 점은 인덱스를 제대로 이해하지 못한 채 좋다고 남용하는 것입니다. 비타민이 몸에 좋다고 하루에 100알씩 먹는 것과 마찬가지입니다. 비타민도 적절히 필요한 양만큼 먹어야 몸에 좋은 것이지, 무조건 100알씩 먹는다면 오히려 몸에 해가 되겠죠?

세상에 어떤 것도 좋은 점만 있을 순 없듯이 인덱스도 문제점이 있습니다. 우선 개념적으로 이해해 보죠. 지금 SQL 책을 공부하고 있다고 가정해보겠습니다. 책의 내용 중 SELECT 단어를 찾아보려고 하는데 SQL 책에 찾아보기도 있고, 찾아보기에 SELECT 단어도 안내되어 있습니다. 아마도 SELECT 단어는 책의 여러 페이지에서 언급될 것이므로, 찾아보기의 SELECT 단어에도 많은 페이지 번호가 표기될 것입니다.

찾아보기를 통해서 본문에 있는 SELECT를 찾아볼까요? 찾아보기 한 번, 본문 페이지 한 번, 찾아보기 한 번, 본문 페이지 한 번, ...으로 계속 찾아보기와 본문 페이지를 왔다 갔다 하게 될 것입니다. 얼마나 번거로운 작업인가요? 차라리 책을 처음부터 넘기면서 찾아보는 것이 덜 귀찮을 것 같습니다.

이렇게 찾아보기에 만들지 않아도 될 단어들이 쌓이면 쓸데 없이 책의 두께만 두꺼워지고, 찾아보기를 사용했는데도 단어를 찾는 시간이 찾아보기를 사용하지 않을 때보다 오히려 더 오래 걸릴 수도 있습니다.

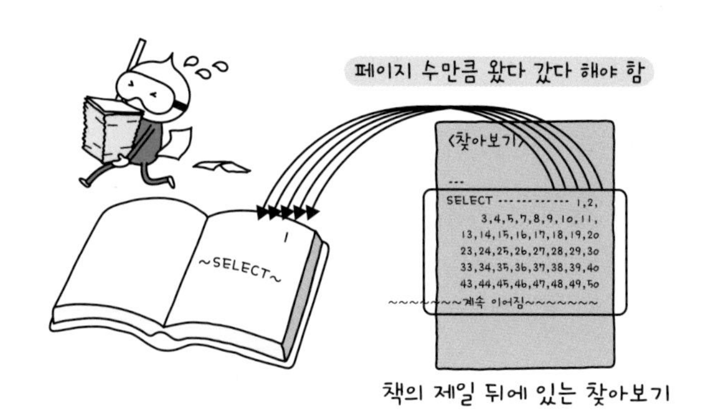

실무에서 운영할 때도 비슷한 일이 발생합니다. 필요 없는 인덱스를 만드는 바람에 데이터베이스가 차지하는 공간만 더 늘어나고, 인덱스를 이용해서 데이터를 찾는 것이 전체 테이블을 찾아보는 것보다 느려집니다.

> 인덱스가 있다고 무조건 좋은 것은 아닙니다.

✚ 여기서 잠깐 | 똑똑한 MySQL

데이터베이스에 인덱스를 생성해 놓아도, 인덱스를 사용해서 검색하는 것이 빠를지 아니면 전체 테이블을 검색하는 것이 빠를지 MySQL이 알아서 판단합니다. 만약 인덱스를 사용하지 않는다면 사용하지도 않는 찾아보기를 만든 것이므로 쓸데없이 공간을 낭비한 셈입니다.

인덱스의 장점과 단점

인덱스는 SELECT에서 즉각적인 효과를 내는 빠른 방법 중 한 가지입니다. 즉, 적절한 인덱스를 생성하고 인덱스를 사용하는 SQL을 만든다면 기존보다 아주 빠른 **응답 속도**를 얻을 수 있습니다.

컴퓨터 입장에서는 적은 처리량으로 요청한 결과를 빨리 얻을 수 있으니 여유가 생기고 추가로 더 많은 일을 할 수 있게 됩니다. 결과적으로 전체 시스템의 성능이 향상되는 효과도 얻게 됩니다.

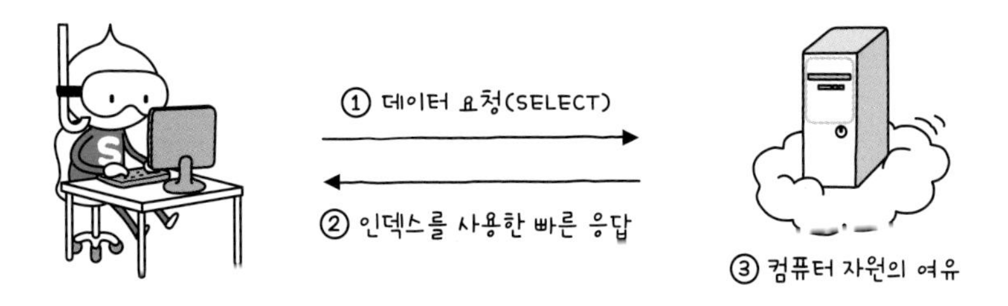

인덱스의 장점은 다음과 같습니다.

- SELECT 문으로 검색하는 속도가 매우 빨라집니다.
- 그 결과 컴퓨터의 부담이 줄어들어서 결국 전체 시스템의 성능이 향상됩니다.

인덱스의 단점은 다음과 같습니다.

- 인덱스도 공간을 차지해서 데이터베이스 안에 추가적인 공간이 필요합니다.

note 인덱스는 대략 테이블 크기의 10% 정도의 공간이 추가로 필요합니다.

- 처음에 인덱스를 만드는 데 시간이 오래 걸릴 수 있습니다.

note 찾아보기가 없는 책에 새로 찾아보기를 만드는 것과 마찬가지로 작업 시간이 필요합니다.

- SELECT가 아닌 데이터의 변경 작업(INSERT, UPDATE, DELETE)이 자주 일어나면 오히려 성능이 나빠질 수도 있습니다.

인덱스는 잘 사용하면 SELECT의 검색 속도가 빨라지지만, 잘못 사용하면 오히려 성능이 나빠집니다.

인덱스의 종류

MySQL에서 사용되는 인덱스의 종류는 크게 두 가지로 나뉘는데, **클러스터형 인덱스**Clustered Index와 **보조 인덱스**Secondary Index입니다. 이 두 개를 쉽게 비교하면 클러스터형 인덱스는 영어사전과 같고, 보조 인덱스는 책의 뒤에 찾아보기가 있는 일반적인 책과 같습니다.

보조 인덱스는 앞에서 설명했던 SQL 책과 같이 찾아보기가 별도로 있고, 찾아보기에서 해당 단어를 찾은 후에 옆에 표시된 페이지를 펼쳐야 실제 찾는 내용이 있는 것을 말합니다. 클러스터형 인덱스는 영어사전처럼 책의 내용이 이미 알파벳 순서대로 정렬되어 있는 것입니다. 그래서 별도의 찾아보기가 없습니다. 책 자체가 찾아보기입니다.

클러스터형 인덱스

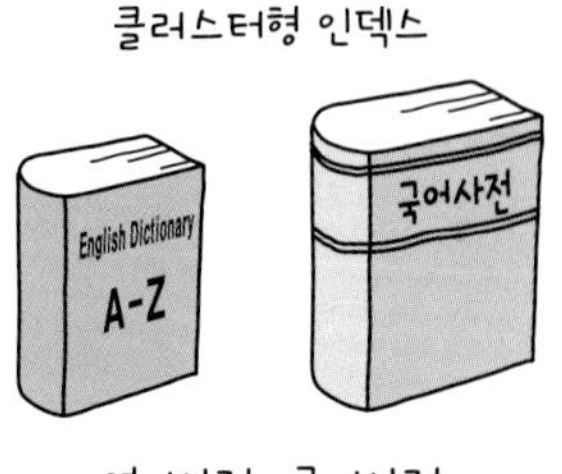

영어사전, 국어사전

보조 인덱스

일반 책 뒤의 찾아보기

인덱스는 클러스터형 인덱스(영어사전)와 보조 인덱스(일반 책의 찾아보기) 두 가지가 있습니다.

자동으로 생성되는 인덱스

앞에서 이야기한 인덱스의 개념과 장단점을 이해했다면 이제는 본격적으로 테이블에 적용되는 인덱스를 살펴보겠습니다. 인덱스는 테이블의 열(컬럼) 단위에 생성되며, 하나의 열에는 하나의 인덱스를 생성할 수 있습니다.

note 하나의 열에 여러 개의 인덱스를 생성할 수도 있고, 여러 개의 열을 묶어서 하나의 인덱스를 생성할 수도 있습니다. 하지만 상당히 드문 경우이므로 하나의 열에 하나의 인덱스를 생성한다고 생각하세요.

'인터넷 마켓'의 회원 테이블(member)을 예로 인덱스를 살펴보겠습니다.

회원 테이블(member)

아이디	이름	인원	주소	국번	전화번호	평균 키	데뷔 일자
TWC	트와이스	9	서울	02	11111111	167	2015.10.19
BLK	블랙핑크	4	경남	055	22222222	163	2016.08.08
WMN	여자친구	6	경기	031	33333333	166	2015.01.15
OMY	오마이걸	7	서울			160	2015.04.21
GRL	소녀시대	8	서울	02	44444444	168	2007.08.02
ITZ	잇지	5	경남			167	2019.02.12
RED	레드벨벳	4	경북	054	55555555	161	2014.08.01
APN	에이핑크	6	경기	031	77777777	164	2011.02.10
SPC	우주소녀	13	서울	02	88888888	162	2016.02.25
MMU	마마무	4	전남	061	99999999	165	2014.06.19

PK

열 하나당 인덱스 하나를 생성하면 이 테이블에는 우선 8개의 서로 다른 인덱스를 생성할 수 있습니다. 3장에서 회원 테이블을 정의할 때는 다음과 같은 SQL 문을 사용했습니다.

```
CREATE TABLE member -- 회원 테이블
( mem_id      CHAR(8) NOT NULL PRIMARY KEY,
  mem_name    VARCHAR(10) NOT NULL,
  mem_number  INT NOT NULL,
  ....
```

member 정의 시 회원 아이디(mem_id)를 **기본 키**로 정의했습니다. 이렇게 기본 키로 지정하면 자동으로 mem_id 열에 클러스터형 인덱스가 생성됩니다. 그런데 기본 키는 테이블에 하나만 지정할 수 있습니다. 그렇다면 결국 클러스터형 인덱스는 테이블에 한 개만 만들 수 있다는 것입니다.

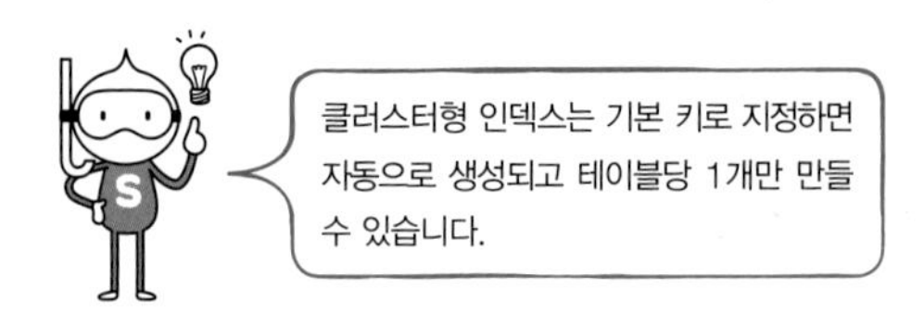

한번 확인해볼까요? 간단한 테이블을 만들고 첫 번째 열을 기본 키로 지정해보겠습니다.

손코딩
```
USE market_db;
CREATE TABLE table1  (
    col1  INT  PRIMARY KEY,  ——> 기본 키로 지정
    col2  INT,
    col3  INT
);
```

이제 테이블의 인덱스를 확인해봅시다. **SHOW INDEX** 문을 사용하면 인덱스 정보가 확인됩니다.

손코딩
```
SHOW INDEX FROM table1;
```

실행 결과

Table	Non_unique	Key_name	Seq_in_index	Column_name	Collation	Cardinality	Sub_part	Packed	Null	Index_type
table1	0	PRIMARY	1	col1	A	0	NULL	NULL		BTREE

좀 복잡해 보이지만 필요한 것만 보면 됩니다. 먼저 **Key_name** 부분을 보면 PRIMARY라고 써 있네요. 이것은 기본 키로 설정해서 '자동으로 생성된 인덱스'라는 의미입니다. 이것이 바로 **클러스터형 인덱스**입니다.

note Key_name에 PRIMARY라고 써 있다면 클러스터형 인덱스와 같은 것이라고 생각하세요.

Column_name이 col1로 설정되어 있다는 것은 col1 열에 인덱스가 만들어져 있다는 말입니다. 마지막으로 **Non_Unique**는 '고유하지 않다'라는 뜻입니다. 즉, 중복이 허용되냐는 뜻이죠. Non-Unique가 0이라는 것은 False, 반대로 1은 True의 의미입니다. 결론적으로 이 인덱스는 중복이 허용되지 않는 인덱스입니다.

+ 여기서 잠깐 **고유 인덱스**

고유 인덱스(Unique Index)는 인덱스의 값이 중복되지 않는다는 의미고, 단순 인덱스(Non-Unique Index)는 인덱스의 값이 중복되어도 된다는 의미입니다. 기본 키(Primary Key)나 고유 키(Unique)로 지정하면 값이 중복되지 않으므로 고유 인덱스가 생성됩니다. 그 외의 인덱스는 단순 인덱스로 생성됩니다.

기본 키와 더불어 고유 키도 인덱스가 자동으로 생성됩니다. 고유 키로 생성되는 인덱스는 보조 인덱스입니다. 간단히 확인해봅시다. 두 번째와 세 번째 열은 UNIQUE로 지정했습니다.

이번에는 Key_name에 col2, col3이라고 열 이름이 써 있습니다. 이렇게 Key_name에 열 이름이 써 있는 것은 보조 인덱스라고 보면 됩니다. 고유 키 역시 중복값을 허용하지 않기 때문에 Non_unique가 0으로 되어 있습니다. 또 고유 키를 여러 개 지정할 수 있듯이 보조 인덱스도 여러 개 만들 수 있습니다.

보조 인덱스는 고유 키로 지정하면 자동으로 생성되며, 테이블당 여러 개 만들 수 있습니다.

손코딩

```
CREATE TABLE table2  (
    col1  INT  PRIMARY KEY,
    col2  INT  UNIQUE,      ─┐
                             ├─> 고유 키로 지정
    col3  INT  UNIQUE       ─┘
);
SHOW INDEX FROM table2;
```

실행 결과

Table	Non_unique	Key_name	Seq_in_index	Column_name	Collation	Cardinality	Sub_part	Packed	Null	Index_type
table2	0	PRIMARY	1	col1	A	0	NULL	NULL		BTREE
table2	0	col2	1	col2	A	0	NULL	NULL	YES	BTREE
table2	0	col3	1	col3	A	0	NULL	NULL	YES	BTREE

note 5장에서 기본 키와 고유 키는 중복값을 허용하지 않는다고 배웠습니다.

자동으로 정렬되는 클러스터형 인덱스

클러스터형 인덱스는 기본 키로 지정하면 자동 생성된다는 것을 알았습니다. 그리고 테이블에 1개만 생성되는 것도 배웠습니다. 이번에는 클러스터형 인덱스의 특징을 파악해보겠습니다.

앞서 클러스터형 인덱스를 영어사전과 계속 비교해서 설명했습니다. 영어사전의 가장 큰 특징은 단어가 알파벳 순서로 정렬되어 있다는 것입니다. 마찬가지로 어떤 열을 기본 키로 지정하면(클러스터형 인덱스가 생성되면) 그 열을 기준으로 자동 정렬됩니다. 예를 들어, 영어 단어와 뜻을 열심히 필기한 노트를 영어사전으로 만든다고 가정하면 단어의 알파벳 순서로 정렬되어야 합니다.

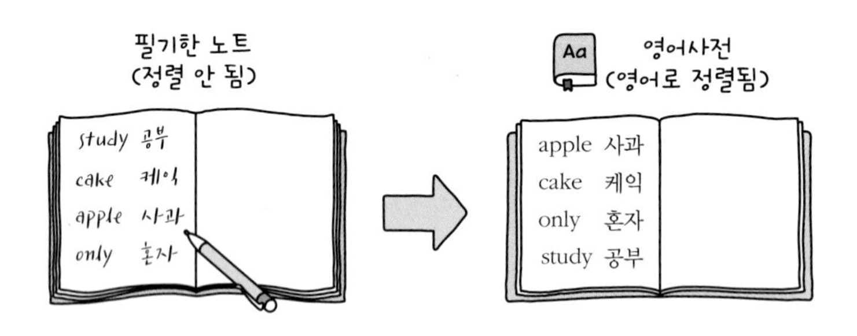

실습을 통해서 확인해보겠습니다. 간단한 실습을 위해 회원 테이블의 열을 몇 개 만들겠습니다. 기본 키는 없는 상태입니다.

손코딩

```
USE market_db;
DROP TABLE IF EXISTS buy, member;
CREATE TABLE member
( mem_id      CHAR(8),
  mem_name    VARCHAR(10),
  mem_number  INT,
  addr        CHAR(2)
 );
```

이제 데이터를 몇 건 입력하고 확인해보겠습니다. 앞에서 비유한 일반 노트에 영어 단어를 필기하는 개념입니다. 결과도 입력한 순서 그대로 나왔습니다.

```
INSERT INTO member VALUES('TWC', '트와이스', 9, '서울');
INSERT INTO member VALUES('BLK', '블랙핑크', 4, '경남');
INSERT INTO member VALUES('WMN', '여자친구', 6, '경기');
INSERT INTO member VALUES('OMY', '오마이걸', 7, '서울');
SELECT * FROM member;
```

실행 결과

mem_id	mem_name	mem_number	addr
TWC	트와이스	9	서울
BLK	블랙핑크	4	경남
WMN	여자친구	6	경기
OMY	오마이걸	7	서울

이제 mem_id 열을 기본 키로 설정하고 내용을 확인해봅시다. 앞에서 비유한 일반 노트를 영어사전으로 만드는 과정입니다.

아이디를 기준으로 정렬 순서가 바뀐 것을 확인할 수 있습니다. mem_id 열을 기본 키로 지정했으므로 mem_id 열에 클러스터형 인덱스가 생성되어 mem_id 열을 기준으로 **정렬**되었습니다. 테이블이 영어사전이 되었다면 mem_id가 영어 단어가 되어서 알파벳 순서로 정렬된 것입니다.

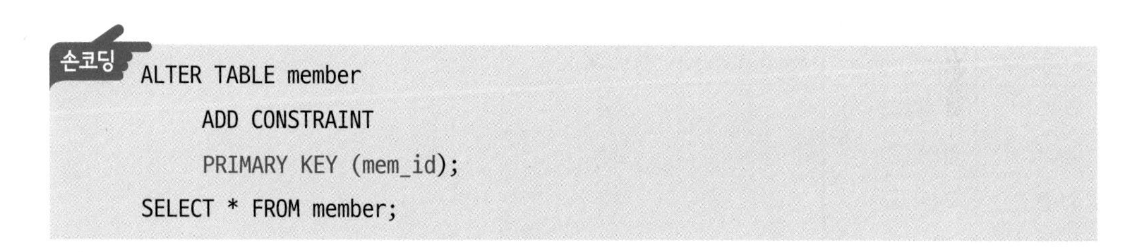

```
ALTER TABLE member
     ADD CONSTRAINT
     PRIMARY KEY (mem_id);
SELECT * FROM member;
```

실행 결과

mem_id	mem_name	mem_number	addr
BLK	블랙핑크	4	경남
OMY	오마이걸	7	서울
TWC	트와이스	9	서울
WMN	여자친구	6	경기

클러스터형 인덱스가 생성된 열로 데이터가 자동 정렬됩니다.

note 5장에서 ALTER TABLE 문으로 기본 키, 외래 키 등을 지정하는 방법을 배웠습니다.

이번에는 mem_id 열의 Primary Key를 제거하고, mem_name 열을 Primary Key로 지정해볼까요? 비유하자면 영한사전을 한영사전으로 변경한 개념입니다.

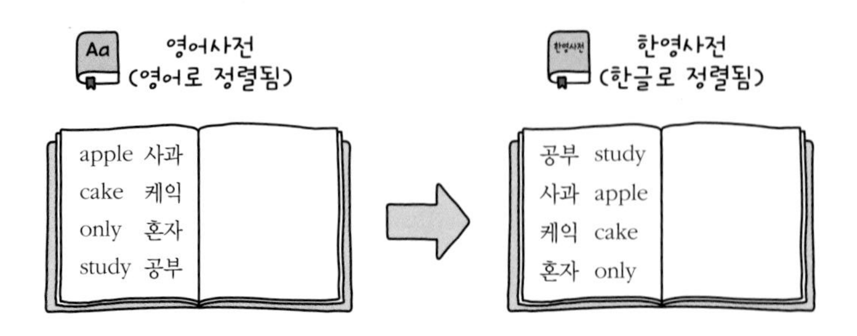

결과를 보면 데이터의 내용 변경은 없으나, mem_name 열을 기준으로 다시 정렬되었습니다. mem_name 열에 클러스터형 인덱스가 생성되었기 때문입니다.

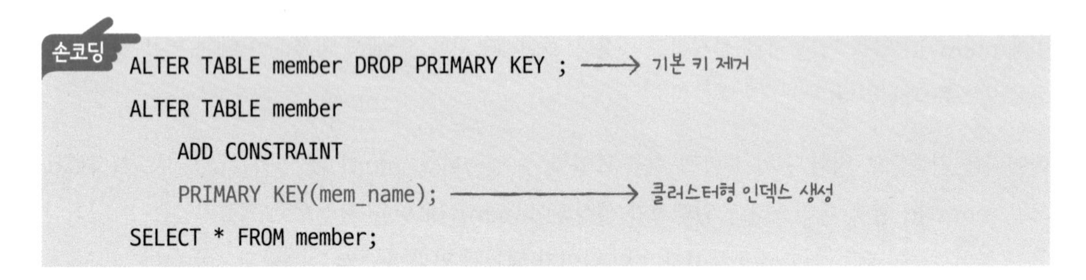

```
ALTER TABLE member DROP PRIMARY KEY ; → 기본 키 제거
ALTER TABLE member
    ADD CONSTRAINT
    PRIMARY KEY(mem_name); → 클러스터형 인덱스 생성
SELECT * FROM member;
```

실행 결과

mem_id	mem_name	mem_number	addr
BLK	블랙핑크	4	경남
WMN	여자친구	6	경기
OMY	오마이걸	7	서울
TWC	트와이스	9	서울

지금부터는 추가로 데이터를 입력하면 알아서 기준에 맞춰 정렬됩니다.

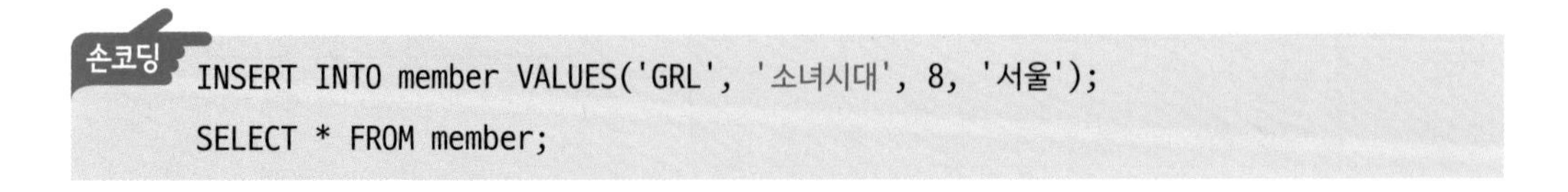

```
INSERT INTO member VALUES('GRL', '소녀시대', 8, '서울');
SELECT * FROM member;
```

실행 결과

mem_id	mem_name	mem_number	addr
BLK	블랙핑크	4	경남
GRL	소녀시대	8	서울
WMN	여자친구	6	경기
OMY	오마이걸	7	서울
TWC	트와이스	9	서울

클러스터형 인덱스는 테이블에 1개만 생성할 수 있습니다. 기본 키가 테이블에 1개인 것과 마찬가지입니다.

+ 여기서 잠깐 기본 키 변경 시 주의할 점

이미 대용량의 데이터가 있는 상태에서 기본 키를 지정하면 시간이 엄청 오래 걸릴 수 있습니다. 노트에 단어가 4개라면 정렬하는 데 금방이지만, 노트에 단어가 4만 개라면 그것을 정렬하는 데는 오랜 시간이 소요됩니다.

또, 앞에서 회원 이름 열을 기본 키로 변경했는데요, 실제라면 이건 논리적으로 위험합니다. 기본 키는 중복되지 않아야 하는데, 회원 이름은 당연히 중복될 수 있기 때문이죠. 지금은 연습이고 데이터가 몇 건 없기 때문에 가능했던 것입니다.

정렬되지 않는 보조 인덱스

고유 키로 지정하면 보조 인덱스가 생성된다고 이야기했습니다. 그리고 보조 인덱스는 테이블에 여러 개 설정할 수 있습니다. 고유 키를 테이블에 여러 개 지정할 수 있는 것과 마찬가지입니다.

보조 인덱스를 일반 책으로 비유해서 설명했는데요, 일반 책에 찾아보기를 만들면 책의 뒤에 추가되는 것이지 책 본문이 변경되는 것은 아닙니다. 예를 들어 '한국의 동식물'이라는 책을 생각해보겠습니다. 이 책의 본문은 이미 완성되어 있고 동물과 관련된 단어로 찾아보기를 만든다고 가정해봅시다. 이때 찾아보기를 만든다고 해서 본문의 순서나 내용이 바뀌지는 않습니다.

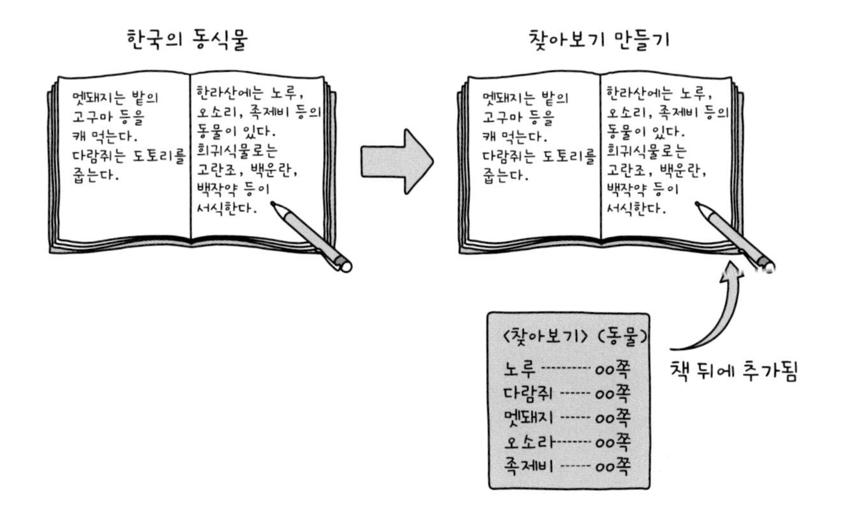

실습을 통해서 확인해보겠습니다. 역시 간단한 실습을 위해서 회원 테이블의 열을 고유 키 없이 몇 개만 만들어봅시다.

손코딩
```
DROP TABLE IF EXISTS member;
CREATE TABLE member
( mem_id      CHAR(8) ,
  mem_name    VARCHAR(10),
  mem_number  INT ,
  addr        CHAR(2)
 );
```

이제 데이터를 몇 건 입력하고 확인해보겠습니다. 앞에서 비유한 '한국의 동식물' 책의 내용을 채운다고 생각하세요. 당연히 결과도 입력한 순서 그대로 나왔습니다.

손코딩
```
INSERT INTO member VALUES('TWC', '트와이스', 9, '서울');
INSERT INTO member VALUES('BLK', '블랙핑크', 4, '경남');
INSERT INTO member VALUES('WMN', '여자친구', 6, '경기');
INSERT INTO member VALUES('OMY', '오마이걸', 7, '서울');
SELECT * FROM member;
```

실행 결과

mem_id	mem_name	mem_number	addr
TWC	트와이스	9	서울
BLK	블랙핑크	4	경남
WMN	여자친구	6	경기
OMY	오마이걸	7	서울

이제 mem_id 열을 고유 키로 설정하고 내용을 확인해봅시다. 앞에서 비유한 동물과 관련된 찾아보기를 만드는 과정입니다.

데이터의 순서에는 변화가 없습니다. 즉, 보조 인덱스를 생성해도 데이터의 순서는 변경되지 않고 별도로 인덱스를 만드는 것입니다. 테이블이 '한국의 동식물'이라면 '동물'과 관련된 내용으로 찾아보기가 만들어진 것입니다.

```
ALTER TABLE member
      ADD CONSTRAINT
      UNIQUE (mem_id);
SELECT * FROM member;
```

실행 결과

mem_id	mem_name	mem_number	addr
TWC	트와이스	9	서울
BLK	블랙핑크	4	경남
WMN	여자친구	6	경기
OMY	오마이걸	7	서울

보조 인덱스를 생성해도 데이터의 내용이나 순서는 변경되지 않습니다.

이번에는 mem_name 열에 추가로 고유 키를 지정해보겠습니다. 고유 키는 여러 개 설정해도 되므로 기존 고유 키를 제거할 필요는 없습니다. 기존에 '동물'과 관련된 찾아보기는 그대로 있고, 추가로 '식물'과 관련된 찾아보기를 만드는 것입니다.

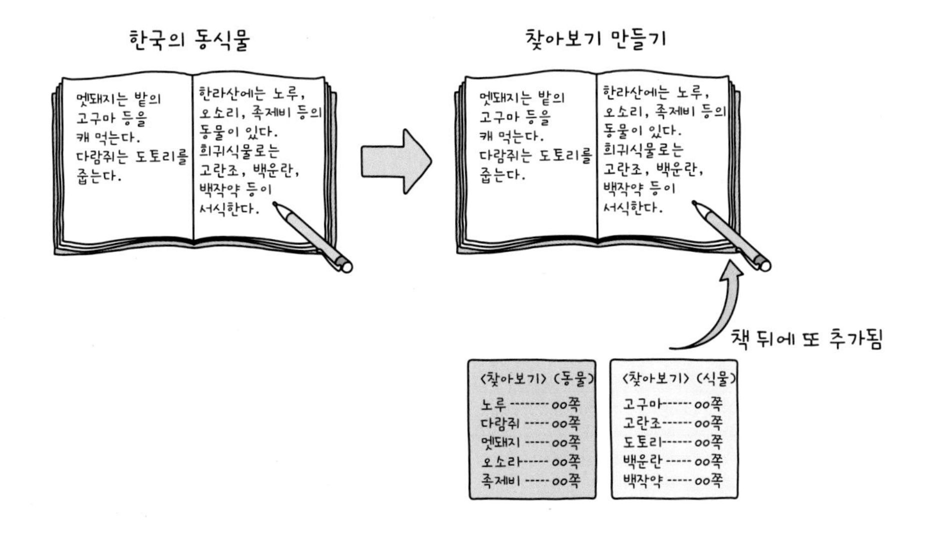

결과를 보면 역시 데이터의 내용과 차례는 그대로입니다. 현재는 mem_id 열과 mem_name 열에 모두 보조 인덱스가 생성된 상태입니다.

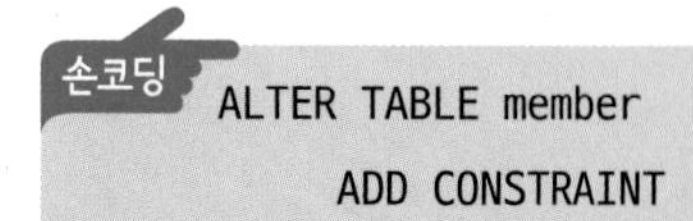

```
ALTER TABLE member
      ADD CONSTRAINT
      UNIQUE (mem_name);
SELECT * FROM member;
```

실행 결과

mem_id	mem_name	mem_number	addr
TWC	트와이스	9	서울
BLK	블랙핑크	4	경남
WMN	여자친구	6	경기
OMY	오마이걸	7	서울

데이터를 추가로 입력하면 어떻게 될까요? 일반 책에 새로운 내용이 추가되면 본문의 제일 뒤에 추가되는 것과 동일합니다.

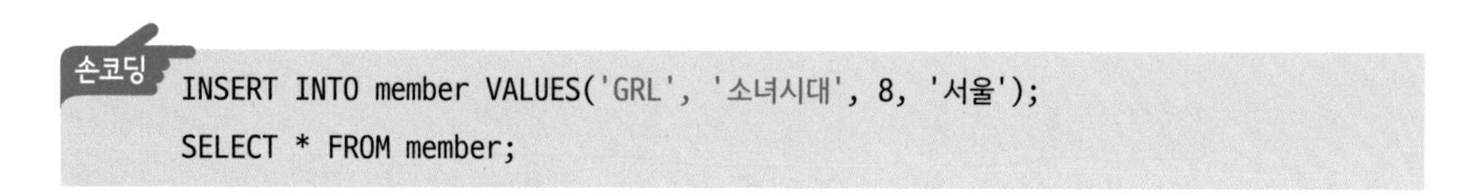

```
INSERT INTO member VALUES('GRL', '소녀시대', 8, '서울');
SELECT * FROM member;
```

실행 결과

mem_id	mem_name	mem_number	addr
TWC	트와이스	9	서울
BLK	블랙핑크	4	경남
WMN	여자친구	6	경기
OMY	오마이걸	7	서울
GRL	소녀시대	8	서울

보조 인덱스는 여러 개를 만들 수 있습니다. 하지만 보조 인덱스를 만들 때마다 데이터베이스의 공간을 차지하게 되고, 전반적으로 시스템에 오히려 나쁜 영향을 미치게 됩니다. 그러므로 꼭 필요한 열에만 적절히 보조 인덱스를 생성하는 것이 좋습니다.

보조 인덱스는 여러 개 생성할 수 있습니다. 고유 키를 테이블에 여러 개 지정하는 것과 마찬가지입니다.

마무리

▶ 3가지 키워드로 끝내는 핵심 포인트

- **클러스터형 인덱스**는 영어사전처럼 내용이 이미 정렬되어 있는 인덱스입니다. 기본 키로 지정하면 클러스터형 인덱스가 생성되고 해당 열로 자동 정렬됩니다.
- **보조 인덱스**는 일반 책의 찾아보기와 같이 별도의 공간에 인덱스가 생성됩니다. 고유 키로 지정하면 보조 인덱스가 생성되고 자동 정렬되지 않습니다.
- **고유 인덱스**는 값이 중복되지 않는 인덱스입니다. 기본 키나 고유 키로 지정하면 값이 중복되지 않아서 고유 인덱스가 자동 생성됩니다.

▶ 표로 정리하는 핵심 포인트

클러스터형 인덱스와 보조 인덱스 비교

	클러스터형 인덱스	보조 인덱스
영문	Clustered Index	Secondary Index
관련 제약조건	기본 키(Primary Key)	고유 키(Unique)
테이블당 개수	1개	여러 개
정렬	지정한 열로 정렬됨	정렬되지 않음
비유	영어사전	일반 책의 찾아보기

▶ 확인문제

이번 절에서는 인덱스 개념과 자동으로 생성되는 인덱스에 대해서 학습했습니다. 확인문제를 통해서 배운 개념을 스스로 정리해보기 바랍니다.

1. 다음은 인덱스의 개념 설명입니다. 가장 옳은 것을 하나 고르세요.

① 인덱스는 INSERT/UPDATE/DELETE 문을 빠르게 처리합니다.
② 인덱스는 SELECT 문을 빠르게 처리합니다.
③ 인덱스는 CREATE INDEX 문을 빠르게 처리합니다.
④ 인덱스는 CREATE DATABASE 문을 빠르게 처리합니다.

2. 다음은 인덱스의 장점 및 단점입니다. 가장 거리가 먼 것을 하나 고르세요.

① 인덱스가 많다고 무조건 좋은 것은 아닙니다.

② 인덱스는 검색하는 속도를 빠르게 합니다.

③ 인덱스는 추가적인 공간이 필요하지 않습니다.

④ 인덱스를 잘 활용하면 전반적인 시스템의 성능이 향상됩니다.

3. 다음은 인덱스 종류와 관련된 설명입니다. 가장 거리가 먼 것을 하나 고르세요.

① 클러스터형 인덱스는 영어사전과 비슷한 개념입니다.

② 보조 인덱스는 일반 책의 찾아보기와 비슷한 개념입니다.

③ 클러스터형 인덱스는 기본 키를 설정하면 자동 생성됩니다.

④ 보조 인덱스는 NOT NULL을 설정하면 자동 생성됩니다.

4. 다음 인덱스와 관련된 설명 중 가장 거리가 먼 것을 하나 고르세요.

① 중복된 값을 허용하는 인덱스를 고유 인덱스라고 부릅니다.

② Primary Key로 지정하면 자동으로 인덱스가 생성됩니다.

③ Unique로 지정하면 자동으로 인덱스가 생성됩니다.

④ SHOW INDEX 문으로 인덱스 정보를 확인할 수 있습니다.

5. 다음은 클러스터형 인덱스에 관련된 설명입니다. 거리가 먼 것을 2개 고르세요.

① Primary Key로 지정하면 자동으로 생성됩니다.

② Unique로 지정하면 자동으로 생성됩니다.

③ 클러스터형 인덱스가 생성된 열로 자동으로 정렬됩니다.

④ 테이블당 1개 이상을 설정할 수 있습니다.

06-2 인덱스의 내부 작동

핵심 키워드

균형 트리 | 페이지 | 전체 테이블 검색 | 페이지 분할 | 인덱스 검색

인덱스를 만들고 사용하는 방법은 어렵지 않습니다. 하지만 인덱스의 작동 과정을 제대로 이해하지 못한 상태에서 사용하면 오히려 문제가 생길 수도 있습니다. 이번 절에서는 인덱스의 내부 작동에 대해 살펴보겠습니다.

시작하기 전에

클러스터형 인덱스와 보조 인덱스는 모두 내부적으로 균형 트리로 만들어집니다. **균형 트리**Balanced tree, B-tree는 '자료 구조'에 나오는 범용적으로 사용되는 데이터의 구조입니다.

나무를 거꾸로 표현한 자료 구조로, 트리에서 제일 상단의 뿌리를 루트, 줄기를 중간, 끝에 달린 잎을 리프라고 부릅니다.

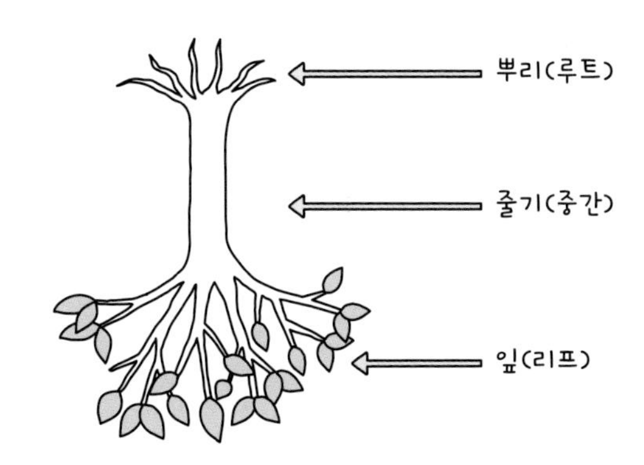

인덱스의 내부 작동 원리

인덱스의 내부 작동 원리를 이해하면, 인덱스를 사용해야 할 경우와 사용하지 말아야 할 경우를 선택할 때 도움이 됩니다. 인덱스가 늘 좋은 것은 아니므로 정확히 판단하는 것이 중요합니다.

균형 트리의 개념

균형 트리 구조에서 데이터가 저장되는 공간을 **노드** node 라고 합니다. 다음 그림에서는 노드를 4개로 표현하였습니다.

루트 노드 root node 는 노드의 가장 상위 노드를 말합니다. 모든 출발은 루트 노드에서 시작됩니다. 리프 노드 leaf node 는 제일 마지막에 존재하는 노드를 말합니다. 그림에는 2단계만 표현되었지만, 데이터가 많다면 3단계나 그 이상이 될 수도 있습니다. 루트 노드와 리프 노드의 중간에 끼인 노드들은 중간 노드 internal node 라 부릅니다.

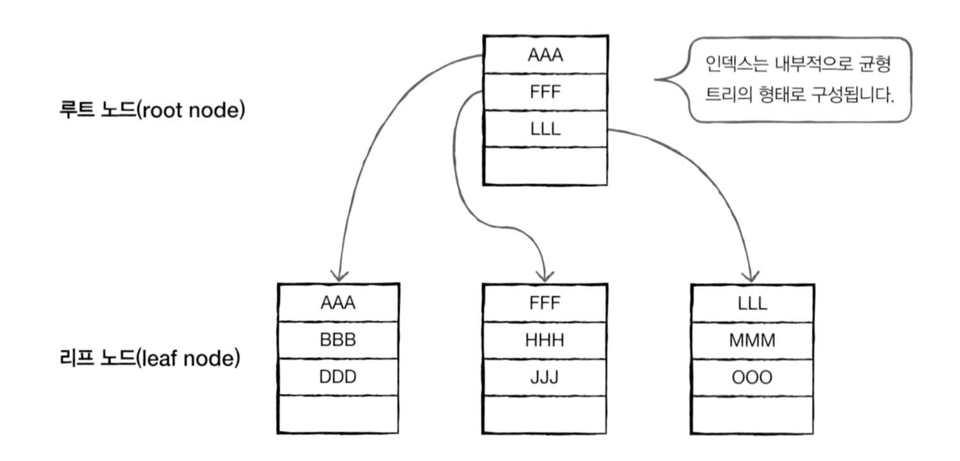

note 그림을 단순하게 표현하기 위해 각 노드에는 데이터가 최대 4개 들어가는 것으로 표현했습니다. 실제라면 노드에는 훨씬 많은 데이터가 들어갑니다.

노드라는 용어는 개념적인 설명에서 주로 나오는 용어이며, MySQL에서는 **페이지** page 라고 부릅니다. 페이지는 최소한의 저장 단위로, 16Kbyte(16384byte) 크기를 가집니다. 예를 들어 데이터를 1건만 입력해도 1개 페이지(16Kbyte)가 필요합니다.

note 페이지는 비어 있는 노트 1장으로 생각해도 됩니다. 노트에 1개의 단어만 적고 싶어도 1장이 필요한 것과 마찬가지로 1건의 데이터만 입력해도 1페이지가 필요합니다.

균형 트리는 데이터를 검색할 때(SELECT 구문을 사용할 때) 아주 뛰어난 성능을 발휘합니다. 만약 다음 그림에서 MMM이라는 데이터를 검색한다고 생각해봅시다. 모두 **리프 페이지**만 있으므로 MMM을 찾는 방법은 처음부터 검색하는 방법밖에 없습니다. AAA부터 MMM까지 8건의 데이터(페이지는 3개)를 검색해야 그 결과를 알 수 있습니다.

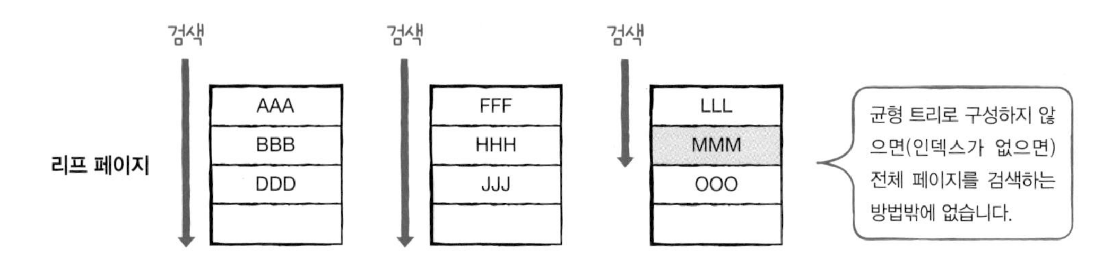

note 데이터를 처음부터 끝까지 검색하는 것을 **전체 테이블 검색(Full Table Scan)**이라고 부릅니다.

이번에는 균형 트리에서 검색해보겠습니다. 균형 트리는 무조건 **루트 페이지**부터 검색합니다. 모든 데이터는 정렬되어 있고 MMM은 AAA, FFF, LLL 3개를 읽은 다음에 나오므로 세 번째 리프 페이지로 직접 이동하면 됩니다. 세 번째 리프 페이지에서 LLL, MMM 2개를 읽어 MMM을 찾았습니다. 결국 루트 페이지에서 AAA, FFF, LLL 3개와 리프 페이지에서 LLL, MMM 2개, 합쳐서 5건의 데이터를 검색해서 원하는 결과를 찾았으며 페이지 2개를 읽었습니다.

위에서 균형 트리가 아닌 구조에서는 3페이지를 읽었지만, 균형 트리에서는 2페이지만 읽어서 결과를 얻을 수 있었습니다.

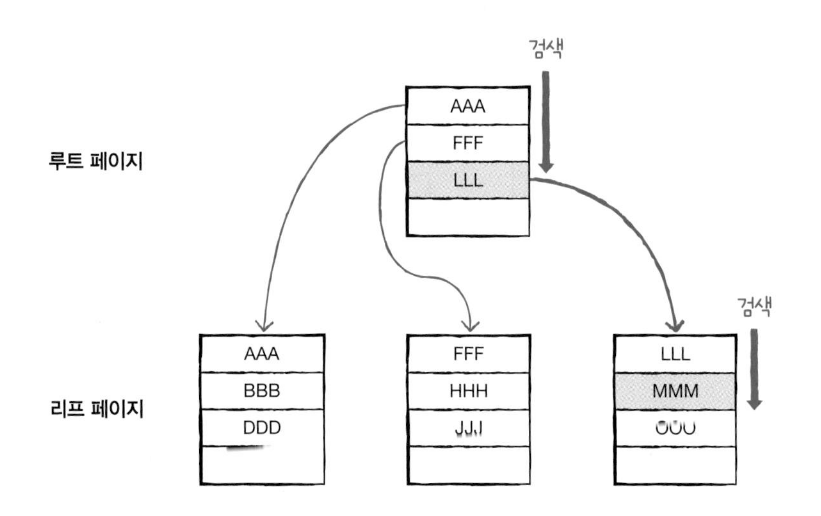

note 지금 5건의 데이터를 읽었다고 표현했지만, 데이터의 건수는 별 의미가 없습니다. 몇 개의 페이지를 읽었느냐로 효율성을 판단할 수 있습니다.

지금은 중간 단계의 페이지 없이 루트 페이지, 리프 페이지만 있는 2단계뿐이라 효용성이 크게 안 느껴질 수도 있습니다. 하지만 실무에서 사용되는 훨씬 많은 양의 데이터(많은 단계)는 균형 트리 구성 여부에 따라 읽어야 하는 페이지 수의 차이가 상당히 큽니다.

균형 트리로 구성하면(인덱스가 있으면) 데이터를 빠르게 검색할 수 있습니다.

균형 트리의 페이지 분할

앞서 데이터를 검색하는 데 균형 트리가 더 효율적이라고 살펴보았습니다. 인덱스는 균형 트리로 구성되어 있습니다. 즉, 인덱스를 만들면 SELECT의 속도를 향상시킬 수 있습니다. 2페이지를 읽어서 데이터를 찾는 것은 3페이지를 읽어서 데이터를 찾는 것보다 빠른 방법입니다.

그런데 인덱스를 구성하면 데이터 변경 작업(INSERT, UPDATE, DELETE) 시 성능이 나빠집니다. 특히 INSERT 작업이 일어날 때 더 느리게 입력될 수 있습니다. 이유는 **페이지 분할**이라는 작업이 발생하기 때문입니다. 페이지 분할이란 새로운 페이지를 준비해서 데이터를 나누는 작업을 말합니다. 페이지 분할이 일어나면 MySQL이 느려지고, 너무 자주 일어나면 성능에 큰 영향을 줍니다.

앞에서 살펴본 그림에 III 데이터가 새로 INSERT되었다고 가정해보겠습니다. 균형 트리는 다음과 같이 변경될 것입니다.

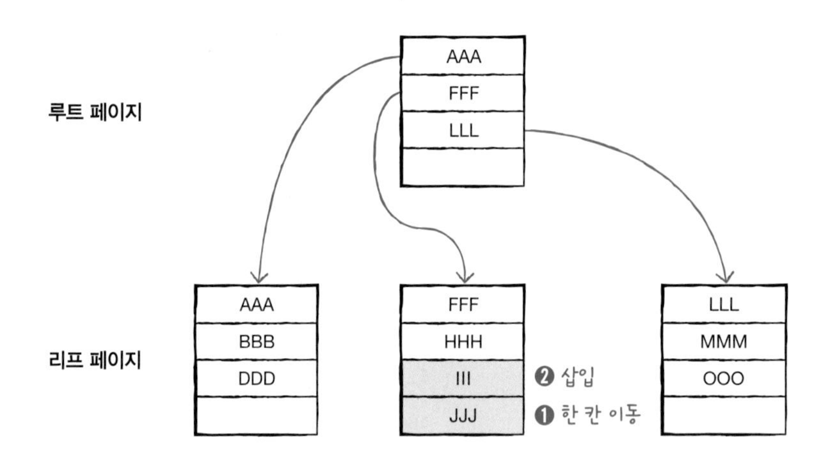

두 번째 리프 페이지에는 빈 공간이 있어서 JJJ가 아래로 한 칸 이동되고 III가 그 자리에 삽입되었습니다. 정렬되어야 하기 때문에 JJJ가 한 칸 이동했을 뿐 큰 변화는 일어나지 않았습니다. 즉 III를 입력하는 작업은 순식간에 처리된다는 뜻입니다.

이번에는 GGG를 입력해볼까요? 그런데 두 번째 리프 페이지에는 더 이상 빈 공간이 없습니다. 이럴 때 페이지 분할 작업이 일어납니다.

데이터를 1개 밖에 추가하지 않았는데 많은 변화가 생겼네요. 우선 새 페이지를 확보한 후 페이지 분할 작업이 1회 일어났고, 루트 페이지에도 새로 등록된 페이지의 제일 위에 있는 데이터 III가 등록되었습니다.

페이지 분할이 일어나면 MySQL에 부담이 커집니다. 즉, 입력이 느려집니다.

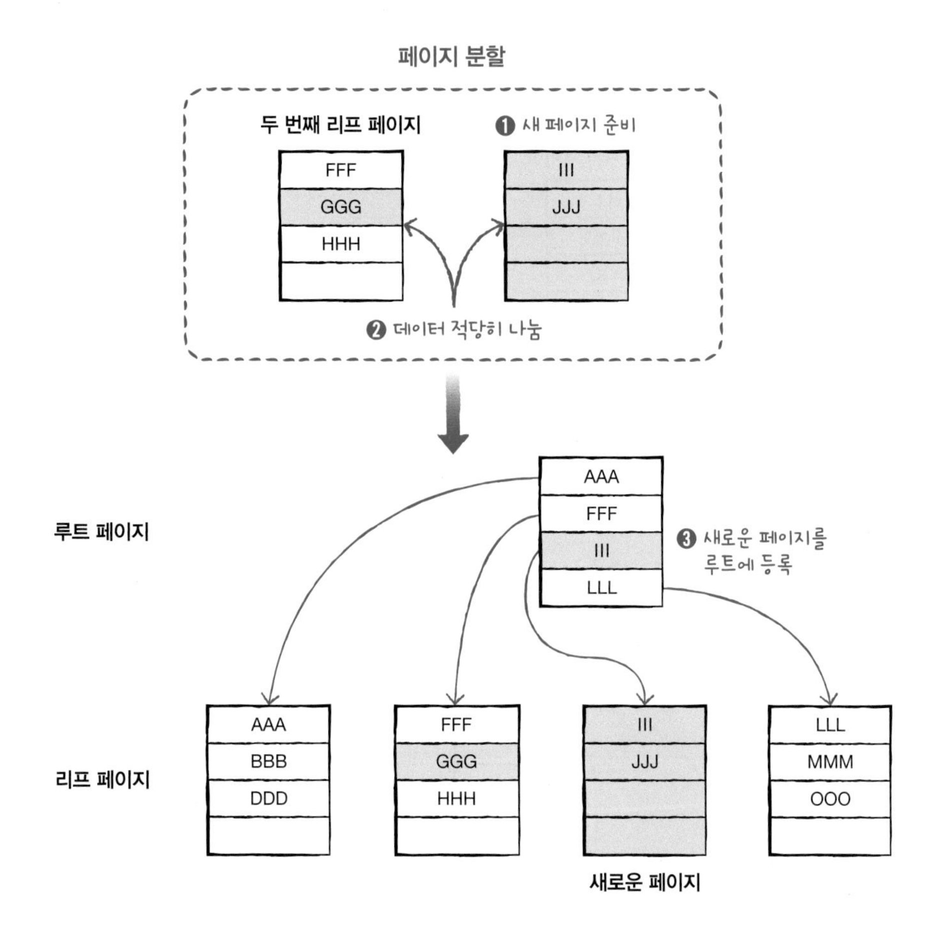

이번에는 PPP와 QQQ 2개를 연속해서 입력해보겠습니다. 다음 그림의 ❶번에서 PPP를 입력하면 네 번째 리프 페이지에 빈칸이 있으므로 제일 마지막에 추가됩니다. 별일이 일어나지 않았습니다.

이번에는 QQQ를 입력해보겠습니다. 그런데 QQQ를 입력하려고 보니 네 번째 리프 페이지에는 빈칸이 없으므로 ❷번처럼 페이지 분할 작업이 일어납니다.

페이지 분할 후에 추가된 다섯 번째 리프 페이지를 루트 페이지에 등록하려고 하니, 루트 페이지도 이미 꽉 차서 더 이상 등록할 곳이 없습니다. 그래서 ❸과 같이 루트 페이지도 다시 페이지 분할을 해야 합니다. 그리고 원래 루트 페이지가 있던 곳은 2개의 페이지가 되어 더 이상 루트 페이지가 아니라 **중간 페이지**가 됩니다. 마지막으로 ❹의 새 페이지를 준비해서 중간 노드를 가리키는 새로운 루트 페이지로 구성됩니다.

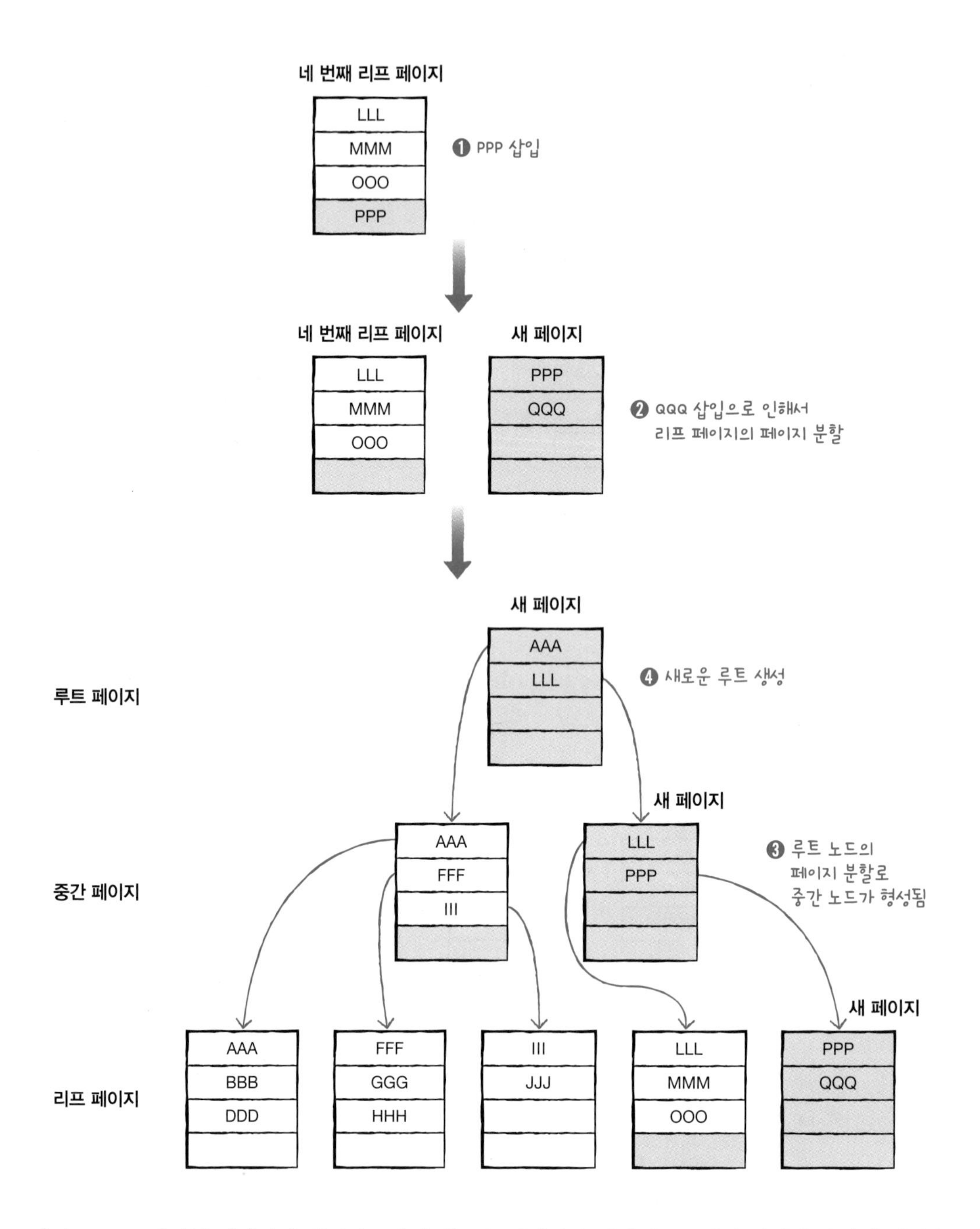

결국 QQQ 하나를 입력하기 위해서 3개의 새로운 페이지가 할당되고 2회의 페이지 분할이 되었습니다. 데이터 하나를 입력하기 위해 너무 많은 일이 일어난 것입니다. 즉, 입력 작업이 엄청 오래 걸렸습니다. 이 예를 통해 인덱스를 구성하면 왜 데이터 변경(특히 INSERT) 작업이 느려지는지 확인할 수 있었습니다.

인덱스가 있으면 데이터 변경 작업은 오히려 느려집니다.

인덱스의 구조

인덱스 구조를 통해 인덱스를 생성하면 왜 데이터가 정렬되는지, 어떤 인덱스가 더 효율적인지 살펴보겠습니다.

클러스터형 인덱스 구성하기

이번에는 클러스터형 인덱스와 보조 인덱스의 구조는 어떻게 다른지 살펴보겠습니다. 우선 인덱스 없이 테이블을 생성하고 다음과 같이 데이터를 입력해봅시다.

손코딩

```
USE market_db;
CREATE TABLE cluster  -- 클러스터형 인덱스를 테스트하기 위한 테이블
( mem_id      CHAR(8) ,
  mem_name    VARCHAR(10)
 );
INSERT INTO cluster VALUES('TWC', '트와이스');
INSERT INTO cluster VALUES('BLK', '블랙핑크');
INSERT INTO cluster VALUES('WMN', '여자친구');
INSERT INTO cluster VALUES('OMY', '오마이걸');
INSERT INTO cluster VALUES('GRL', '소녀시대');
INSERT INTO cluster VALUES('ITZ', '잇지');
INSERT INTO cluster VALUES('RED', '레드벨벳');
INSERT INTO cluster VALUES('APN', '에이핑크');
INSERT INTO cluster VALUES('SPC', '우주소녀');
INSERT INTO cluster VALUES('MMU', '마마무');
```

note 인덱스에 집중하기 위해서 테이블 구조는 최대한 간단히 만들었습니다.

1페이지에 4개의 행이 입력된다고 가정해보겠습니다. 이 데이터는 다음과 같이 구성되어 있을 것입니다. 다음 그림에서 표현한 데이터 페이지는 실제 데이터가 들어 있는 부분입니다. 아직은 인덱스가 없는 상태로, 각 페이지 위에 써진 숫자는 페이지 번호를 임의로 부여했습니다.

데이터 페이지

1000	
TWC	트와이스
BLK	블랙핑크
WMN	여자친구
OMY	오마이걸

1001	
GRL	소녀시대
ITZ	잇지
RED	레드벨벳
APN	에이핑크

1002	
SPC	우주소녀
MMU	마마무

책과 비교하면 데이터 페이지는 책의 본문, 페이지 번호는 책의 쪽번호로 보면 됩니다.

note 앞에서도 이야기했지만, 실제 1페이지는 16KB이므로 상당히 많은 데이터가 입력됩니다. 설명을 위해 1페이지에 4개의 데이터만 입력된다고 가정한 것입니다.

정렬된 순서를 확인해봅시다. 입력된 순서와 동일한 순서로 보일 것입니다.

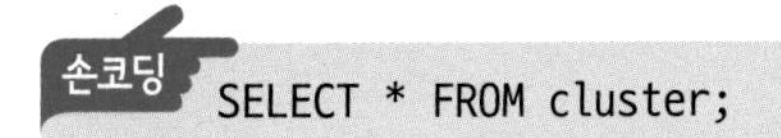

손코딩
```
SELECT * FROM cluster;
```

실행 결과

mem_id	mem_name
TWC	트와이스
BLK	블랙핑크
WMN	여자친구
OMY	오마이걸
GRL	소녀시대
ITZ	잇지
RED	레드벨벳
APN	에이핑크
SPC	우주소녀
MMU	마마무

이제 테이블의 mem_id에 클러스터형 인덱스를 구성해보겠습니다. 앞서 배웠듯이 mem_id를 Primary Key로 지정하면 클러스터형 인덱스로 구성됩니다.

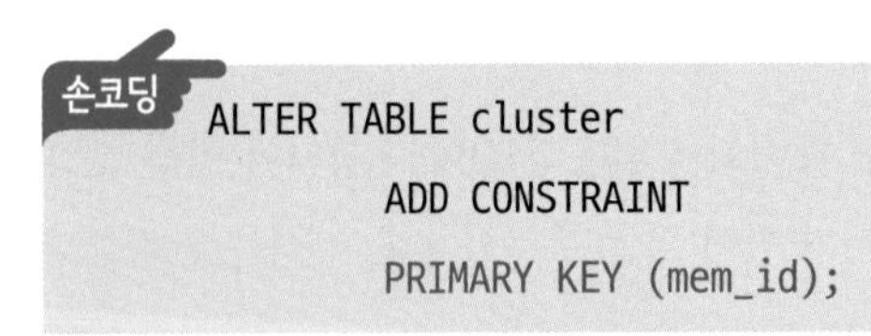

손코딩
```
ALTER TABLE cluster
        ADD CONSTRAINT
        PRIMARY KEY (mem_id);
```

데이터를 다시 확인해봅시다. 결과를 보면 mem_id를 기준으로 오름차순 정렬되었습니다. mem_id 열을 Primary Key로 지정했으니 클러스터형 인덱스가 생성되어서 그렇습니다.

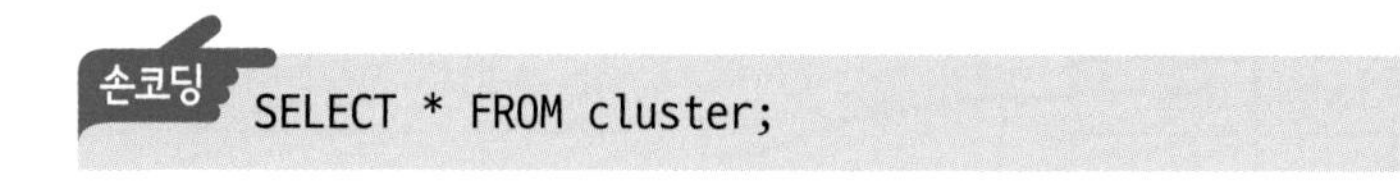

손코딩

```
SELECT * FROM cluster;
```

실행 결과

mem_id	mem_name
APN	에이핑크
BLK	블랙핑크
GRL	소녀시대
ITZ	잇지
MMU	마마무
OMY	오마이걸
RED	레드벨벳
SPC	우주소녀
TWC	트와이스
WMN	여자친구

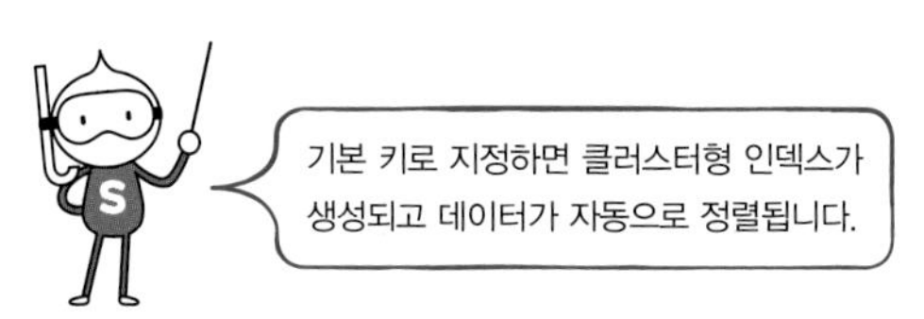

실제 데이터는 다음과 같이 데이터 페이지가 정렬되고 균형 트리 형태의 인덱스가 형성됩니다.

먼저 클러스터형 인덱스를 구성하기 위해 행 데이터를 지정한 열로 정렬합니다. 그림 아래쪽의 데이터 페이지를 보면 회원 아이디로 정렬된 것이 확인됩니다. 그리고 각 페이지의 인덱스로 지정된 열의 첫 번째 값을 가지고 루트 페이지를 만듭니다.

이미 여러 번 클러스터형 인덱스는 영어사전과 같다고 이야기했습니다. 영어사전은 책 자체가 알파벳 순서로 구성된 찾아보기(인덱스)입니다. 그림에서 볼 수 있듯이 클러스터형 인덱스는 루트 페이지와 리프 페이지(중간 페이지가 있다면 중간 페이지도 포함)로 구성되어 있습니다. 또한 인덱스 페이지의 리프 페이지는 데이터 그 자체입니다.

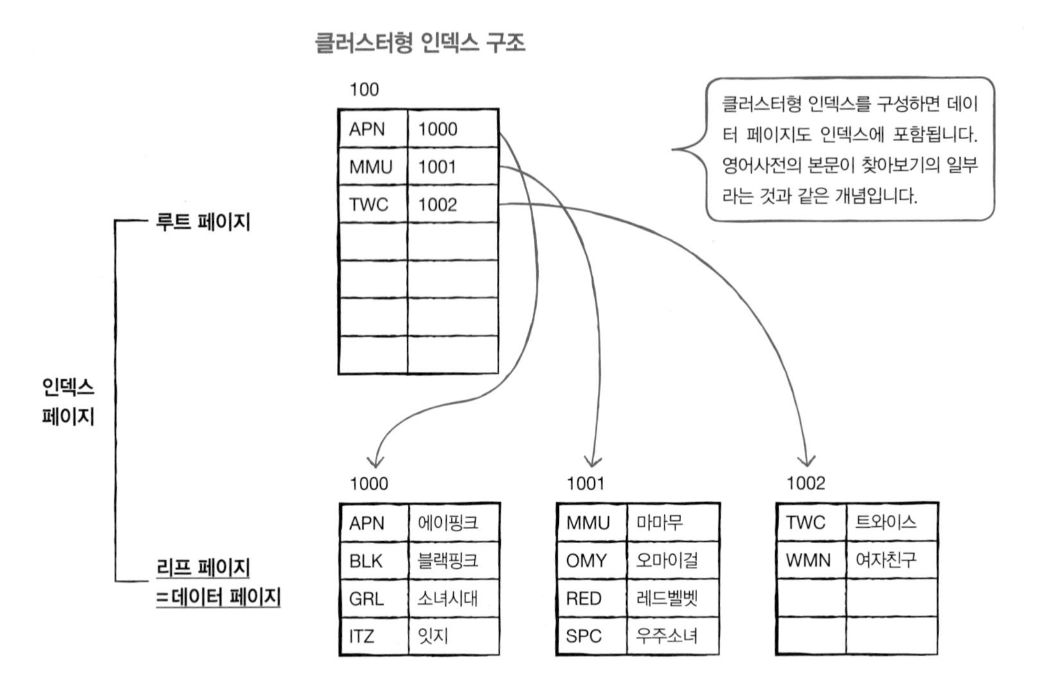

note 리프 페이지 외의 다른 페이지는 데이터가 최대 7개 들어간다고 가정했습니다. 별 의미는 없고 설명을 위해서 가정한 것입니다.

보조 인덱스 구성하기

이번에는 동일한 데이터로 **보조 인덱스**를 만들어보겠습니다.

손코딩

```
USE market_db;
CREATE TABLE second  -- 보조 인덱스를 테스트하기 위한 테이블
( mem_id      CHAR(8) ,
  mem_name    VARCHAR(10)
 );
INSERT INTO second VALUES('TWC', '트와이스');
INSERT INTO second VALUES('BLK', '블랙핑크');
INSERT INTO second VALUES('WMN', '여자친구');
INSERT INTO second VALUES('OMY', '오마이걸');
INSERT INTO second VALUES('GRL', '소녀시대');
INSERT INTO second VALUES('ITZ', '잇지');
INSERT INTO second VALUES('RED', '레드벨벳');
INSERT INTO second VALUES('APN', '에이핑크');
```

```
INSERT INTO second VALUES('SPC', '우주소녀');
INSERT INTO second VALUES('MMU', '마마무');
```

일단 인덱스가 없으므로 앞에서 본 것처럼 순서대로 데이터가 입력됩니다.

데이터 페이지

1000

TWC	트와이스
BLK	블랙핑크
WMN	여자친구
OMY	오마이걸

1001

GRL	소녀시대
ITZ	잇지
RED	레드벨벳
APN	에이핑크

1002

SPC	우주소녀
MMU	마마무

앞서 고유 키 제약조건은 보조 인덱스를 생성한다는 것을 확인했습니다. mem_id 열에 UNIQUE를 지정하고 데이터를 확인해보겠습니다.

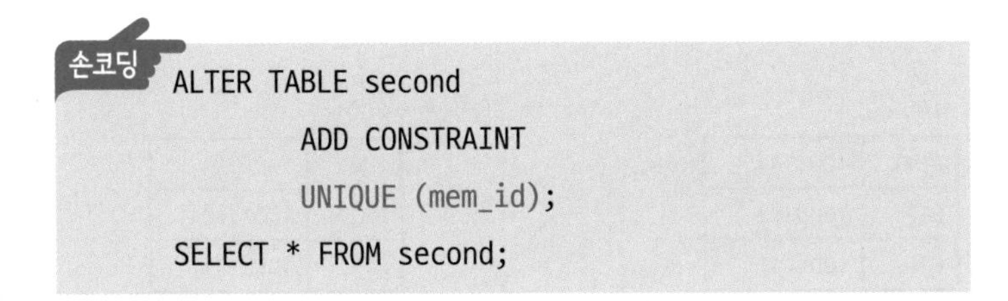

손코딩

```
ALTER TABLE second
        ADD CONSTRAINT
        UNIQUE (mem_id);
SELECT * FROM second;
```

실행 결과

mem_id	mem_name
TWC	트와이스
BLK	블랙핑크
WMN	여자친구
OMY	오마이걸
GRL	소녀시대
ITZ	잇지
RED	레드벨벳
APN	에이핑크
SPC	우주소녀
MMU	마마무

보조 인덱스가 생성되었는데도 입력한 것과 순서가 동일합니다. 내부적으로는 다음과 같이 구성됩니다. 다음 그림의 아래쪽을 보면 보조 인덱스는 **데이터 페이지**를 건드리지 않았습니다. 그리고 그림의 위쪽을 보면 별도의 장소에 인덱스 페이지를 생성했습니다

보조 인덱스는 일반적인 책과 같다고 이야기했습니다. 찾아보기가 없던 일반 책에 찾아보기를 만든다고 책의 본문이 바뀌지 않는 것과 마찬가지로 보조 인덱스를 생성해도 데이터 페이지는 변경되지 않습니다. 대신 책의 뒷부분 등 별도의 공간에 찾아보기가 만들어진 것처럼 보조 인덱스가 별도의 공간에 만들어졌습니다.

우선 인덱스 페이지의 리프 페이지에 인덱스로 구성한 열(이 예에서는 mem_id)을 정렬합니다. 일반 책의 찾아보기를 보면 ABC 또는 가나다 순서로 정렬되어 있는 것과 마찬가지입니다. 그리고 실제 데이터가 있는 위치를 준비합니다. 일반 책의 찾아보기를 보면 각 단어 옆에 페이지 번호가 써있는 것과 동일합니다. 데이터의 위치는 **페이지 번호 +#위치**로 기록되어 있습니다. APN을 예로 살펴보면 1001번 페이지의 네 번째(#4)에 데이터가 있다고 기록됩니다.

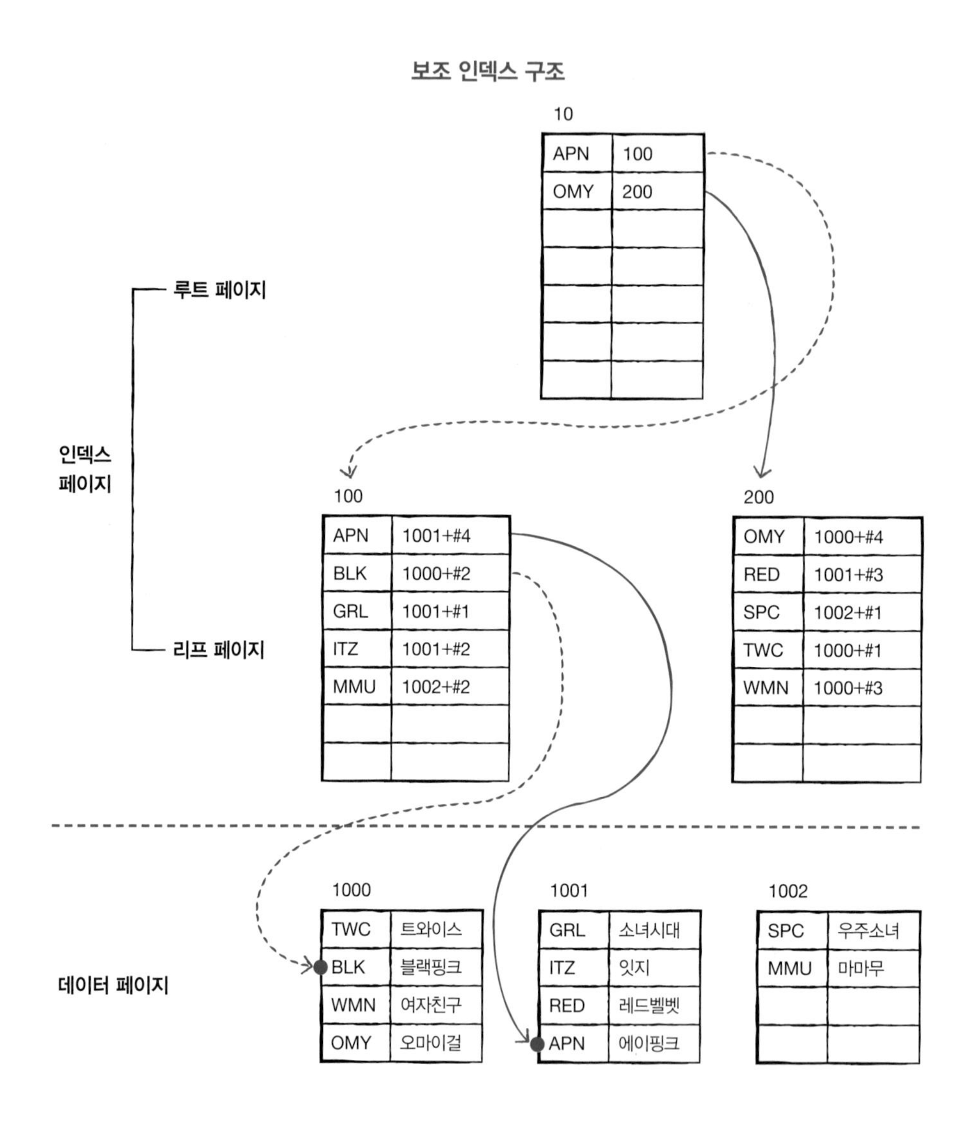

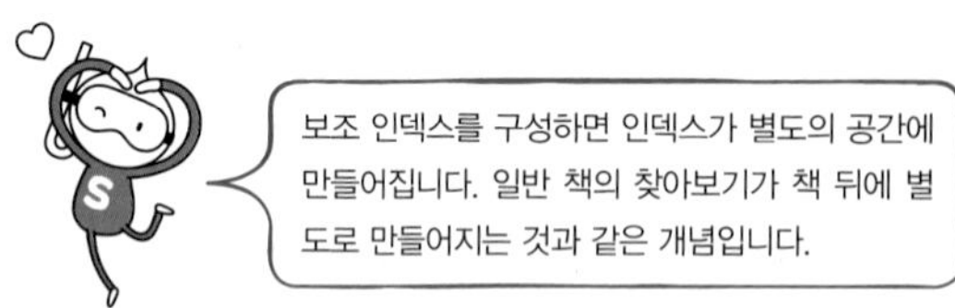

인덱스에서 데이터 검색하기

이제 데이터를 검색(SELECT 문)해보겠습니다. 먼저 클러스터형 인덱스에서 검색을 하겠습니다. 만약 SPC인 회원의 이름을 검색한다면 몇 개 페이지를 읽어야 알 수 있을까요?

다음 그림의 ❶번에서 일단 루트 페이지(100번)를 읽어야 합니다. 그 다음 SPC는 알파벳 순서로 따지면 MMU와 TWC 사이에 있으므로 루트 페이지의 MMU가 가리키는 리프 페이지의 1001번으로 이동합니다. ❷번처럼 리프 페이지(데이터 페이지, 1001번)를 읽으니 ❸번처럼 네 번째 찾고자 하는 SPC가 있고 이름이 '우주소녀'라는 것을 알아냈습니다.

클러스터형 인덱스에서는 SPC 회원의 이름을 알아내기 위해 100번 루트 페이지와 1001 리프 페이지를 읽었습니다. 결국 총 2개 페이지를 읽어서 SPC의 이름을 알아냈습니다.

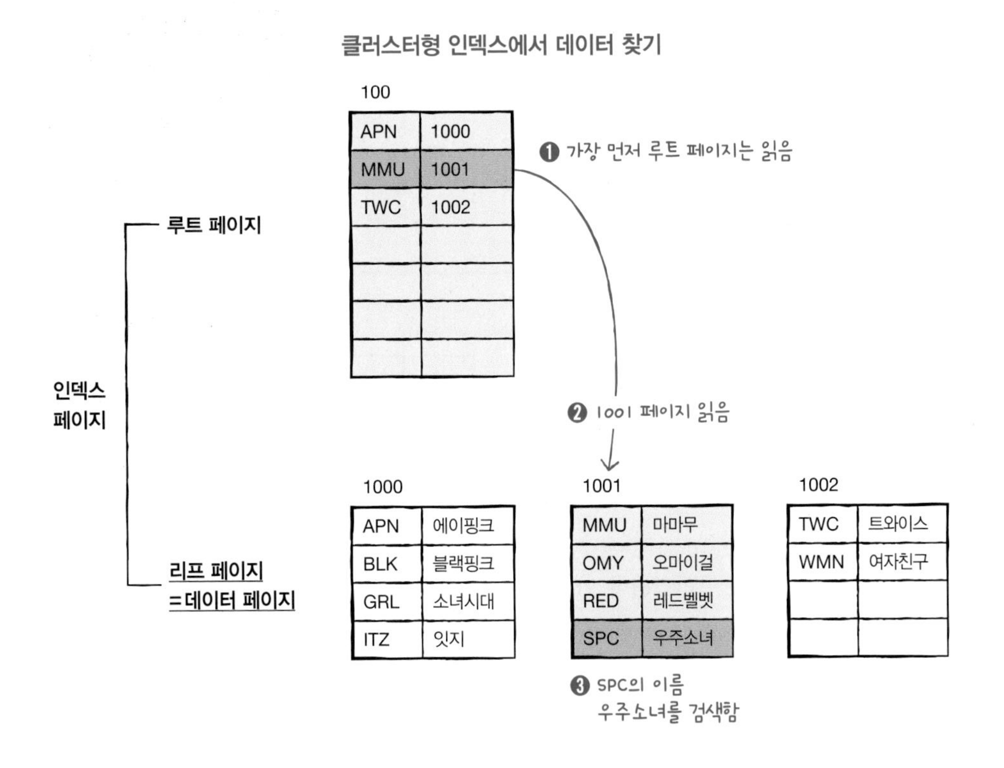

이번에는 보조 인덱스에서 SPC 회원의 이름을 검색해보겠습니다. SPC를 검색할 때 인덱스 페이지의 루트 페이지(10번), 리프 페이지(200번)를 읽습니다. 그리고 데이터 페이지(1002번)를 읽어서 SPC의 이름이 '우주소녀'인 것을 알아냈습니다. 결국 총 3개 페이지를 읽어서 SPC의 이름을 알아낸 것입니다.

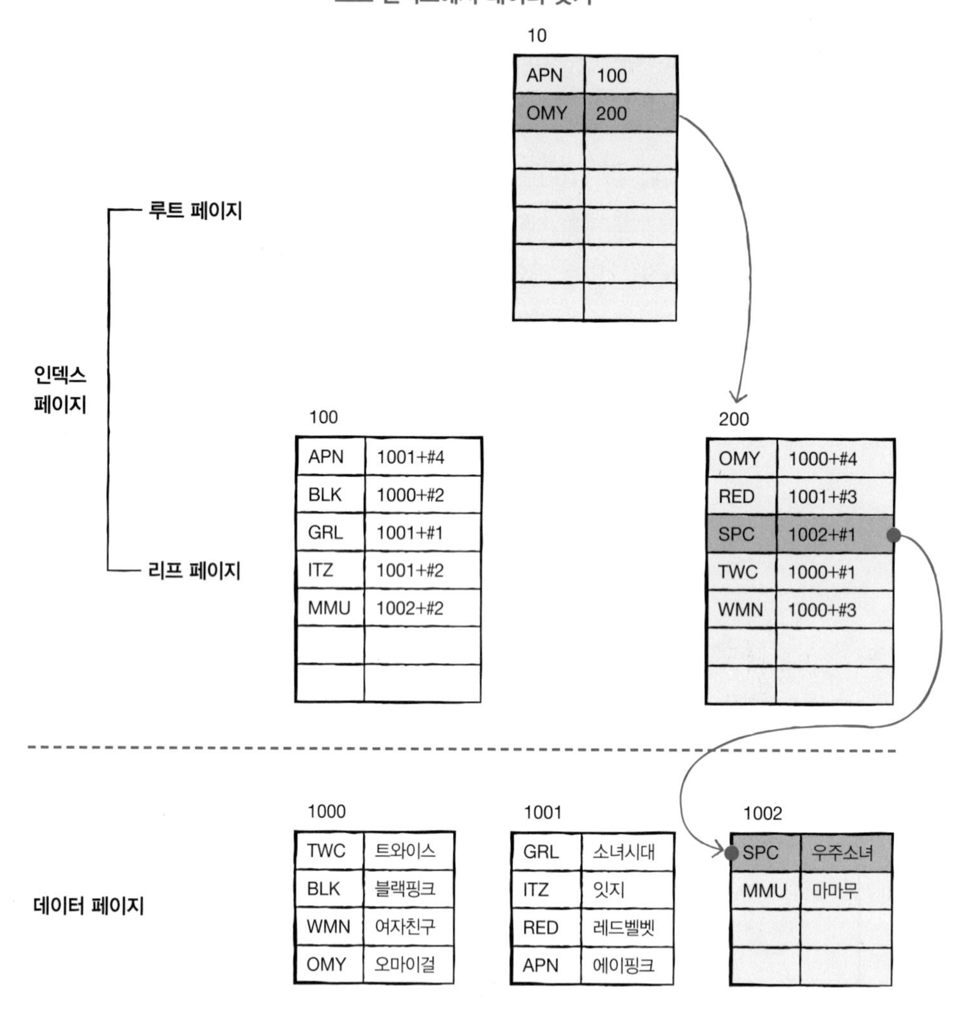

인덱스 검색 Index Scan을 통해 클러스터형 인덱스는 2페이지만 읽어서 원하는 결과를 검색했고, 보조 인덱스는 3페이지를 읽어서 원하는 결과를 검색했습니다. 두 인덱스 모두 검색이 빠르기는 하지만 클러스터형 인덱스가 조금 더 빠릅니다.

마무리

▶ 5가지 키워드로 끝내는 핵심 포인트

- 인덱스는 내부적으로 **균형 트리**, 즉 나무를 거꾸로 표현한 자료 구조로 구성됩니다.
- 노드는 트리 구조에서 데이터가 저장되는 공간을 말하는데, MySQL에서는 노드를 **페이지**라고 부릅니다.
- **전체 테이블 검색**은 데이터를 처음부터 끝까지 검색하는 것입니다. 인덱스가 없으면 전체 페이지를 검색하는 방법밖에 없습니다.
- **페이지 분할**은 데이터를 입력할 때, 입력할 페이지에 공간이 없어서 2개 페이지로 데이터가 나눠지는 것을 말합니다.
- **인덱스 검색**은 클러스터형 또는 보조 인덱스를 이용해서 데이터를 검색하는 것입니다. 속도는 인덱스를 사용하지 않았을 때보다 빠릅니다.

▶ 확인문제

이번 절에서는 인덱스가 내부적으로 어떻게 구성되고 작동하는지 알아봤습니다. 확인문제를 통해서 배운 개념을 스스로 정리해보기 바랍니다.

1. 다음은 트리와 관련된 용어입니다. 거리가 먼 것을 하나 고르세요.

① 트리의 제일 상단의 뿌리를 루트라고 합니다.
② 트리의 줄기를 중간이라고 합니다.
③ 트리의 끝에 달린 잎을 리프라고 합니다.
④ 트리의 일부분을 잘라낸 것을 가지라고 합니다

2. 각 설명이 의미하는 것을 관련 용어와 연결해보세요.

① 노드 중 제일 상위 노드를 말합니다. •	• 루트 노드
② 노드 중 가운데 낀 노드를 말합니다. •	• 리프 노드
③ 노드 중 제일 마지막 노드를 말합니다. •	• 중간 노드
④ 16KB 크기의 최소한의 저장 단위입니다. •	• 페이지

3. 다음 설명에서 빈칸에 공통으로 들어갈 용어를 쓰세요.

> 인덱스를 구성하게 되면 데이터의 변경 작업(INSERT, UPDATE, DELETE)시에 성능이 나빠지는 단점이 있습니다. 특히 INSERT 작업이 일어날 때 더 느리게 입력될 수 있는데요, 이유는 ______이라는 작업이 발생되기 때문입니다. ______ 작업이 일어나면 MySQL이 느려지고 너무 자주 일어나면 성능에 큰 영향을 줍니다.

4. 다음은 인덱스 구조에 관련된 내용입니다. 거리가 먼 것을 2개 고르세요.

① 클러스터형 인덱스가 없으면 데이터를 입력한 순서대로 저장됩니다.
② 클러스터형 인덱스를 생성하면 데이터는 해당 열의 내림차순으로 정렬됩니다.
③ 보조 인덱스를 생성하면 데이터는 해당 열을 기준으로 오름차순 정렬됩니다.
④ 클러스터형 인덱스가 보조 인덱스보다 검색 속도가 더 빠릅니다.

06-3 인덱스의 실제 사용

핵심 키워드

CREATE INDEX　DROP INDEX　단순 보조 인덱스　고유 보조 인덱스　실행 계획

이번 절에서는 단순 보조 인덱스 및 고유 보조 인덱스를 생성하고 제거하는 방법을 익히고 MySQL의 실행 계획(Execution Plan)에서 인덱스를 효율적으로 사용하는 방법을 살펴보겠습니다.

시작하기 전에

인덱스에 대한 개념을 파악한 후에는 실제로 인덱스를 생성하는 SQL을 익혀야 합니다. 인덱스를 생성하기 위해서는 **CREATE INDEX** 문을 사용하고, 제거하기 위해서는 **DROP INDEX** 문을 사용합니다. 기본 형식은 다음과 같습니다.

인덱스 생성

```
CREATE [UNIQUE] INDEX 인덱스_이름
   ON 테이블_이름 (열_이름)  [ASC ¦ DESC]
```

인덱스 제거

```
DROP INDEX 인덱스_이름 ON 테이블_이름
```

보조 인덱스는 데이터의 중복 여부에 따라 단순 보조 인덱스와 고유 보조 인덱스로 나뉩니다.

인덱스 생성과 제거 문법

인덱스 생성과 제거에 대한 정확한 문법을 이해하고 활용하는 방법을 익혀보겠습니다.

인덱스 생성 문법

테이블을 생성할 때 특정 열을 기본 키, 고유 키로 설정하면 인덱스가 자동 생성된다는 것은 이미 학습했습니다. Primary Key 문법을 사용하면 클러스터형 인덱스가, Unique 문법을 사용하면 보조 인덱스가 자동으로 생성되었습니다.

그 외에 직접 인덱스를 생성하려면 **CREATE INDEX** 문을 사용해야 합니다. 우선 MySQL 도움말에서 안내하는 인덱스를 생성하는 문법은 다음과 같습니다.

```
CREATE [UNIQUE | FULLTEXT | SPATIAL] INDEX index_mem_name
    [index_type]
    ON tbl_mem_name (key_part,...)
    [index_option]
    [algorithm_option | lock_option] ...

key_part: {col_mem_name [(length)] | (expr)} [ASC | DESC]

index_option:
    KEY_BLOCK_SIZE [=] value
  | index_type
  | WITH PARSER parser_mem_name
  | COMMENT 'string'
  | {VISIBLE | INVISIBLE}

index_type:
    USING {BTREE | HASH}

algorithm_option:
    ALGORITHM [=] {DEFAULT | INPLACE | COPY}

lock_option:
    LOCK [=] {DEFAULT | NONE | SHARED | EXCLUSIVE}
```

좀 복잡해 보이지만, 실제로 사용하는 것은 다음과 같습니다. 간단하죠?

```
CREATE [UNIQUE] INDEX 인덱스_이름
    ON 테이블_이름 (열_이름) [ASC ¦ DESC]
```

인덱스 생성은 CREATE INDEX 문을 사용합니다.

note CREATE INDEX로 생성되는 인덱스는 보조 인덱스입니다.

UNIQUE는 중복이 안 되는 고유 인덱스를 만드는 것인데, 생략하면 중복이 허용됩니다. CREATE UNIQUE로 인덱스를 생성하려면 기존에 입력된 값들에 중복이 있으면 안 됩니다. 그리고 인덱스를 생성한 후에 입력되는 데이터와도 중복될 수 없으니 신중해야 합니다.

예를 들어, 회원 이름을 UNIQUE로 지정하면 향후에는 같은 이름의 회원은 입력할 수 없게 됩니다. 회원 이름은 같을 수도 있으므로 이름과 같은 성격을 가진 열에는 UNIQUE로 지정하면 안 됩니다. 이와 달리 휴대폰 번호, 이메일 등은 사람마다 모두 다르기 때문에(중복되지 않기 때문에) UNIQUE로 지정해도 별 문제가 없습니다.

ASC 또는 **DESC**는 인덱스를 오름차순 또는 내림차순으로 만들어줍니다. 기본은 ASC로 만들어지며, DESC로 만드는 경우는 거의 없습니다.

인덱스 제거 문법

CREATE INDEX로 생성한 인덱스는 **DROP INDEX**로 제거합니다. 다음과 같이 간단하게 사용할 수 있습니다.

```
DROP INDEX 인덱스_이름 ON 테이블_이름
```

인덱스 제거는 DROP INDEX 문을 사용합니다.

note DROP INDEX 형식에서 사용하지 않는 옵션은 생략했습니다.

주의할 점은 기본 키, 고유 키로 자동 생성된 인덱스는 DROP INDEX로 제거하지 못한다는 것입니다. ALTER TABLE 문으로 기본 키나 고유 키를 제거하면 자동으로 생성된 인덱스도 제거할 수 있습니다. 잠시 후 실습에서 확인해보겠습니다.

✚ 여기서 잠깐 | 인덱스 제거

하나의 테이블에 클러스터형 인덱스와 보조 인덱스가 모두 있는 경우, 인덱스를 제거할 때는 보조 인덱스부터 제거하는 것이 더 좋습니다. 클러스터형 인덱스부터 제거하면 내부적으로 데이터가 재구성되기 때문입니다. 또한, 인덱스가 많이 생성되어 있는 테이블의 경우 사용하지 않는 인덱스는 과감히 제거해주는 것이 좋습니다.

예를 들어 '한국의 동식물' 책에서 식물로 검색하는 경우가 별로 없다면, 식물에 대한 찾아보기가 굳이 필요할까요? 사용하지도 않는데 책의 부피만 커질 뿐입니다.

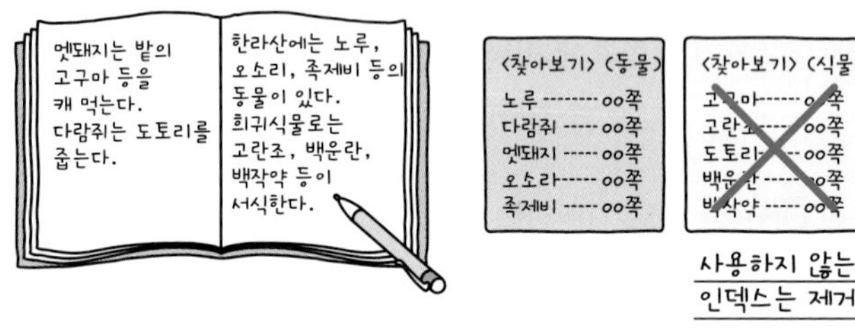

인덱스 생성과 제거 실습

인덱스 생성과 제거 문법은 별로 어렵지 않습니다. 인덱스의 생성 및 제거 후에 내부적인 변화를 이해하는 것이 더 중요합니다.

인덱스 생성 실습

인덱스 실습을 위해 '인터넷 마켓' 데이터베이스를 생성한 후 진행하겠습니다. 이전에 다운로드한 market_db.sql 파일이 없다면 한빛미디어 사이트의 혼공 자료실(https://www.hanbit.co.kr/src/10473)에서 다운로드합니다.

MySQL Workbench를 실행해서 열린 쿼리 창은 모두 닫고 [File] – [Open SQL Script] 메뉴를 선택해서 다운로드한 'market_db.sql'을 엽니다. Execute the selected portion of the script or everything(⚡) 아이콘을 클릭해서 SQL을 실행합니다.

실습을 통해서 인덱스를 실제로 사용하는 방법을 익혀보겠습니다. 실습은 member를 주로 사용합니다. 먼저 데이터의 내용을 확인해봅시다.

```
USE market_db;
SELECT * FROM member;
```

실행 결과

mem_id	mem_name	mem_number	addr	phone1	phone2	height	debut_date
APN	에이핑크	6	경기	031	77777777	164	2011-02-10
BLK	블랙핑크	4	경남	055	22222222	163	2016-08-08
GRL	소녀시대	8	서울	02	44444444	168	2007-08-02
ITZ	잇지	5	경남	NULL	NULL	167	2019-02-12
MMU	마마무	4	전남	061	99999999	165	2014-06-19
OMY	오마이걸	7	서울	NULL	NULL	160	2015-04-21
RED	레드벨벳	4	경북	054	55555555	161	2014-08-01
SPC	우주소녀	13	서울	02	88888888	162	2016-02-25
TWC	트와이스	9	서울	02	11111111	167	2015-10-19
WMN	여자친구	6	경기	031	33333333	166	2015-01-15

SHOW INDEX 문으로 member에 어떤 인덱스가 설정되어 있는지 확인해봅시다. 전에 몇 번 언급했듯이 key_name이 PRIMARY이면 클러스터형 인덱스를 의미합니다. 현재 member에는 mem_id 열에 클러스터형 인덱스 1개만 설정되어 있습니다.

```
SHOW INDEX FROM member;
```

SHOW INDEX는 테이블에 생성된 인덱스 정보를 보여줍니다.

실행 결과

Table	Non_unique	Key_name	Seq_in_index	Column_name	Collation	Cardinality	Sub_part	Packed	Null	Index_type
member	0	PRIMARY	1	mem_id	A	2	NULL	NULL		BTREE

이번에는 인덱스의 크기를 확인해봅시다. SHOW TABLE STATUS 문을 사용합니다.

결과 중에 Data_length는 클러스터형 인덱스(또는 데이터)의 크기를 Byte 단위로 표기한 것입니다. 그런데 MySQL의 1페이지 크기는 기본적으로 16KB이므로 클러스터형 인덱스는 16384/(16*1024) = 1페이지가 할당되어 있는 것입니다.

note 1KB는 1024Byte입니다.

실제로는 데이터의 내용이 많지 않아서 16KB까지 필요 없지만, 최소 단위가 1페이지이므로 1페이지에 해당하는 16KB가 할당되어 있는 것입니다. Index_length는 보조 인덱스의 크기인데 member는 보조 인덱스가 없기 때문에 표기되지 않았습니다.

```
SHOW TABLE STATUS LIKE 'member';
```

SHOW TABLE STATUS는 테이블에 생성된 인덱스의 크기를 확인할 수 있습니다.

실행 결과

Name	Engine	Version	Row_format	Rows	Avg_row_length	Data_length	Max_data_length	Index_length	Data_free
member	InnoDB	10	Dynamic	10	1638	16384	0	0	0

note SHOW TABLE STATUS 뒤의 LIKE 'member'는 member라는 글자가 들어간 테이블의 정보를 보자는 의미입니다. 어차피 member 테이블 하나에만 이 글자가 포함됩니다.

이미 클러스터형 인덱스가 있으므로 이 테이블에는 더 이상 클러스터형 인덱스를 생성할 수 없습니다. 주소(addr)에 중복을 허용하는 **단순 보조 인덱스**를 생성하겠습니다. 인덱스 이름을 idx_member_addr로 지정했습니다. idx는 Index를 의미하는 약자로 사용했는데 이름만 보고도 'member 테이블의 addr 열에 지정된 인덱스'라는 것을 알 수 있습니다.

```
CREATE INDEX idx_member_addr
    ON member (addr);
```

note 보조 인덱스는 단순 보조 인덱스(Simple Secondary Index)와 고유 보조 인덱스(Unique Secondary Index)로 나뉩니다. 단순 보조 인덱스는 중복을 허용한다는 의미로, 중복이 안 되는 고유 보조 인덱스와 반대라고 생각하면 됩니다.

새로 생성된 인덱스를 확인해보겠습니다. Key_name에서 지금 생성한 단순 보조 인덱스의 이름이 확인됩니다. Column_name에서는 어느 열에 지정되었는지 확인됩니다.

주의할 점은 Non_unique가 1로 설정되어 있으므로 **고유 보조 인덱스**가 아니라는 것입니다. 즉, 중복된 데이터를 허용합니다.

```
SHOW INDEX FROM member;
```

실행 결과

Table	Non_unique	Key_name	Seq_in_index	Column_name	Collation	Cardinality	Sub_part	Packed	Null	Index_type
member	0	PRIMARY	1	mem_id	A	2	NULL	NULL		BTREE
member	1	idx_member_addr	1	addr	A	5	NULL	NULL		BTREE

+ 여기서 잠깐 **클러스터형 인덱스와 보조 인덱스의 동시 사용**

클러스터형 인덱스와 보조 인덱스가 동시에 있다는 것은 영어사전이면서 동시에 찾아보기도 존재한다는 것입니다. 영어사전에 추가로 한글 동물, 한글 식물 단어를 찾아보기로 정리해 놓은 것으로 생각하면 됩니다.

예를 들어 영어 단어를 찾을 때는 본문(클러스터형 인덱스)을 찾으면 되고, 한글 단어(동물, 식물)를 찾을 때는 찾아보기를 이용하면 됩니다.

이번에는 보조 인덱스가 추가되었으므로 전체 인덱스의 크기를 다시 확인해보겠습니다. Index_length 부분이 보조 인덱스의 크기인데, 이상하게도 크기가 0으로 나왔습니다.

```
SHOW TABLE STATUS LIKE 'member';
```

실행 결과

Name	Engine	Version	Row_format	Rows	Avg_row_length	Data_length	Max_data_length	Index_length	Data_free
member	InnoDB	10	Dynamic	10	1638	16384	0	0	0

바로 앞에서 보조 인덱스 idx_member_addr이 생성된 것을 확인했는데, 생성된 인덱스를 실제로 적용시키려면 **ANALYZE TABLE** 문으로 먼저 테이블을 분석/처리해줘야 합니다.

이제 보조 인덱스가 생성된 것이 확인됩니다.

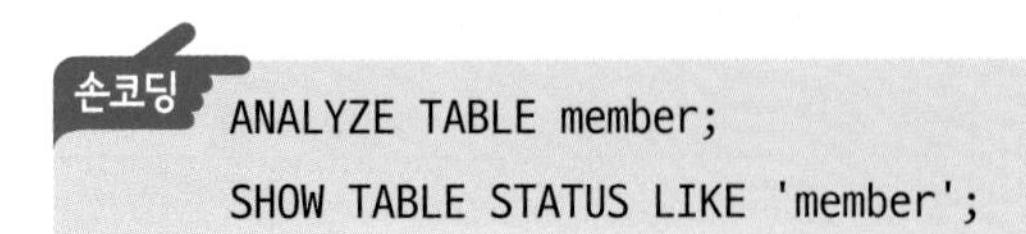

손코딩
```
ANALYZE TABLE member;
SHOW TABLE STATUS LIKE 'member';
```

인덱스를 생성한 후에 ANALYZE TABLE 문을 실행해줘야 실제로 적용됩니다.

실행 결과

Name	Engine	Version	Row_format	Rows	Avg_row_length	Data_length	Max_data_length	Index_length	Data_free
member	InnoDB	10	Dynamic	10	1638	16384	0	16384	0

note Index_length(보조 인덱스 크기)는 16KB(16384Byte)입니다. 실제로는 이것보다 훨씬 작지만, 보조 인덱스가 1건이면 최소 1페이지가 필요하기 때문에 MySQL의 1페이지 크기인 16KB가 표시되었습니다.

이번에는 인원수(mem_number)에 중복을 허용하지 않는 고유 보조 인덱스를 생성해보겠습니다. 블랙핑크, 마마무, 레드벨벳의 인원수가 4이기에 이미 중복된 값이 있습니다. 그래서 인원수 열에는 고유 보조 인덱스를 생성할 수 없습니다.

손코딩
```
CREATE UNIQUE INDEX idx_member_mem_number
    ON member (mem_number);
```

오류 메시지

```
Error Code: 1062. Duplicate entry '4' for key 'member.idx_member_mem_number'
```

note 인원수 열에 인덱스를 꼭 만들고 싶다면 단순 보조 인덱스를 만들면 됩니다.

이번에는 회원 이름(mem_name)에 고유 보조 인덱스를 생성해보겠습니다.

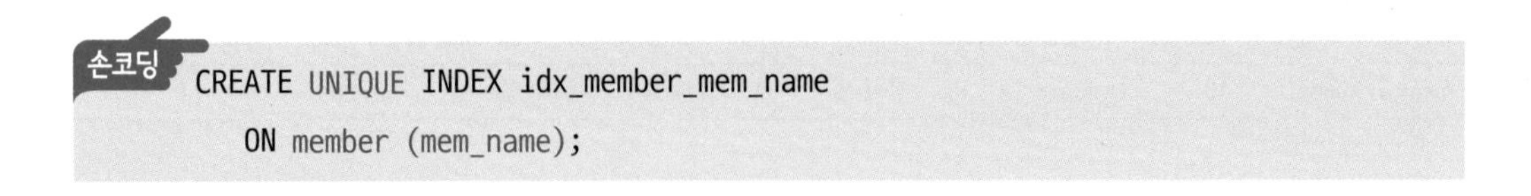

손코딩
```
CREATE UNIQUE INDEX idx_member_mem_name
    ON member (mem_name);
```

고유 보조 인덱스가 잘 만들어졌는지 확인해봅시다. Non_unique가 0이라는 것은 중복을 허용하지 않는다는 의미이므로, 고유 보조 인덱스가 잘 생성된 것입니다.

손코딩

```
SHOW INDEX FROM member;
```

실행 결과

Table	Non_unique	Key_name	Seq_in_index	Column_name	Collation	Cardinality	Sub_part	Packed
member	0	PRIMARY	1	mem_id	A	10	NULL	NULL
member	0	idx_member_mem_name	1	mem_name	A	10	NULL	NULL
member	1	idx_member_addr	1	addr	A	5	NULL	NULL

이번에는 우연히도 마마무와 이름이 같은 태국의 가수 그룹이 회원가입을 하려고 합니다. 회원 아이디인 기본 키만 다르면 되므로 MOO로 지정하겠습니다.

오류가 발생했습니다. 이것은 조금 전에 생성한 고유 보조 인덱스로 인해서 중복된 값을 입력할 수 없기 때문입니다.

손코딩

```
INSERT INTO member VALUES('MOO', '마마무', 2, '태국', '001', '12341234', 155,
'2020.10.10');
```

오류 메시지

```
Error Code: 1062. Duplicate entry '마마무' for key 'member.idx_member_mem_name'
```

이렇게 이름이 중복된다고 회원가입이 안 된다면, 실제 '인터넷 마켓'에서는 심각한 문제가 발생할 수 있습니다. 그러므로 고유 보조 인덱스를 지정할 때 현재 중복된 값이 없다고 무조건 설정하면 안 되며, 업무상 절대로 중복되지 않는 열(주민등록번호, 학번, 이메일 주소 등)에만 UNIQUE 옵션을 사용해서 인덱스를 생성해야 합니다.

고유 인덱스를 생성하면 이후로는 중복된 값이 입력되지 않습니다.

+ 여기서 잠깐 **중복된 데이터가 많은 열에 인덱스 생성**

중복된 데이터가 많은 열도 종종 있습니다. 남/여의 성별을 구분하는 열을 생각해봅시다. 만약 성별을 구분하는 열이 있다면 남성은 M(Male), 여성은 F(Female) 외에는 입력할 것이 없습니다. 회원이 100만 명이라면 대략 50만 명은 M, 50만 명은 F 값을 가집니다. 다음 SQL을 조회해볼까요?

```
SELECT * FROM 회원_테이블 WHERE 성별 = 'M';
```

위 결과는 대략 50만 건이 나옵니다. 이렇게 중복된 데이터가 많은 열에 인덱스를 생성하는 것은 의미도 없고 오히려 성능에 나쁜 영향을 미칩니다.

인덱스의 활용 실습

생성한 인덱스를 활용해보겠습니다. 지금까지 SELECT를 사용해서 인덱스가 있으면 인덱스를 통해서 결과를 출력하고, 인덱스가 없으면 전체 테이블을 찾아서 결과를 출력했습니다. 일반 사용자 입장에서는 결과의 차이는 없으며 빠르게 결과를 보느냐, 느리게 결과를 보느냐의 차이뿐입니다. 하지만 인덱스를 이해하지 못하면 빠른 결과를 내야 할 때 제대로 활용하지 못할 수도 있습니다.

먼저 지금까지 만든 인덱스가 어느 열에 있는지 확인해봅시다. 현재 회원 아이디(mem_id), 회원 이름(mem_name), 주소(addr) 열에 인덱스가 생성되어 있습니다.

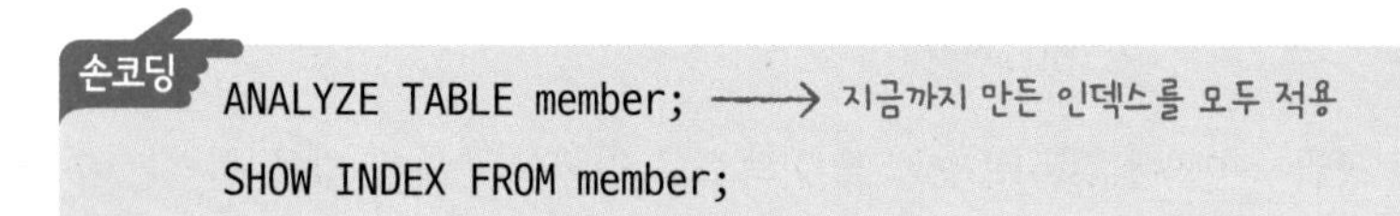


```
ANALYZE TABLE member;
SHOW INDEX FROM member;
```

실행 결과

Table	Non_unique	Key_name	Seq_in_index	Column_name	Collation	Cardinality	Sub_part	Packed
member	0	PRIMARY	1	mem_id	A	10	NULL	NULL
member	0	idx_member_mem_name	1	mem_name	A	10	NULL	NULL
member	1	idx_member_addr	1	addr	A	5	NULL	NULL

이번에는 전체를 조회해보겠습니다. 10건의 회원이 조회되었을 것입니다. 그런데 이 SQL은 인덱스와 아무런 상관이 없습니다. 인덱스를 사용하려면 인덱스가 생성된 열 이름이 SQL 문에 있어야 합니다.

손코딩

```
SELECT * FROM member;
```

실행 결과

mem_id	mem_name	mem_number	addr	phone1	phone2	height	debut_date
APN	에이핑크	6	경기	031	77777777	164	2011-02-10
BLK	블랙핑크	4	경남	055	22222222	163	2016-08-08
GRL	소녀시대	8	서울	02	44444444	168	2007-08-02
ITZ	잇지	5	경남			167	2019-02-12
MMU	마마무	4	전남	061	99999999	165	2014-06-19
OMY	오마이걸	7	서울			160	2015-04-21
RED	레드벨벳	4	경북	054	55555555	161	2014-08-01
SPC	우주소녀	13	서울	02	88888888	162	2016-02-25
TWC	트와이스	9	서울	02	11111111	167	2015-10-19
WMN	여자친구	6	경기	031	33333333	166	2015-01-15

인덱스를 사용했는지 여부는 결과 중 [Execution Plan] 창을 확인하면 됩니다. 전체 테이블 검색(Full Table Scan)을 한 것이 확인됩니다. 책과 비교하면 첫 페이지부터 끝 페이지까지 넘겨본 것입니다.

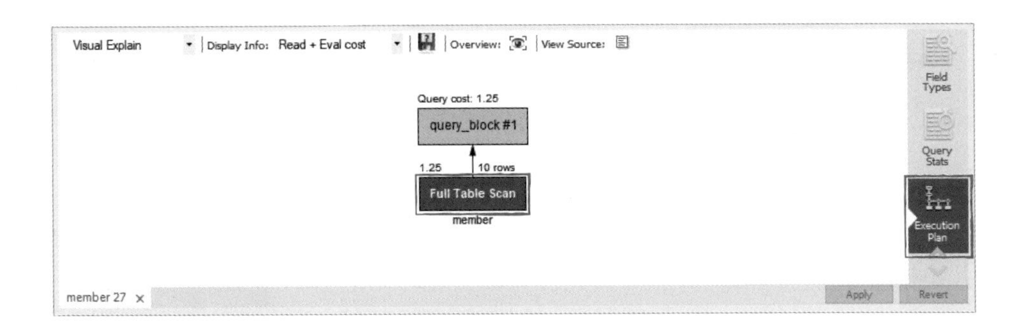

이번에는 인덱스가 있는 열을 조회해보겠습니다. 조회는 잘 됩니다.

손코딩
```
SELECT mem_id, mem_name, addr FROM member;
```

실행 결과

mem_id	mem_name	addr
APN	에이핑크	경기
BLK	블랙핑크	경남
GRL	소녀시대	서울
ITZ	잇지	경남
MMU	마마무	전남
OMY	오마이걸	서울
RED	레드벨벳	경북
SPC	우주소녀	서울
TWC	트와이스	서울
WMN	여자친구	경기

다시 [Execution Plan] 창을 확인해보면 역시 전체 테이블 검색을 했을 것입니다. 열 이름이 SELECT 다음에 나와도 인덱스를 사용하지 않습니다.

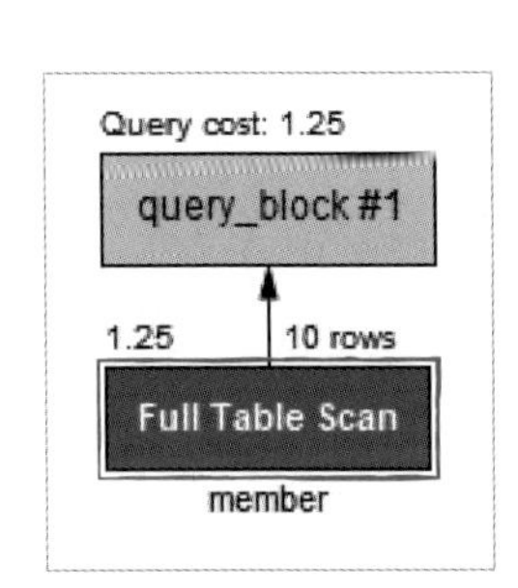

이번에는 인덱스가 생성된 mem_name 값이 '에이핑크'인 행을 조회해봅시다. 결과에 에이핑크가 나왔을 것입니다.

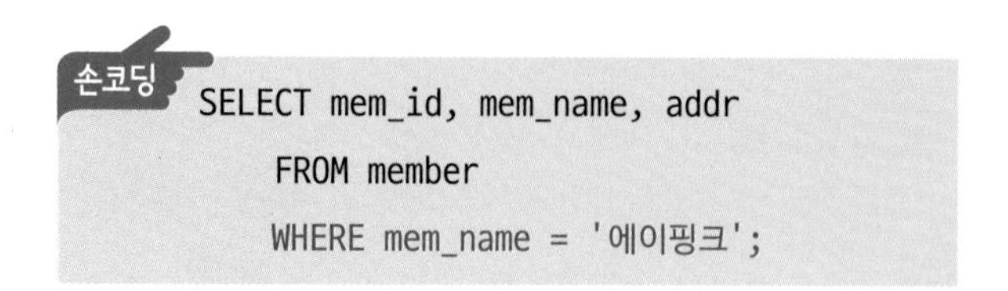

손코딩

```
SELECT mem_id, mem_name, addr
    FROM member
    WHERE mem_name = '에이핑크';
```

실행 결과

mem_id	mem_name	addr
APN	에이핑크	경기

다시 [Execution Plan] 창을 확인해보면 Single Row(constant)라고 되어 있습니다. 이 용어는 인덱스를 사용해서 결과를 얻었다는 의미입니다.

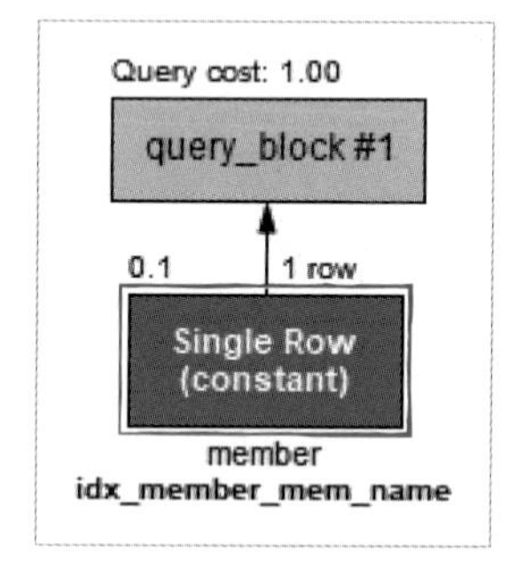

note [Execution Plan] 창에 Full Table Scan을 제외하고, 나머지는 모두 인덱스를 사용했다는 의미입니다. 인덱스를 사용하는 방법이 여러 개라서 다양한 용어로 표현됩니다.

이번에는 숫자의 범위로 조회해보겠습니다. 먼저 숫자로 구성된 인원수(mem_number)로 단순 보조 인덱스를 만들어봅시다.

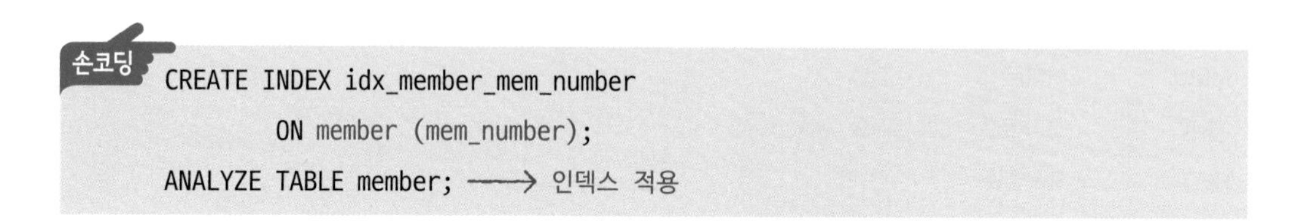

손코딩

```
CREATE INDEX idx_member_mem_number
        ON member (mem_number);
ANALYZE TABLE member; ──→ 인덱스 적용
```

인원수가 7명 이상인 그룹의 이름과 인원수를 조회해보겠습니다. 결과는 4건이 나왔을 것입니다.

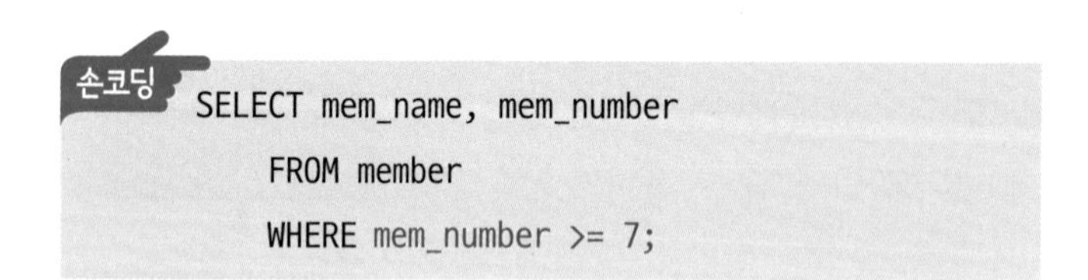

손코딩

```
SELECT mem_name, mem_number
    FROM member
    WHERE mem_number >= 7;
```

실행 결과

mem_name	mem_number
오마이걸	7
소녀시대	8
트와이스	9
우주소녀	13

[Execution Plan] 창에서 인덱스를 사용한 것을 확인할 수 있습니다. mem_number >= 7과 같이 숫자의 범위로 조회하는 것도 인덱스를 사용합니다.

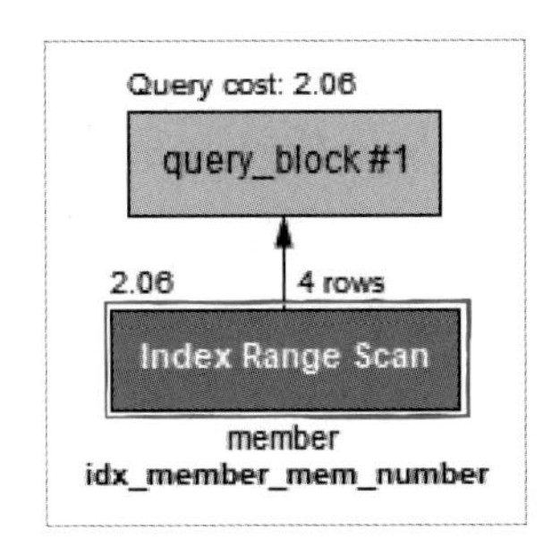

인덱스를 사용하지 않을 때

인덱스가 있고 WHERE 절에 열 이름이 나와도 인덱스를 사용하지 않는 경우가 있습니다. 인원 수가 1명 이상인 회원을 조회해보겠습니다. 회원은 1명 이상이므로 10건 모두 조회됩니다.

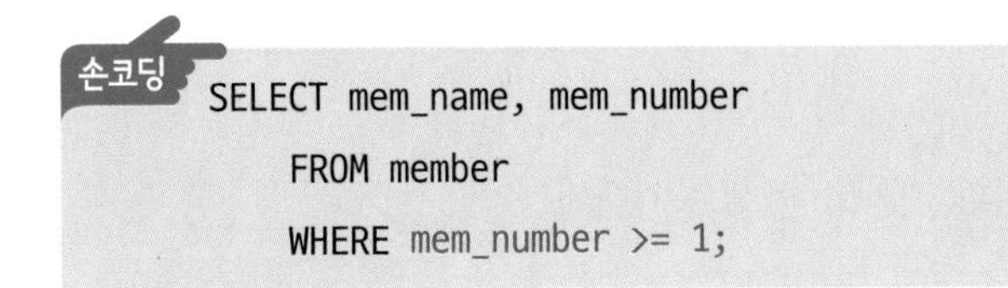

손코딩

```
SELECT mem_name, mem_number
    FROM member
    WHERE mem_number >= 1;
```

실행 결과

mem_name	mem_number
에이핑크	6
블랙핑크	4
소녀시대	8
잇지	5
마마무	4
오마이걸	7
레드벨벳	4
우주소녀	13
트와이스	9
여자친구	6

이제 [Execution plan] 창을 살펴봅시다.

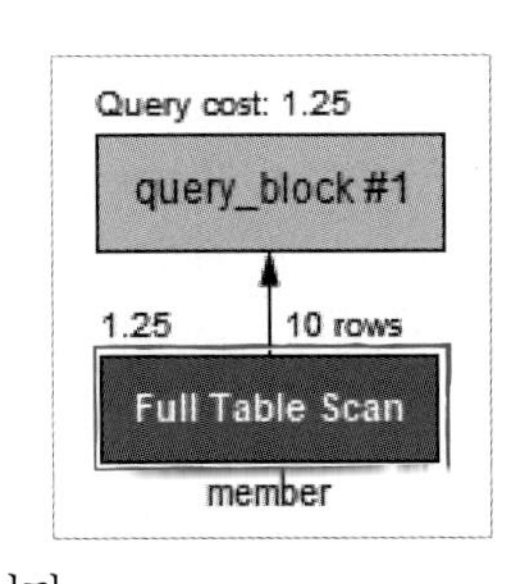

전체 테이블 검색을 했습니다. 앞에서 7명 이상일 때는 틀림없이 인덱스를 사용했는데, 1명 이상으로 설정하니 전체 테이블 검색을 했습니다. 인덱스가 있더라도 MySQL이 인덱스 검색보다는 전체 테이블 검색이 낫겠다고 판단했기 때문입니다. 이 경우에는 대부분의 행을 가져와야 하므로 인덱스를 왔다 갔다 하는 것보다는 차라리 테이블을 차례대로 읽는 것이 효율적입니다.

찾을 건수가 엄청 많을 때, 책의 제일 뒤에 있는 찾아보기에서 본문까지 왔다 갔다 하는 것보다 책을 처음부터 읽어서 찾는 게 나은 것과 마찬가지입니다.

인덱스가 있어도 MySQL이 판단해서 사용하지 않을 수 있습니다.

또 다른 경우를 살펴보겠습니다. 말장난 같지만 다음과 같은 경우가 있다고 가정하겠습니다. 인원수(mem_number)의 2배를 하면 14명 이상이 되는 회원의 이름과 인원수를 검색해봅시다. 인원수에 2를 곱한 것과 14를 비교하면 될 것 같습니다.

4명의 회원이 나왔습니다. 사실 이 SQL은 앞에서 인덱스를 사용한 **WHERE mem_number >= 7**과 동일한 조건입니다.

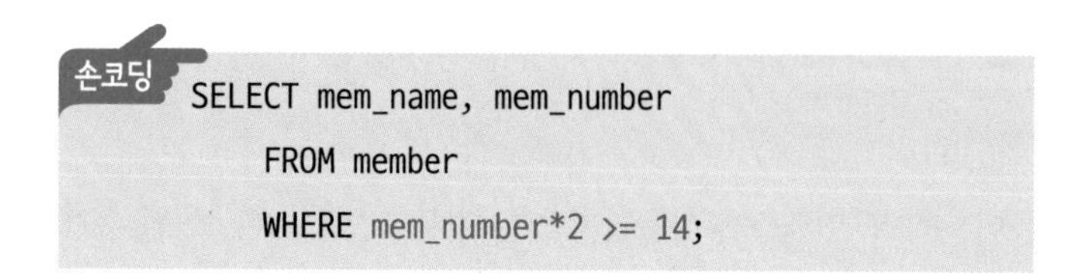

```
SELECT mem_name, mem_number
    FROM member
    WHERE mem_number*2 >= 14;
```

실행 결과

mem_name	mem_number
소녀시대	8
오마이걸	7
우주소녀	13
트와이스	9

그렇다면 [Execution plan]을 살펴보겠습니다. 인덱스 검색을 기대했는데, 전체 테이블 검색을 했습니다. **WHERE mem_number >= 7**로 조회할 때는 인덱스 검색을 했는데 말입니다. 결론을 말하면 WHERE 문에서 열에 연산이 가해지면 인덱스를 사용하지 않습니다.

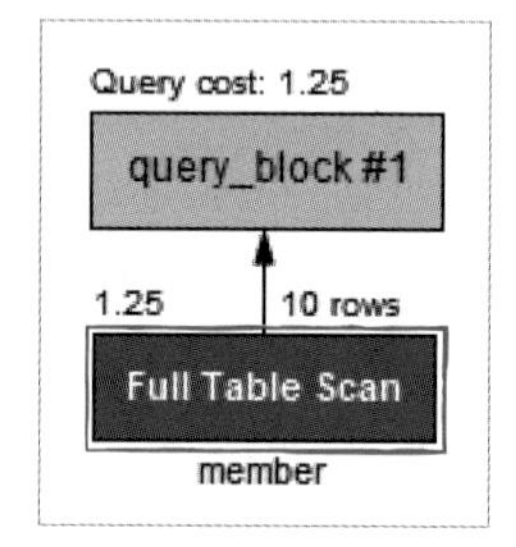

note WHERE mem_number*2 >= 14를 암산으로 계산해서 WHERE mem_number >= 7로 수정해도 되지만, 수식이 복잡하다고 가정하고 원 수식을 그대로 사용한 것입니다.

이런 경우에는 다음과 같이 수정하면 됩니다. 결과는 동일하게 나올 것입니다.

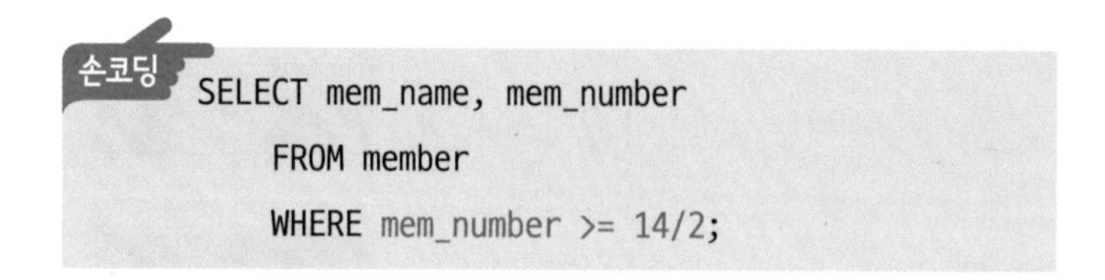

```
SELECT mem_name, mem_number
    FROM member
    WHERE mem_number >= 14/2;
```

실행 결과

mem_name	mem_number
오마이걸	7
소녀시대	8
트와이스	9
우주소녀	13

note WHERE mem_number*2 >= 14와 WHERE mem_number >= 14/2로 실행한 결과의 순서가 다릅니다. 전체 테이블 검색과 인덱스 검색의 차이로 순서가 다를 뿐이고 결과 데이터는 동일합니다.

[Execution plan]을 살펴보면 인덱스를 사용했습니다. 그러므로 WHERE 절에 나온 열에는 아무런 연산을 하지 않는 것이 좋습니다.

WHERE 절의 열에 연산을 하면 인덱스를 사용하지 않습니다.

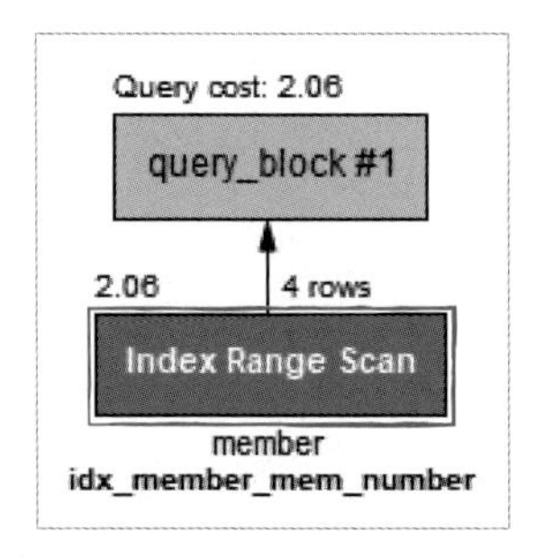

인덱스 제거 실습

지금까지 사용한 인덱스를 제거하겠습니다. 먼저 인덱스의 이름을 확인합니다.

손코딩

```
SHOW INDEX FROM member;
```

실행 결과

Table	Non_unique	Key_name	Seq_in_index	Column_name	Collation	Cardinality	Sub_part	Packed
member	0	PRIMARY	1	mem_id	A	10	NULL	NULL
member	0	idx_member_mem_name	1	mem_name	A	10	NULL	NULL
member	1	idx_member_addr	1	addr	A	5	NULL	NULL
member	1	idx_member_mem_number	1	mem_number	A	7	NULL	NULL

클러스터형 인덱스와 보조 인덱스가 섞여 있을 때는 보조 인덱스를 먼저 제거하는 것이 좋습니다. 보조 인덱스는 어떤 것을 먼저 제거해도 상관없습니다.

손코딩

```
DROP INDEX idx_member_mem_name ON member;
DROP INDEX idx_member_addr ON member;
DROP INDEX idx_member_mem_number ON member;
```

note 클러스터형 인덱스를 먼저 제거해도 되지만, 데이터를 쓸데없이 재구성해서 시간이 더 오래 걸립니다.

마지막으로 기본 키 지정으로 자동 생성된 클러스터형 인덱스를 제거하면 됩니다. Primary Key에 설정된 인덱스는 DROP INDEX 문으로 제거되지 않고 ALTER TABLE 문으로만 제거할 수 있습니다.

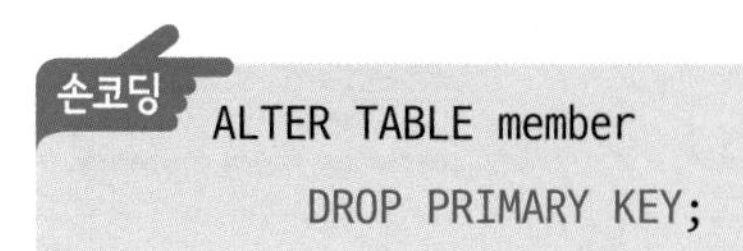

```
ALTER TABLE member
    DROP PRIMARY KEY;
```

오류가 발생했습니다. 이유는 member의 mem_id 열을 buy가 참조하고 있기 때문입니다. 그러므로 기본 키를 제거하기 전에 외래 키 관계를 제거해야 합니다.

오류 메시지

```
Error Code: 1553. Cannot drop index 'PRIMARY': needed in a foreign key constraint
```

note '인터넷 마켓' 데이터베이스의 회원 테이블(member)과 구매 테이블(buy)의 관계는 이미 이 책에서 여러 번 살펴보았습니다.

테이블에는 여러 개의 외래 키가 있을 수 있습니다. 그래서 먼저 외래 키의 이름을 알아내야 합니다. information_schema 데이터베이스의 referential_constraints 테이블을 조회하면 외래 키의 이름을 알 수 있습니다.

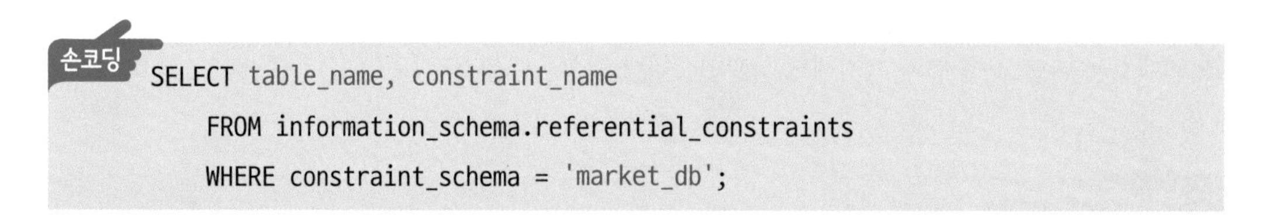

```
SELECT table_name, constraint_name
    FROM information_schema.referential_constraints
    WHERE constraint_schema = 'market_db';
```

실행 결과

TABLE_NAME	CONSTRAINT_NAME
buy	buy_ibfk_1

note information_schema 데이터베이스의 referential_constraints 테이블은 MySQL 안에 원래 포함되어 있는 시스템 데이터베이스와 테이블입니다. 여기에는 MySQL 전체의 외래 키 정보가 들어 있습니다.

이제 외래 키 이름을 알았으니 외래 키를 먼저 제거하고 기본 키를 제거하면 됩니다. 이제 모든 인덱스가 제거되었습니다.

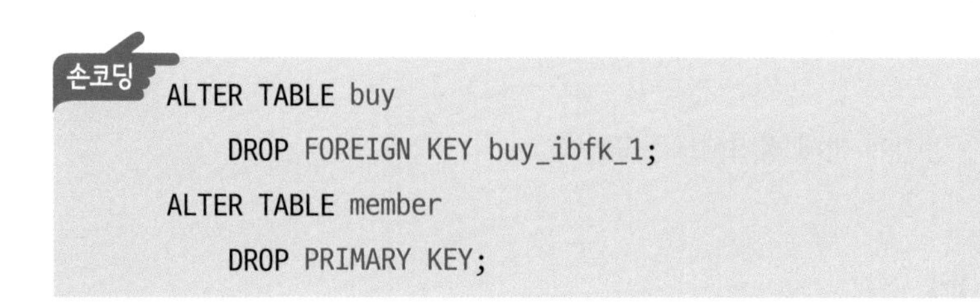

손코딩

```
ALTER TABLE buy
    DROP FOREIGN KEY buy_ibfk_1;
ALTER TABLE member
    DROP PRIMARY KEY;
```

note 당연한 이야기지만 인덱스를 제거한다고 데이터의 내용이 바뀌는 것은 아닙니다. 지금 인덱스를 제거한 것은 찾아보기를 제거하고 영어사전을 순서가 섞인 단어장으로 변경한 것이며, 내용은 그대로입니다.

좀 더 알아보기 인덱스를 효과적으로 사용하는 방법

인덱스를 효과적으로 사용하는 방법에 대해 정리해보겠습니다.

인덱스는 열 단위에 생성됩니다.

지금까지 실습에서 확인했습니다. 하나의 열에 하나의 인덱스를 생성할 수 있다고 기억하기 바랍니다.

사실 하나의 열에 2개 이상의 인덱스를 만들 수도 있고, 2개 이상의 열을 묶어서 하나의 인덱스로 만들 수도 있습니다. 하지만 이런 경우는 드물기 때문에 하나의 열에 하나의 인덱스를 만드는 것이 가장 일반적입니다.

WHERE 절에서 사용되는 열에 인덱스를 만들어야 합니다.

SELECT 문을 사용할 때, WHERE 절의 조건에 해당 열이 나와야 인덱스를 사용합니다. market_db의 member를 사용하는 SQL은 다음과 같습니다.

```
SELECT mem_id, mem_name, mem_number, addr
    FROM member
    WHERE mem_name = '에이핑크';
```

만약 member 테이블에는 단지 이 SQL만 사용한다고 가정한다면, 이 SQL에서 mem_id, mem_number, addr 열에는 인덱스를 생성해도 전혀 사용하지 않습니다. WHERE 절에 있는 mem_name 열의 인덱스만 사용합니다. 그러므로 mem_name 열 외에 다른 열에 인덱스를 만드는 것은 낭비가 됩니다.

WHERE 절에 사용되더라도 자주 사용해야 가치가 있습니다.

만약 mem_name 열에 인덱스를 생성해서 효율이 아주 좋아진다고 하더라도, 이 SELECT 문은 1년에 1번 정도만 사용되고 member 테이블에는 주로 INSERT 작업만 일어난다면 어떨까요?

인덱스는 INSERT의 성능을 나쁘게 한다는 것은 이미 배웠습니다. 그러므로 오히려 인덱스로 인해서 성능이 나빠지는 결과가 될 것입니다. 차라리 1년에 1번쯤 인덱스 없이 SELECT를 하는 것이 더 낫습니다.

데이터의 중복이 높은 열은 인덱스를 만들어도 별 효과가 없습니다.

열에 들어갈 데이터의 종류가 몇 가지 되지 않으면 인덱스가 큰 효과를 내지 못합니다. 예를 들어 성별, 연락처 국번, 주로 사용하는 교통 수단 등 종류가 제한된 것에는 인덱스를 만들어도 효과가 없습니다.

클러스터형 인덱스는 테이블당 하나만 생성할 수 있습니다.

클러스터형 인덱스는 데이터 페이지를 읽는 수가 보조 인덱스보다 적기 때문에 성능이 더 우수합니다. 그러므로 하나밖에 지정하지 못하는 클러스터형 인덱스(기본 키)는 조회할 때 가장 많이 사용되는 열에 지정하는 것이 효과적입니다.

사용하지 않는 인덱스는 제거합니다.

실제로 사용되는 SQL을 분석해서 WHERE 조건에서 사용되지 않는 열의 인덱스는 제거할 필요가 있습니다. 그러면 공간을 확보할 뿐 아니라 데이터 입력 시 발생되는 부하도 많이 줄일 수 있습니다.

마무리

▶ 5가지 키워드로 끝내는 핵심 포인트

- **CREATE INDEX** 문으로 인덱스를 직접 생성합니다.
- 기본 키 및 고유 키로 자동 생성된 인덱스는 ALTER TABLE로 제거하고, CREATE INDEX 문으로 생성한 인덱스는 **DROP INDEX** 문으로 제거합니다.
- **단순 보조 인덱스**는 중복을 허용하는 보조 인덱스이며, CREATE INDEX 문을 사용합니다.
- **고유 보조 인덱스**는 중복을 허용하지 않는 보조 인덱스이며, CREATE UNIQUE INDEX 문을 사용합니다.
- MySQL 워크벤치에서 SQL을 실행한 후, **실행 계획**에서 인덱스의 사용 여부를 확인할 수 있습니다.

▶ 확인문제

이번 절에서는 인덱스를 생성하고 삭제하는 방법과 인덱스를 활용하는 SQL을 학습했습니다. 확인문제를 통해서 배운 개념을 스스로 정리해보기 바랍니다.

1. 다음은 인덱스를 생성하는 CREATE INDEX에 대한 설명입니다. 거리가 먼 것을 1개 고르세요.

① UNIQUE를 사용하면 중복되지 않는 고유 인덱스가 만들어집니다.
② 인덱스의 이름은 idx_테이블_이름 형식으로 고정되어 있습니다.
③ ASC는 오름차순 인덱스를 만듭니다.
④ DESC는 내림차순 인덱스를 만듭니다.

2. 각 설명이 의미하는 것을 관련 용어와 연결해보세요.

① 인덱스를 생성하는 SQL •	• SHOW INDEX
② 인덱스를 제거하는 SQL •	• DROP INDEX
③ 테이블에 생성된 인덱스 이름과 열을 확인하는 SQL •	• CREATE INDEX
④ 인덱스의 할당된 크기를 확인하는 SQL •	• SHOW TABLE STATUS

3. 다음은 인덱스를 생성하는 세부적인 내용에 대한 설명입니다. 거리가 먼 것을 2개 고르세요.

① 클러스터형 인덱스와 보조 인덱스를 동시에 한 테이블에 생성할 수 없습니다.
② 이미 중복된 값이 있는 열에 CREATE UNIQUE INDEX 문을 사용하면 중복 데이터는 제거됩니다.
③ 고유 보조 인덱스를 생성한 후에는 해당 열에 동일한 값을 입력할 수 없습니다.
④ 중복 데이터가 많은 열에는 인덱스를 만들어도 큰 효과가 없습니다.

4. 다음은 실행 계획에 관련된 설명입니다. 거리가 먼 것을 2개 고르세요.

① MySQL 워크벤치의 [Execution Plan] 창은 SQL을 실행하기 전에 확인할 수 있습니다.
② Full Table Scan은 인덱스를 사용하지 않았다는 의미입니다.
③ 인덱스를 사용하면 'Index Scan'이라고 표시됩니다.
④ 인덱스가 있어도 Full Table Scan을 할 수 있습니다.

5. 다음은 인덱스의 결론입니다. 거리가 먼 것을 2개 고르세요.

① 인덱스는 행 단위에 생성됩니다.
② WHERE 절에서 사용되는 열에 인덱스를 만들어야 합니다.
③ 데이터의 중복도가 높으면 인덱스가 효과적입니다.
④ 사용하지 않는 인덱스는 제거하는 것이 좋습니다.

Chapter 07

이번에는 SQL을 한 문장씩 단순하게 사용하는 것뿐 아니라, 프로그래밍 로직까지 추가해서 사용하는 능력을 키울 차례입니다. 기존에 다른 프로그래밍을 공부한 적이 있다면, 이번 장은 쉽게 느껴질 것입니다. 혹시 프로그래밍이 처음이라도 별로 어렵지 않은 내용들이니 책의 설명대로 차근차근 진행하면 됩니다.

스토어드 프로시저

학습목표

- 스토어드 프로시저의 작성 방법을 이해합니다.
- 스토어드 함수와 커서에 대해서 이해하고 활용 방법을 학습합니다.
- 트리거의 적용 분야와 실제 사용 방법을 배웁니다.

07-1 스토어드 프로시저 사용 방법

핵심 키워드

스토어드 프로시저 BEGIN ~ END CALL 입력 매개변수 출력 매개변수 동적 SQL

지금까지 배운 SQL을 자동화하지 않고 계속 반복적으로 사용하기에는 상당한 불편함과 한계가 있습니다. 스토어드 프로시저를 사용하면 MySQL 안에서도 다른 프로그래밍 언어처럼 프로그램 로직의 코딩이 가능합니다.

시작하기 전에

SQL은 데이터베이스에서 사용되는 언어language입니다. 그런데 SQL을 사용하다 보면 다른 프로그래밍 언어의 기능이 필요할 때가 있습니다. C, 자바, 파이썬 등의 언어를 접해본 사람이라면 조건문이나 반복문을 사용해서 처리하면 더 편리하고 빠른 결과를 낼 수 있다는 것을 이미 알고 있을 것입니다.

MySQL의 **스토어드 프로시저**stored procedure는 SQL에 프로그래밍 기능을 추가해서 일반 프로그래밍 언어와 비슷한 효과를 낼 수 있습니다.

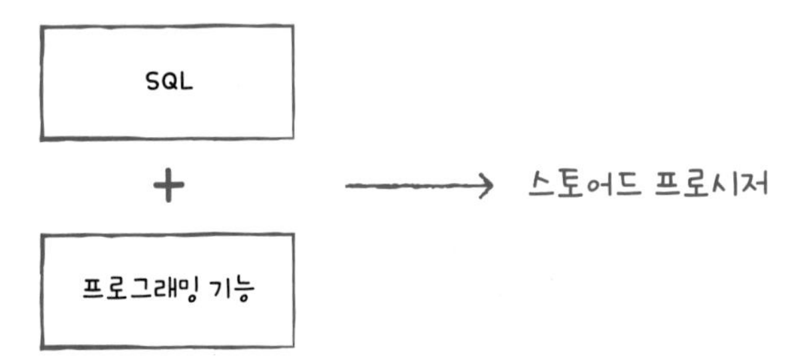

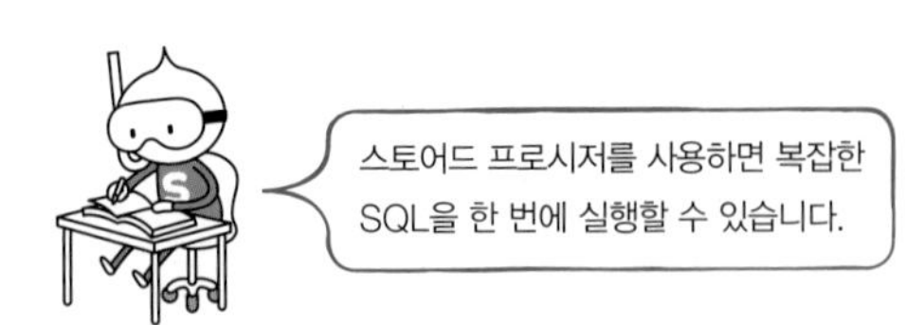

스토어드 프로시저 기본

스토어드 프로시저의 완전한 형식은 어렵게 느낄 수도 있지만, 실제로 사용하는 형식은 간단합니다. 기본 형식을 먼저 익히고, 추가로 완전한 형식을 학습하도록 하세요.

스토어드 프로시저의 개념과 형식

스토어드 프로시저stored procedure(저장 프로시저)란 MySQL에서 제공하는 프로그래밍 기능입니다. C, 자바, 파이썬 등의 프로그래밍과는 조금 차이가 있지만, MySQL 내부에서 사용할 때 적절한 프로그래밍 기능을 제공해줍니다.

또한 스토어드 프로시저는 쿼리 문의 집합으로도 볼 수 있으며, 어떠한 동작을 일괄 처리하기 위한 용도로도 사용합니다. 자주 사용하는 일반적인 쿼리를 반복하는 것보다는 스토어드 프로시저로 묶어 놓고, 필요할 때마다 간단히 호출만 하면 훨씬 편리하게 MySQL을 운영할 수 있습니다.

note 스토어드 프로시저도 데이터베이스의 개체 중 한 가지입니다. 즉, 테이블처럼 각 데이터베이스 내부에 저장됩니다.

스토어드 프로시저를 만드는 완전한 형식은 조금 복잡합니다. 다음은 옵션을 모두 표현하면 오히려 복잡해 보이므로 가장 많이 사용되는 필수적인 형식만 표시한 것입니다.

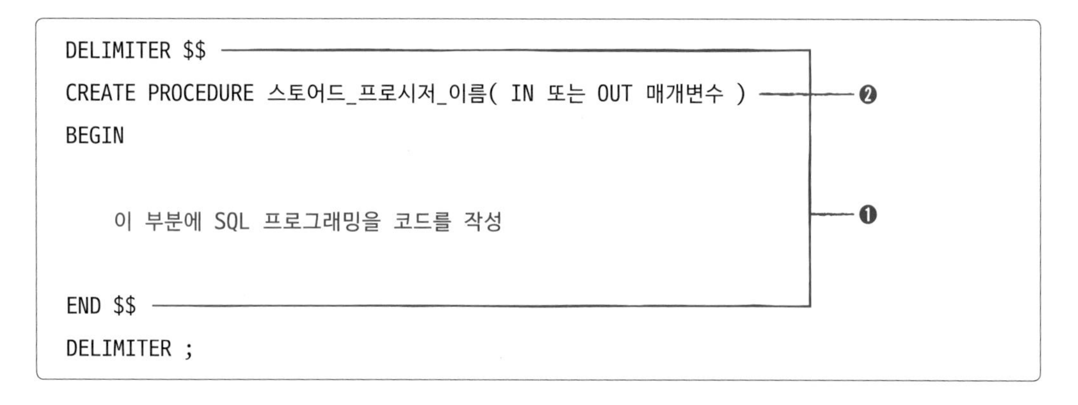

❶ 필수 항목으로 스토어드 프로시저를 묶어주는 기능을 합니다. **$$**는 $ 1개만 사용해도 되지만 명확하게 표시하기 위해 2개를 사용합니다. ##, %%, &&, // 등으로 바꿔도 됩니다.

+ 여기서 잠깐 DELIMITER의 의미

DELIMITER는 '구분자'라는 의미입니다. MySQL에서 구분자는 기본적으로 세미콜론(;)을 사용하는데, 스토어드 프로시저 안에 있는 많은 SQL의 끝에도 세미콜론을 사용합니다. 문제는 세미콜론이 나왔을 때 이것이 SQL의 끝인지, 스토어드 프로시저의 끝인지 모호해질 수 있습니다. 그래서 구분자를 $$로 바꿔서 $$가 나올 때까지는 스토어드 프로시저가 끝난 것이 아니라는 것을 표시하는 것입니다.

즉 세미콜론은 SQL의 끝으로만 표시하고, $$는 스토어드 프로시저의 끝으로 사용합니다. 그리고 마지막 행에서 **DELIMITER**를 세미콜론으로 바꿔주면 원래대로 MySQL의 구분자가 세미콜론으로 돌아옵니다.

❷ 스토어드 프로시저의 이름을 정해줍니다. 이름은 마음대로 지어도 되지만, 가능하면 이름만으로도 스토어드 프로시저라는 것을 알 수 있도록 표현하는 것이 좋습니다. 이 책에서는 procedure라는 의미로 끝에 _proc 등을 붙여서 이름을 지었습니다.

(IN 또는 OUT 매개변수)는 입력 또는 출력 매개변수인데 잠시 후에 살펴보겠습니다.

CREATE PROCEDURE는 스토어드 프로시저를 만든 것뿐이며, 아직 실행(호출)한 것은 아닙니다. 비유하자면 커피 자판기를 만든 것이지, 커피를 뽑은 것은 아닙니다.

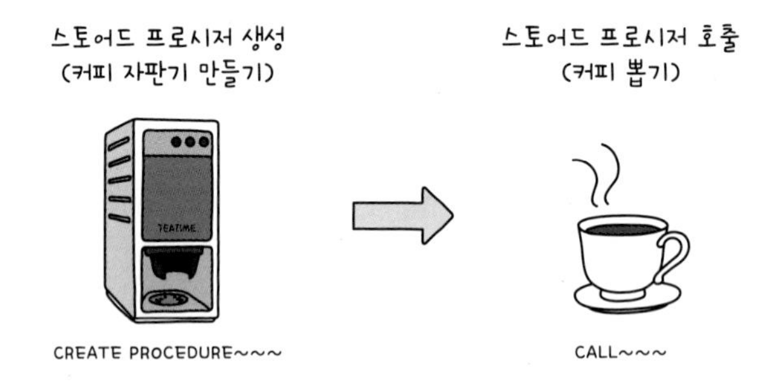

스토어드 프로시저를 호출하는 형식은 다음과 같이 간단합니다. CALL 다음에 스토어드 프로시저의 이름과 괄호를 붙여주면 됩니다. 필요하다면 괄호 안에 매개변수를 넣어서 사용할 수도 있습니다.

```
CALL 스토어드_프로시저_이름();
```

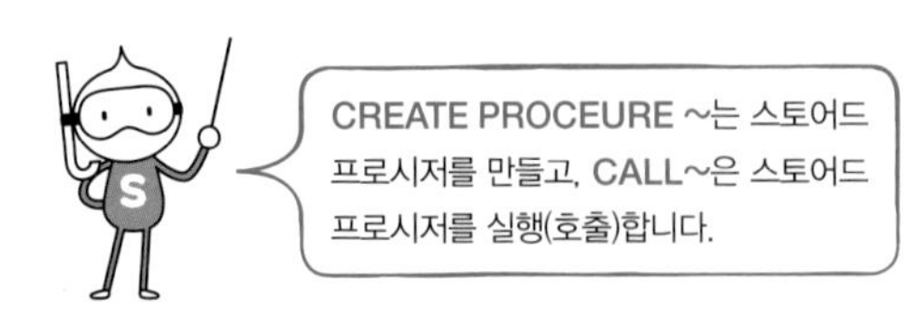

스토어드 프로시저의 생성

스토어드 프로시저의 세부적인 실습은 잠시 후에 진행해보고, 지금은 간단한 스토어드 프로시저의 생성을 예로 살펴보도록 하겠습니다.

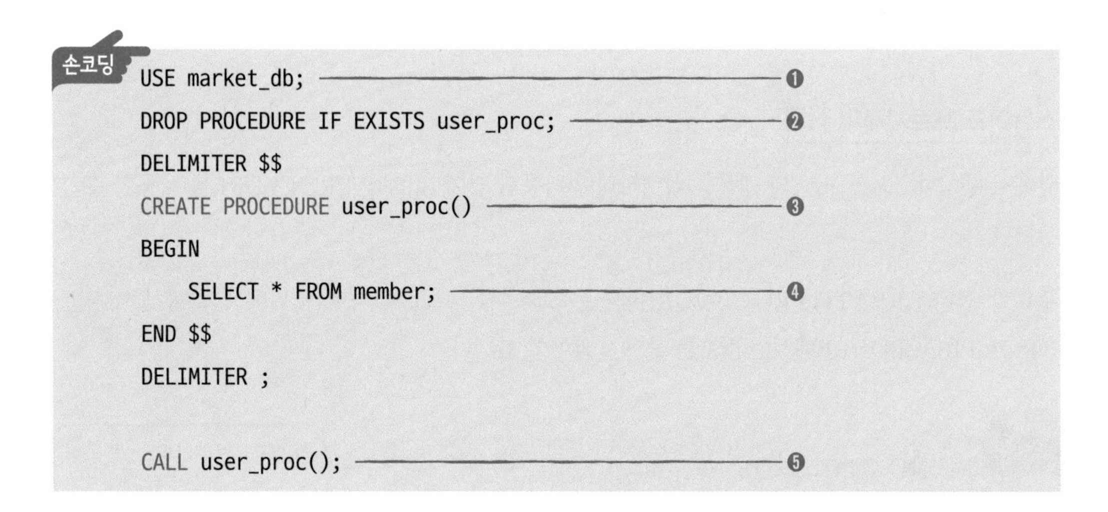

손코딩

```
USE market_db; ──────────── ❶
DROP PROCEDURE IF EXISTS user_proc; ──────────── ❷
DELIMITER $$
CREATE PROCEDURE user_proc() ──────────── ❸
BEGIN
    SELECT * FROM member; ──────────── ❹
END $$
DELIMITER ;

CALL user_proc(); ──────────── ❺
```

실행 결과

mem_id	mem_name	mem_number	addr	phone1	phone2	height	debut_date
APN	에이핑크	6	경기	031	77777777	164	2011-02-10
BLK	블랙핑크	4	경남	055	22222222	163	2016-08-08
GRL	소녀시대	8	서울	02	44444444	168	2007-08-02
ITZ	잇지	5	경남	NULL	NULL	167	2019-02-12
MMU	마마무	4	전남	061	99999999	165	2014-06-19
OMY	오마이걸	7	서울	NULL	NULL	160	2015-04-21
RED	레드벨벳	4	경북	054	55555555	161	2014-08-01
SPC	우주소녀	13	서울	02	88888888	162	2016-02-25
TWC	트와이스	9	서울	02	11111111	167	2015-10-19
WMN	여자친구	6	경기	031	33333333	166	2015-01-15

❶ '인터넷 마켓' 데이터베이스를 사용하도록 지정했습니다.

❷ 기존에 user_proc라는 이름의 스토어드 프로시저가 있다면 삭제하라는 의미입니다. user_proc가 없다면 그냥 넘어갑니다.

❸ 스토어드 프로시저를 만드는 구문입니다. 이름을 user_proc로 지정했습니다.

❹ 스토어드 프로시저의 내용입니다. 지금은 간단히 회원 테이블을 조회하는 1줄이지만, 100줄이 넘어가도 괜찮습니다.

❺ 생성한 user_proc라는 스토어드 프로시저를 실행(호출)합니다. 결국 SELECT 문이 실행되는 것입니다.

스토어드 프로시저의 삭제

앞에서 생성한 user_proc의 내용을 삭제하려면 다음과 같이 DROP PROCEURE를 사용할 수 있습니다.

주의할 점은 CREATE PROCEDURE에서는 스토어드 프로시저 이름 뒤에 괄호를 붙이지만, DROP PROCEDURE에서는 괄호를 붙이지 않아야 합니다.

손코딩
```
DROP PROCEDURE user_proc;
```

DROP PROCEURE ~는 스토어드 프로시저를 삭제합니다.

스토어드 프로시저 실습

스토어드 프로시저에는 프로그래밍 기능을 사용하고 싶은 만큼 적용할 수 있습니다. 그러면 더 강력하고 유연한 기능을 포함하는 스토어드 프로시저를 생성할 수 있습니다.

매개변수의 사용

스토어드 프로시저에서는 실행 시 **입력 매개변수**를 지정할 수 있습니다. 입력 매개변수를 쉽게 비유하면 자판기를 사용할 때 동전을 넣고 버튼을 누르는 동작으로 생각하면 됩니다.

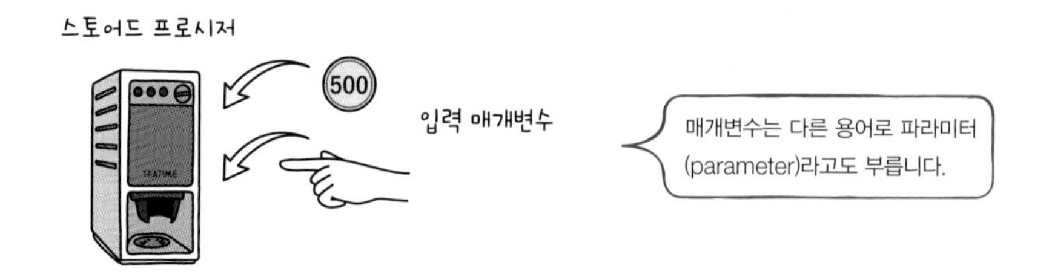

매개변수는 다른 용어로 파라미터(parameter)라고도 부릅니다.

입력 매개변수를 지정하는 형식은 다음과 같습니다.

```
IN 입력_매개변수_이름 데이터_형식
```

입력 매개변수가 있는 스토어드 프로시저를 실행하기 위해서는 다음과 같이 괄호 안에 값을 전달하면 됩니다.

```
CALL 프로시저_이름(전달_값);
```

스토어드 프로시저에서 처리된 결과를 **출력 매개변수**를 통해 얻을 수도 있습니다. 출력 매개변수는 커피 자판기에서 미리 준비하고 있는 컵이라고 보면 됩니다. 비어 있던 컵에는 커피가 담겨져 돌아옵니다.

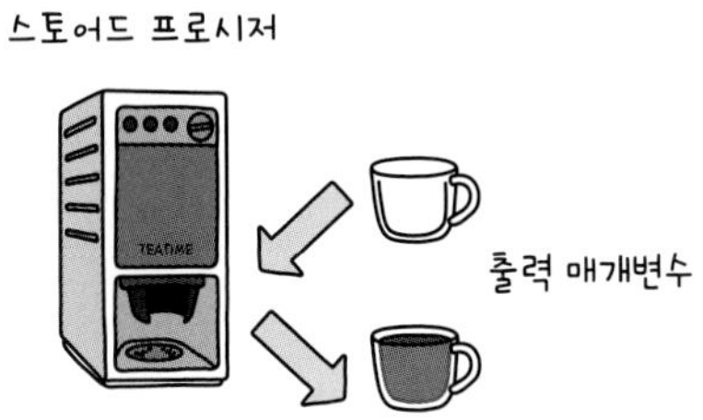

출력 매개변수의 형식은 다음과 같습니다.

```
OUT 출력_매개변수_이름 데이터_형식
```

출력 매개변수에 값을 대입하기 위해서는 주로 SELECT ~ INTO 문을 사용합니다. 매개변수는 개념이 조금 어려울 수 있습니다. 잠시 후에 예제를 통해서 확인해보겠습니다.

출력 매개변수가 있는 스토어드 프로시저를 실행하기 위해서는 다음과 같이 사용합니다.

```
CALL 프로시저_이름(@변수명);
SELECT @변수명;
```

입력 매개변수의 활용

입력 매개변수가 있는 스토어드 프로시저를 생성하고 실행해보겠습니다.

손코딩

```
USE market_db;
DROP PROCEDURE IF EXISTS user_proc1;
DELIMITER $$
CREATE PROCEDURE user_proc1(IN userName VARCHAR(10))  ❷
BEGIN
  SELECT * FROM member WHERE mem_name = userName;  ❸
END $$
DELIMITER ;

CALL user_proc1('에이핑크');  ❶
```

실행 결과

mem_id	mem_name	mem_number	addr	phone1	phone2	height	debut_date
APN	에이핑크	6	경기	031	77777777	164	2011-02-10

❶ '에이핑크'를 **입력 매개변수**로 전달했습니다.

❷ userName 매개변수에 대입했습니다.

❸ '에이핑크'에 대한 조회를 수행합니다.

이번에는 2개의 입력 매개변수가 있는 스토어드 프로시저를 만들어보겠습니다.

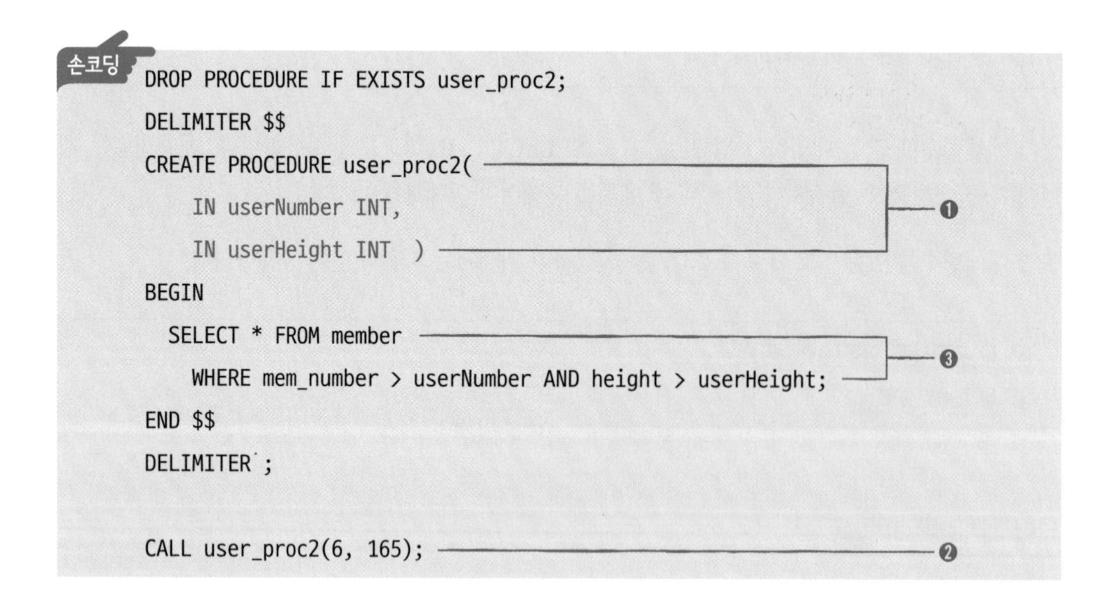

손코딩

```
DROP PROCEDURE IF EXISTS user_proc2;
DELIMITER $$
CREATE PROCEDURE user_proc2(
    IN userNumber INT,           ❶
    IN userHeight INT  )
BEGIN
  SELECT * FROM member
    WHERE mem_number > userNumber AND height > userHeight;  ❸
END $$
DELIMITER ;

CALL user_proc2(6, 165);  ❷
```

실행 결과

mem_id	mem_name	mem_number	addr	phone1	phone2	height	debut_date
GRL	소녀시대	8	서울	02	44444444	168	2007-08-02
TWC	트와이스	9	서울	02	11111111	167	2015-10-19

❶ 모두 한 줄에 모두 써도 상관없습니다.

❷ 인원을 6으로, 평균 키를 165로 전달했습니다. ❶에서 userNumber에는 6이, userHeight에는 165가 대입됩니다.

❸ 인원이 6을 초과하고, 키가 165를 초과하는 가수 그룹이 조회됩니다. 소녀시대와 트와이스가 조회되었습니다.

출력 매개변수의 활용

이번에는 출력 매개변수가 있는 스토어드 프로시저를 생성하겠습니다.

다음 스토어드 프로시저는 noTable이라는 이름의 테이블에 넘겨 받은 값을 입력하고, id 열의 최대값을 알아내는 기능을 합니다. id 열의 최대값은 결국 방금 입력한 행의 순차 번호입니다.

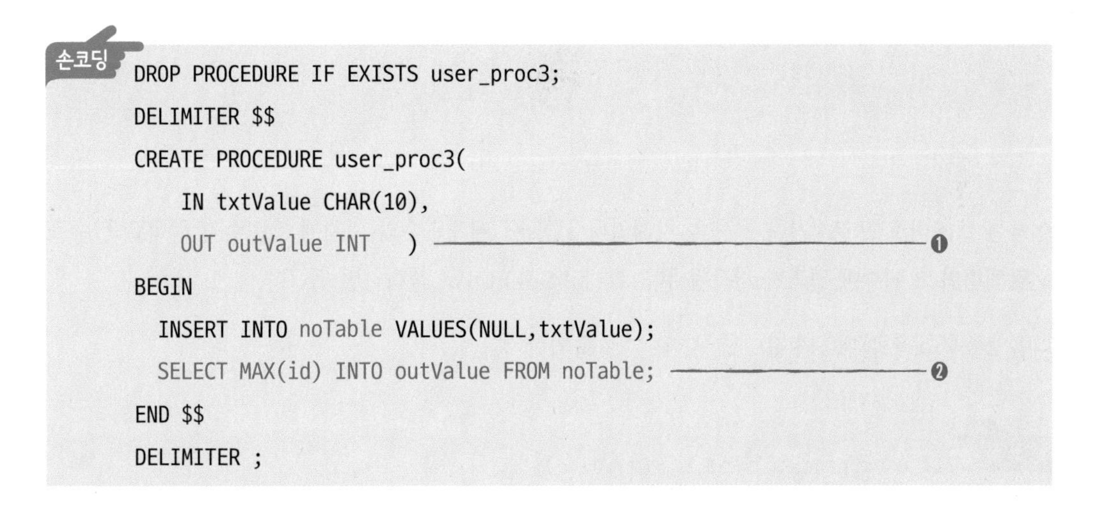

손코딩

```
DROP PROCEDURE IF EXISTS user_proc3;
DELIMITER $$
CREATE PROCEDURE user_proc3(
    IN txtValue CHAR(10),
    OUT outValue INT    ) ——— ❶
BEGIN
  INSERT INTO noTable VALUES(NULL,txtValue);
  SELECT MAX(id) INTO outValue FROM noTable; ——— ❷
END $$
DELIMITER ;
```

CALL은 사용하지 않았으니 아직 실행되지 않았습니다.

❶ 출력 매개변수인 outValue를 지정했습니다.

❷ INTO outvalue 구문으로 outValue에 id 열의 최대값을 저장했습니다. 그런데 noTable이 잘 기억나지 않습니다. noTable의 구조를 먼저 확인하기 위해 DESC 문으로 테이블을 확인해 봅시다.

noTable이 없다고 오류 메시지가 나옵니다. 우리는 아직 noTable을 만든 적이 없기 때문입니다.

```
DESC noTable;
```

오류 메시지

```
Error Code: 1146. Table 'market_db.notable' doesn't exist
```

이상한 점은 앞에서 user_proc3은 오류없이 잘 만들어졌다는 것입니다. noTable이 없는 상태에서 noTable을 사용해도 오류가 발생하지 않았습니다. 스토어드 프로시저를 만드는 시점에는 아직 존재하지 않는 테이블을 사용해도 됩니다. 단, CALL로 실행하는 시점에는 사용한 테이블이 있어야 합니다.

> 스토어드 프로시저를 만드는 시점에는 사용한 테이블이 없어도 됩니다.

이제 noTable 테이블을 만들겠습니다. 간단히 id 열과 txt 열을 만들면 됩니다.

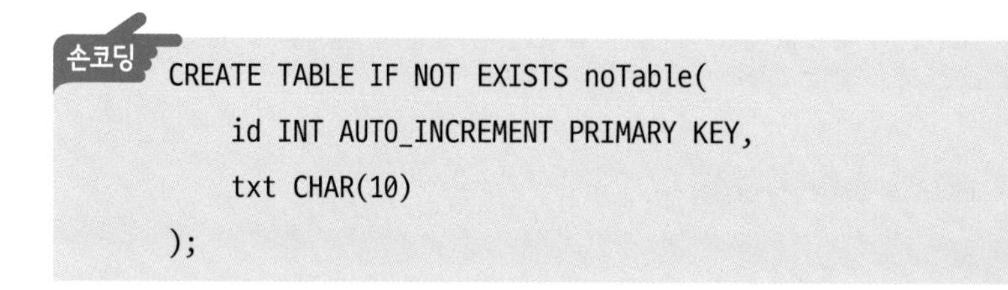

```
CREATE TABLE IF NOT EXISTS noTable(
    id INT AUTO_INCREMENT PRIMARY KEY,
    txt CHAR(10)
);
```

이제는 스토어드 프로시저를 호출할 차례입니다. 출력 매개변수의 위치에 **@변수명** 형태로 변수를 전달해주면 그 변수에 결과가 저장됩니다. 그리고 SELECT로 출력하면 됩니다.

다음 2줄을 계속 실행하면 값이 2, 3, 4, ...로 증가합니다.

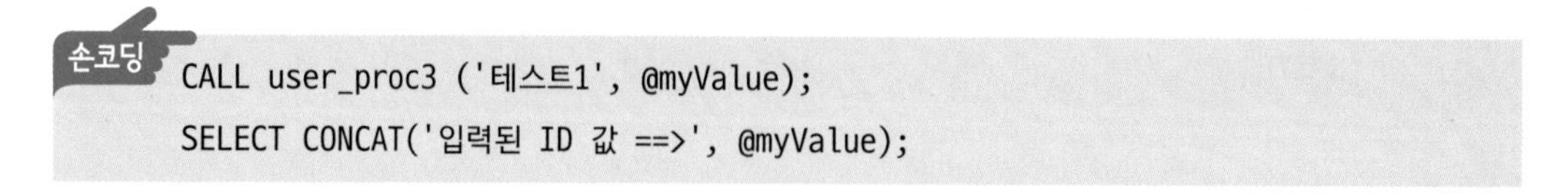

```
CALL user_proc3 ('테스트1', @myValue);
SELECT CONCAT('입력된 ID 값 ==>', @myValue);
```

실행 결과

CONCAT('입력된 ID 값 ==>', @myValue)
입력된 ID 값 ==>1

SQL 프로그래밍의 활용

이번에는 스토어드 프로시저 안에 SQL 프로그래밍을 활용해보겠습니다.

조건문의 기본인 IF ~ ELSE 문을 사용해보겠습니다. 가수 그룹의 데뷔 연도가 2015년 이전이면 '고참 가수', 2015년 이후(2015년 포함)이면 '신인 가수'를 출력하는 스토어드 프로시저를 작성해보겠습니다.

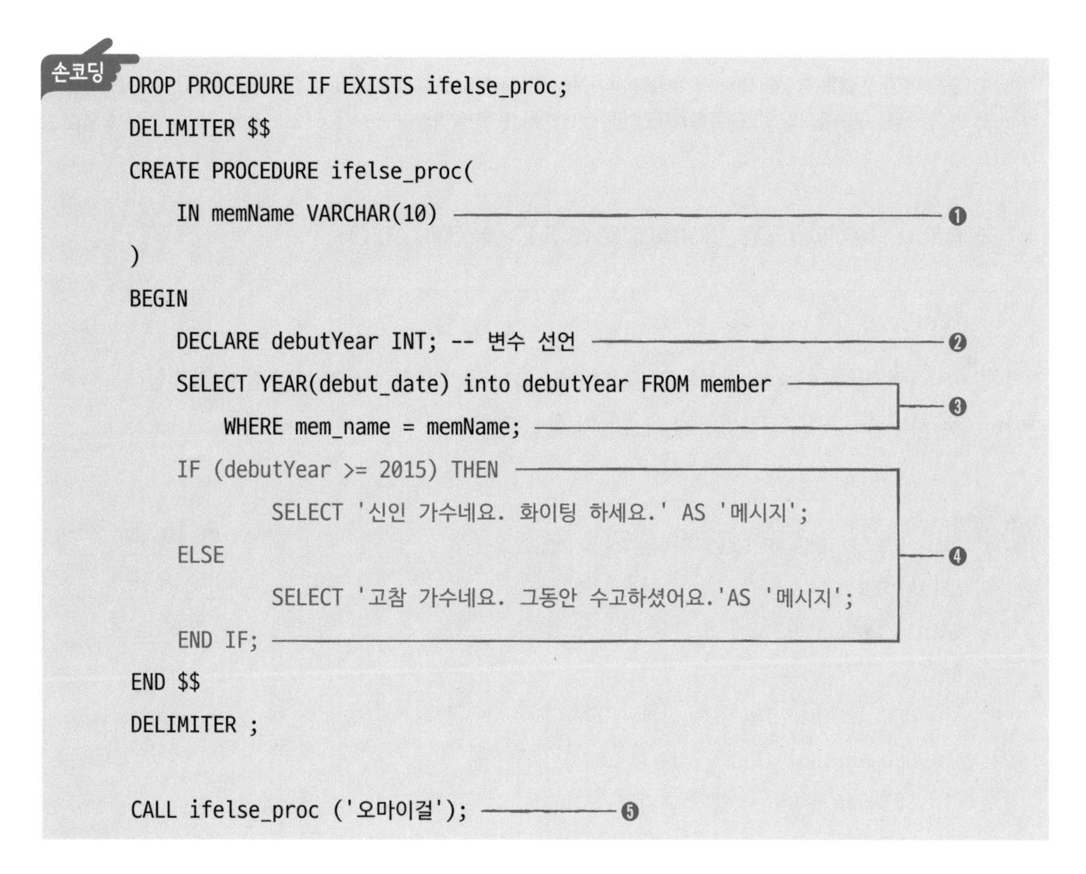

손코딩

```
DROP PROCEDURE IF EXISTS ifelse_proc;
DELIMITER $$
CREATE PROCEDURE ifelse_proc(
    IN memName VARCHAR(10)                                   ❶
)
BEGIN
    DECLARE debutYear INT; -- 변수 선언                      ❷
    SELECT YEAR(debut_date) into debutYear FROM member      ❸
        WHERE mem_name = memName;
    IF (debutYear >= 2015) THEN                              ❹
            SELECT '신인 가수네요. 화이팅 하세요.' AS '메시지';
    ELSE
            SELECT '고참 가수네요. 그동안 수고하셨어요.'AS '메시지';
    END IF;
END $$
DELIMITER ;

CALL ifelse_proc ('오마이걸');                               ❺
```

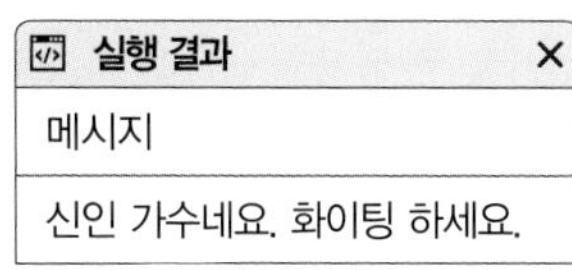

note SQL 프로그래밍과 관련된 내용은 4장 176쪽에서 다뤘습니다. 혹시 코드를 이해하기 어렵다면 해당 내용을 함께 살펴보면서 학습하기 바랍니다.

❶ 매개변수로 가수 그룹의 이름을 넘겨 받습니다.

❷ 데뷔 연도를 저장할 변수를 준비했습니다.

❸ 넘겨 받은 가수 이름으로 조회합니다. 그리고 데뷔 일자(debut_date) 중에서 YEAR() 함수로 연도만 추출해서 변수 debutYear에 저장합니다.

❹ IF~ ELSE 문으로 데뷔 연도에 따라서 필요한 내용을 출력합니다.

❺ '오마이걸'로 스토어드 프로시저를 테스트했습니다.

✚ 여기서 잠깐 **날짜와 관련된 MySQL 함수**

MySQL은 날짜와 관련된 함수를 여러 개 제공합니다. YEAR(날짜), MONTH(날짜), DAY(날짜)를 사용할 수 있는데 날짜에서 연, 월, 일을 구해줍니다. 또 CURDATE() 함수는 현재 날짜를 알려줍니다. 다음 SQL은 현재 연, 월, 일을 출력합니다.

```
SELECT YEAR(CURDATE()), MONTH(CURDATE()), DAY(CURDATE());
```

이번에는 여러 번 반복하는 while 문을 활용해보겠습니다. 1부터 100까지의 합계를 계산해볼까요? 간단히 암산하면 5050인데, 동일하게 나오는지 확인해봅시다.

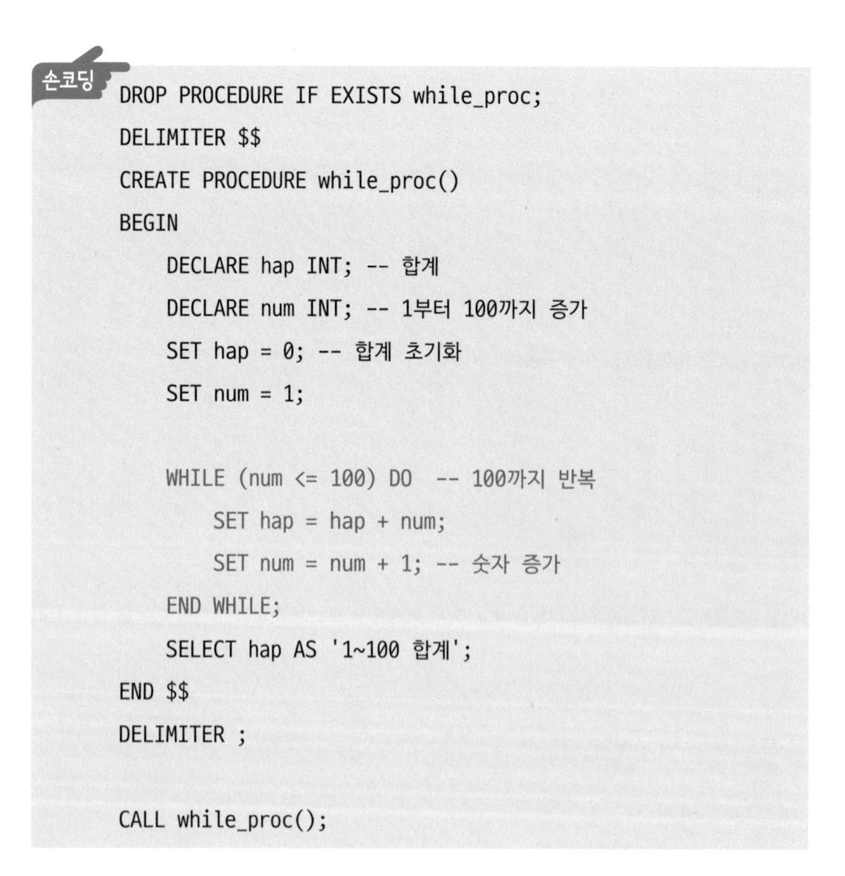
손코딩

```
DROP PROCEDURE IF EXISTS while_proc;
DELIMITER $$
CREATE PROCEDURE while_proc()
BEGIN
    DECLARE hap INT; -- 합계
    DECLARE num INT; -- 1부터 100까지 증가
    SET hap = 0; -- 합계 초기화
    SET num = 1;

    WHILE (num <= 100) DO  -- 100까지 반복
        SET hap = hap + num;
        SET num = num + 1; -- 숫자 증가
    END WHILE;
    SELECT hap AS '1~100 합계';
END $$
DELIMITER ;

CALL while_proc();
```

실행 결과

1~100 합계
5050

일반 프로그래밍 언어와 비슷하게 스토어드 프로시저 안에서도 반복문 프로그래밍이 가능하다는 것을 확인할 수 있습니다. IF ~ ELSE 문이 반복되면서 hap에는 1+2+3+...+100까지 누적됩니다. num은 1, 2, 3, ..., 100으로 값이 변경됩니다.

마지막으로 **동적 SQL**을 활용해보겠습니다. 동적 SQL은 이름 그대로 다이나믹하게 SQL이 변경됩니다. 다음 예제는 테이블을 조회하는 기능을 합니다. 그런데 테이블은 고정된 것이 아니라, 테이블 이름을 매개변수로 전달받아서 해당 테이블을 조회합니다.

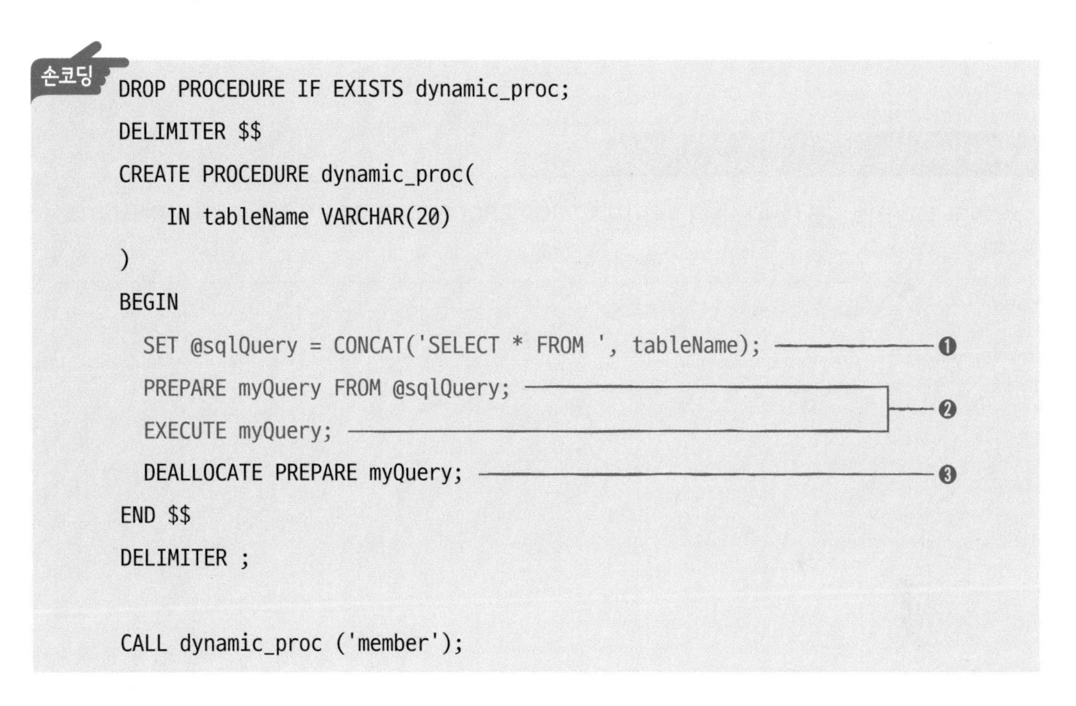

손코딩

```
DROP PROCEDURE IF EXISTS dynamic_proc;
DELIMITER $$
CREATE PROCEDURE dynamic_proc(
    IN tableName VARCHAR(20)
)
BEGIN
  SET @sqlQuery = CONCAT('SELECT * FROM ', tableName);    ❶
  PREPARE myQuery FROM @sqlQuery;                          ❷
  EXECUTE myQuery;                                         ❷
  DEALLOCATE PREPARE myQuery;                              ❸
END $$
DELIMITER ;

CALL dynamic_proc ('member');
```

실행 결과

mem_id	mem_name	mem_number	addr	phone1	phone2	height	debut_date
APN	에이핑크	6	경기	031	77777777	164	2011-02-10
BLK	블랙핑크	4	경남	055	22222222	163	2016-08-08
GRL	소녀시대	8	서울	02	44444444	168	2007-08-02
ITZ	잇지	5	경남			167	2019-02-12
MMU	마마무	4	전남	061	99999999	165	2014-06-19
OMY	오마이걸	7	서울			160	2015-04-21
RED	레드벨벳	4	경북	054	55555555	161	2014-08-01
SPC	우주소녀	13	서울	02	88888888	162	2016-02-25
TWC	트와이스	9	서울	02	11111111	167	2015-10-19
WMN	여자친구	6	경기	031	33333333	166	2015-01-15

❶ 넘겨받은 테이블 이름을 @sqlQuery 변수에 SELECT 문으로 문자열을 생성해 놓았습니다. 결국 **SELECT * FROM member**가 생성된 것입니다.

❷ SELECT 문자열을 준비하고 실행했습니다.

❸ 사용한 myQuery를 해제했습니다.

✚ 여기서 잠깐 **스토어드 프로시저의 삭제**

스토어드 프로시저는 다른 개체의 삭제와 마찬가지로 **DROP PROCEDURE 프로시저_이름** 구문을 사용해서 삭제합니다.

마무리

▶ 6가지 키워드로 끝내는 핵심 포인트

- **스토어드 프로시저**는 MySQL에서 제공되는 프로그래밍 기능입니다.
- 스토어드 프로시저는 BEGIN ~ END 사이에 코드를 구현합니다.
- 스토어드 프로시저를 작성한 후, CALL 문을 통해서 스토어드 프로시저를 호출합니다.
- **입력 매개변수**는 스토어드 프로시저에 값을 전달합니다. 형식은 IN을 앞에 붙입니다.
- **출력 매개변수**는 스토어드 프로시저에서 계산된 결과를 돌려받습니다. 형식은 OUT을 앞에 붙입니다.
- **동적 SQL**은 다이나믹하게 SQL을 생성한 후 실행합니다. PREPARE 문과 EXECUTE 문을 사용합니다.

▶ 확인문제

이번 절에서는 스토어드 프로시저의 형식과 다양한 사용법을 학습했습니다. 확인문제를 통해서 배운 개념을 스스로 정리해보기 바랍니다.

1. 다음은 스토어드 프로시저의 설명입니다. 가장 거리가 먼 것을 하나 고르세요.

① 스토어드 프로시저는 프로그래밍 기능을 합니다.
② 스토어드 프로시저는 쿼리 문의 집합으로 볼 수 있습니다.
③ 한 번 만들어 놓고, 필요할 때마다 호출해서 사용합니다.
④ 스토어드 프로시저는 테이블 안에 저장됩니다.

2. 다음은 스토어드 프로시저의 형식에 대한 설명입니다. 가장 옳은 것을 하나 고르세요.

① DELIMITER ;로 시작합니다.

② MAKE PROCEDURE 문으로 생성합니다.

③ START와 END 사이에 코드를 작성합니다.

④ IN 또는 OUT 매개변수를 사용할 수 있습니다.

3. 다음은 스토어드 프로시저의 매개변수에 대한 설명입니다. 가장 거리가 먼 것을 하나 고르세요.

① 입력 매개변수와 출력 매개변수가 있습니다.

② 입력 매개변수는 앞에 IN을 붙입니다.

③ 출력 매개변수는 앞에 OUT을 붙입니다.

④ 출력 매개변수는 프로시저를 실행할 때 아무것도 보내지 않습니다.

4. 다음은 스토어드 프로시저의 프로그래밍 기능입니다. 가장 거리가 먼 것을 하나 고르세요.

① IF ~ ELSE 조건문을 사용할 수 있습니다.

② FOR 반복문을 사용할 수 있습니다.

③ WHILE 반복문을 사용할 수 있습니다.

④ 동적 SQL을 사용할 수 있습니다.

07-2 스토어드 함수와 커서

핵심 키워드

스토어드 함수 | RETURNS | 입력 매개변수 | 커서 | endOfRow

스토어드 프로시저와 함께 SQL 프로그래밍 기능으로 사용되는 데이터베이스 개체로는 스토어드 함수와 커서가 있습니다. 스토어드 함수와 커서를 잘 활용하면 SQL의 단순한 기능을 더욱 강력하게 확장할 수 있습니다.

시작하기 전에

스토어드 함수는 MySQL에서 제공하는 내장 함수 외에 직접 함수를 만드는 기능을 제공합니다. 즉, MySQL이 제공하는 함수를 그대로 사용할 수 없는 경우가 발생한다면 직접 스토어드 함수를 작성해서 사용할 수 있습니다.

스토어드 함수는 스토어드 프로시저와 모양이 비슷하지만, 세부적으로는 다릅니다. 특히 용도가 다르며, RETURNS 예약어를 통해서 하나의 값을 반환해야 하는 특징을 갖습니다.

커서는 스토어드 프로시저 안에서 한 행씩 처리할 때 사용하는 프로그래밍 방식입니다. 문법은 조금 복잡해 보일 수 있지만, 형태가 대부분 비슷하게 고정되어 있어서 한 번 익혀 놓으면 다음에는 어렵지 않게 활용할 수 있습니다.

스토어드 함수와 커서를 활용하면 편리하고 강력한 SQL을 활용할 수 있습니다.

스토어드 함수

스토어드 함수는 앞에서 배운 스토어드 프로시저와 비슷합니다. 하지만 사용 방법이나 용도가 조금 다르니, 스토어드 프로시저와 별개로 알아 둘 필요가 있습니다.

스토어드 함수의 개념과 형식

MySQL은 다양한 함수를 제공합니다. 앞에서 SUM(), CAST(), CONCAT(), CURRENT_DATE() 등을 사용해봤습니다. 하지만 MySQL이 사용자가 원하는 모든 함수를 제공하지는 않으므로 필요하다면 사용자가 직접 함수를 만들어서 사용할 수 있습니다. 이렇게 직접 만들어서 사용하는 함수를 스토어드 함수stored function라고 부릅니다.

스토어드 함수는 다음과 같은 형식으로 구성할 수 있습니다.

```
DELIMITER $$
CREATE FUNCITON 스토어드_함수_이름(매개변수)
    RETURNS  반환형식
BEGIN

    이 부분에 프로그래밍 코딩
    RETURN 반환값;

END $$
DELIMITER ;
SELECT 스토어드_함수_이름();
```

스토어드 함수의 형식을 보면 스토어드 프로시저와 상당히 유사합니다. 차이점을 살펴보겠습니다.

- 스토어드 함수는 **RETURNS** 문으로 반환할 값의 데이터 형식을 지정하고, 본문 안에서는 **RETURN** 문으로 하나의 값을 반환해야 합니다.
- 스토어드 함수의 매개변수는 모두 **입력 매개변수**입니다. 그리고 IN을 붙이지 않습니다.
- 스토어드 프로시저는 CALL로 호출하지만, 스토어드 함수는 SELECT 문 안에서 호출됩니다.
- 스토어드 프로시저 안에서는 SELECT 문을 사용할 수 있지만, 스토어드 함수 안에서는 SELECT를 사용할 수 없습니다.

- 스토어드 프로시저는 여러 SQL 문이나 숫자 계산 등의 다양한 용도로 사용하지만, 스토어드 함수는 어떤 계산을 통해서 하나의 값을 반환하는 데 주로 사용합니다.

스토어드 함수는 계산 결과를 꼭 반환합니다.

✚ 여기서 잠깐 **내장 함수**

MySQL에서 제공하는 함수를 내장 함수(built-in function)라고 부릅니다. 내장 함수는 제어 흐름 함수, 문자열 함수, 수학 함수, 날짜/시간 함수, 전체 텍스트 검색 함수, 형 변환 함수, XML 함수, 비트 함수, 보안/압축 함수, 정보 함수, 공간 분석 함수, 기타 함수 등으로 분류할 수 있으며 세부적으로 그 종류는 수백 개가 넘습니다.

스토어드 함수의 사용

스토어드 함수를 사용하기 위해서는 먼저 다음 SQL로 스토어드 함수 생성 권한을 허용해줘야 합니다. 구문이 조금 어렵게 보이지만, MySQL에서 한 번만 설정해주면 이후에는 신경쓰지 않아도 됩니다.

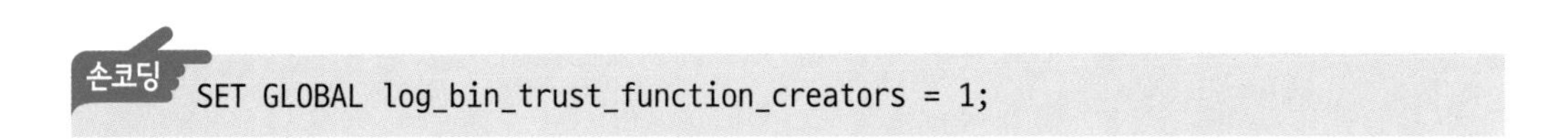

손코딩

```
SET GLOBAL log_bin_trust_function_creators = 1;
```

먼저 간단한 스토어드 함수를 만들어서 사용해보겠습니다. 숫자 2개의 합계를 계산하는 스토어드 함수를 만들어봅시다.

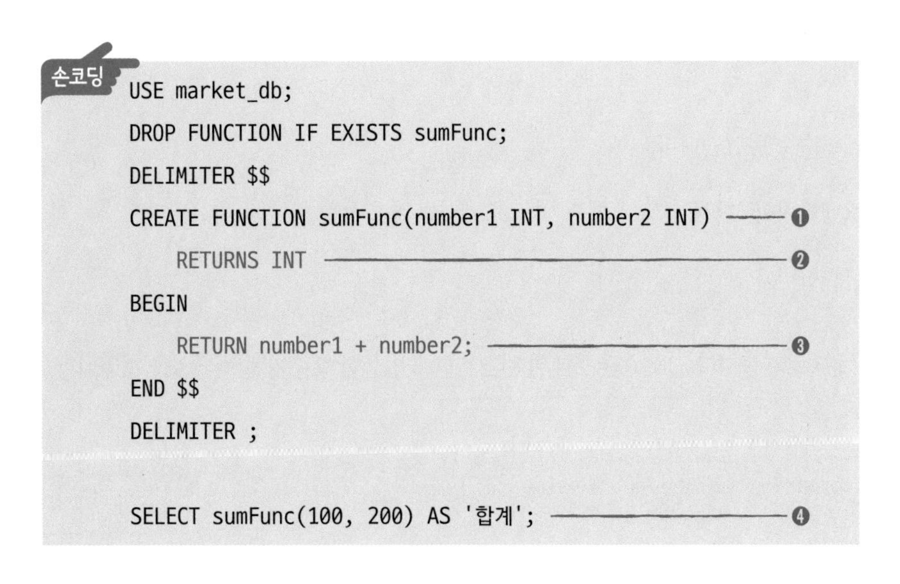

손코딩

```
USE market_db;
DROP FUNCTION IF EXISTS sumFunc;
DELIMITER $$
CREATE FUNCTION sumFunc(number1 INT, number2 INT) ——— ❶
    RETURNS INT ——————————————————————————————————— ❷
BEGIN
    RETURN number1 + number2; ———————————————————— ❸
END $$
DELIMITER ;

SELECT sumFunc(100, 200) AS '합계'; ———————————— ❹
```

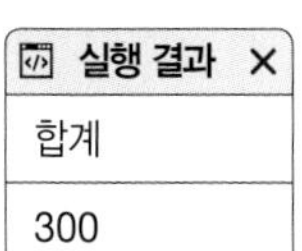

실행 결과

합계
300

모양이 스토어드 프로시저와 상당히 유사합니다. 스토어드 프로시저와 모양이 조금 다른 부분만 살펴보겠습니다.

❶ 2개의 **정수형 매개변수**를 전달받았습니다.

❷ 이 함수가 반환하는 데이터 형식을 정수로 지정했습니다.

❸ **RETURN** 문으로 정수형 결과를 반환했습니다.

❹ SELECT 문에서 함수를 호출하면서 2개의 매개변수를 전달했습니다. 결국 100과 200의 합계가 출력되었습니다.

이번에는 데뷔 연도를 입력하면, 활동 기간이 얼마나 되었는지 출력해주는 함수를 만들어보겠습니다.

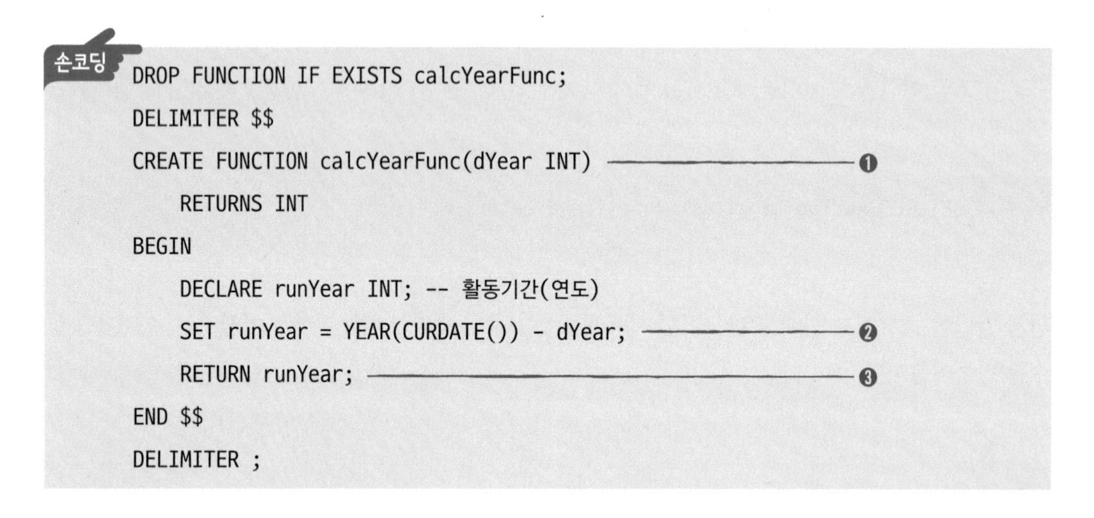

손코딩

```
DROP FUNCTION IF EXISTS calcYearFunc;
DELIMITER $$
CREATE FUNCTION calcYearFunc(dYear INT) ─────── ❶
    RETURNS INT
BEGIN
    DECLARE runYear INT; -- 활동기간(연도)
    SET runYear = YEAR(CURDATE()) - dYear; ─────── ❷
    RETURN runYear; ─────── ❸
END $$
DELIMITER ;
```

❶ 데뷔 연도를 매개변수로 받았습니다.

❷ 실제로 계산을 진행합니다. 현재 연도 – 데뷔 연도를 계산하면 활동한 햇수가 나옵니다.

❸ 계산된 결과를 반환합니다.

이제 만든 함수를 사용해보겠습니다. 2010년에 데뷔했다면 현재 활동한 햇수가 출력되었을 것입니다.

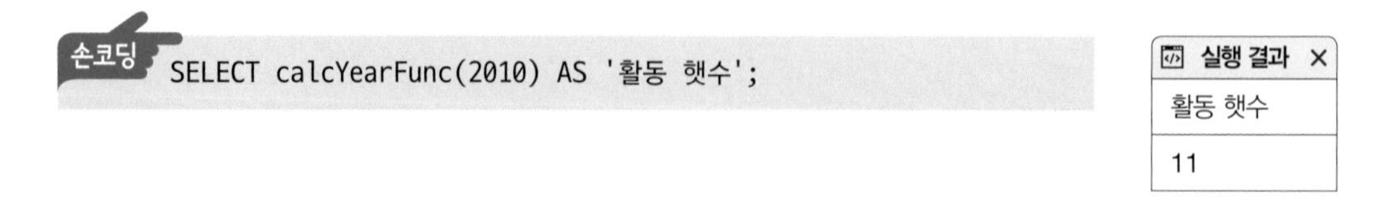

손코딩

```
SELECT calcYearFunc(2010) AS '활동 햇수';
```

실행 결과

활동 햇수
11

필요하다면 다음과 같이 함수의 반환 값을 **SELECT ~ INTO ~**로 저장했다가 사용할 수도 있습니다. 함수의 반환값을 각 변수에 저장한 후, 그 차이를 계산해서 출력했습니다. 즉, 데뷔 연도와 활동 햇수 차이가 출력되었습니다.

손코딩
```
SELECT calcYearFunc(2007) INTO @debut2007;
SELECT calcYearFunc(2013) INTO @debut2013;
SELECT @debut2007-@debut2013 AS '2007과 2013 차이';
```

실행 결과

2007과 2013 차이
6

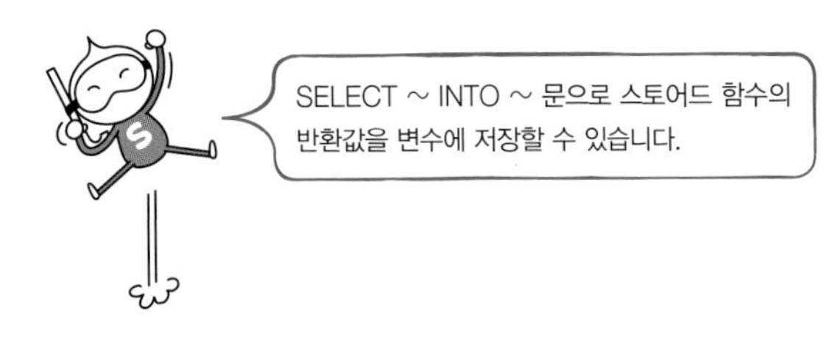

함수는 주로 테이블을 조회한 후, 그 값을 계산할 때 사용합니다. 회원 테이블에서 모든 회원이 데뷔한 지 몇 년이 되었는지 조회해보겠습니다.

YEAR() 함수는 연도만 추출해주는 함수입니다. calcYearFunc(연도)로 함수를 사용해서 각 회원별 활동 햇수가 출력되었습니다.

손코딩
```
SELECT mem_id, mem_name, calcYearFunc(YEAR(debut_date)) AS '활동 햇수'
    FROM member;
```

실행 결과

mem_id	mem_name	활동 햇수
APN	에이핑크	10
BLK	블랙핑크	5
GRL	소녀시대	14
ITZ	잇지	2
MMU	마마무	7
OMY	오마이걸	6
RED	레드벨벳	7
SPC	우주소녀	5
TWC	트와이스	6
WMN	여자친구	6

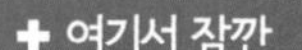

여기서 잠깐 **스토어드 함수의 내용 확인**

기존에 작성된 스토어드 함수의 내용을 확인하려면 다음과 같은 쿼리 문을 사용하면 됩니다.

```
SHOW CREATE FUNCTION 함수_이름;
```

그리고 [Create Function]에서 마우스 오른쪽 버튼을 클릭하고 [Open Value in Viewer]를 선택하면 Edit Data for Create Function (VARCHAR) 창의 [Text] 탭에서 작성했던 스토어드 함수의 코드를 확인할 수 있습니다.

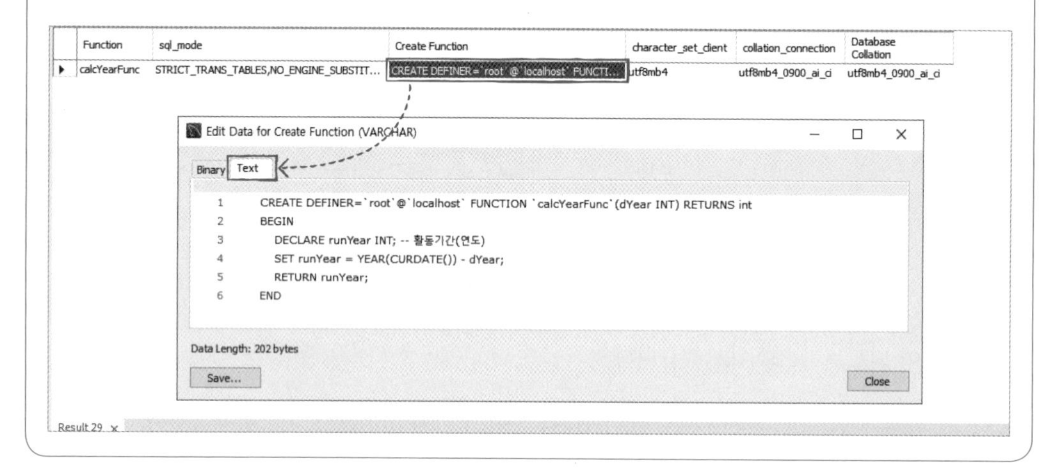

함수의 삭제는 DROP FUNCTION 문을 사용합니다.

손코딩

```
DROP FUNCTION calcYearFunc;
```

커서로 한 행씩 처리하기

커서cursor는 테이블에서 한 행씩 처리하기 위한 방식입니다. 스토어드 프로시저 내부에서 커서를 사용하는 방법을 알아보겠습니다.

커서의 기본 개념

커서는 첫 번째 행을 처리한 후에 마지막 행까지 한 행씩 접근해서 값을 처리합니다. 다음 그림과 같이 처음에는 커서가 행의 시작을 가리킨 후에 한 행씩 차례대로 접근합니다.

커서 →

행의 시작			
TWC	트와이스	9	서울
BLK	블랙핑크	4	경남
WMN	여자친구	6	경기
OMY	오마이걸	7	서울
GRL	소녀시대	8	서울
ITZ	잇지	5	경남
RED	레드벨벳	4	경북
APN	에이핑크	6	경기
SPC	우주소녀	13	서울
MMU	마마무	4	전남
행의 끝			

커서는 모든 행을 한 행씩 처리할 때 사용합니다.

커서는 일반적으로 다음의 작동 순서를 통해 처리됩니다. 좀 복잡해 보이지만, 항상 이런 형태로 커서가 사용되니 우선 다음 그림을 잘 기억해두세요.

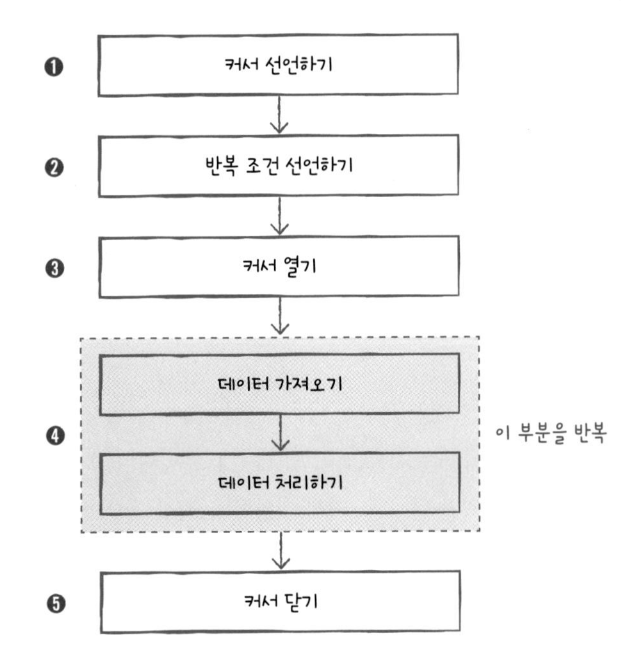

커서는 대부분 스토어드 프로시저와 함께 사용됩니다. 커서의 세부 문법을 외우기보다는 커서를 사용하는 전반적인 흐름에 초점을 맞춰서 실습을 진행하겠습니다.

커서의 단계별 실습

회원(가수 그룹)의 평균 인원수를 구하는 스토어드 프로시저를 작성해보겠습니다. 그런데 이번에는 커서를 활용하여 한 행씩 접근해서 회원의 인원수를 누적시키는 방식으로 처리해보겠습니다.

1. 사용할 변수 준비하기

회원의 평균 인원수를 계산하기 위해서 각 회원의 인원수(memNumber), 전체 인원의 합계(totNumber), 읽은 행의 수(cnt) 변수를 3개 준비합니다.

전체 인원의 합계와 읽은 행의 수를 누적시켜야 하기 때문에 **DEFAULT** 문을 사용해서 초기값을 0으로 설정했습니다.

```
DECLARE memNumber INT;
DECLARE cnt INT DEFAULT 0;
DECLARE totNumber INT DEFAULT 0;
```

추가로 행의 끝을 파악하기 위한 변수 **endOfRow**를 준비하겠습니다. 처음에는 당연히 행의 끝이 아닐 테니 FALSE로 초기화시켰습니다.

```
DECLARE endOfRow BOOLEAN DEFAULT FALSE;
```

2. 커서 선언하기

이제 **커서를 선언**하겠습니다. 커서라는 것은 결국 SELECT 문입니다. 회원 테이블(member)을 조회하는 구문을 커서로 만들어 놓으면 됩니다. 커서 이름은 memberCursor로 지정했습니다.

```
DECLARE memberCursor CURSOR FOR
        SELECT mem_number FROM member;
```

3. 반복 조건 선언하기

이제는 '행이 끝나면 어떻게 설정해야 더 이상 반복하지 않을까?'를 생각해볼 차례입니다. 행의 끝에 다다르면 앞에서 선언한 endOfRow 변수를 TRUE로 설정하겠습니다. 설정한 내용은 잠시 후 5번의 반복 코드와 깊게 연관되어 있습니다.

DECLARE CONTINUE HANDLER는 반복 조건을 준비하는 예약어입니다. 그리고 FOR NOT FOUND는 더 이상 행이 없을 때 이어진 문장을 수행합니다. 즉, 행이 끝나면 endOfRow에 TRUE를 대입합니다.

```
DECLARE CONTINUE HANDLER
        FOR NOT FOUND SET endOfRow = TRUE;
```

note 반복 조건을 선언하는 코드가 좀 생소해 보이지만, 대부분의 커서가 이런 방식을 사용합니다. 거의 고정된 코드라고 생각해도 됩니다.

4. 커서 열기

이제 커서를 열 차례입니다. 앞에서 준비한 커서를 간단히 OPEN으로 열면 됩니다.

```
OPEN memberCursor;
```

5. 행 반복하기

커서의 끝까지 한 행씩 접근해서 반복할 차례입니다. 코드의 형식은 다음과 같습니다.

```
cursor_loop: LOOP
  이 부분을 반복
END LOOP cursor_loop
```

cursor_loop는 반복할 부분의 이름을 지정한 것입니다. 여기서는 커서를 이용한 실습이므로 알아보기 쉽도록 cursor_loop로 지정했습니다. 그런데 이 코드는 무한 반복하기 때문에 코드 안에 반복문을 빠져나갈 조건이 필요합니다. 앞에서 행의 끝에 다다르면 endOfRow를 TRUE로 변경하기로 설정했습니다. 그러므로 반복되는 부분에는 다음 코드가 필수로 들어가야 합니다.

LEAVE는 반복할 이름을 빠져나갑니다. 결국 행의 끝에 다다르면 반복 조건을 선언한 3번에 의해서 endOfRow가 TRUE로 변경되고 반복하는 부분을 빠져나가게 됩니다.

```
IF endOfRow THEN
    LEAVE cursor_loop;
END IF;
```

이제 반복할 부분을 전체 표현해보겠습니다.

FETCH는 한 행씩 읽어오는 것입니다. 2번에서 커서를 선언할 때 인원수(mem_number) 행을 조회했으므로 memNumber 변수에는 각 회원의 인원수가 한 번에 하나씩 저장됩니다.

SET 부분에서 읽은 행의 수(cnt)를 하나씩 증가시키고, 인원 수도 totNumber에 계속 누적시켰습니다.

커서는 행의 끝에 다다르면 반복을 종료하도록 구성해야 합니다.

```
cursor_loop: LOOP
        FETCH  memberCursor INTO memNumber;

        IF endOfRow THEN
            LEAVE cursor_loop;
        END IF;

        SET cnt = cnt + 1;
        SET totNumber = totNumber + memNumber;
END LOOP cursor_loop;
```

이제 반복을 빠져나오면 최종 목표였던 회원의 평균 인원수를 계산합니다. 누적된 총 인원수를 읽은 행의 수로 나누면 됩니다.

```
SELECT (totNumber/cnt) AS '회원의 평균 인원 수';
```

6. 커서 닫기

모든 작업이 끝났으면 커서를 닫습니다.

```
CLOSE memberCursor;
```

커서의 통합 코드

이제 위에서 단계별로 작성한 코드를 통합해서 스토어드 프로시저 안에 작성해야 실행됩니다. 통합된 코드는 다음과 같습니다. 코드가 좀 길기는 하지만, 이미 앞에서 설명한 내용을 합친 것뿐입니다.

cursor_proc()라는 이름의 스토어드 프로시저에 앞에서 설명한 커서와 관련된 코드를 포함시켰습니다.

손코딩

```
USE market_db;
DROP PROCEDURE IF EXISTS cursor_proc;
DELIMITER $$
CREATE PROCEDURE cursor_proc()
BEGIN
    DECLARE memNumber INT;
    DECLARE cnt INT DEFAULT 0;
    DECLARE totNumber INT DEFAULT 0;
    DECLARE endOfRow BOOLEAN DEFAULT FALSE;

    DECLARE memberCursor CURSOR FOR
        SELECT mem_number FROM member;

    DECLARE CONTINUE HANDLER
        FOR NOT FOUND SET endOfRow = TRUE;

    OPEN memberCursor;

    cursor_loop: LOOP
        FETCH  memberCursor INTO memNumber;

        IF endOfRow THEN
            LEAVE cursor_loop;
        END IF;

        SET cnt = cnt + 1;
        SET totNumber = totNumber + memNumber;
    END LOOP cursor_loop;

    SELECT (totNumber/cnt) AS '회원의 평균 인원 수';

    CLOSE memberCursor;
END $$
DELIMITER ;
```

이제 스토어드 프로시저를 실행해서 결과를 확인해보겠습니다. 회원의 평균 인원수는 6.6명이 나왔습니다.

손코딩

```
CALL cursor_proc();
```

실행 결과

회원의 평균 인원 수
6.6000

note 이번에 작성한 코드는 MySQL의 내장 함수인 AVG()와 동일한 기능을 구현한 것입니다. 실제로 평균을 구할 때는 AVG()가 더 간단하고 편리합니다. 지금은 커서를 학습하기 위한 용도로 이해하기 바랍니다.

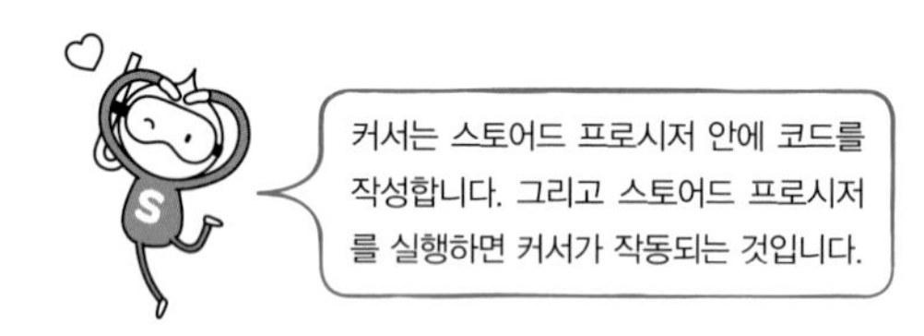

마무리

▶ 5가지 키워드로 끝내는 핵심 포인트

- MySQL은 다양한 내장 함수로 제공되지 않는 기능을 **스토어드 함수**로 만들어서 사용할 수 있습니다.
- 스토어드 함수는 **RETURNS** 예약어를 통해서 반환될 데이터의 형식을 미리 지정해 놓아야 합니다.
- 스토어드 함수의 매개변수는 모두 다 스토어드 함수로 값이 들어오는 **입력 매개변수**입니다. 스토어드 프로시저와 달리 출력 매개변수는 없습니다.
- **커서**는 한 행씩 처리되도록 하는 기능입니다. DECLARE로 선언할 수 있으며, 그 내용은 SELECT 문입니다.
- 커서는 행이 끝날 때까지 계속 반복합니다. 행의 끝을 판단하기 위해 변수 **endOfRow**를 준비하고 TRUE 값인지 체크하는 방식을 사용합니다.

▶ 확인문제

이번 절에서는 스토어드 함수와 커서에 대해서 학습했습니다. 확인문제를 통해서 배운 개념을 스스로 정리해보기 바랍니다.

1. 다음은 스토어드 함수의 특징 또는 스토어드 프로시저와의 차이점입니다. 가장 거리가 먼 것을 하나 고르세요.

① 스토어드 함수는 RETURNS 문으로 반환할 값의 데이터 형식을 지정합니다.
② 스토어드 함수는 본문 안에서 RETURN 문으로 하나의 값을 반환해야 합니다.
③ 스토어드 프로시저는 CALL로 호출하지만, 스토어드 함수는 SELECT 문장 안에서 호출합니다.
④ 스토어드 함수 안에서도 SELECT를 사용할 수 있습니다.

2. 다음은 스토어드 함수의 형식입니다. 빈칸에 들어갈 것을 보기에서 고르세요.

CLEAR, RETURNS, DELIMITER, SET, DECLARE, RETURN, CALL

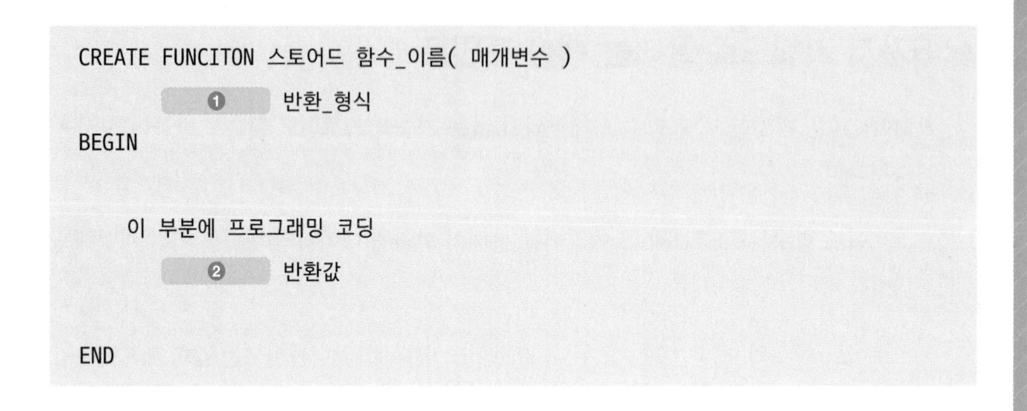

```
CREATE FUNCITON 스토어드 함수_이름( 매개변수 )
        ❶      반환_형식
BEGIN

    이 부분에 프로그래밍 코딩
        ❷      반환값

END
```

3. 다음은 커서의 작동 순서입니다. 차례대로 나열하세요.

커서 닫기, 데이터 가져오기 및 데이터 처리하기, 커서 열기, 반복 조건 선언하기,
커서 선언하기

4. 다음은 커서가 반복할 부분의 예입니다. 빈칸에 들어갈 것을 보기에서 고르세요.

SEARCH, SELECT, FETCH, LEAVE, BYE, QUIT, WHILE, LOOP, CONTINUE

```
cursor_loop:    ❶
        ❷      memberCursor INTO memNumber;

        IF endOfRow THEN
            ❸      cursor_loop;
        END IF;

        SET cnt = cnt + 1;
        SET totNumber = totNumber + memNumber;
END     ❶      cursor_loop;
```

07-3 자동 실행되는 트리거

핵심 키워드

트리거 DML 문 AFTER DELETE 백업 테이블 OLD 테이블 NEW 테이블

트리거는 INSERT, UPDATE, DELETE 문이 작동할 때 자동으로 실행되는 프로그래밍 기능입니다. 예를 들어, 트리거를 활용하면 데이터가 삭제될 때 해당 데이터를 다른 곳에 자동으로 백업할 수 있습니다.

시작하기 전에

트리거trigger는 자동으로 수행하여 사용자가 추가 작업을 잊어버리는 실수를 방지해줍니다. 예를 들어 회사원이 퇴사하면 직원 테이블에서 삭제하면 됩니다. 그런데 나중에 퇴사한 직원이 회사에 다녔던 기록을 요청할 수도 있습니다. 이를 미리 예방하려면 직원 테이블에서 삭제하기 전에 퇴사자 테이블에 옮겨 놓아야 합니다. 문제는 이런 작업을 수동으로 할 경우 백업하지 않고 데이터를 삭제할 수 있다는 것입니다.

트리거는 이런 실수를 방지할 수 있습니다. 직원 테이블에서 사원을 삭제하면 해당 데이터를 자동으로 퇴사자 테이블에 들어가도록 설정할 수 있습니다. 즉, 트리거를 사용하면 데이터에 오류가 발생하는 것을 막을 수 있습니다. 이런 것을 **데이터의 무결성**이라고 부르기도 합니다.

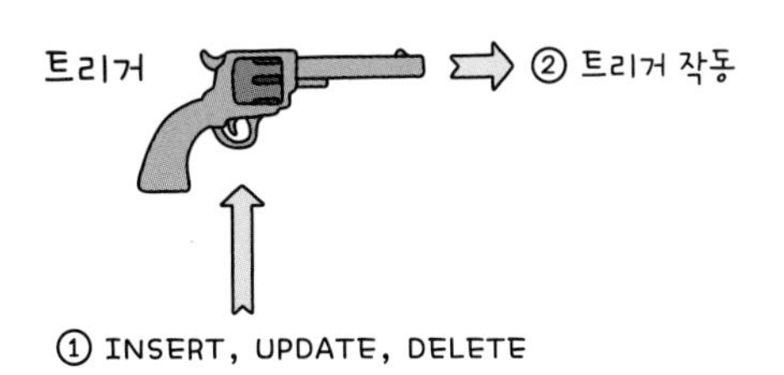

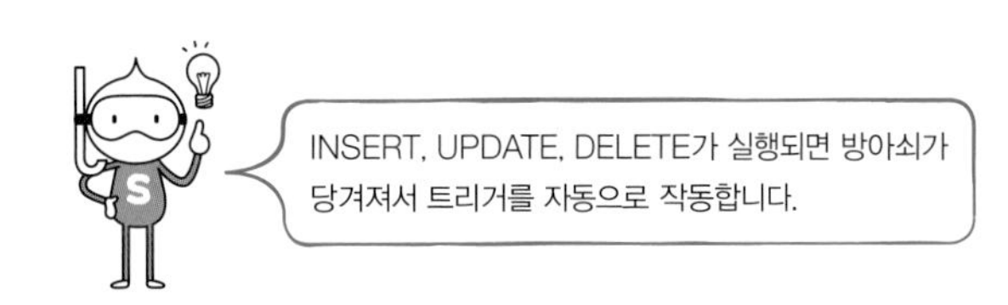

트리거 기본

트리거는 사전적 의미로 '방아쇠'를 뜻합니다. 총의 방아쇠를 당기면 자동으로 총알이 나가듯이, 트리거는 테이블에 무슨 일이 일어나면 자동으로 실행됩니다.

트리거의 개요

트리거trigger란 테이블에 INSERT나 UPDATE 또는 DELETE 작업이 발생하면 실행되는 코드입니다. 먼저 간단한 사례를 통해서 트리거의 용도를 확인해보겠습니다.

예를 들어, market_db의 회원 중 '블랙핑크'가 탈퇴하는 경우를 생각해봅시다. 회원에서 탈퇴하면 간단히 회원 테이블(member)에서 블랙핑크의 정보를 삭제하면 됩니다. 즉, 블랙핑크의 행 데이터를 DELETE 문으로 지우면 됩니다. 그런데 나중에 회원에서 탈퇴한 사람의 정보를 어떻게 알 수 있을까요? 원칙적으로 블랙핑크는 이미 데이터베이스에 존재하지 않기 때문에 알 수 있는 방법이 없습니다.

이를 방지하는 방법은 블랙핑크의 행을 삭제하기 전에 그 내용을 다른 곳에 복사해 놓으면 됩니다. 그런데 이런 작업을 매번 수작업으로 할 경우, 깜박 잊고 데이터를 복사해 놓는 것을 잊어버릴 수도 있습니다. 결국 데이터는 작업자의 컨디션에 따라 제대로 보관될 수도 있고, 그렇지 않을 수도 있습니다.

만약, 회원 테이블(member)에서 DELETE 작업이 일어날 경우 해당 데이터가 삭제되기 전에 다른 곳에 자동으로 저장해주는 기능이 있다면 어떨까요? 그러면 사용자는 더 이상 행 데이터를 삭제하기 전에 다른 곳에 저장해야 하는 부담에서 벗어나게 될 뿐 아니라, 모든 것이 자동으로 처리되므로 삭제된 모든 사용자 정보는 완벽하게 별도의 장소에 저장될 것입니다. 이것이 트리거의 대표적인 용도입니다.

트리거의 기본 작동

트리거는 테이블에서 **DML**Data Manipulation Language 문(INSERT, UPDATE, DELETE 등)의 **이벤트**가 발생할 때 작동합니다. 테이블에 미리 부착(attach)되는 프로그램 코드라고 생각하면 됩니다.

note 이 책에서 언급하는 트리거는 AFTER 트리거입니다. BEFORE 트리거는 작동 방식이 조금 다릅니다. 일반적으로는 AFTER 트리거를 많이 사용하므로, 트리거는 AFTER 트리거를 기준으로 설명하도록 하겠습니다.

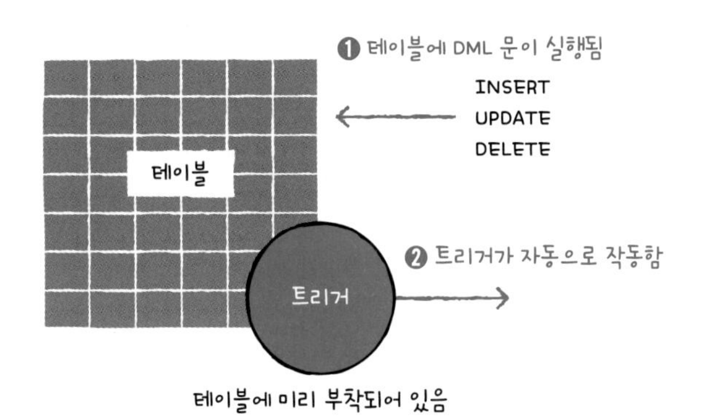

트리거는 스토어드 프로시저와 문법이 비슷하지만, CALL 문으로 직접 실행시킬 수는 없고 오직 테이블에 INSERT, UPDATE, DELETE 등의 이벤트가 발생할 경우에만 자동으로 실행됩니다. 또한 스토어드 프로시저와 달리 트리거에는 IN, OUT 매개변수를 사용할 수 없습니다.

트리거는 테이블에 DML 문의 이벤트가 발생될 때 자동으로 작동합니다.

우선 간단한 트리거를 보고 그 작동에 대해 이해해보겠습니다. 테스트로 사용할 간단한 테이블을 만들었습니다.

손코딩

```
USE market_db;
CREATE TABLE IF NOT EXISTS trigger_table (id INT, txt VARCHAR(10));
INSERT INTO trigger_table VALUES(1, '레드벨벳');
INSERT INTO trigger_table VALUES(2, '잇지');
INSERT INTO trigger_table VALUES(3, '블랙핑크');
```

이제 테이블에 트리거를 **부착**해보겠습니다. 문법이 좀 생소해도 일단 입력하고 설명을 살펴봅시다.

손코딩

```
DROP TRIGGER IF EXISTS myTrigger;
DELIMITER $$
CREATE TRIGGER myTrigger ———————— ❶
    AFTER DELETE ———————— ❷
    ON trigger_table ———————— ❸
    FOR EACH ROW ———————— ❹
BEGIN
    SET @msg = '가수 그룹이 삭제됨' ; -- 트리거 실행 시 작동되는 코드들 —— ❺
END $$
DELIMITER ;
```

❶ 트리거 이름을 myTrigger로 지정했습니다.

❷ **AFTER DELETE**는 이 트리거는 DELETE 문이 발생된 이후에 작동하라는 의미입니다.

❸ 이 트리거를 부착할 테이블을 지정했습니다.

❹ 각 행마다 적용시킨다는 의미인데, 트리거에는 항상 써준다고 보면 됩니다.

❺ 트리거에서 실제로 작동할 부분입니다. 지금은 간단히 @msg 변수에 글자를 대입시켜 놓았습니다.

이제 트리거를 부착한 테이블에 값을 삽입하고 수정해보겠습니다.

결과를 보면 아무것도 나오지 않았습니다. @msg 변수에 빈 문자를 넣고 INSERT 문을 실행했습니다. 그런데 trigger_table에는 DELETE에만 작동하는 트리거를 부착시켜 놓았습니다. 그러므로 트리거가 작동하지 않아서 빈 @msg가 그대로 출력된 것입니다. UPDATE 문도 마찬가지로 트리거가 작동하지 않았습니다.

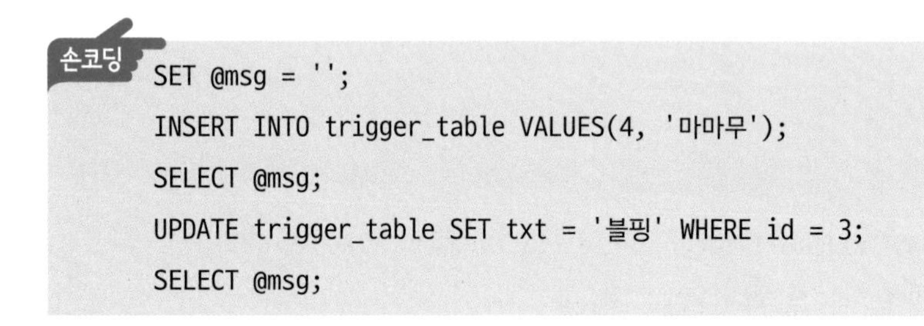
손코딩

```
SET @msg = '';
INSERT INTO trigger_table VALUES(4, '마마무');
SELECT @msg;
UPDATE trigger_table SET txt = '블핑' WHERE id = 3;
SELECT @msg;
```

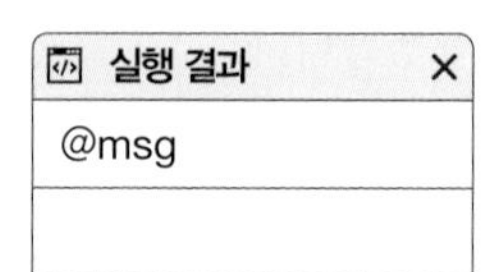
실행 결과

@msg

이제 DELETE 문을 테이블에 적용시켜보겠습니다. 예상대로 DELETE 문을 실행하니, 트리거가 작동해서 @msg 변수에 트리거에서 설정한 내용이 입력된 것을 확인할 수 있습니다.

DELETE 트리거는 테이블에서 DELETE 문의 이벤트가 발생될 때만 작동합니다.

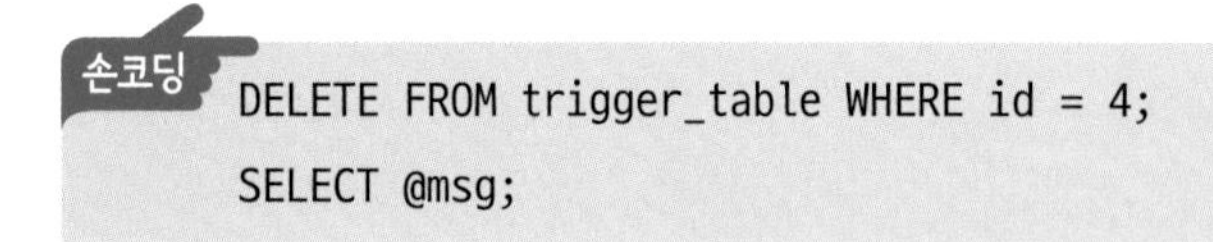
손코딩

```
DELETE FROM trigger_table WHERE id = 4;
SELECT @msg;
```

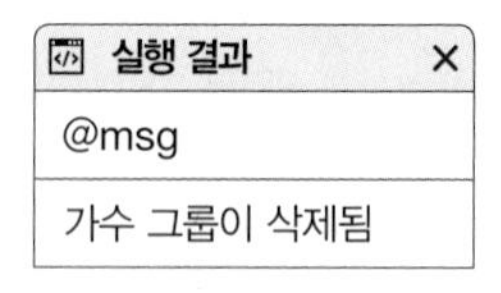
실행 결과

@msg
가수 그룹이 삭제됨

이렇게 트리거는 테이블에 부착해서 사용할 수 있습니다. 이 예제에서는 간단히 @msg에 값을 대입하는 내용만 코딩했지만, 그 부분을 실제로 필요로 하는 복잡한 SQL 문들로 대치하면 유용한 트리거로 작동할 것입니다.

트리거 활용

트리거는 테이블에 입력/수정/삭제되는 정보를 백업하는 용도로 활용할 수 있습니다.

다음과 같은 사례를 생각해보겠습니다. 은행의 창구에서 새로 계좌를 만들 때는 INSERT를 사용합니다. 계좌에 입금하거나 출금하면 UPDATE를 사용해서 값을 변경하며, 계좌를 폐기하면 DELETE가 작동합니다.

그런데 계좌라는 중요한 정보를 누가 입력/수정/삭제했는지 알 수 없다면 나중에 계좌에 문제가 발생했을 때 원인을 파악할 수 없을 것입니다. 이럴 때를 대비해서 데이터에 입력/수정/삭제가 발생할 때, 트리거를 자동으로 작동시켜 데이터를 변경한 사용자와 시간 등을 기록할 수 있습니다.

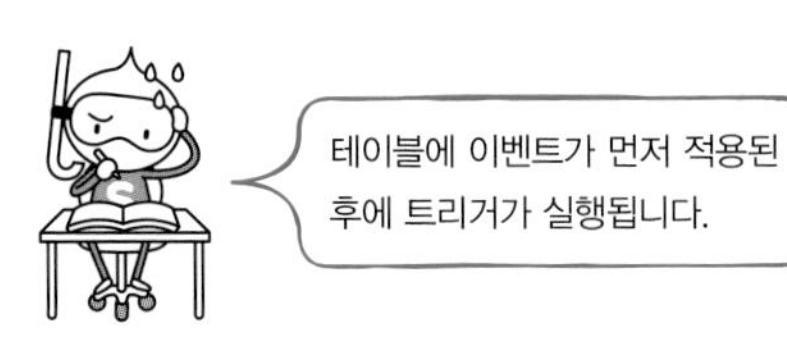

이런 개념을 적용해서 market_db의 고객 테이블(member)에 입력된 회원의 정보가 변경될 때 변경한 사용자, 시간, 변경 전의 데이터 등을 기록하는 트리거를 작성해보겠습니다.

실습이 복잡할 수 있으니 회원 테이블의 열을 간단히 아이디, 이름, 인원, 주소 4개의 열로 구성된 가수 테이블(singer)로 복사해서 진행하겠습니다.

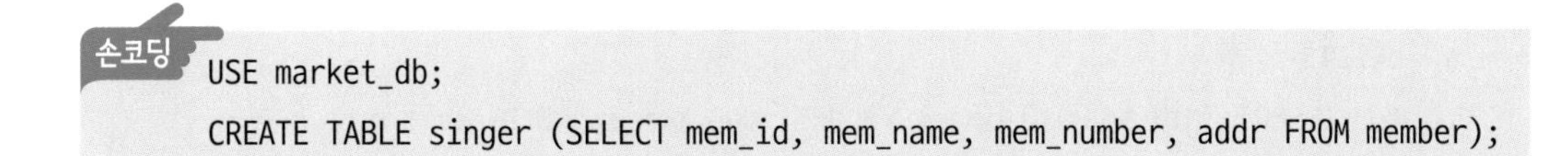

손코딩

```
USE market_db;
CREATE TABLE singer (SELECT mem_id, mem_name, mem_number, addr FROM member);
```

note CREATE TABLE ~(SELECT ~) 문은 테이블을 복사해서 새로운 테이블을 만들어준다고 배웠습니다. 단, 기본 키 정의는 복사되지 않습니다. 실습을 단순화하기 위해서 기본 키 등의 설정도 제외시키겠습니다.

가수 테이블에 INSERT나 UPDATE 작업이 일어나는 경우, 변경되기 전의 데이터를 저장할 **백업 테이블**을 미리 생성해놓았습니다.

백업 테이블에는 추가로 수정 또는 삭제인지 구분할 변경된 타입(modType), 변경된 날짜(modDate), 변경한 사용자(modUser)를 추가했습니다.

손코딩

```
CREATE TABLE backup_singer
( mem_id      CHAR(8) NOT NULL ,
  mem_name    VARCHAR(10) NOT NULL,
  mem_number  INT NOT NULL,
  addr        CHAR(2) NOT NULL,
  modType     CHAR(2), -- 변경된 타입. '수정' 또는 '삭제'
  modDate     DATE, -- 변경된 날짜
  modUser     VARCHAR(30) -- 변경한 사용자
);
```

이제 본격적으로 변경(UPDATE)과 삭제(DELETE)가 발생할 때 작동하는 트리거를 singer 테이블에 부착하겠습니다.

먼저 변경(UPDATE)이 발생했을 때 작동하는 singer_updateTrg 트리거를 만들겠습니다.

손코딩

```
DROP TRIGGER IF EXISTS singer_updateTrg;
DELIMITER $$
CREATE TRIGGER singer_updateTrg  -- 트리거 이름
    AFTER UPDATE -- 변경 후에 작동하도록 지정
    ON singer -- 트리거를 부착할 테이블
    FOR EACH ROW
BEGIN
    INSERT INTO backup_singer VALUES( OLD.mem_id, OLD.mem_name,         ─┐
        OLD.mem_number, OLD.addr, '수정', CURDATE(), CURRENT_USER() ); ─┴─ ❶
END $$
DELIMITER ;
```

❶ **OLD 테이블**은 UPDATE나 DELETE가 수행될 때, 변경되기 전의 데이터가 잠깐 저장되는 임시 테이블입니다. OLD 테이블에 UPDATE 문이 작동되면 이 행에 의해서 업데이트되기 전의 데이터가 **백업 테이블**(backup_singer)에 입력됩니다. 즉, 원래 데이터가 보존됩니다.

CURDATE()는 현재 날짜를, CURRENT_USER()는 현재 작업 중인 사용자를 알려줍니다.

note OLD 테이블은 MySQL에서 내부적으로 제공되는 테이블입니다. 이 테이블은 잠시 후에 상세히 살펴보겠습니다.

이번에는 삭제(DELETE)가 발생했을 때 작동하는 singer_deleteTrg 트리거를 생성하겠습니다. singer_updateTrg 트리거와 거의 비슷합니다.

손코딩

```
DROP TRIGGER IF EXISTS singer_deleteTrg;
DELIMITER $$
CREATE TRIGGER singer_deleteTrg  -- 트리거 이름
    AFTER DELETE -- 삭제 후에 작동하도록 지정
    ON singer -- 트리거를 부착할 테이블
    FOR EACH ROW
BEGIN
    INSERT INTO backup_singer VALUES( OLD.mem_id, OLD.mem_name,
        OLD.mem_number, OLD.addr, '삭제', CURDATE(), CURRENT_USER() );
END $$
DELIMITER ;
```

note 하나의 테이블에 여러 개의 트리거를 부착시켜도 됩니다.

singer_updateTrg와의 차이점은 DELETE 트리거로 지정한 것과 변경된 타입을 '삭제'로 입력한 것뿐입니다.

이제 데이터를 변경해보겠습니다. 한 건의 데이터를 업데이트하고, 여러 건을 삭제해봅시다.

손코딩

```
UPDATE singer SET addr = '영국' WHERE mem_id = 'BLK';
DELETE FROM singer WHERE mem_number >= 7;
```

방금 수정 또는 삭제된 내용이 잘 보관되어 있는지 결과를 확인해봅시다.

백업 테이블(backup_singer)을 조회해보겠습니다. 1건이 수정되고 4건이 삭제된 것을 확인할 수 있습니다. 수정 또는 삭제 전의 데이터가 백업 테이블에 잘 보관되어 있습니다.

손코딩

```
SELECT * FROM backup_singer;
```

실행 결과

mem_id	mem_name	mem_number	addr	modType	modDate	modUser
BLK	블랙핑크	4	경남	수정	2021-07-25	root@localhost
GRL	소녀시대	8	서울	삭제	2021-07-25	root@localhost
OMY	오마이걸	7	서울	삭제	2021-07-25	root@localhost
SPC	우주소녀	13	서울	삭제	2021-07-25	root@localhost
TWC	트와이스	9	서울	삭제	2021-07-25	root@localhost

이번에는 테이블의 모든 행 데이터를 삭제해보겠습니다. DELETE 대신에 TRUNCATE TABLE 문으로 삭제해봅시다.

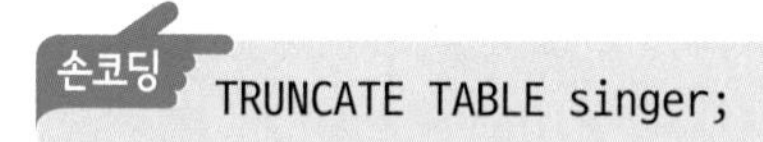


```
TRUNCATE TABLE singer;
```

note TRUNCATE TABLE 테이블_이름은 DELETE FROM 테이블_이름과 동일한 효과를 낼 수 있습니다. 즉, 모든 행 데이터를 삭제합니다.

삭제가 잘 되었는지 백업 테이블을 다시 확인해봅시다.

그런데 백업 테이블에 삭제된 내용이 들어가지 않았습니다. 이유는 TRUNCATE TABLE로 삭제 시에는 트리거가 작동하지 않기 때문입니다. DELETE 트리거는 오직 DELETE 문에만 작동합니다.

```
SELECT * FROM backup_singer;
```

실행 결과

mem_id	mem_name	mem_number	addr	modType	modDate	modUser
BLK	블랙핑크	4	경남	수정	2021-07-25	root@localhost
GRL	소녀시대	8	서울	삭제	2021-07-25	root@localhost
OMY	오마이걸	7	서울	삭제	2021-07-25	root@localhost
SPC	우주소녀	13	서울	삭제	2021-07-25	root@localhost
TWC	트와이스	9	서울	삭제	2021-07-25	root@localhost

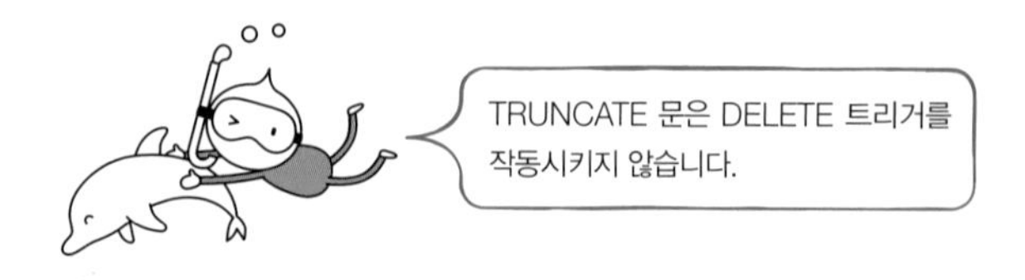

좀 더 알아보기

트리거가 사용하는 임시 테이블

조금 어려운 이야기를 해보겠습니다. 테이블에 INSERT, UPDATE, DELETE 작업이 수행되면 임시로 사용되는 시스템 테이블이 2개 있는데, 이름은 **NEW**와 **OLD**입니다. 두 테이블은 사용자가 만드는 것이 아니고 MySQL이 알아서 생성하고 관리하므로 신경 쓸 필요는 없습니다.

먼저 **NEW 테이블**은 INSERT 문이 실행되면 다음 그림과 같이 작동합니다.

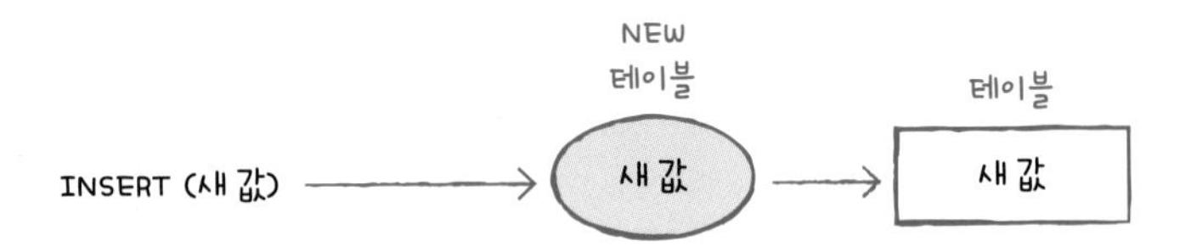

지금까지 배운 바로는 **INSERT(새 값)** 형태로 테이블에 새 값이 바로 들어갑니다. 하지만 사실 새 값은 테이블에 들어가기 전에 NEW 테이블에 잠깐 들어가 있습니다.

note NEW 테이블은 많이 사용되지 않습니다. 어차피 NEW 테이블에 들어간 값은 테이블에 들어가 있으니까요.

이번엔 **DELETE(예전 값)**의 작동을 살펴보겠습니다. **OLD 테이블**은 DELETE 문이 실행되면 다음 그림과 같이 작동합니다.

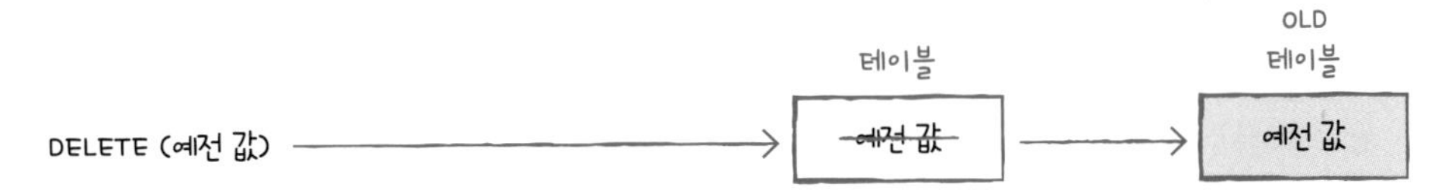

삭제될 예전 값이 삭제되기 전에 OLD 테이블에 잠깐 들어가 있습니다. 그래서 AFTER DELETE 트리거를 만들어도 삭제된 후에 **OLD.열 이름** 형식으로 예전 값에 접근할 수 있었던 것입니다.

마지막으로 **UPDATE(새 값, 예전 값)**을 사용하면 다음 그림과 같이 NEW 테이블과 OLD 테이블을 모두 사용합니다.

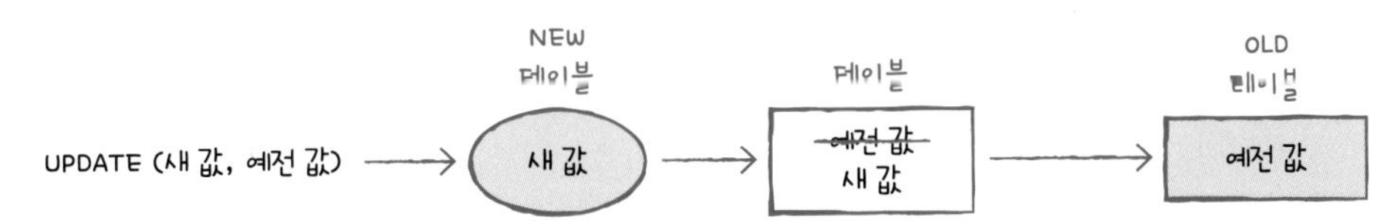

이제 singer_deleteTrg 트리거의 INSERT 문 안에 있는 **OLD.열 이름**의 의미를 파악했을 것입니다.

마무리

▶ 6가지 키워드로 끝내는 핵심 포인트

- **트리거**는 테이블에서 **DML 문**(INSERT, UPDATE, DELETE 등)의 이벤트가 발생할 때 작동합니다.
- **AFTER DELETE**는 DELETE 문이 발생된 후에 트리거를 작동하라는 의미입니다.
- 트리거는 행 데이터가 삭제 또는 수정되면 기존 데이터를 **백업 테이블**에 저장하도록 할 수 있습니다.
- 트리거에서 기존 데이터는 **OLD 테이블**에, 새로운 데이터는 **NEW 테이블**에 잠깐 저장됩니다. OLD 및 NEW 테이블은 MySQL이 내부적으로 관리합니다.

▶ 확인문제

이번 절에서는 트리거에 대해서 학습했습니다. 확인문제를 통해서 배운 개념을 스스로 정리해보기 바랍니다.

1. 다음은 트리거의 기본 작동에 대한 설명입니다. 가장 거리가 먼 것을 하나 고르세요.

① SELECT, INSERT, UPDATE, DELETE 문이 발생할 때 작동됩니다.
② 트리거는 자동으로 작동됩니다.
③ 트리거는 테이블에 부착됩니다.
④ 스토어드 프로시저와 문법은 비슷합니다.

2. 다음은 트리거와 스토어드 프로시저의 차이점입니다. 가장 옳은 것을 하나 고르세요.

① 트리거는 CALL로 실행할 수 있습니다.
② 트리거는 스토어드 프로시저와 마찬가지로 매개변수를 사용할 수 있습니다.
③ 트리거는 입력 매개변수만 사용할 수 있습니다.
④ 트리거는 이벤트가 발생되면 자동으로 실행됩니다.

3. 다음은 트리거의 형식입니다. 빈칸에 들어갈 것을 보기에서 고르세요.

AFTER , FRONT, FORE, ROW, COLUMN, TABLE

```
DELIMITER $$
CREATE TRIGGER myTrigger
    ❶    DELETE
    ON trigger_table
    FOR EACH    ❷
BEGIN
    이 부분이 작동함 ;
END $$
DELIMITER ;
```

4. AFTER DELETE 트리거를 부착시킬 때 작동하는 이벤트를 고르세요.

① SELECT ② DELETE
③ TRUNCATE ④ UPDATE

5. 다음은 OLD 및 NEW 테이블의 설명입니다. 가장 거리가 먼 것을 고르세요.

① INSERT가 실행되면 NEW 테이블에 새 값이 저장됩니다.
② DELETE가 실행되면 OLD 테이블에는 기존 값이 저장됩니다.
③ UPDATE가 실행되면 OLD 테이블에는 기존 값이, NEW 테이블에는 새 값이 저장됩니다.
④ TRUNCATE가 실행되면 OLD 테이블에는 기존 값이, NEW 테이블에는 새 값이 저장됩니다.

Chapter 08

지금까지 SQL에 대한 모든 내용을 학습했습니다. SQL만 알고 있어도 충분히 MySQL을 활용할 수 있습니다. 하지만, 일반 사용자는 SQL을 모르기 때문에 MySQL을 사용할 수가 없습니다. 이때 프로그래밍 언어로 SQL과 연결해, 일반 사용자도 마우스 클릭으로 MySQL을 편리하게 사용할 수 있습니다. 특히 파이썬 언어는 다른 프로그래밍 언어보다 배우거나 사용하기 쉽고 인기가 높은 언어이므로 이를 활용해보겠습니다.

SQL과 파이썬 연결

학습목표

- 파이썬을 설치하고 외부 라이브러리를 이해합니다.
- 파이썬과 MySQL을 연동하는 프로그램을 작성합니다.
- 윈도가 나오는 멋진 SQL 연동 프로그램을 만듭니다.

08-1 파이썬 개발 환경 준비

핵심 키워드

파이썬 | 외부 라이브러리 | PyMySQL | IDLE | 대화형 모드 | 스크립트 모드

파이썬은 문법이 간단해서 초보자도 쉽게 배울 수 있다는 장점이 있습니다. 이번 절에서는 파이썬과 MySQL을 연동하기 위한 개발 환경을 준비하고, 파이썬의 사용 방법을 간단하게 살펴보겠습니다.

시작하기 전에

파이썬 프로그래밍을 위해서는 개발 환경을 구축해야 합니다. 설치 파일은 모두 무료로 다운로드할 수 있고, 설치 방법도 아주 쉽습니다. 파이썬 버전은 여러 가지가 있지만, 이 책은 버전에 상관없이 사용 가능하므로 최신 버전을 설치하면 됩니다. 파이썬에는 MySQL을 인식하는 기능이 없으므로 PyMySQL이라는 **외부 라이브러리**도 설치해야 합니다.

MySQL과 파이썬을 연동해서 프로그래밍하면 MySQL 전문가가 할 수 있는 기능들을 일반 사용자도 손쉽게 사용할 수 있습니다.

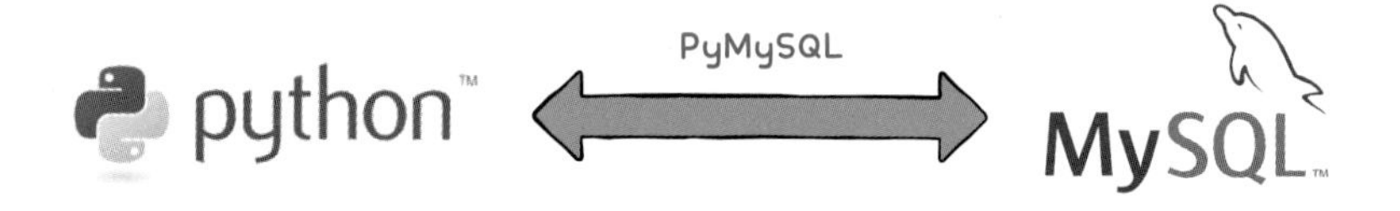

파이썬 소개

파이썬python은 귀도 반 로섬Guido van Rossum이라는 프로그래머가 C언어를 기반으로 제작했으며, 1991년도에 공식적으로 발표했습니다. 파이썬의 의미는 그리스 신화에 나오는 뱀으로, 로고 역시 파란색과 노란색 뱀 두 마리가 서로 얽혀 있습니다.

파이썬은 다른 프로그래밍 언어에 비해 좀 더 직관적인 문법으로 배우기 쉽다는 장점을 가지고 있습니다. 빅데이터, 인공지능, 웹 개발, 과학, 교육 등 다양한 분야에서 많이 활용되고 있으며 최근 들어 인공지능에 가장 적합한 언어로 인정받았습니다.

파이썬의 핵심 장점은 다음과 같습니다.

- 무료로 강력한 기능을 사용할 수 있다.
- 설치와 사용 환경 구축이 쉽다.
- 다양하고 강력한 **외부 라이브러리**들이 많다.

note 외부 라이브러리(library)란 파이썬에서 제공하지 않는 기능을 외부 개발자가 만들어서 제공하는 추가 기능을 말합니다.

이 책을 집필하는 시점을 기준으로 파이썬의 최신 버전은 다음 표와 같습니다. 이 책에서는 현재 안정화된 3.9 버전을 사용하겠지만, 3.x 버전이라면 다른 버전도 문제없이 사용 가능합니다.

*2021년 기준

파이썬 버전	정식 버전 발표일	업데이트 마감
3.10	2021년 10월	2026년 10월
3.9	2020년 10월	2025년 10월
3.8	2019년 10월	2024년 10월
3.7	2018년 6월	2023년 6월
3.6	2016년 12월	2021년 12월

파이썬이 세상의 모든 데이터베이스와 연결하는 기능을 제공할 수는 없습니다. 그래서 MySQL과 연동하는 추가 기능이 필요합니다. 이 책에서는 파이썬을 MySQL과 연결해주는 대표적인 외부 라이브러리인 **PyMySQL**을 사용할 것입니다.

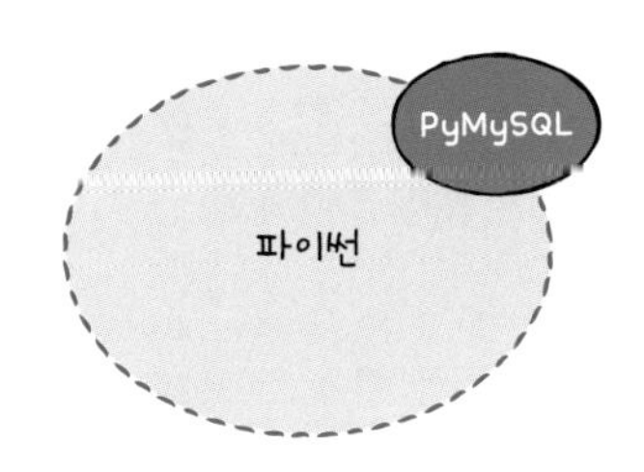

파이썬 설치

파이썬 설치는 안내에 따라 쉽게 진행할 수 있습니다. 하지만 실무에서는 몇 가지를 더 고려해서 설치하는 것이 좋습니다.

파이썬 다운로드하기

01 파이썬 설치 파일을 다운로드하기 위해 https://www.python.org에 접속하고 [Downloads]에서 [Python 3.x.x] 버튼을 클릭합니다. 다른 이름으로 저장 창이 나타나면 파일을 저장할 폴더를 지정합니다.

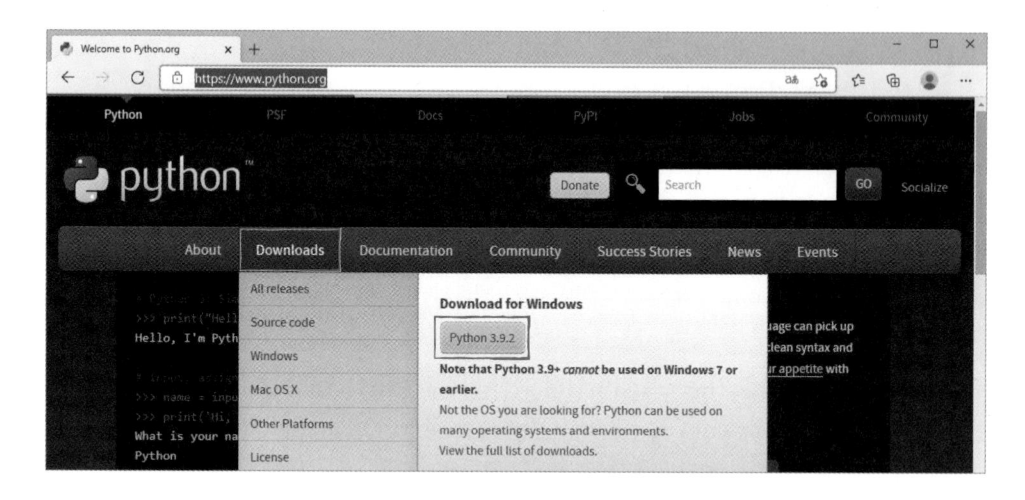

note 필자가 책을 집필하는 시점에서는 python-3.9.2-amd64.exe 파일을 다운로드했습니다. 혹시 다른 버전이어도 실습이 동일하게 진행될 것으로 예상되지만, 책과 완전히 동일한 버전을 사용하고 싶다면 한빛미디어 사이트의 혼공 자료실(http://www.hanbit.co.kr/src/10473)에서 다운로드하면 됩니다.

02 앞서 지정한 다운로드 폴더로 이동하면 파이썬 설치 파일을 확인할 수 있습니다.

+ 여기서 잠깐 **32bit Python과 64bit Python**

파이썬 설치 파일은 32bit 또는 64bit 어느 것을 사용해도 상관없습니다. 파일명이 32bit는 python-3.x.x.exe로, 64bit는 python-3.x.x-amd64.exe로 되어 있습니다. amd64가 64bit 설치 파일이라는 의미입니다. 참고로 python.org에서는 기본적으로 64bit를 제공합니다.

파이썬 설치하기

01 다운로드한 python-3.x.x-amd64.exe 파일을 더블 클릭하고 초기 화면에서 제일 하단의 'Add Python 3.x to PATH'를 체크한 후 [Install Now]를 클릭합니다.

note 만약 [사용자 계정 컨트롤] 창이 나타나면 [예] 버튼을 클릭합니다.

02 설치가 성공적으로 완료되면 [Disable path length limit]을 클릭한 후 [Close] 버튼을 클릭합니다.

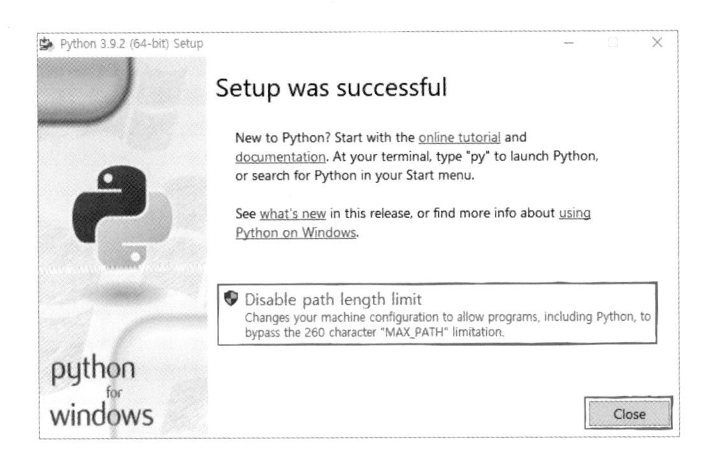

외부 라이브러리 설치하기

파이썬 자체에는 MySQL을 인식하는 기능이 없습니다. 파이썬 코드에서 MySQL을 활용하기 위해 외부 라이브러리인 **pymysql**을 설치해보겠습니다.

01 Windows + R 을 누른 후에 실행 창에서 cmd를 입력하고 [확인] 버튼을 클릭합니다.

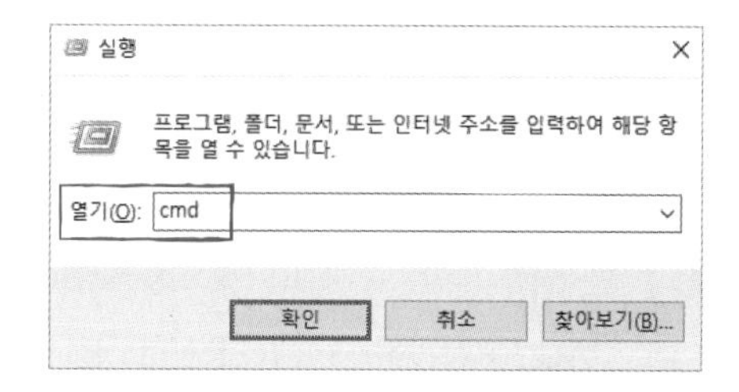

note 윈도우즈의 [시작]에서 마우스 오른쪽 버튼을 클릭하고 [Windows PowerShell] 또는 [Windows 터미널]을 선택한 후 cmd를 입력해도 됩니다.

02 명령 프롬프트가 나타나면 다음 명령어를 실행해서 pymysql을 설치합니다. 'Successfully installed pymysql-x.x.x'와 같은 메시지가 나오면 성공입니다. WARNING 메시지는 무시하세요.

```
pip install pymysql
```

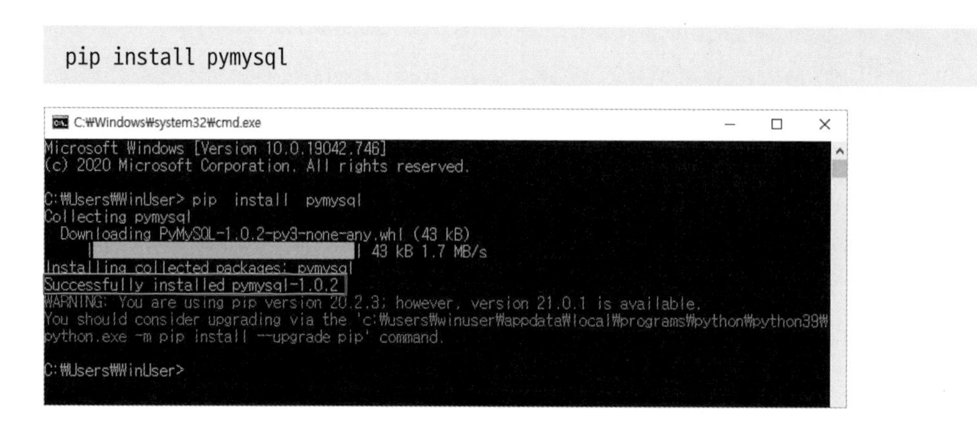

note pip install은 외부 라이브러리를 설치하는 명령입니다. 지금은 pymysql 라이브러리를 설치했지만, 필요하다면 다른 라이브러리도 동일한 방식으로 설치할 수 있습니다.

03 이제부터는 파이썬에서 MySQL과 관련된 기능을 사용할 수 있습니다. 다음 명령을 입력해서 명령 프롬프트를 종료합니다.

```
exit
```

파이썬 사용 방법

파이썬 설치가 완료되었으므로, 파이썬 실행 방법 및 코딩 방법을 알아보도록 하겠습니다.

대화형 모드: 한 줄씩 실행하기

파이썬은 IDLE이라는 환경에서 코드를 실행합니다. 기본적으로 한 줄을 입력하고 Enter 키를 누르면 바로 실행되는데, 이러한 방식을 **대화형 모드**라고 부릅니다. 간단한 예로 사용 방법을 확인해보겠습니다.

01 윈도우즈의 [시작] 버튼을 클릭하고 [Python 3.9] – [IDLE (Python 3.9 64-bit)]를 선택해서 파이썬 개발 환경을 실행합니다.

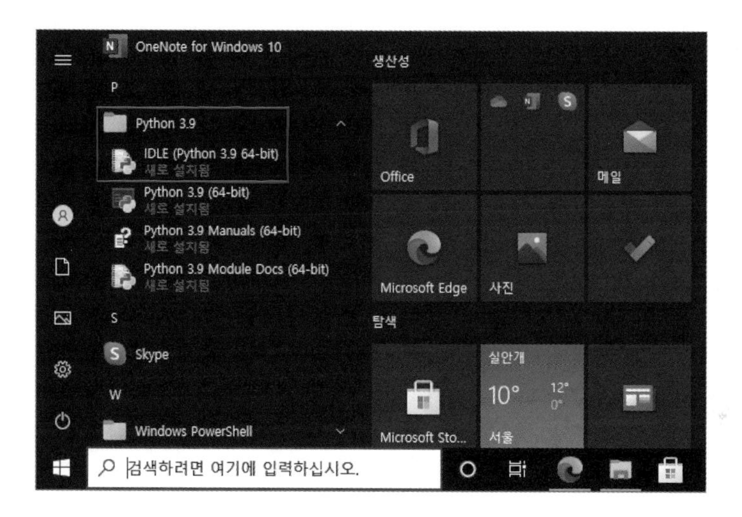

02 IDLE Shell 3.x.x 창이 나타나면 간단히 Hello World 출력 프로그램을 작성해보겠습니다. 파이썬은 인터프리트 언어(스크립트 언어)이기에 한 줄을 입력하면 즉시 실행됩니다.

```
print("Hello. World!")
```

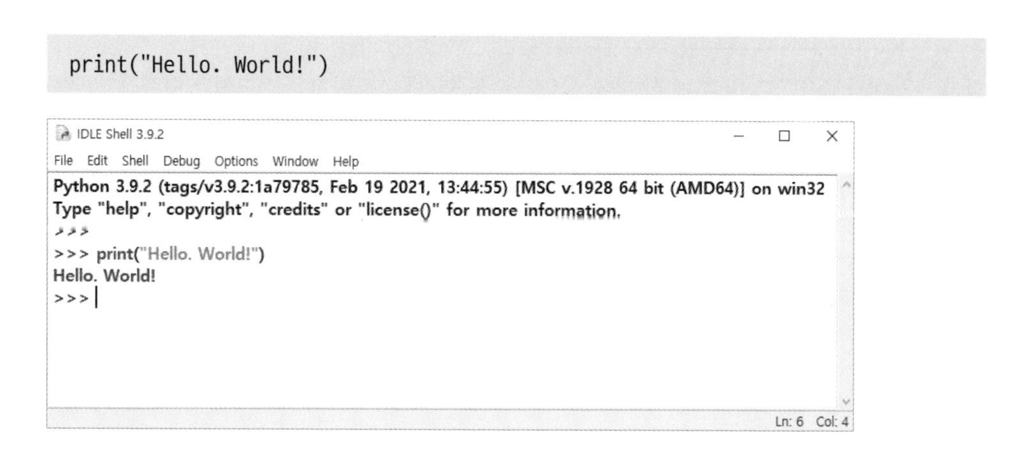

+ 여기서 잠깐 컴파일 언어와 스크립트 언어

컴파일 언어는 소스 코드를 실행 가능한 기계어로 일괄 번역한 후에 번역이 완료된 파일(*.exe, *.class 등의 파일)이 실행되는 언어를 말합니다. 소스 코드를 기계어로 번역하는 과정을 컴파일(compile)이라고 부르며, 이 작업을 하는 프로그램을 컴파일러(compiler)라고 부릅니다. 대표적인 컴파일 언어로는 C, C++, 자바(Java) 등이 있습니다.

이와 대비해서 스크립트 언어(인터프리트 언어)는 소스 코드를 한 줄씩 읽어 바로 실행되는 언어를 말합니다. 이렇게 한 줄씩 처리하는 프로그램을 인터프리터(interpreter)라고 부릅니다. 그래서 스크립트 언어는 별도의 실행 파일이 생성되지 않습니다. 대표적인 스크립트 언어로는 파이썬(Python), 자바스크립트(JavaScript), 펄(Perl) 등이 있습니다.

03 다음과 같이 복잡한 계산도 한 번에 가능합니다. 프로그램을 종료하려면 [File] – [Exit] 메뉴를 클릭합니다.

```
12345 + 45678 * 3.14
```

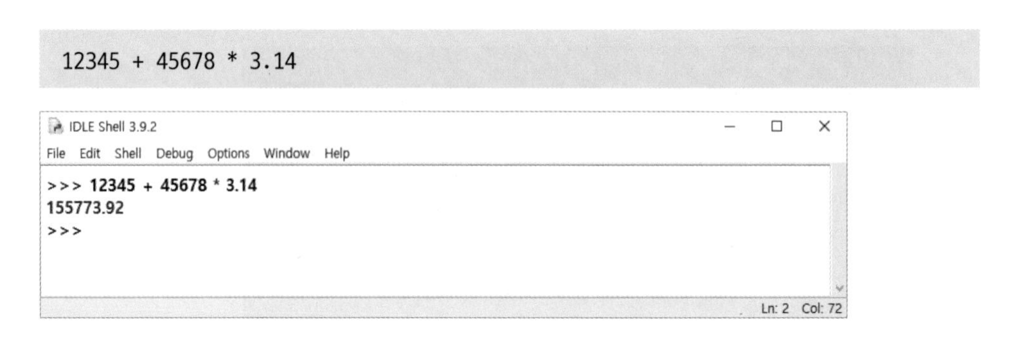

note 화면에 출력하기 위해서는 원칙적으로 print(12345 + 45678 * 3.14)로 써야 합니다. 하지만 대화형 모드에서는 print()를 사용하지 않아도 바로 결과가 출력됩니다.

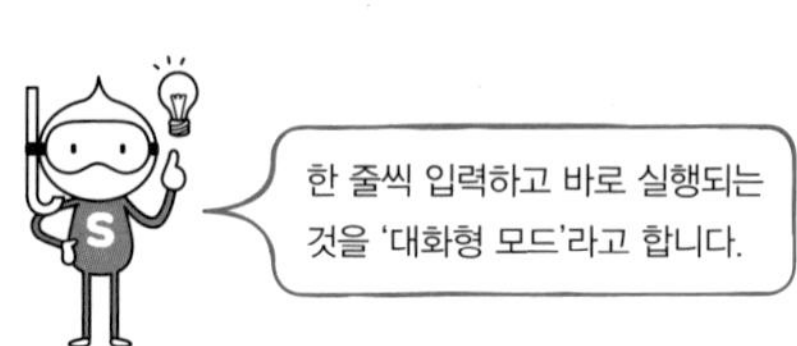

스크립트 모드: 여러 줄을 한 번에 실행하기

파이썬은 여러 줄을 코딩한 후에 한 번에 실행할 수도 있습니다. 이것을 **스크립트 모드**라고 부릅니다.

01 다시 윈도우즈의 [시작] 버튼을 클릭하고 [Python 3.9] – [IDLE (Python 3.9 64-bit)]를 선택해서 파이썬 개발 환경을 실행합니다.

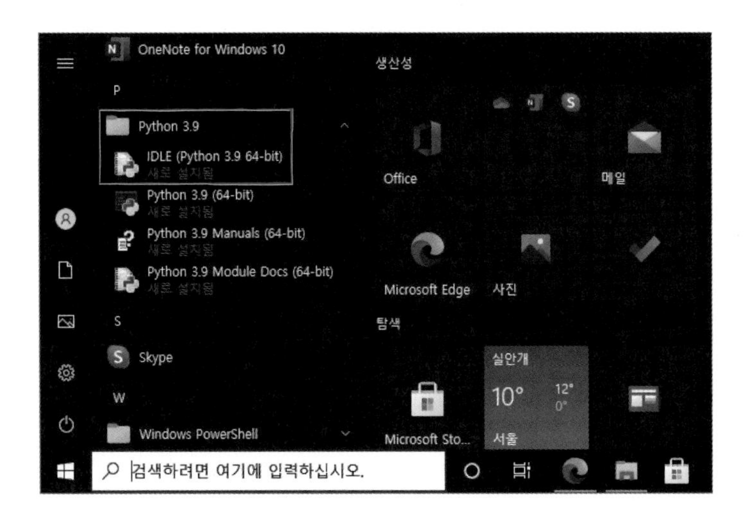

02 IDLE Shell 3.x.x 창에서 [File] – [New File] 메뉴를 선택합니다. 새로운 창이 나타나면 다음과 같이 코딩합니다. Enter 키를 눌러도 실행되지 않을 것입니다.

```
print("혼공 SQL을 공부중입니다")
print("파이썬과 MySQL 연동을 시도하고 있습니다")
```

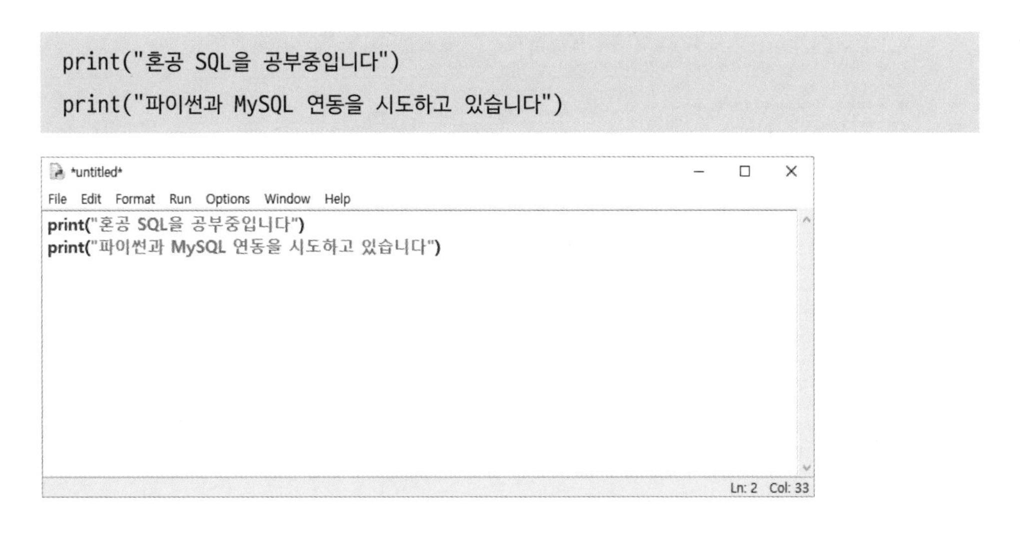

03 [File] – [Save] 메뉴를 선택해서 적당한 폴더를 선택하고 파일 이름을 지정한 후 [저장] 버튼을 클릭합니다. 파일의 확장명은 *.py로 자동 설정됩니다.

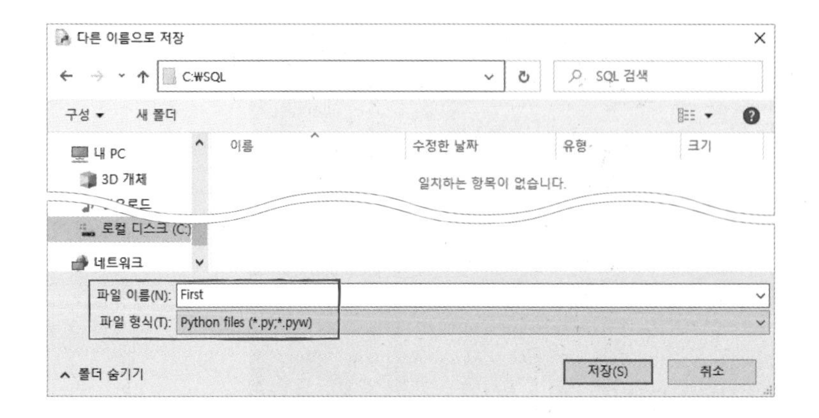

04 First.py 창에서 [Run] – [Run Module] 메뉴를 선택하거나 F5 키를 누르면 앞에서 입력한 코드가 한 번에 실행됩니다. 실행 결과는 IDLE Shell 3.x.x 창에 나타납니다. [File] – [Exit] 메뉴를 선택하면 파이썬 개발 환경이 종료됩니다.

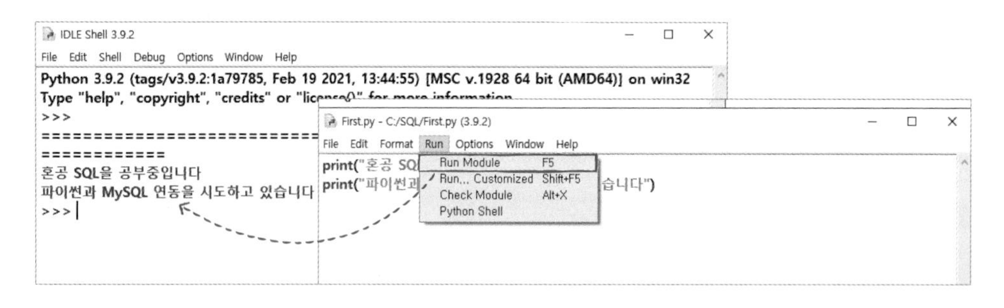

note C, C#, 자바 등의 언어에서는 스크립트 모드를 실행해서 여러 줄을 한 번에 코딩한 후 실행합니다. 파이썬은 한 줄씩 실행하는 것도 가능하며, 여러 줄을 한 번에 실행하는 것도 가능합니다.

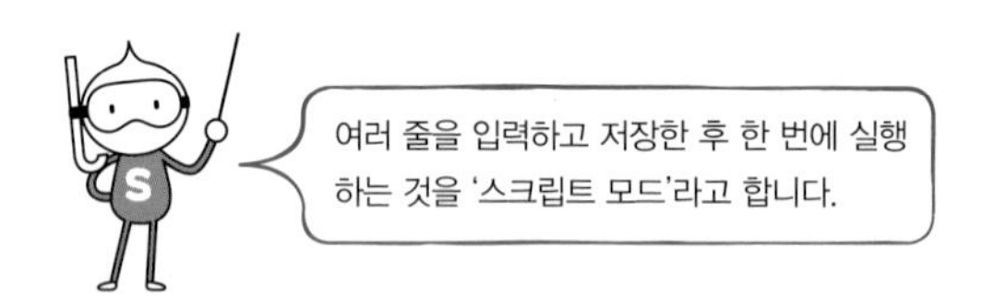

다음 절에서 본격적으로 MySQL과 파이썬을 연결하는 방법을 살펴보겠습니다. 그런데 여러분이 파이썬을 처음 접한다면 조금 어렵게 느껴질 수 있습니다. 이런 독자를 위해 부록으로 파이썬 문법 내용을 간략하게 준비했습니다. 파이썬의 모든 내용을 다루지는 않지만, 이 책을 학습하기 위한 정도의 내용을 쉽게 설명하고 있으니 파이썬이 처음인 독자는 부록을 먼저 살펴본 후에 다음 절을 학습하는 것을 권장합니다.

마무리

▶ 6가지 키워드로 끝내는 핵심 포인트

- **파이썬**은 배우기 쉽고 다양한 분야에서 활용도도 높을 뿐 아니라 다양하고 강력한 외부 라이브러리들이 많습니다. MySQL과 연결하기에도 다른 프로그래밍 언어에 비해서 상당히 쉽습니다.
- 파이썬에서 제공하지 않는 기능을 사용하기 위해서는 별도의 **외부 라이브러리**를 설치해야 합니다.
- **PyMySQL**은 파이썬과 MySQL을 연결시켜주는 외부 라이브러리입니다.
- **IDLE**은 파이썬을 개발하는 통합 개발 환경입니다.
- 입력한 내용이 바로 결과로 나오는 **대화형 모드**와 여러 줄을 입력한 후 한꺼번에 실행하는 **스크립트 모드**가 있습니다.

▶ 확인문제

이번 절에서는 파이썬의 설치와 파이썬의 사용 방법을 학습했습니다. 확인문제를 통해서 배운 개념을 스스로 정리해보기 바랍니다.

1. 다음은 파이썬에 대한 설명입니다. 가장 거리가 먼 것을 하나 고르세요.

① 파이썬은 귀도 반 로섬이 개발했습니다.
② 파이썬은 인공지능에 적합한 언어입니다.
③ 파이썬은 개인은 무료로, 기업은 유료로 사용할 수 있습니다.
④ 파이썬은 외부 라이브러리가 많이 있습니다.

2. 다음은 파이썬 설치와 관련된 설명입니다. 가장 거리가 먼 것을 하나 고르세요.

① www.python.org에서 다운로드할 수 있습니다.
② 32bit용과 64bit용 모두 제공합니다.
③ 설치 과정이 상당히 복잡해서 전문가가 주로 설치를 담당합니다.
④ MySQL과 연동하기 위해서는 pymysql을 추가로 설치해야 합니다.

3. 다음은 파이썬 개발 환경에 대한 설명입니다. 가장 거리가 먼 것을 하나 고르세요.

① 파이썬 개발 환경을 IDLE이라 부릅니다.
② 한 줄씩 입력하고 바로 실행하는 환경을 대화형 모드라고 부릅니다.
③ 여러 줄을 입력하고 한꺼번에 실행하는 환경을 스크립트 모드라고 부릅니다.
④ 파이썬은 컴파일 언어이기 때문에 비교적 속도가 느립니다.

4. 다음 중 파이썬 소스 코드의 확장명을 고르세요.

① .idle
② .python
③ .ph
④ .py

08-2 파이썬과 MySQL의 연동

핵심 키워드

데이터베이스 연동 | import pymysql | 연결자 | 커서 | 커밋 | fetchone()

파이썬으로 데이터베이스와 연결하면 데이터를 입력, 수정, 조회하는 등 SQL의 활용도를 더 높일 수 있습니다. 즉, 간단한 명령어를 실행하는 것만으로 데이터베이스에 값을 입력하거나, 원하는 결과를 추출할 수 있게 됩니다.

시작하기 전에

파이썬과 pymysql 라이브러리를 설치한 후에는 MySQL과 연동하는 **데이터베이스 연동** 프로그램을 작성할 수 있습니다.

파이썬 프로그램을 작성하는 가장 큰 이유는 일반 사용자가 데이터베이스의 내용을 사용하고자 할 때 SQL까지 배우기에는 무리가 있기 때문입니다. 파이썬을 잘 이용한다면 일반 사용자는 SQL 대신 간단한 명령어를 입력하는 것만으로 데이터베이스에서 원하는 결과를 얻을 수 있습니다. 즉, SQL의 활용도가 더욱 높아지는 것입니다.

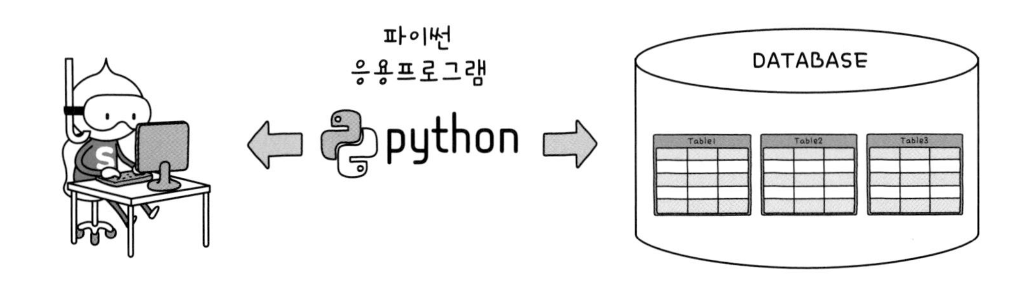

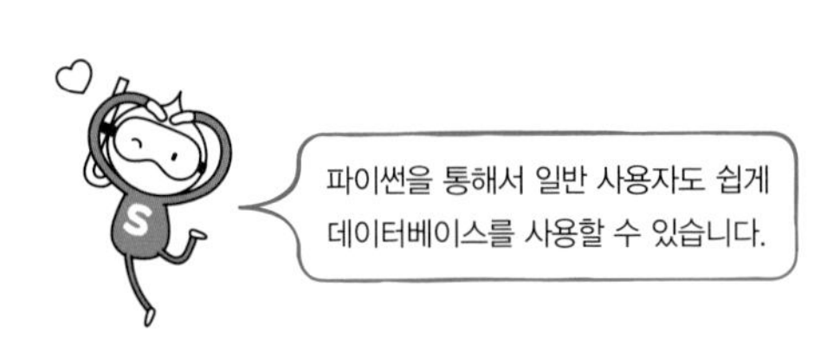

연동 프로그래밍 기본

파이썬과 MySQL 데이터베이스를 연동해보겠습니다. 연동 프로그램이 완성되면 MySQL 워크벤치 없이도 MySQL에 접근하고 사용할 수 있습니다.

연동 프로그램을 위한 쇼핑몰 생성

다음 그림은 일반적인 쇼핑몰의 회원이 저장된 정보를 단순화해서 가정한 것입니다. 이와 같은 데이터베이스를 구축하는 것을 연습해보겠습니다.

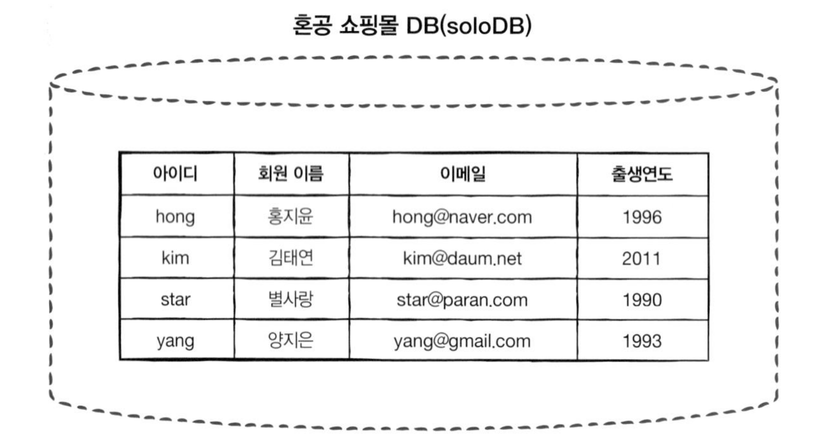

아이디	회원 이름	이메일	출생연도
hong	홍지윤	hong@naver.com	1996
kim	김태연	kim@daum.net	2011
star	별사랑	star@paran.com	1990
yang	양지은	yang@gmail.com	1993

먼저 MySQL 워크벤치를 실행해서 '혼공 쇼핑몰 DB(soloDB)'를 생성합니다.

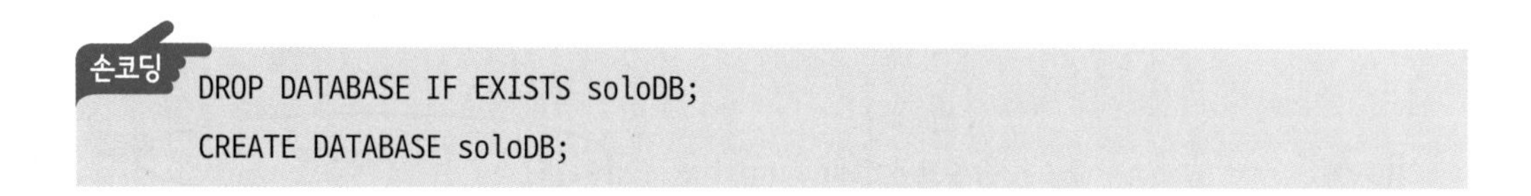


```
DROP DATABASE IF EXISTS soloDB;
CREATE DATABASE soloDB;
```

soloDB를 생성한 후에는 더 이상 MySQL 워크벤치를 사용하지 않습니다. 워크벤치에서 [File] – [Exit] 메뉴를 클릭하여 프로그램을 종료합니다.

파이썬에서 데이터 입력

파이썬에서 데이터를 입력하기 위해서는 다음과 같은 단계를 거치게 됩니다. 단계가 좀 많아 보이지만, 거의 동일하게 고정되어 사용되는 단계이므로 몇 번 반복하다 보면 익숙해질 것입니다.

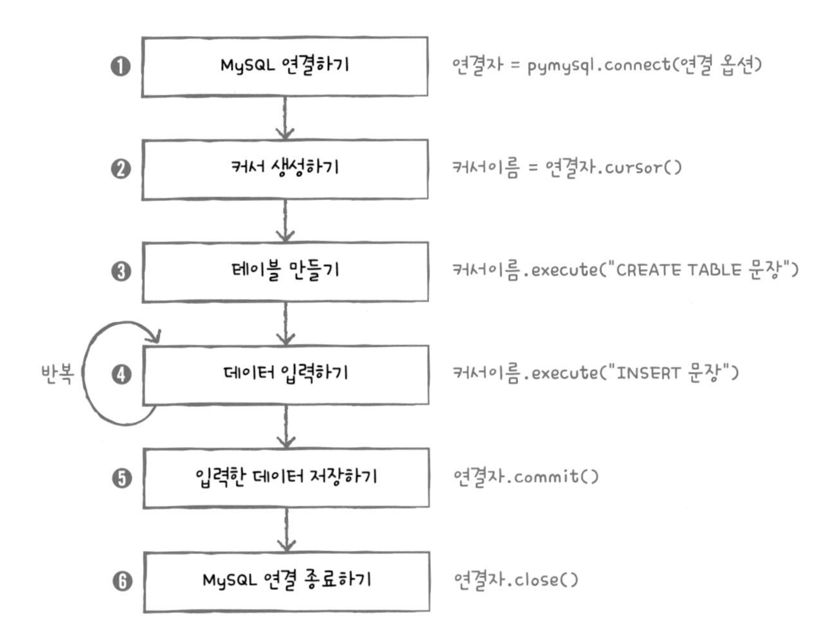

파이썬에서 이 그림의 순서대로 '혼공 쇼핑몰 DB'를 구축하고 사용하겠습니다. IDLE을 실행해서 대화형 모드로 진행합니다.

❶ MySQL를 사용하기 위해서는 먼저 관련 모듈인 pymysql을 임포트한 후 pymysql.connect()로 **데이터베이스와 연동**해야 합니다. 필자는 conn이라는 변수를 데이터베이스와 연결된 **연결자**로 사용했습니다. 연결이 성공해도 아무런 메시지도 나오지 않습니다.

```
pymysql.connect(host=서버IP주소, user=사용자, passoword=암호, db=데이터베이스,
charset=문자세트)
```

손코딩

```
import pymysql
conn = pymysql.connect(host='127.0.0.1', user='root', password='0000',
        db='soloDB', charset='utf8')
```

→ 한글이 문제 없도록 utf8을 사용

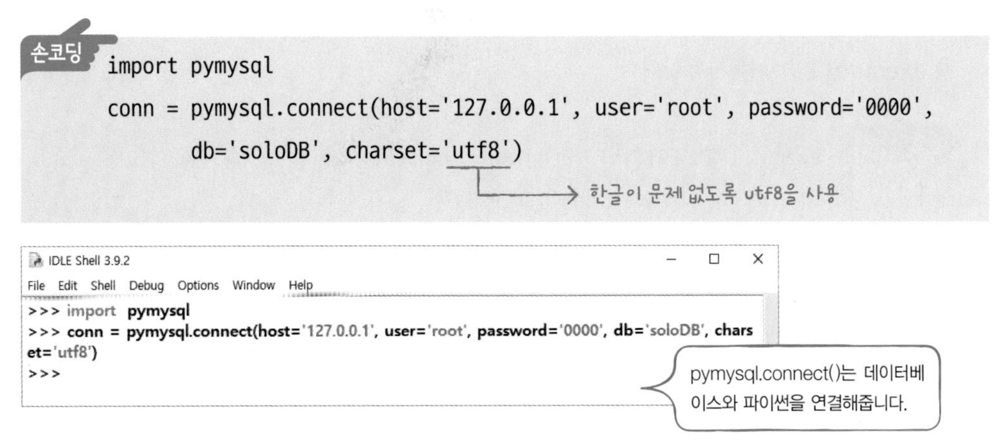

note conn은 연결자를 의미하는 connection의 약자입니다. 다른 이름으로 사용해도 상관없지만 대개는 conn 또는 con으로 많이 사용합니다.

❷ **커서**cursor는 데이터베이스에 SQL 문을 실행하거나 실행된 결과를 돌려받는 통로로 생각하면 됩니다. ❶에서 연결한 연결자에 커서를 만들어야 합니다. 필자는 cur라는 변수를 커서로 사용했습니다.

손코딩
```
cur = conn.cursor()
```

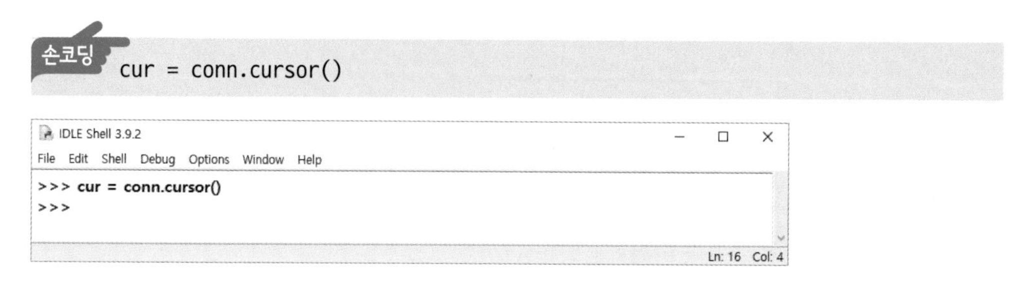

❸ 이제는 테이블을 만들 차례입니다. 테이블을 만드는 SQL 문을 **커서이름.execute()** 함수의 매개변수로 넘겨주면 SQL 문이 데이터베이스에 실행됩니다. 즉, 파이썬에서도 MySQL 워크벤치에서 사용한 것과 동일한 SQL 문을 사용하면 됩니다.

손코딩
```
cur.execute("CREATE  TABLE userTable (id char(4), userName char(15),
                email char(20), birthYear int)")
```

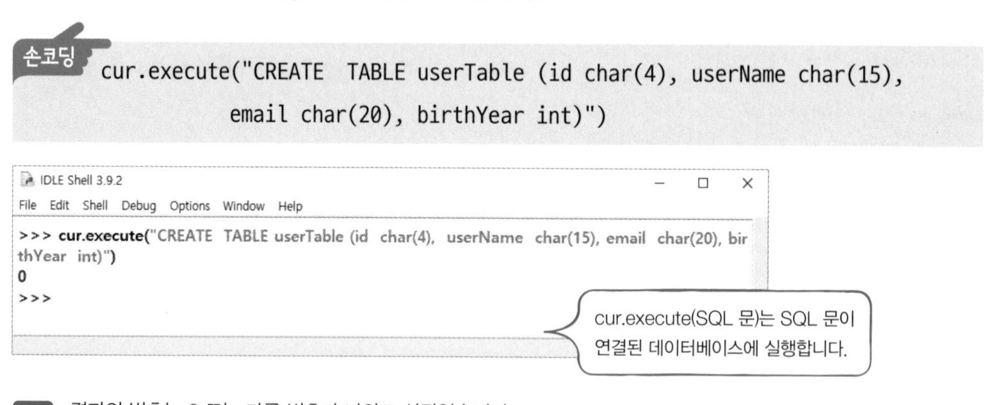

note 결과의 번호는 0 또는 다른 번호가 나와도 상관없습니다.

❹ 데이터는 필요한 만큼 반복해서 입력합니다. 데이터 입력도 SQL 문을 사용해야 하므로 **커서이름.execute()** 함수를 사용합니다.

손코딩
```
cur.execute("INSERT INTO userTable VALUES( 'hong' , '홍지윤' ,
                'hong@naver.com' , 1996)")
cur.execute("INSERT INTO userTable VALUES( 'kim' , '김태연' ,
                'kim@daum.net', 2011)")
cur.execute("INSERT INTO userTable VALUES( 'star' , '별사랑' ,
                'star@paran.com' , 1990)")
cur.execute("INSERT INTO userTable VALUES( 'yang' , '양지은' ,
                'yang@gmail.com' , 1993)")
```

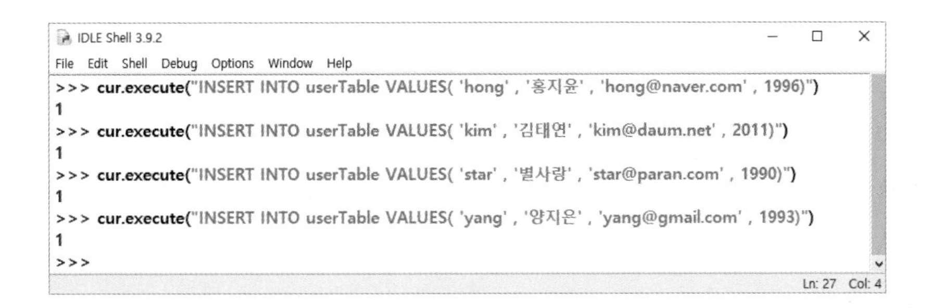

note 결과의 번호는 1이 나옵니다. 1건이 입력된 것으로 보면 됩니다.

❺ 앞에서 입력한 4건의 데이터는 아직 데이터베이스에 완전히 저장된 것은 아닙니다. 임시로 저장된 상태로, 이를 확실하게 저장하는 것을 **커밋**commit이라고 부릅니다.

손코딩

```
conn.commit()
```

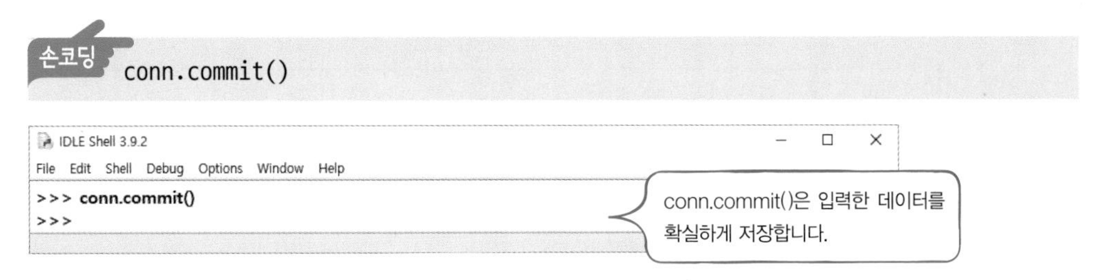

note HWP에서 문서를 작성한 후 [저장] 버튼을 클릭해야만 완전히 보관되듯이, 테이블에 입력한 내용을 완전히 저장하는 것을 '커밋(commit)'이라고 생각하세요.

❻ 데이터베이스를 모두 사용했다면 ❶에서 연결한 데이터베이스를 닫아야 합니다.

손코딩

```
conn.close()
```

note 데이터베이스를 close()로 닫는 것은 MySQL 워크벤치를 종료하는 것과 비슷한 개념입니다.

연동 프로그래밍 활용

이번에는 단계별이 아닌 완전한 파이썬 응용 프로그램을 만들어보겠습니다. 한 번 만들어 놓으면 계속 사용되도록 스크립트 모드에서 작성해봅시다.

완전한 데이터 입력 프로그램의 완성

사용자가 반복해서 데이터를 입력하는 코드를 작성해보겠습니다. 앞에서 생성한 soloDB의 userTable에 직접 키보드로 입력받아 한 행씩 계속해서 데이터를 입력하겠습니다. 그리고 더 이상 입력할 데이터가 없으면 Enter 키를 입력하여 종료하는 것으로 처리하겠습니다.

손코딩 데이터 입력 프로그램 소스 코드 Code8-1.py

```
import pymysql

# 전역변수 선언부
conn, cur = None, None                      ❶
data1, data2, data3, data4 = "", "", "", ""
sql=""

# 메인 코드
conn = pymysql.connect(host='127.0.0.1', user='root', password='0000',   ❷
   db='soloDB', charset='utf8')
cur = conn.cursor()

while (True) :                              ❸
    data1 = input("사용자 ID ==> ")
    if data1 == "" :
        break;
    data2 = input("사용자 이름 ==> ")
    data3 = input("사용자 이메일 ==> ")
    data4 = input("사용자 출생연도 ==> ")
    sql = "INSERT INTO userTable VALUES('" + data1 + "',     ❹
        '" + data2 + "','" + data3 + "'," + data4 + ")"
    cur.execute(sql)                        ❺

conn.commit()                               ❻
conn.close()
```

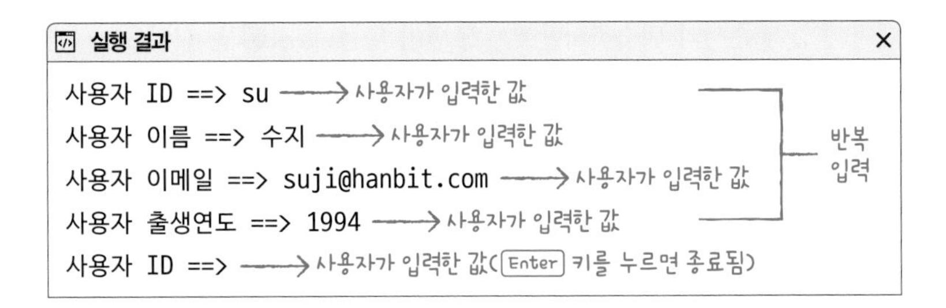

❶ 사용할 변수를 선언했습니다. data1~data4는 입력할 사용자 ID, 사용자 이름, 사용자 이메일, 출생연도를 입력받을 변수입니다. sql 변수는 INSERT INTO ~ 문을 입력한 data 값과 함께 문자열로 생성할 것입니다.

❷ 데이터베이스를 연결하고 커서를 준비했습니다. 테이블은 이미 생성되어 있으므로 CREATE TABLE ~ 문은 생략했습니다.

❸ 무한 반복하면서 data1~data4를 입력받습니다. 만약, data1에서 아무것도 입력하지 않고 Enter 키를 입력하면 while 문을 빠져나갑니다.

❹ INSERT 문으로 입력한 데이터를 sql 변수에 문자열로 만듭니다. 주의할 점은 data1~data3은 작은따옴표(')로 묶어야 하고, 마지막 data4는 정수이므로 작은따옴표로 묶으면 안 됩니다.

❺ 생성한 문자열을 실행해서 데이터를 입력합니다.

❻ 입력한 데이터를 저장하고, 연결된 데이터베이스를 닫습니다.

MySQL의 데이터 조회를 위한 파이썬 코딩 순서

파이썬으로 데이터를 조회하기 위해서는 다음과 같은 단계를 거치게 됩니다. 데이터를 입력할 때와 비슷하지만, 다른 점에 집중해서 살펴보겠습니다.

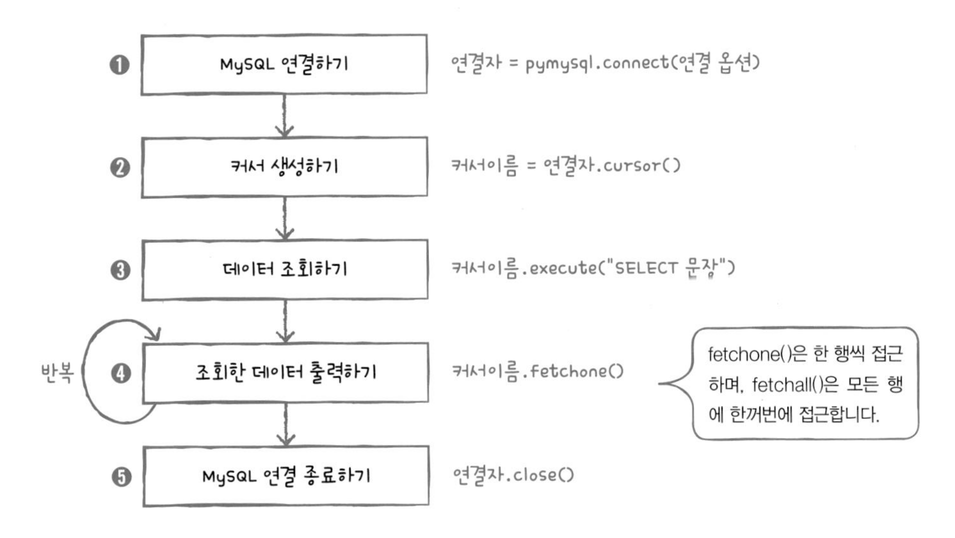

데이터를 조회하는 순서는 데이터 입력 순서와 비슷하지만 ❸, ❹번이 다릅니다. ❸번에서는 커서에 SELECT로 조회한 결과를 한꺼번에 저장해 놓습니다. 그리고 ❹번에서 조회한 데이터를 fetchone() 함수로 한 행씩 접근한 후 출력합니다. 또한 조회하는 것은 데이터를 입력하거나 변경하는 것이 아니므로 굳이 커밋(저장)을 해줄 필요는 없습니다.

완전한 데이터 조회 프로그램의 완성

이번에는 테이블의 데이터를 조회하는 완전한 코드를 작성해보겠습니다. 다음 코드를 실행하면 테이블의 모든 데이터가 조회됩니다.

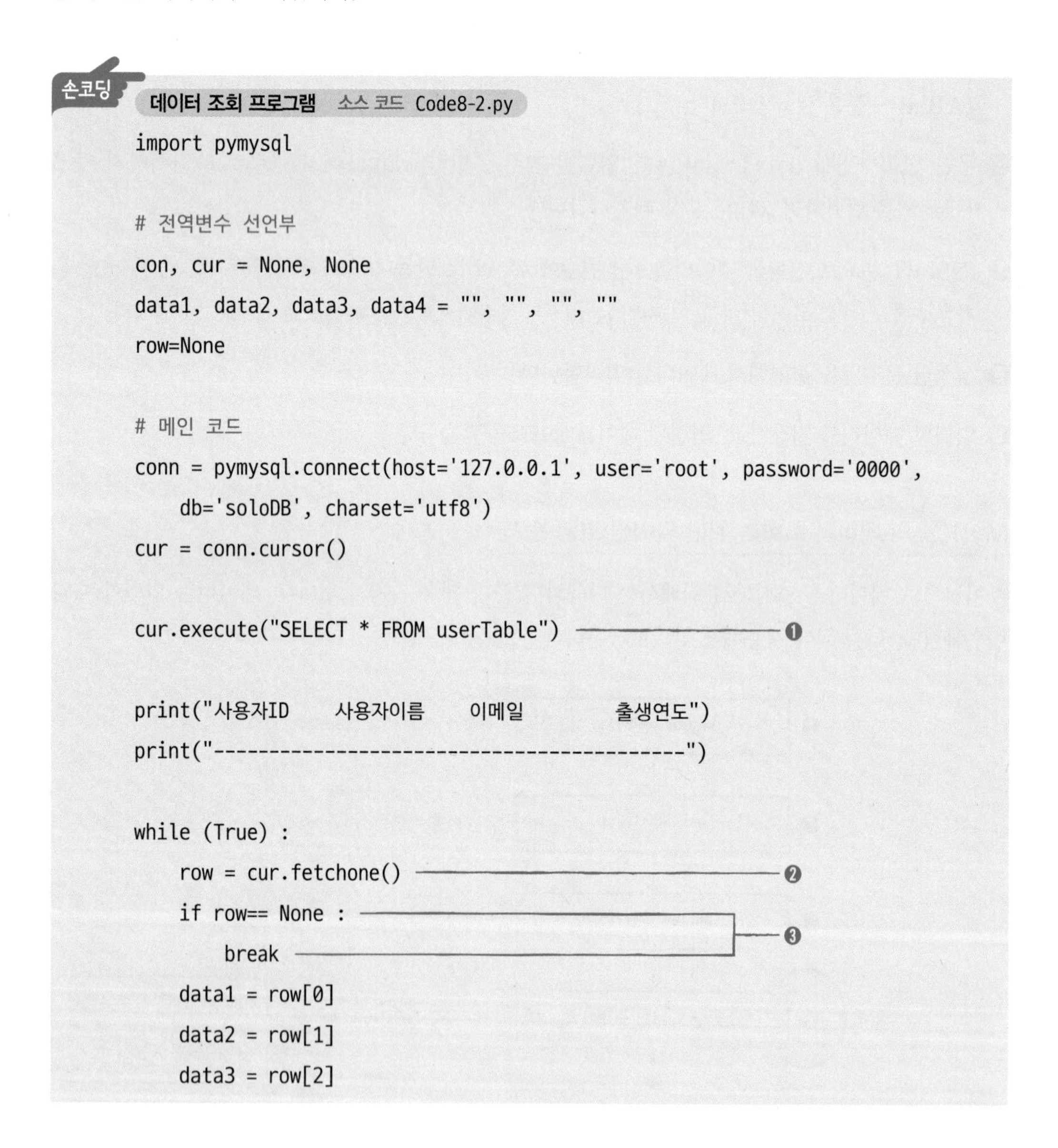

손코딩 **데이터 조회 프로그램** 소스 코드 Code8-2.py

```
import pymysql

# 전역변수 선언부
con, cur = None, None
data1, data2, data3, data4 = "", "", "", ""
row=None

# 메인 코드
conn = pymysql.connect(host='127.0.0.1', user='root', password='0000',
    db='soloDB', charset='utf8')
cur = conn.cursor()

cur.execute("SELECT * FROM userTable") ──── ❶

print("사용자ID     사용자이름     이메일          출생연도")
print("----------------------------------------------------")

while (True) :
    row = cur.fetchone() ──── ❷
    if row== None : ──┐
        break ────────┴── ❸
    data1 = row[0]
    data2 = row[1]
    data3 = row[2]
```

```
        data4 = row[3]
        print("%5s   %15s   %20s   %d" % (data1, data2, data3, data4)) ——— ❹

    conn.close()
```

실행 결과

```
사용자ID   사용자이름   이메일                출생연도
----------------------------------------------------
hong      홍지윤      hong@naver.com       1996
 kim      김태연      kim@daum.net         2011
star      별사랑      star@paran.com       1990
yang      양지은      yang@gmail.com       1993
  su      수지        suji@hanbit.com      1994
```

note 폰트 설정과 MySQL 버전에 따라 정렬된 출력 결과가 다를 수 있습니다.

기존에 데이터를 추가로 입력했다면 이 코드를 수행했을 때 해당 데이터도 보일 것입니다. 대부분은 데이터를 입력하는 코드와 비슷합니다. 다른 점만 몇 가지 설명하면 다음과 같습니다.

❶ SELECT 문으로 테이블을 조회했습니다. 조회한 결과는 cur 변수에 저장됩니다.

❷ fetchone() 함수로 결과를 한 행씩 추출합니다. 이 행은 while 문 안에 있으므로 무한 반복됩니다. 즉, 조회한 결과의 모든 행을 추출합니다.

❸ 단, 조회한 결과가 없으면 None 값을 반환하여 while 문을 빠져나옵니다.

❹ fetchone() 함수로 조회된 결과가 저장된 row 변수에는 튜플 형식으로 각 행 데이터가 저장됩니다. 예로 첫 번째 행은 "hong", "홍지윤", "hong@naver.com", 1996 형식으로 저장되어 있습니다. 그래서 data1, data2, ... 방식으로 추출해서 형식에 맞춰 한 줄에 출력합니다.

note 튜플(tuple)이란 리스트(list)와 비슷한 구조이지만, 읽기 전용으로 변경할 수는 없습니다. 또 리스트는 대괄호([ ])로 구성되지만 튜플은 소괄호(( ))로 구성됩니다. 그 외에는 리스트와 사용법이 비슷합니다.

마무리

▶ 6가지 키워드로 끝내는 핵심 포인트

- **데이터베이스 연동**은 SQL을 파이썬과 연결하는 것을 말합니다.
- **import pymysql** 명령을 사용해서 SQL과 파이썬을 연동합니다.
- MySQL과 파이썬의 연결을 위해서는 pymysql.connect()로 **연결자**를 생성하고, 연결 통로인 **커서**를 통해 파이썬에서 MySQL로 SQL을 전송합니다.
- 데이터를 변경(예: 입력)한 후에는 **커밋**을 수행해야 변경된 내용이 확정됩니다.
- 파이썬에서 SELECT 문으로 데이터를 조회한 후에는 **fetchone()** 함수를 통해서 데이터를 한 행씩 가져옵니다.

▶ 순서도로 살펴보는 핵심 포인트

MySQL에서 데이터 입력 순서

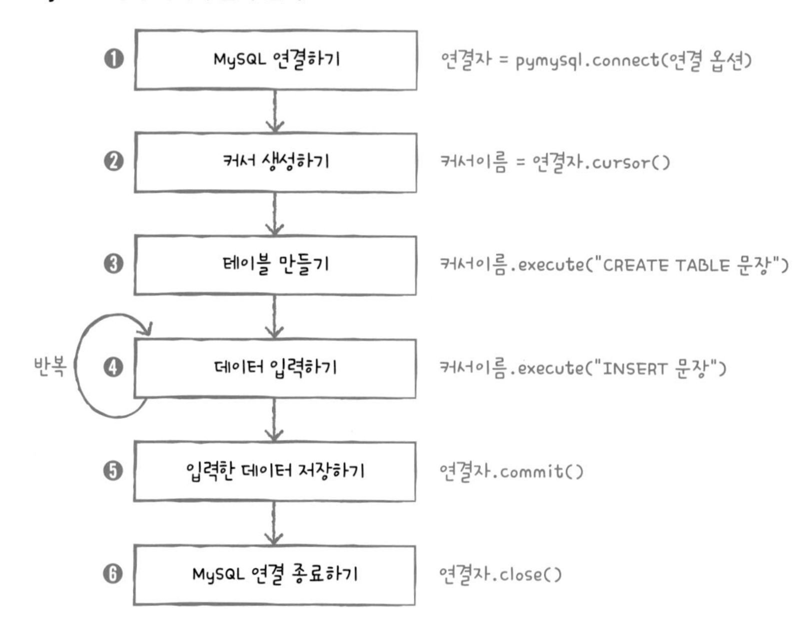

MySQL에서 데이터 조회 순서

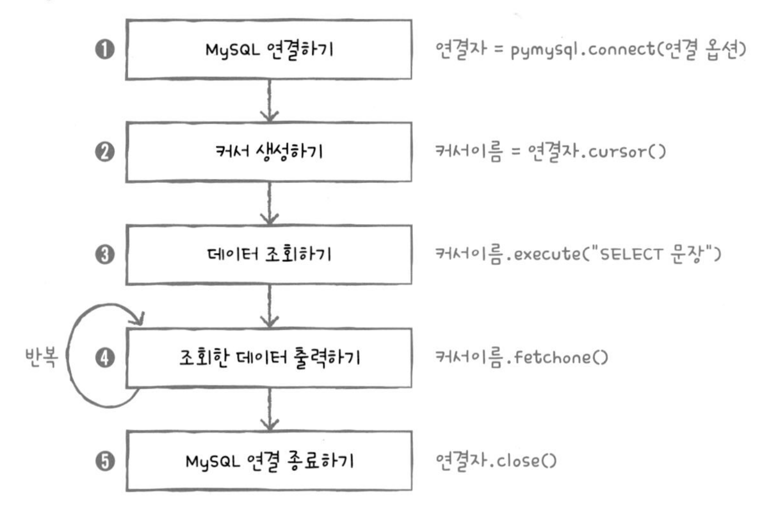

▶ 확인문제

이번 절에서는 파이썬과 MySQL을 연동하는 프로그래밍을 학습했습니다. 확인문제를 통해서 배운 개념을 스스로 정리해보기 바랍니다.

1. 다음은 파이썬에서 MySQL로 데이터를 입력하기 위한 설명입니다. 가장 거리가 먼 것을 하나 고르세요.

① 연결자는 connect() 함수를 사용합니다.
② 테이블 생성은 execute("CREATE TABLE~~")을 사용합니다.
③ 데이터 입력은 execute("INSERT 문장")을 사용합니다.
④ close()로 연결자를 종료한 후에는 commit()으로 저장해야 합니다.

2. 다음은 pymysql.connect() 함수의 옵션에 대한 설명입니다. 가장 거리가 먼 것을 하나 고르세요.

① host에는 IP 주소를 적어줍니다.
② user에는 사용자를 적어줍니다.
③ password에는 암호를 적어줍니다.
④ charset에는 데이터베이스를 적어줍니다.

3. 다음은 파이썬과 MySQL 연동을 위한 코드입니다. 가장 거리가 먼 것을 하나 고르세요.

① 연결자.cursor()는 커서를 생성합니다.

② 커서.execute("CREATE TABLE~~")은 테이블을 생성합니다.

③ 커서.insert("INSERT INTO~~")는 데이터를 입력합니다.

④ 연결자.commit()은 입력한 내용을 저장합니다.

4. 조회한 결과를 한 행씩 접근하는 파이썬 함수를 고르세요.

① selectone()

② fetchone()

③ oneline()

④ ditpatch()

08-3 GUI 응용 프로그램

핵심 키워드

GUI tkinter 라벨 버튼 프레임 엔트리 리스트 박스

사용자는 텍스트 형태로 프로그램을 사용하는 것을 선호하지 않습니다. 뿐만 아니라 간편한 방법으로 데이터베이스를 사용하고 싶어 합니다. 이러한 환경을 제공하는 GUI 프로그램에 대해 알아보겠습니다.

시작하기 전에

GUI Graphical User Interface는 윈도에 그래픽 환경으로 제공되는 화면을 통틀어서 말합니다. 파이썬을 통해 윈도에 출력되는 GUI 응용 프로그램을 작성할 수 있습니다.

이를 도와주는 것이 tkinter라는 라이브러리입니다. tkinter를 활용하면 흔히 사용하는 엑셀, 한글, 크롬 등의 응용 프로그램과 비슷한 형태의 프로그램을 만들 수 있습니다. 그리고 SQL을 전혀 모르는 사용자도 마우스 클릭만으로 데이터 입력, 조회가 가능하도록 할 수 있습니다.

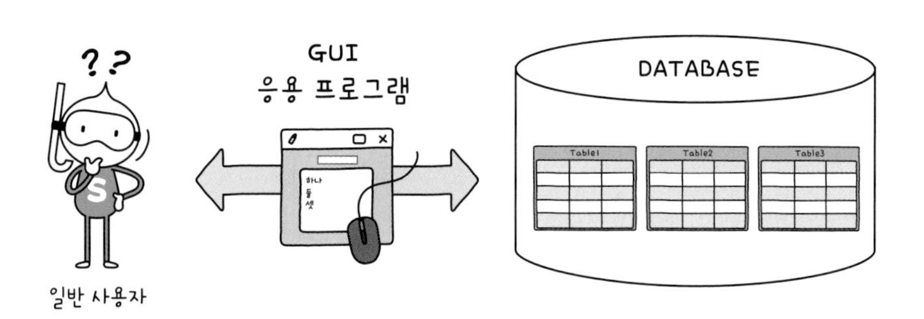

GUI 기본 프로그래밍

파이썬은 윈도 화면을 제공하는 다양한 방법을 제공합니다. 그중 가장 기본적이고 쉽게 이용할 수 있는 윈도 생성 라이브러리인 tkinter에 대해 살펴보겠습니다.

기본 윈도의 구성

GUI의 가장 기본적인 윈도 화면의 구성을 살펴보겠습니다.

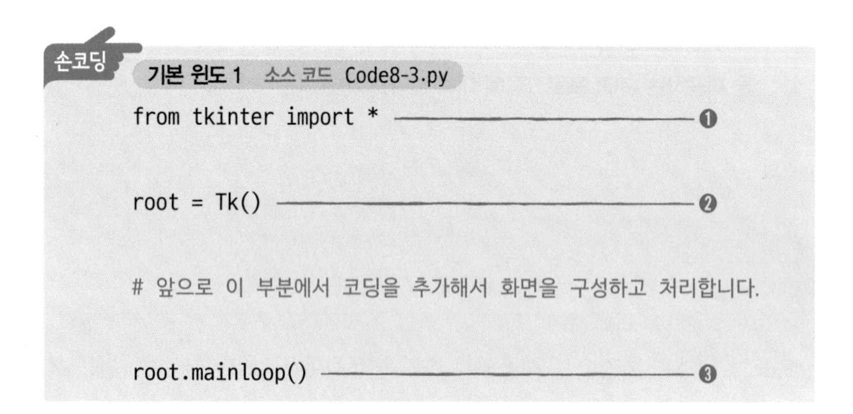

손코딩 **기본 윈도 1** 소스 코드 Code8-3.py

```
from tkinter import * ──────────── ❶

root = Tk() ──────────── ❷

# 앞으로 이 부분에서 코딩을 추가해서 화면을 구성하고 처리합니다.

root.mainloop() ──────────── ❸
```

가장 간단한 윈도를 나타내는 코드입니다.

from tkinter import * 문을 처음에 입력하면, 윈도 및 관련 내용을 사용할 수 있습니다.

❶ **tkinter**는 파이썬에서 GUI 관련 모듈을 제공해주는 표준 윈도 라이브러리입니다. 윈도 화면이 필요할 때는 꼭 써줘야 합니다.

❷ Tk()는 기본이 되는 윈도를 반환하는데, 이를 root라는 변수에 넣었습니다. Tk()를 루트 윈도 root window라고도 부르며, 꼭 필요한 요소입니다. 이 행이 실행될 때 윈도가 출력됩니다.

❸ root.mainloop() 함수를 실행합니다. 이는 앞으로 윈도에 키보드 누르기, 마우스 클릭 등의 다양한 작업이 일어날 때 이벤트를 처리하기 위해 필요한 부분입니다.

✚ 여기서 잠깐 GUI란?

GUI는 Graphical User Interface의 약자입니다. 사용자가 편리하게 사용할 수 있도록 텍스트가 아닌 그래픽 환경을 제공합니다. 간단히는 윈도 화면이 나오는 환경이라고 생각하세요. 파이썬 GUI를 위한 내용도 상당히 많아서 이것만 다룬 책이 별도로 있을 정도입니다. 이 책에서는 꼭 필요한 내용만 다루겠습니다.

윈도에 제목을 지정하고, 크기를 설정할 수 있습니다.

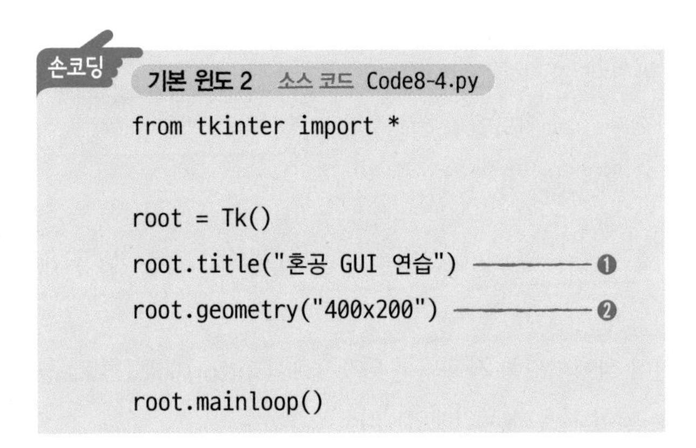

손코딩 **기본 윈도 2** 소스 코드 Code8-4.py

```
from tkinter import *

root = Tk()
root.title("혼공 GUI 연습") ——— ❶
root.geometry("400x200") ——— ❷

root.mainloop()
```

❶ 윈도에 제목을 표시합니다.

❷ 윈도의 초기 크기를 400x200으로 지정합니다.

라벨

라벨label은 문자를 표현할 수 있는 위젯으로, **label(부모윈도, 옵션 ...)** 형식을 사용합니다. **위젯**widget은 윈도에 나오는 버튼, 텍스트, 라디오 버튼, 이미지 등을 통합해서 지칭하는 용어입니다. 옵션에서 모양에 대한 다양한 설정을 할 수 있습니다. 그리고 모든 위젯들은 **pack() 함수**를 사용해야 화면에 나타납니다.

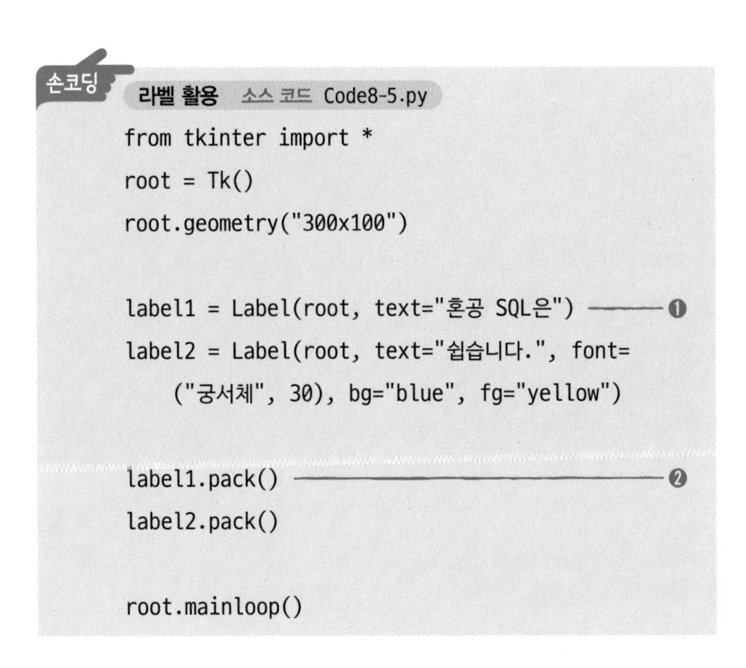

손코딩 **라벨 활용** 소스 코드 Code8-5.py

```
from tkinter import *
root = Tk()
root.geometry("300x100")

label1 = Label(root, text="혼공 SQL은") ——— ❶
label2 = Label(root, text="쉽습니다.", font=
    ("궁서체", 30), bg="blue", fg="yellow")

label1.pack() ——— ❷
label2.pack()

root.mainloop()
```

❶ Label() 함수는 라벨을 만듭니다. 옵션에서 text는 글자 내용을, font는 글꼴과 크기를 지정합니다. fg는 foreground의 약자로 글자색을, bg는 background의 약자로 배경색을 지정합니다.

❷ pack() 함수를 통해서 해당 라벨을 화면에 표시해준 것입니다. label(부모 윈도, 옵션 ...)에서 부모 윈도는 루트 윈도인 root를 지정했습니다. 그러므로 루트 윈도에 라벨이 출력됩니다.

라벨(label)은 글자를 다양한 형태로 표현합니다.

버튼

버튼button은 마우스로 클릭하면 지정한 작업이 실행되도록 사용되는 위젯으로, **Button(부모윈도, 옵션 ...)** 형식을 사용합니다. GUI에서 상당히 많이 사용되는 위젯입니다.

앞에서 익힌 라벨과 차이점이 있다면, **command 옵션**으로 사용자가 버튼을 눌렀을 때 지정한 작업을 처리해야 한다는 것입니다. 나머지 옵션은 라벨과 거의 동일합니다.

다음 코드는 버튼을 누르면 메시지 상자가 화면에 나타납니다.

손코딩 **버튼 활용** 소스 코드 Code8-6.py

```
from tkinter import *
from tkinter import messagebox ──────────── ❶

def clickButton() :
    messagebox.showinfo('버튼 클릭', '버튼을 눌렀습니다..')

root = Tk()
root.geometry("200x200")

button1 = Button(root, text="여기를 클릭하세요", fg="red", bg="yellow", ─┐
    command=clickButton) ────────────────────────────────────────────────┘─ ❷
button1.pack(expand = 1) ──────────────── ❸

root.mainloop()
```

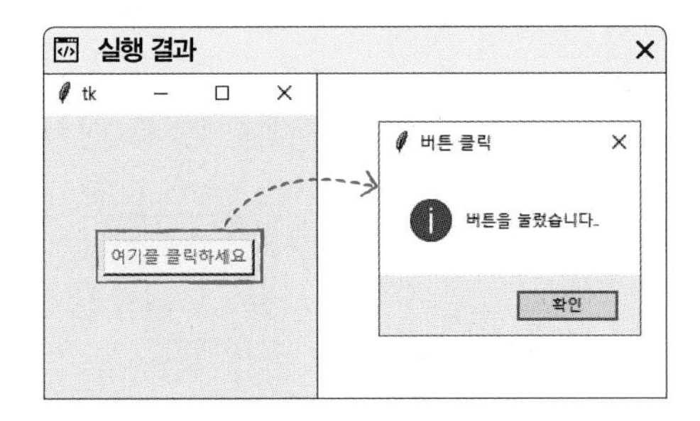

❶ 메시지 상자를 사용하기 위해서 import했습니다.

❷ command 옵션에 clickButton() 함수를 호출했습니다. 버튼을 클릭하면 메시지 상자가 나타납니다.

> 버튼(Button)은 클릭했을 때 실행하는 기능을 구현합니다.

❸ pack()에서 버튼을 화면 중앙에 표현하기 위해 expand=1 옵션을 추가했습니다.

위젯의 정렬

pack() 함수의 옵션 중에서 가로로 정렬하는 방법으로 side=LEFT 또는 RIGHT 방식이 있습니다. 간단히 코드에서 확인하면 쉽습니다.

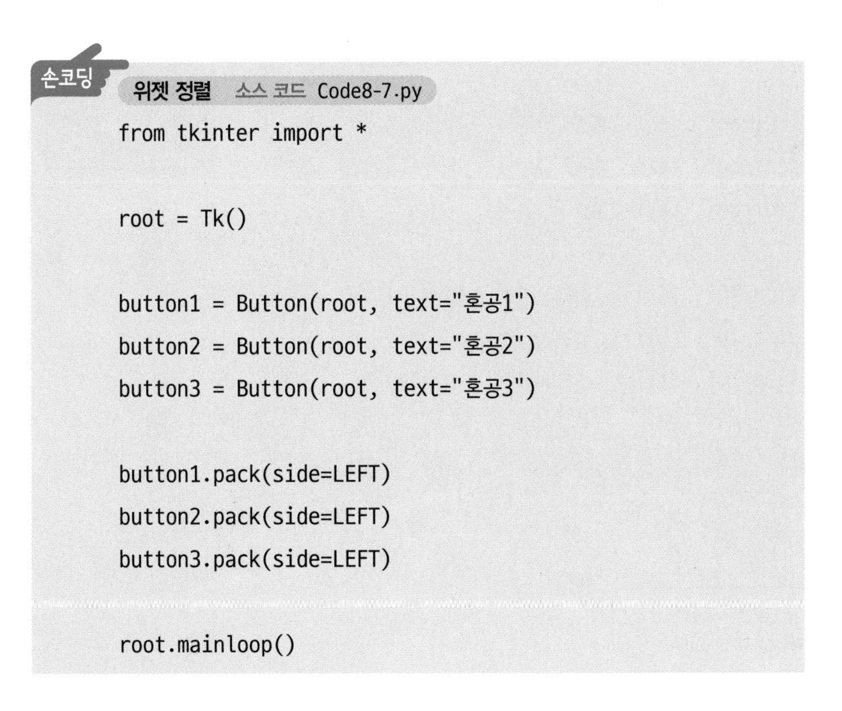

손코딩 **위젯 정렬** 소스 코드 Code8-7.py

```
from tkinter import *

root = Tk()

button1 = Button(root, text="혼공1")
button2 = Button(root, text="혼공2")
button3 = Button(root, text="혼공3")

button1.pack(side=LEFT)
button2.pack(side=LEFT)
button3.pack(side=LEFT)

root.mainloop()
```

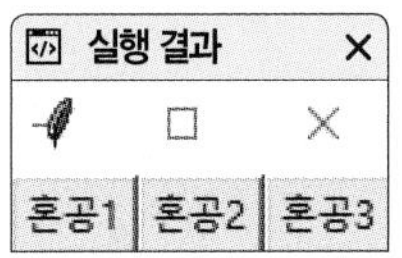

side=LEFT 옵션은 왼쪽부터 채워가라는 의미입니다. LEFT를 모두 RIGHT로 바꾸면 다음과 같이 오른쪽부터 나옵니다.

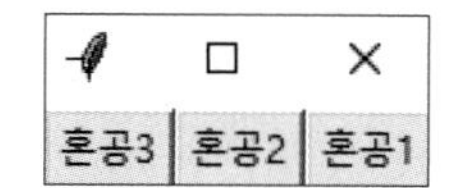

side=TOP 또는 BOTTOM 방식을 사용하면 수직으로 정렬할 수 있습니다. LEFT를 TOP 또는 BOTTOM으로 변경한 결과는 다음과 같습니다.

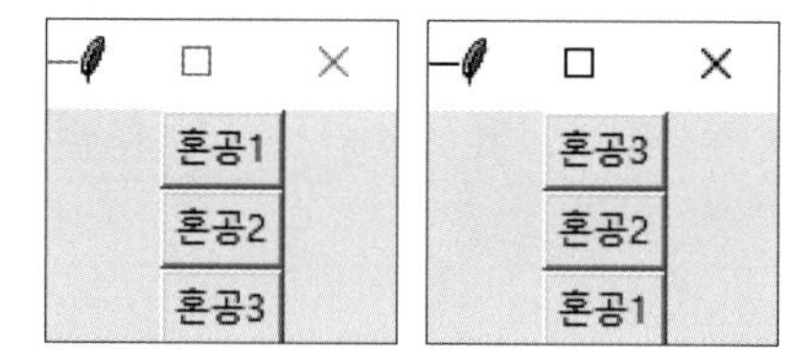

위젯 사이에 여백 추가

위젯 사이에 여백을 주려면 pack() 함수의 옵션 중 padx=픽셀값 또는 pady=픽셀값 방식을 사용합니다. 위젯 사이에 여백이 생겨서 화면이 좀 더 여유 있게 보입니다.

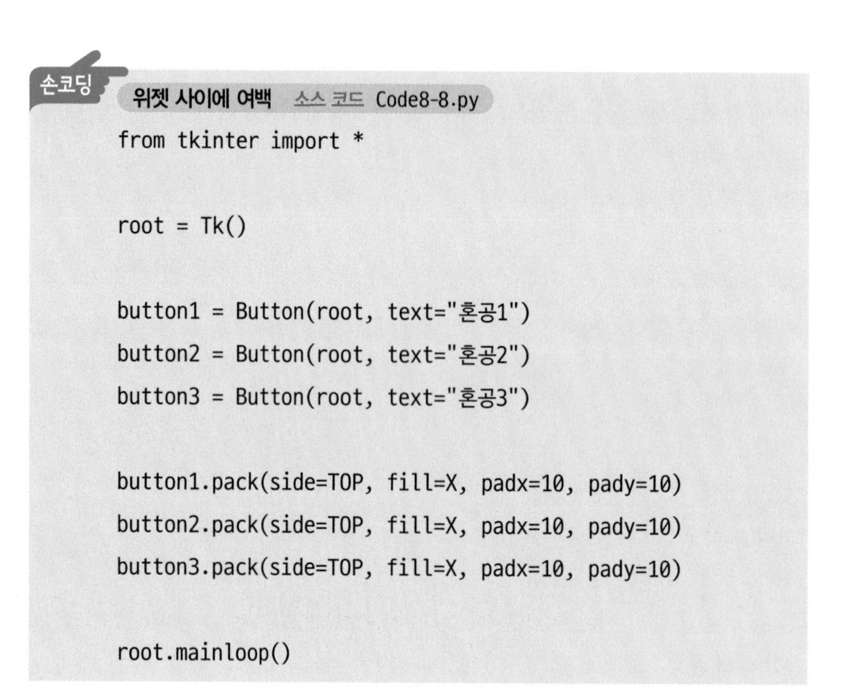

손코딩 **위젯 사이에 여백** 소스 코드 Code8-8.py

```
from tkinter import *

root = Tk()

button1 = Button(root, text="혼공1")
button2 = Button(root, text="혼공2")
button3 = Button(root, text="혼공3")

button1.pack(side=TOP, fill=X, padx=10, pady=10)
button2.pack(side=TOP, fill=X, padx=10, pady=10)
button3.pack(side=TOP, fill=X, padx=10, pady=10)

root.mainloop()
```

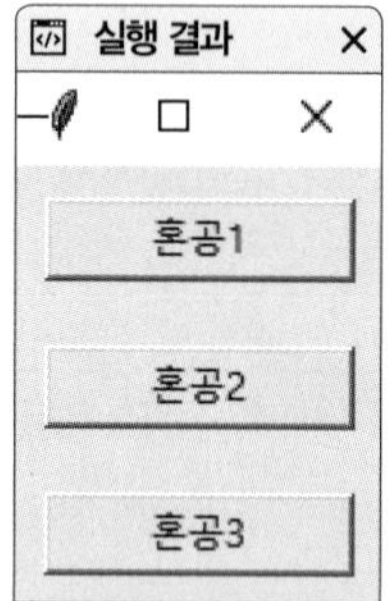

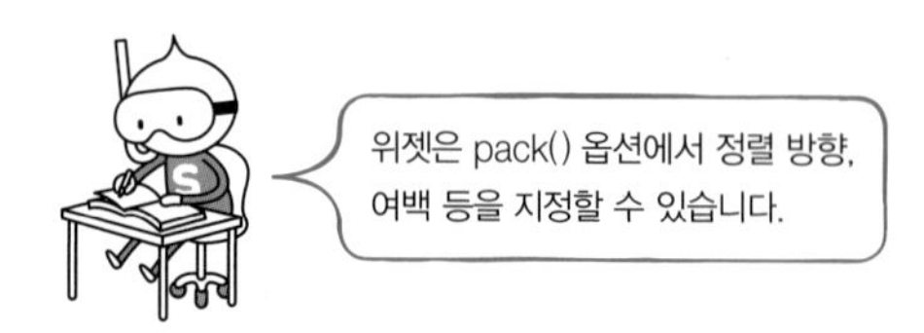

프레임, 엔트리, 리스트 박스

프레임frame은 화면을 여러 구역으로 나눌 때 사용합니다. **엔트리**entry는 입력 상자를 표현하고, **리스트 박스**listbox는 목록을 표현합니다. 먼저 간단한 코드로 확인해보겠습니다.

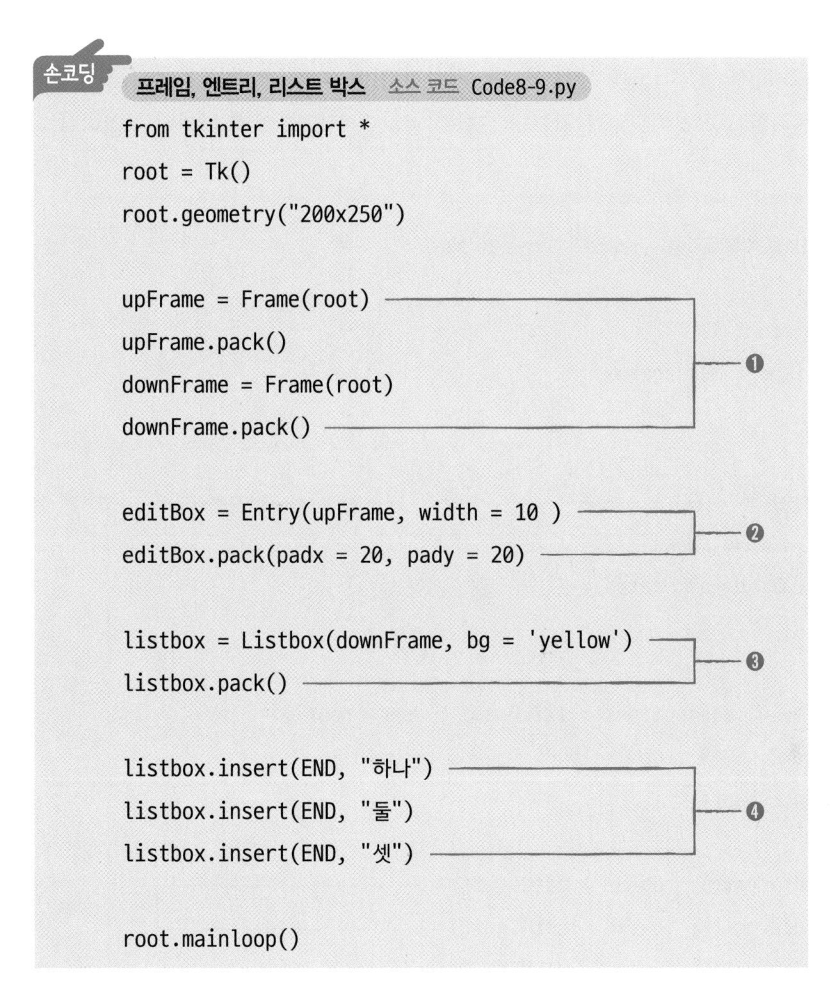

손코딩 **프레임, 엔트리, 리스트 박스** 소스 코드 Code8-9.py

```
from tkinter import *
root = Tk()
root.geometry("200x250")

upFrame = Frame(root)
upFrame.pack()
downFrame = Frame(root)
downFrame.pack()

editBox = Entry(upFrame, width = 10 )
editBox.pack(padx = 20, pady = 20)

listbox = Listbox(downFrame, bg = 'yellow')
listbox.pack()

listbox.insert(END, "하나")
listbox.insert(END, "둘")
listbox.insert(END, "셋")

root.mainloop()
```

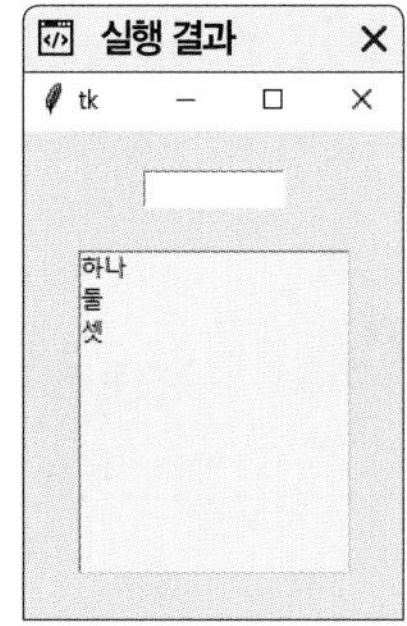

❶ upFrame 및 downFrame이라는 2개의 프레임을 생성하고 화면에 출력했습니다. 프레임은 구역을 나눈 것일 뿐 화면에는 표시되지 않습니다.

❷ 입력을 위한 엔트리를 나타냈습니다. 그런데 이번에는 root가 아닌 upFrame에 나오도록 했습니다.

❸ 리스트 박스를 나타냈습니다. 리스트 박스는 아래쪽인 downFrame에 나오도록 했습니다.

❹ 리스트 박스에 데이터를 3건 입력했습니다. 옵션 중 END는 데이터를 제일 뒤에 첨부하라는 의미입니다. 그래서 차례대로 하나, 둘, 셋이 리스트 박스에 나왔습니다.

완전한 형태의 GUI 응용 프로그래밍

지금까지 배운 내용으로 SQL과 연동하는 응용 프로그램을 만들어보겠습니다. 좀 단순한 형태지만, 실제로 사용되는 것도 이보다 좀 더 복잡할 뿐 비슷한 구조와 코드를 사용합니다.

여기서는 GUI 화면에서 데이터의 입력과 수정이 가능하도록 하겠습니다. 그리고 초기화 버튼을 클릭하면 테이블이 삭제되고 다시 생성되도록 하겠습니다. 지금까지 배운 코드보다는 조금 길지만, 대부분이 앞에서 배운 내용을 활용한 것이므로 천천히 코드를 살펴보면 어렵지 않게 이해될 것입니다.

손코딩 **완전한 형태의 GUI 응용 프로그램** 소스 코드 Code8-10.py

```
import pymysql
from tkinter import *
from tkinter import messagebox

## 메인 코드부
def insertData() :                                                    ─┐
    conn, cur = None, None                                             │
    data1, data2, data3, data4 = "", "", "", ""                        │
    sql=""                                                             │
                                                                       ├─❶
    conn = pymysql.connect(host='127.0.0.1', user='root',              │
        password='0000', db='soloDB', charset='utf8')                  │
    cur = conn.cursor()                                                │
                                                                       │
    data1 = edt1.get();  data2 = edt2.get()  ─┐                        │
    data3 = edt3.get();  data4 = edt4.get()  ─┴─❷                      │
    sql = "INSERT INTO userTable VALUES('" + data1 + "',  ─┐            │
        '" + data2 + "','" + data3 + "'," + data4 + ")"   ├─❸           │
    cur.execute(sql)                                      ─┘            │
                                                                       │
    conn.commit()                                                      │
    conn.close()                                                       │
                                                                       │
    messagebox.showinfo('성공', '데이터 입력 성공')                    ─┘─❹
```

```
def selectData() :
    strData1, strData2, strData3, strData4  = [], [], [], []

    conn = pymysql.connect(host='127.0.0.1', user='root',
        password='0000', db='soloDB', charset='utf8')
    cur = conn.cursor()
    cur.execute("SELECT * FROM userTable")

    strData1.append("사용자 ID");     strData2.append("사용자 이름")
    strData3.append("사용자 이메일"); strData4.append("사용자 출생연도")
    strData1.append("-----------"); strData2.append("-----------")
    strData3.append("-----------"); strData4.append("-----------")

    while (True) :
        row = cur.fetchone()
        if row== None :
            break;
        strData1.append(row[0]);  strData2.append(row[1])
        strData3.append(row[2]);  strData4.append(row[3])

    listData1.delete(0,listData1.size() - 1)
    listData2.delete(0,listData2.size() - 1)
    listData3.delete(0,listData3.size() - 1)
    listData4.delete(0,listData4.size() - 1)

    for item1, item2, item3, item4 in zip(strData1, strData2,
            strData3, strData4 ):
        listData1.insert(END, item1); listData2.insert(END, item2)
        listData3.insert(END, item3); listData4.insert(END, item4)

    conn.close()


## 메인 코드부
root = Tk()
root.geometry("600x300")
```

(Callouts: ⑤ selectData function; ⑥ list init; ⑦ header appends; ⑧ row appends; ⑨ listbox delete; ⑩ for-zip; ⑪ listbox insert)

```
root.title("완전한 GUI 응용 프로그램")

edtFrame = Frame(root);
edtFrame.pack()
listFrame = Frame(root)
listFrame.pack(side = BOTTOM,fill=BOTH, expand=1)

edt1= Entry(edtFrame, width=10);    edt1.pack(side=LEFT,padx=10,pady=10)
edt2= Entry(edtFrame, width=10);    edt2.pack(side=LEFT,padx=10,pady=10)
edt3= Entry(edtFrame, width=10);    edt3.pack(side=LEFT,padx=10,pady=10)
edt4= Entry(edtFrame, width=10);    edt4.pack(side=LEFT,padx=10,pady=10)

btnInsert = Button(edtFrame, text="입력", command = insertData)
btnInsert.pack(side=LEFT,padx=10,pady=10)
btnSelect = Button(edtFrame, text="조회", command =selectData )
btnSelect.pack(side=LEFT,padx=10,pady=10)

listData1 = Listbox(listFrame,bg = 'yellow');
listData1.pack(side=LEFT,fill=BOTH, expand=1)
listData2 = Listbox(listFrame,bg = 'yellow')
listData2.pack(side=LEFT,fill=BOTH, expand=1)
listData3 = Listbox(listFrame,bg = 'yellow')
listData3.pack(side=LEFT,fill=BOTH, expand=1)
listData4 = Listbox(listFrame,bg = 'yellow')
listData4.pack(side=LEFT,fill=BOTH, expand=1)

root.mainloop()
```

❶ [입력] 버튼을 클릭할 때 실행되는 함수로 데이터를 입력하는 기능입니다.

❷ 화면의 4개 엔트리에서 값을 가져옵니다.

❸ 쿼리 문을 만들어서 실행합니다.

❹ 입력이 성공된 것을 메시지 상자로 표시합니다.

❺ [조회] 버튼을 클릭할 때 실행되는 데이터를 조회하는 함수입니다.

❻ strData1은 '사용자 ID' 열의 결과를 리스트 박스에 출력하기 위한 리스트입니다.

❼ 제목 및 구분하기 위한 줄을 리스트에 추가합니다.

❽ 리스트에 사용자 ID를 하나씩 추가했습니다. 결국 strData1에는 "사용자 ID", "사용자 ID", ... 형식으로 모든 사용자의 ID가 저장됩니다. strData2~4도 마찬가지로 사용자 이름, 사용자 이메일, 사용자 출생연도에 해당되는 데이터가 저장됩니다.

❾ 일단 화면에서 4개의 리스트 박스를 모두 비웁니다.

❿ zip() 함수는 동시에 여러 개의 리스트 항목에 접근하기 위해 사용했습니다.

⓫ 각 리스트 박스에 앞에서 준비한 strData1~4까지 값들을 다시 채웁니다. 결국 화면의 리스트 박스에는 조회된 결과가 모두 출력됩니다.

note 세미콜론(;)은 줄을 분리해주는 효과를 냅니다. 코드가 너무 길어져서 일부러 사용했습니다.

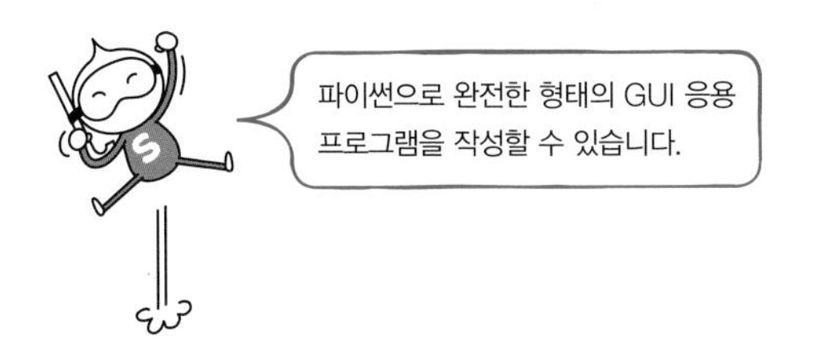

마무리

▶ 7가지 키워드로 끝내는 핵심 포인트

- **GUI**는 윈도를 제공함으로써 사용자가 편리하게 데이터베이스에 접근하도록 도와주는 환경을 말합니다.
- **tkinter**는 파이썬에서 GUI를 만들기 위해 제공되는 라이브러리입니다.
- **라벨**은 윈도에 문자를 표현하고, **버튼**은 클릭하는 기능을 제공합니다.
- **프레임**은 화면을 나누는 기능이고, **엔트리**는 입력 상자를 제공합니다. **리스트 박스**는 여러 건의 목록을 표현하는 기능입니다.

▶ 확인문제

이번 절에서는 GUI 환경에서 파이썬과 MySQL을 연동하는 프로그래밍을 학습했습니다. 확인문제를 통해서 배운 개념을 스스로 정리해보기 바랍니다.

1. 다음은 파이썬에 기본 윈도를 생성하기 위한 설명입니다. 가장 거리가 먼 것을 하나 고르세요.

① tkinter를 임포트해야 합니다.
② 루트 윈도는 Tk() 함수를 사용해서 생성합니다.
③ title() 함수로 윈도의 크기를 조절합니다.
④ mainloop() 함수를 사용해서 사용자 이벤트를 처리합니다.

2. 다음은 라벨과 관련된 내용입니다. 가장 거리가 먼 것을 하나 고르세요.

① Label() 함수로 라벨을 생성합니다.

② text 옵션은 라벨의 글자 내용입니다.

③ font는 글꼴이나 크기를 지정합니다.

④ bg는 글자의 색상을 지정합니다.

3. 다음은 버튼과 관련된 내용입니다. 가장 거리가 먼 것을 하나 고르세요.

① Button() 함수로 버튼을 생성합니다.

② text 옵션은 버튼의 글자 내용입니다.

③ function은 실행 함수명을 지정합니다.

④ fg는 글자의 색상을 지정합니다.

4. 다음은 위젯을 정렬하는 side 옵션의 값입니다. 관련이 없는 것을 고르세요.

① LEFT

② RIGHT

③ UP

④ BOTTOM

A MySQL 연동을 위한 파이썬 필수 문법

변수와 print()

변수의 선언

파이썬은 별도의 변수 선언이 없습니다. 그래서 변수에 값을 대입하는 순간 변수가 선언됩니다.

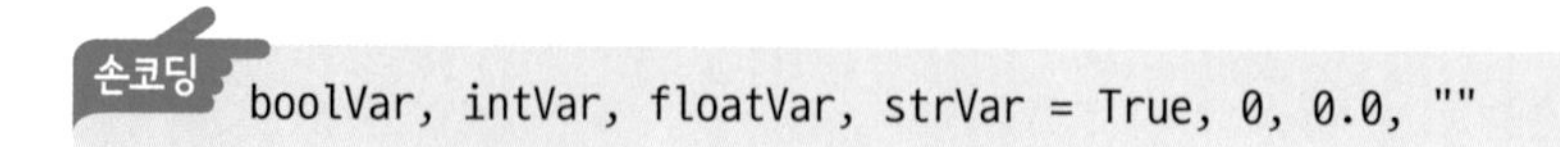

```
손코딩
boolVar, intVar, floatVar, strVar = True, 0, 0.0, ""
```

위 코드는 다음과 같이 4줄로 써도 동일합니다.

```
손코딩
boolVar=True
intVar=0
floatVar=0.0
strVar = ""
```

변수는 4개를 준비했고, 이름에서 예상할 수 있듯이 boolVar에는 불값인 True를, intVar에는 정수인 0을, floatVar에는 실수인 0.0을, strVar에는 문자열 " "를 초기에 대입했습니다. 이 순간에 파이썬 내부에는 4개의 변수가 생기며, 변수의 종류를 확인하기 위해서는 type() 함수를 사용합니다.

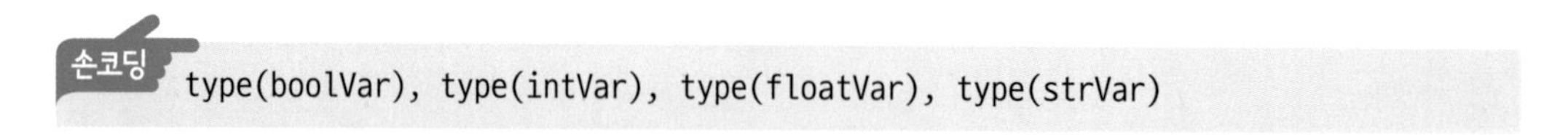

```
손코딩
type(boolVar), type(intVar), type(floatVar), type(strVar)
```

실행 결과

(〈class 'bool'〉, 〈class 'int'〉, 〈class 'float'〉, 〈class 'str'〉)

print() 함수

서식을 지원하는 print() 문을 살펴봅시다. 다음 구문은 모니터에 큰따옴표(") 또는 작은따옴표(') 안의 내용을 출력한다는 의미로, 실행 결과는 다음과 같습니다.

```
print("안녕하세요?")
```

실행 결과

```
안녕하세요?
```

이번에는 아래 두 코드의 실행 결과를 예상해봅시다.

```
print("100")
print("%d" % 100)
```

실행 결과

```
100
100
```

모두 100이 출력되었습니다. 2개의 100은 동일하게 보이지만, 사실은 완전히 다른 결과입니다.

첫 번째 print("100")의 결과로 나온 100은 숫자 100(백)이 아닌 글자 100(일영영)입니다. 즉 print()의 따옴표 안에 들어 있는 것은 '글자'든 '숫자의 형태를 지닌 글자'든 무조건 글자로 취급됩니다.

두 번째 print("%d" % 100)의 결과로 나온 100은 완전한 숫자 100(백)입니다. 서식(%d)이 지정된 숫자는 그대로 숫자의 의미를 가집니다.

다음 예를 코딩한 후 그 결과를 예측해봅시다.

```
print("100+100")
print("%d" % (100+100) )
```

실행 결과

```
100+100
200
```

예상한 결과가 나왔나요? 첫 번째는 입력한 값 그대로 100+100이, 두 번째는 숫자 100과 숫자 100을 더한 결과로 숫자 200이 출력되었습니다.

여기서 print() 함수의 서식을 살펴보겠습니다. 우선 서식은 앞에 %가 붙는데, %d는 정수^decimal^를 의미합니다. 또한 서식의 개수와 따옴표 뒤에 나오는 숫자(또는 문자)의 개수는 동일해야 합니다.

다음 예는 모두 오류가 발생합니다. 무엇이 문제일까요?

손코딩
```
print("%d"  %  (100, 200) )
print("%d  %d"  %  (100) )
```

첫 번째는 %d가 1개밖에 없는데 숫자는 2개(100, 200)가 입력되었고, 두 번째는 %d가 2개인데 숫자는 1개(100)밖에 입력되지 않아서 오류가 발생했습니다.

첫 번째는 다음과 같이 수정해야 합니다. 중간의 %는 왼쪽 서식과 오른쪽 값을 구분해주는 역할을 해서 꼭 써줘야 합니다. 왼쪽에 %d가 2개 나오면 오른쪽에 숫자도 2개를 입력하고 괄호로 감싸주면 됩니다. 여러 개의 숫자는 콤마(,)로 나눠줍니다.

손코딩
```
print("%d %d"  %  (100, 200) )
```

두 번째는 다음과 같이 %d를 하나 삭제하는 것이 올바른 표현입니다.

손코딩
```
print("%d"  %  (100) )
```

참고로 print()에서 사용할 수 있는 대표적인 서식에는 다음과 같은 종류가 있습니다.

서식	값의 예	설명
%d, %x, %o	10, 100, 1234	정수(10진수, 16진수, 8진수)
%f	0.5, 1.0, 3.14, 3.14e3	실수(소수점이 붙은 수)
%c	"b", "한", '파'	문자 한 글자
%s	"안녕", 'abcdefg', "a"	한 글자 이상의 문자열

연산자

산술 연산자

파이썬에서 사용되는 기본적인 산술 연산자는 다음과 같습니다.

산술 연산자	설명	사용 예	예 설명
=	대입 연산자	a = 3	정수 3을 a에 대입
+	더하기	a = 5+3	5와 3을 더한 값을 a에 대입
−	빼기	a = 5−3	5에서 3을 뺀 값을 a에 대입
*	곱하기	a = 5*3	5와 3을 곱한 값을 a에 대입
/	나누기	a = 5/3	5를 3으로 나눈 값을 a에 대입
//	나누기(몫)	a = 5//3	5를 3으로 나눈 뒤 소수점을 버리고 a에 대입
%	나머지 값	a = 5%3	5를 3으로 나눈 뒤 나머지 값을 a에 대입
**	제곱	a = 5**3	5의 3제곱을 a에 대입

별로 어려울 것이 없지만, 관심있게 볼 것은 나눈 몫(//)과 나머지 값(%) 정도입니다.

```
a=5; b=3
print(a+b, a-b, a*b, a/b, a//b, a%b, a**b)
```

실행 결과

```
8 2 15 1.6666666666666667 1 2 125
```

대입 연산자

파이썬은 대입 연산자 = 외에도 +=, −=, *=, /=, %=, //=, **=을 사용할 수 있습니다.

연산자	설명	사용 예	예 설명
+=	대입 연산자	a += 3	a = a + 3 과 동일
−=	대입 연산자	a −= 3	a = a − 3 과 동일
*=	대입 연산자	a *= 3	a = a * 3 과 동일
/=	대입 연산자	a /= 3	a = a / 3 과 동일
//=	대입 연산자	a //= 3	a = a // 3 과 동일
%=	대입 연산자	a %= 3	a = a % 3 과 동일
**=	대입 연산자	a **= 3	a = a ** 3 과 동일

첫 번째 a += 3은 'a에 3을 더해서 다시 a에 넣어라'라는 의미고, 이는 a = a + 3과 동일합니다. 나머지도 마찬가지입니다.

note 파이썬에는 C, C++, 자바 등의 언어에 있는 증가 연산자 ++이나 감소 연산자 −−는 없습니다.

관계 연산자

관계 연산자(또는 비교 연산자)는 어떤 것이 큰지, 작은지, 같은지를 비교하는 것으로 그 결과는 참(True)이나 거짓(False)이 됩니다. 그러므로 주로 조건문(if)이나 반복문(while)에서 사용되며, 단독으로 사용되는 경우는 별로 없습니다. 일반적으로 참은 True로 표시하고, 거짓은 False으로 표시합니다.

다음 관계 연산자는 변수 a에 들어 있는 값이 변수 b에 들어 있는 값보다 작으면 참이 되며, 그렇지 않으면 거짓이 됩니다.

a < b = 참 : True
거짓 : False

파이썬에서 사용할 수 있는 관계 연산자의 종류는 다음과 같습니다.

관계 연산자	의미	설명
==	같다	두 값이 동일하면 참
!=	같지 않다	두 값이 다르면 참
>	크다	왼쪽이 크면 참
<	작다	왼쪽이 작으면 참
>=	크거나 같다	왼쪽이 크거나 같으면 참
<=	작거나 같다	왼쪽이 작거나 같으면 참

간단히 관계 연산자의 예제를 확인해보겠습니다.

손코딩

```
a,b = 100,200
print(a == b , a != b,  a > b , a < b , a >= b , a <= b)
```

실행 결과

```
False True False True False True
```

a==b는 100이 200과 같다는 의미이므로 결과는 거짓(False)이 나왔습니다. 나머지 관계 연산자도 마찬가지입니다.

문자열과 숫자의 상호 변환

문자열이 숫자로 구성되어 있을 때, int() 또는 float() 함수를 이용해서 정수나 실수로 변환할 수 있습니다.

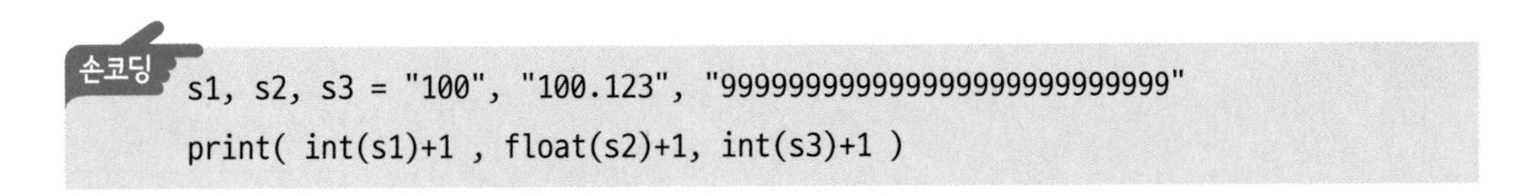

```
s1, s2, s3 = "100", "100.123", "999999999999999999999999999"
print( int(s1)+1 , float(s2)+1, int(s3)+1 )
```

```
101 101.123 1000000000000000000000000000
```

문자열이 int() 함수에 의해 정수로, float() 함수에 의해 실수로 변경되었습니다. 그리고 상당히 큰 숫자도 int() 함수로 잘 변경된 것을 확인할 수 있습니다.

note 파이썬은 정수 크기의 제한이 없습니다.

반대로 숫자를 문자열로 변환하기 위해서는 str() 함수를 사용합니다.

```
a=100; b=100.123
str(a)+'1'; str(b)+'1'
```

```
'1001'
'100.1231'
```

실행 결과를 보면 a와 b가 문자열로 변경되어서 결과도 101(100+1)이 아니라 문자열의 연결인 '1001'과 '100.1231'이 출력되었습니다.

조건문

기본 if문

다음은 참일 때는 실행하고, 거짓일 때는 아무것도 실행하지 않는 가장 단순한 if 문의 형태입니다. **조건식**이 참이라면 **실행할 문장**을 실행하고, **조건식**이 거짓이라면 실행할 것이 없습니다.

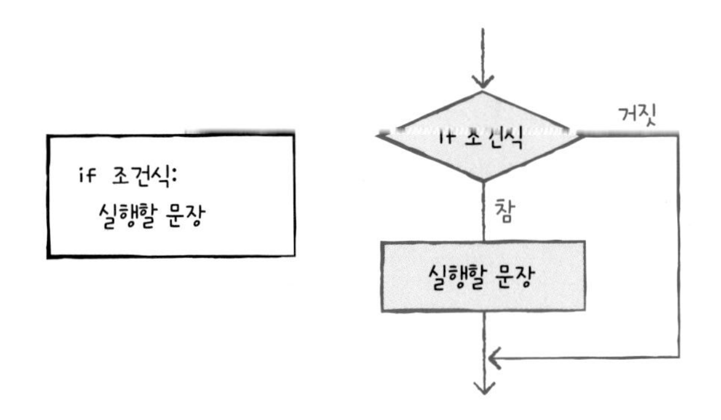

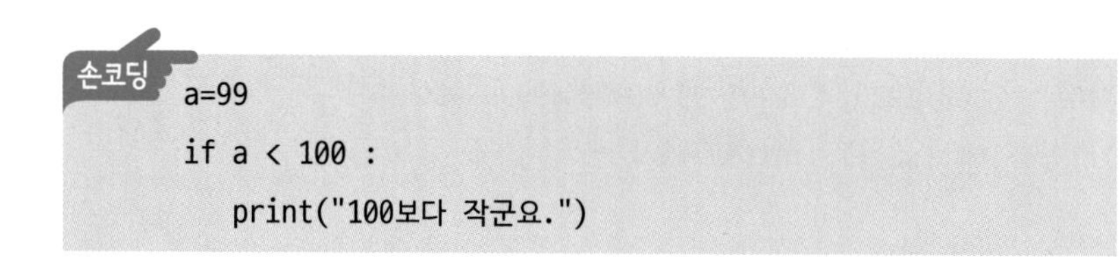

```
a=99
if a < 100 :
    print("100보다 작군요.")
```

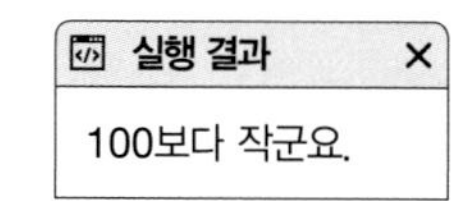

note C, 자바 등은 중괄호({ })를 사용해서 프로그램의 블록(block)을 지정하지만, 파이썬은 블록(Block)으로 묶기 위한 기호가 별도로 존재하지 않습니다. 대신 콜론(:)과 들여쓰기를 통해서 블록을 지정합니다. 콜론 이후에 들여쓰기의 줄이 동일한 행까지 하나의 블록 묶음입니다. 블록이 필요한 구문으로는 if, for, while, def 등이 있습니다.

if ~ else 문

참일 때 실행하는 것과 거짓일 때 실행하는 것이 다를 때는 if ~ else 문을 사용합니다. 조건식이 참이라면 **실행할 문장 1**을 실행하고, 그렇지 않으면 **실행할 문장 2**를 실행합니다.

다음 그림을 보면 조건이 참인 경우에 실행할 문장과 거짓인 경우에 실행할 문장이 다르다는 것을 알 수 있습니다.

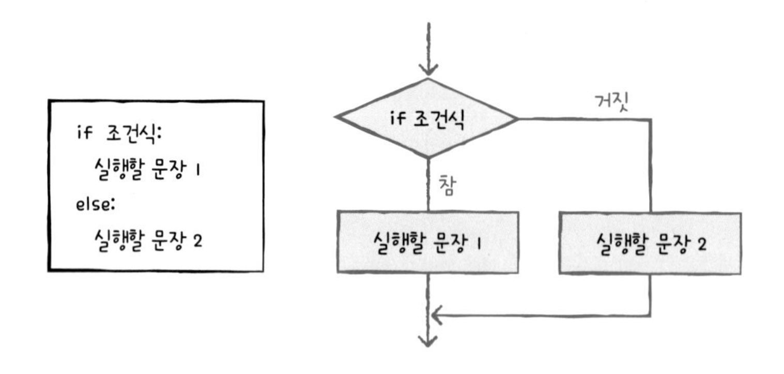

a에는 200이 들어 있으므로 조건식은 거짓이 되어 else 아래에 있는 내용이 출력되었습니다.

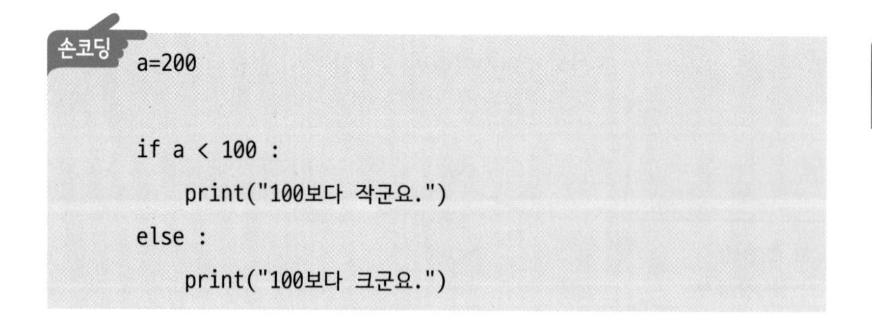

```
a=200

if a < 100 :
    print("100보다 작군요.")
else :
    print("100보다 크군요.")
```

실행 결과

100보다 크군요.

반복문

for문의 개념과 작동

주로 사용하는 for 문의 형식은 다음과 같습니다.

```
for 변수 in range( 시작값, 끝값+1, 증가값 ) :
    이 부분을 반복
```

range() 함수는 지정된 범위의 값을 반환합니다. 예를 들어 range(0, 3, 1)은 0에서 시작해서 2까지 1씩 증가하는 값들을 반환합니다. 주의할 점은 3이라고 써 있지만 그것보다 하나 작은 2까지 반환한다는 것입니다. 즉 range(0, 3, 1)은 0, 1, 2를 반환하며, 변수에 값을 하나씩 대입하면서 반복문을 수행합니다.

증가값은 생략할 경우 1로 인식하기 때문에 range(0, 3, 1)은 range(0, 3)이라고 쓴 것과 동일합니다. 필요하다면 시작값도 생략 가능합니다. 시작값을 생략하면 0으로 인식하므로 range(3)만 써도 range(0, 3, 1)과 동일합니다.

range()를 사용한 코드를 살펴봅시다.

```
for i in range(0, 3, 1) :
    print("안녕하세요? for문을 공부중입니다. ^^")
```

실행 결과

```
안녕하세요? for문을 공부중입니다. ^^
안녕하세요? for문을 공부중입니다. ^^
안녕하세요? for문을 공부중입니다. ^^
```

range(0, 3, 1)은 [0, 1, 2]와 같으므로 내부적으로 다음과 같이 변경됩니다. 출력 결과는 동일합니다.

```
for i in [0, 1, 2] :
    print("안녕하세요? for문을 공부중입니다. ^^")
```

그리고 이 구문은 i에 0, 1, 2를 차례로 대입시킨 후에 다음과 같이 3회를 반복합니다.

- 1회 : i에 0을 대입시킨 후 print() 수행
- 2회 : i에 1을 대입시킨 후 print() 수행
- 3회 : i에 2를 대입시킨 후 print() 수행

만약에 실행할 문장이 여러 개라면 print() 문 아래에 줄을 맞춰서 실행할 문장을 계속 써줘도 됩니다.

무한 루프를 위한 while 문

while 문에 무한 루프(무한 반복)를 사용할 수 있는데, 무한 루프를 적용하려면 조건식을 True로 지정합니다.

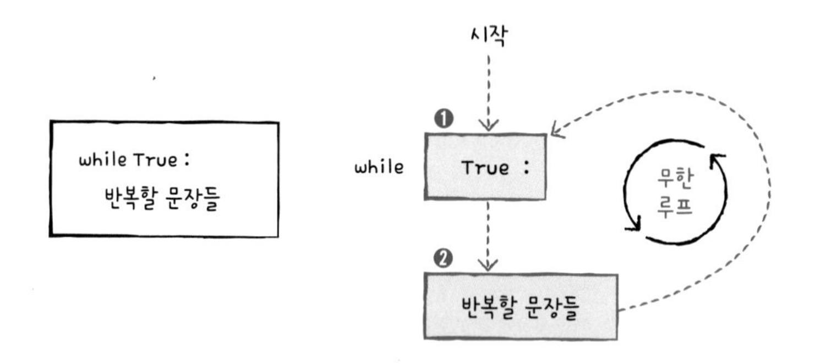

무한 루프를 반복하는 간단한 while 문을 실행해보겠습니다. 무한정 글자가 출력됩니다. 무한 루프를 중지하려면 Ctrl+C를 누릅니다.

```
while True :
    print("ㅋ ", end=" ")
```

반복문을 탈출하는 break 문

앞에서 공부했던 for 문은 range() 함수로 지정한 범위에서 벗어나면 for 문이 종료됩니다. while 문은 조건식이 False가 되면 while 문을 종료하거나, 무한 반복의 경우 Ctrl+C를 누르면 프로그

램이 종료됩니다. 하지만 계속되는 반복을 논리적으로 빠져나가는 방법이 있는데, 이것이 바로 break 문입니다.

다음 그림과 같이 반복문 안에서 break 문을 만나면 무조건 반복문을 빠져나옵니다.

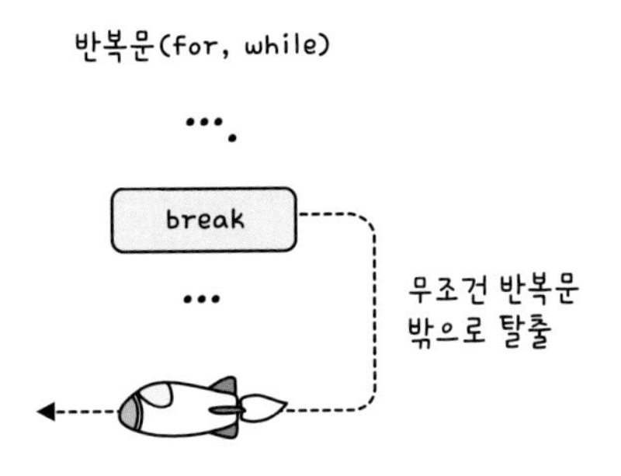

먼저 간단한 코드로 확인해보겠습니다.

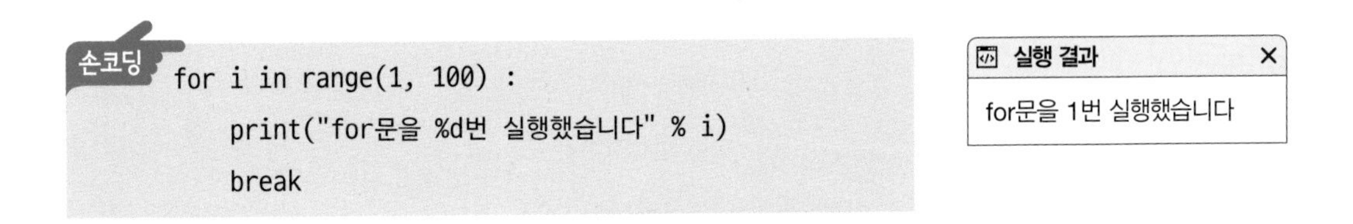

손코딩

```
for i in range(1, 100) :
    print("for문을 %d번 실행했습니다" % i)
    break
```

실행 결과

```
for문을 1번 실행했습니다
```

이 예제는 for문이 100번 실행되는 코드인데, break 문을 만나서 겨우 1번 실행되고 종료되었습니다. 여기에서는 무조건 break 문을 만나도록 코딩했지만, 실제로는 무한 루프 안에서 if 문과 함께 사용되는 것이 가장 일반적입니다. 즉 무한 루프를 돌다가 특정 조건이 되면 반복문을 빠져나가도록 할 때 사용합니다.

리스트

리스트의 개념

리스트list는 다음 그림과 같이 하나씩 사용하던 변수를 한 줄로 붙여 놓은 것입니다. 다른 언어의 배열array과 비슷한 개념입니다.

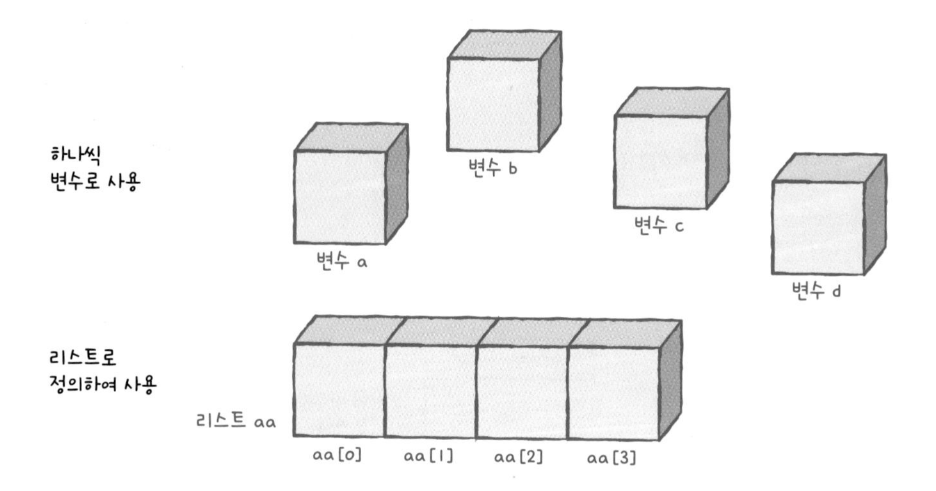

지금까지는 변수의 이름을 각각 a, b, c, d 이런 식으로 지정해서 사용했지만, 리스트는 변수를 한 줄로 붙인 후에 박스 전체의 이름(aa)을 지정하여 사용합니다. 그리고 각각은 aa[0], aa[1], aa[2], aa[3]과 같이 번호(첨자)를 붙여서 사용합니다.

리스트의 생성과 사용 방법

리스트는 다음과 같이 대괄호([ ]) 안에 값들을 선언합니다.

```
리스트_이름 = [값1, 값2, 값3, ...]
```

4개의 값을 담은 정수형 리스트는 다음과 같이 생성할 수 있습니다.

```
aa = [ 10, 20, 30, 40 ]
```

리스트에 접근하기 위해서는 **aa[0]** 형식의 첨자를 사용합니다.

```
print(aa[0])
aa[1] = 200
```

빈 리스트와 리스트 추가

앞에서 배운 대로 하면 aa = [0, 0, 0, 0]으로 4개의 빈 리스트를 생성할 수 있습니다. 같은 방법으로 먼저 비어 있는 리스트를 만들고 **리스트_이름.append(값)** 함수로 리스트에 하나씩 추가할 수 있습니다.

손코딩

```
aa = []
aa.append(0)
aa.append(0)
aa.append(0)
aa.append(0)
print(aa)
```

실행 결과

```
[0, 20, 30, 40]
```

aa=[ ]는 아무것도 없는 빈 리스트를 생성해주고, append() 함수로 0값을 하나씩 4회 추가했습니다. 결국 aa = [0, 0, 0, 0]과 동일한 결과를 얻을 수 있었습니다.

그런데 오히려 더 불편하지 않나요? 지금처럼 4개 크기의 리스트를 만들 때는 aa = [0, 0, 0, 0]으로 리스트를 생성하는 것이 더 낫습니다. 하지만, 100개의 리스트를 만들어야 한다면 이야기가 달라집니다. 이럴 때 다음과 같이 append()와 함께 for 문을 활용하면 간단히 해결됩니다.

for 문으로 100번(0부터 99까지)을 반복해서 **리스트_이름.append(0)**으로 100개 크기의 리스트를 만들었습니다. 리스트를 전부 출력하면 개수를 세기 어려워서 len(리스트) 함수로 리스트의 개수를 확인해봤습니다. len(리스트)도 자주 사용되는 함수이므로 잘 기억하기 바랍니다.

손코딩

```
aa = []
for i in range(0, 100) :
    aa.append(0)
len(aa)
```

실행 결과

```
100
```

간난한 응용 프로그램을 통해서 리스트의 사용 방법을 완전하게 익혀봅시다. 이번 프로그램은 사용자로부터 4개의 숫자를 입력받고 그 합계를 출력합니다. 입력 부문에 for 문을 활용하면 되는데, 다음 그림과 같습니다.

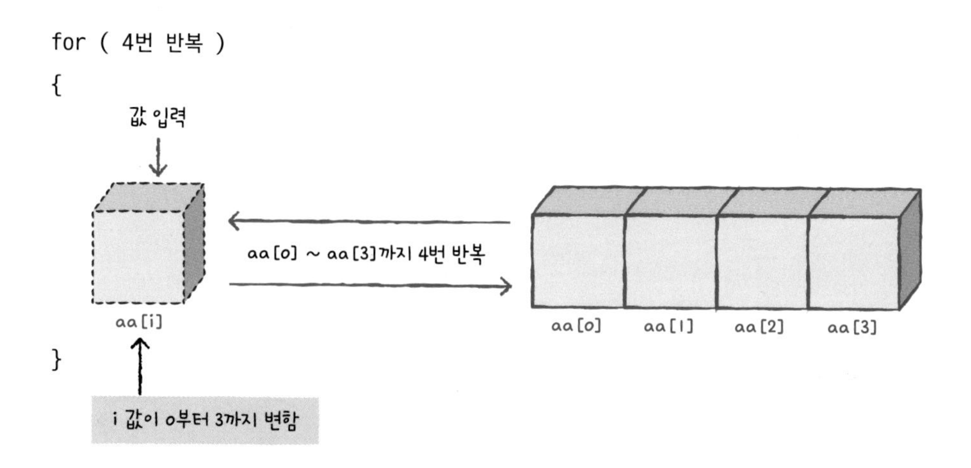

값을 입력하기 위해 for 문을 4번 돌면서 aa[i]의 첨자를 aa[0]~aa[3]까지 변경합니다. 그러면 4개의 변수에 자동으로 값이 입력됩니다.

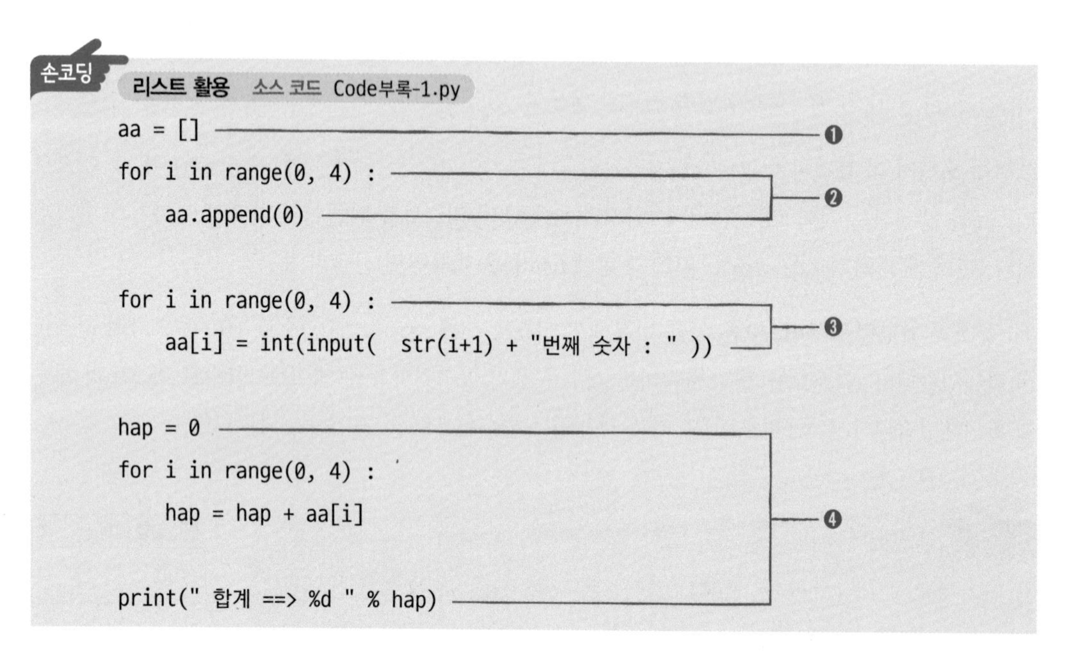

손코딩 **리스트 활용** 소스 코드 Code부록-1.py

```
aa = []                                                    ❶
for i in range(0, 4) :                                     ❷
    aa.append(0)

for i in range(0, 4) :                                     ❸
    aa[i] = int(input(  str(i+1) + "번째 숫자 : " ))

hap = 0                                                    ❹
for i in range(0, 4) :
    hap = hap + aa[i]

print(" 합계 ==> %d " % hap)
```

실행 결과

```
1번째 숫자 : 10 ──→ 사용자가 입력한 값
2번째 숫자 : 20 ──→ 사용자가 입력한 값
3번째 숫자 : 30 ──→ 사용자가 입력한 값
4번째 숫자 : 40 ──→ 사용자가 입력한 값
 합계 ==> 100
```

❶ 빈 리스트를 생성합니다.

❷ 4회 반복해서 4개 크기의 리스트, 즉 aa = [0, 0, 0, 0]로 만들었습니다.

❸ i가 0~3까지 4번 반복됩니다. i가 0부터 시작하므로 input() 함수의 출력 내용을 i+1로 출력했습니다. 그리고 str() 함수로 숫자를 문자로 변환한 후 **"번째 숫자 :"**와 합쳤습니다. 결국 **"1번째 숫자 :", "2번째 숫자 :"**, ...로 출력되는 것입니다. 첨자 i가 0~3까지 4회 변경되므로 aa[0], aa[1], aa[2], aa[3] 등 4개의 변수에 값을 차례대로 입력했습니다.

❹ 반복문을 사용해서 4개의 리스트 값을 더했습니다.

여러 리스트를 동시에 순회하는 zip() 함수

zip() 함수는 동시에 여러 개의 리스트에 접근하는 기능을 수행합니다.

다음의 간단한 예를 살펴봅시다. 결과를 보면 foods 리스트와 sides 리스트의 개수가 다르지만, 개수가 가장 작은 것까지만 접근한 후에 종료합니다.

손코딩

```
foods = ['떡볶이', '짜장면', '라면', '피자', '맥주', '치킨', '삼겹살']
sides = ['오뎅', '단무지', '김치']
for food, side  in  zip (foods, sides) :
    print( food, ' -->', side)
```

실행 결과

```
떡볶이 --> 오뎅
짜장면 --> 단무지
라면 --> 김치
```

zip() 함수는 두 리스트를 튜플로 짝지을 때도 간단하게 활용할 수 있습니다.

손코딩

```
foods = ['떡볶이', '짜장면', '라면']
sides = ['오뎅', '단무지', '김치']
tupList = list ( zip(foods, sides) )
dic = dict ( zip(foods, sides) )
tupList
dic
```

실행 결과

```
[('떡볶이', '오뎅'), ('짜장면', '단무지'), ('라면', '김치')]
{'떡볶이': '오뎅', '짜장면': '단무지', '라면': '김치'}
```

리스트 조작 함수

앞에서도 몇 개 살펴봤지만 리스트를 조작하는 함수는 여러 개가 지원됩니다. 자주 사용되는 함수를 표로 정리하면 다음과 같습니다.

함수	설명	사용법
append()	리스트 제일 뒤에 항목을 추가한다.	리스트이름.append(값)
pop()	리스트 제일 뒤의 항목을 빼내고, 빼낸 항목은 삭제한다.	리스트이름.pop()
sort()	리스트의 항목을 정렬한다.	리스트이름.sort()
reverse()	리스트 항목의 순서를 역순으로 만든다.	리스트이름.reverse()
index()	지정한 값을 찾아서 그 위치를 반환한다.	리스트이름.index(찾을 값)
insert()	지정된 위치에 값을 삽입한다.	리스트이름.insert(위치, 값)
remove()	리스트에서 지정한 값을 제거한다. 단, 지정한 값이 여러 개일 경우 첫 번째 값만 지운다.	리스트이름.remove(지울 값)
extend()	리스트의 뒤에 리스트를 추가한다. 리스트의 더하기(+) 연산과 동일한 기능을 한다.	리스트이름.extend(추가할 리스트)
count()	리스트에 해당 값의 개수를 센다.	리스트이름.count(찾을 값)
clear()	리스트의 내용을 모두 제거한다.	리스트이름.clear()
del()	리스트에서 해당 위치의 항목을 삭제한다.	del(리스트이름[위치])
len()	리스트에 포함된 전체 항목의 개수를 센다.	len(리스트이름)
copy()	리스트의 내용을 새로운 리스트에 복사한다.	새리스트=리스트이름.copy()
sorted()	리스트의 항목을 정렬해서 새로운 리스트에 대입한다.	새리스트=sorted(리스트)

note 정확히는 함수(function)와 메소드(method)를 구분해야 하지만, 이 책에서는 객체지향에 대한 언급을 하지 않기에 모두 함수로 통일해서 부릅니다.

다음 예제 하나면 리스트 조작과 관련된 함수를 충분히 이해할 수 있을 것입니다.

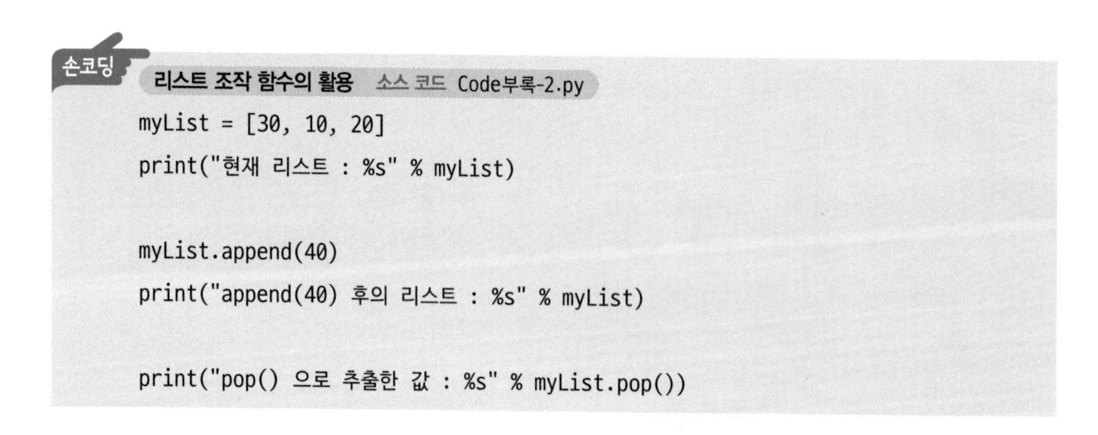
손코딩 **리스트 조작 함수의 활용** 소스 코드 Code부록-2.py

```
myList = [30, 10, 20]
print("현재 리스트 : %s" % myList)

myList.append(40)
print("append(40) 후의 리스트 : %s" % myList)

print("pop() 으로 추출한 값 : %s" % myList.pop())
```

```
print("pop() 후의 리스트 : %s" % myList)

myList.sort()
print("sort() 후의 리스트 : %s" % myList)

myList.reverse()
print("reverse() 후의 리스트 : %s" % myList)

print("20 값의 위치 : %d" % myList.index(20))

myList.insert(2, 222)
print("insert(2, 222) 후의 리스트 : %s" % myList)

myList.remove(222)
print("remove(222) 후의 리스트 : %s" % myList)

myList.extend( [77 , 88, 77] )
print("extend([77, 88, 77]) 후의 리스트 : %s" % myList)

print("77 값의 개수 : %d" % myList.count(77))
```

실행 결과

```
현재 리스트 : [30, 10, 20]
append(40) 후의  리스트 : [30, 10, 20, 40]
pop() 으로 추출한 값 : 40
pop() 후의  리스트 : [30, 10, 20]
sort() 후의 리스트 : [10, 20, 30]
reverse() 후의 리스트 : [30, 20, 10]
20 값의 위치 : 1
insert(2, 222) 후의 리스트 : [30, 20, 222, 10]
remove(222) 후의 리스트 : [30, 20, 10]
extend([77 , 88]) 후의 리스트 : [30, 20, 10, 77, 88, 77]
77 값의 개수 : 2
```

문자열

문자열 기본

리스트를 접근하는 것과 문자열을 접근하는 것은 크게 다르지 않습니다. 리스트는 대괄호([ ])로 묶여서 나오고 문자열은 작은따옴표(' ')로 묶여서 출력되는 차이점만 있을 뿐입니다.

손코딩

```
ss = "파이썬최고"
ss[0]
ss[1:3]
ss[3:]
```

실행 결과

```
'파'
'이썬'
'최고'
```

문자열도 리스트와 마찬가지로 연결하는 것은 더하기(+)를 사용합니다. 곱하기(*)는 문자열을 반복해줍니다.

손코딩

```
ss='파이썬' + '최고'
ss
ss = '파이썬' * 3
ss
```

실행 결과

```
'파이썬최고'
'파이썬파이썬파이썬'
```

문자열의 길이를 파악할 때도 리스트와 같이 len() 함수를 사용합니다.

손코딩

```
ss = '파이썬abcd'
len(ss)
```

실행 결과

```
7
```

문자열도 len() 함수로 개수를 파악할 수 있기 때문에, 리스트처럼 for 문을 사용해서 처리하는 것이 가능합니다.

문자열 찾기 함수

각 함수의 용도는 직접 예를 보면서 확인해보겠습니다.

count('찾을 문자열') 함수는 찾을 문자열이 몇 개 들었는지 개수를 셉니다. **find('찾을 문자열')** 함수는 찾을 문자열이 왼쪽부터 몇 번째 위치하는지 찾고, **rfind('찾을 문자열')** 함수는 오른쪽부터 셉니다. 문자열은 0번째부터 시작하므로 '공부'는 4번째와 21번째 위치합니다.

find('찾을 문자열', 시작 위치) 함수는 시작 위치부터 문자열을 찾는데, find() 함수는 찾을 문자열이 없으면 −1을 반환합니다. index() 함수도 find() 함수와 동일하지만, 찾을 문자열이 없다면 오류가 발생합니다.

손코딩

```
ss = '파이썬 공부는 즐겁습니다. 물론 모든 공부가 다 재미있지는 않죠. ^^'
ss.count('공부')
print( ss.find('공부'), ss.rfind('공부'), ss.find('공부', 5), ss.find('없다'))
print( ss.index('공부'), ss.rindex('공부'), ss.index('공부', 5))
print(ss.startswith('파이썬'), ss.startswith('파이썬', 10), ss.endswith('^^'))
```

실행 결과

```
2
4 21 21 −1
4 21 21
True False True
```

문자열 분리, 결합

split() 함수는 문자열을 공백이나 다른 문자로 분리해서 리스트를 반환합니다. join() 함수는 문자열을 합쳐줍니다.

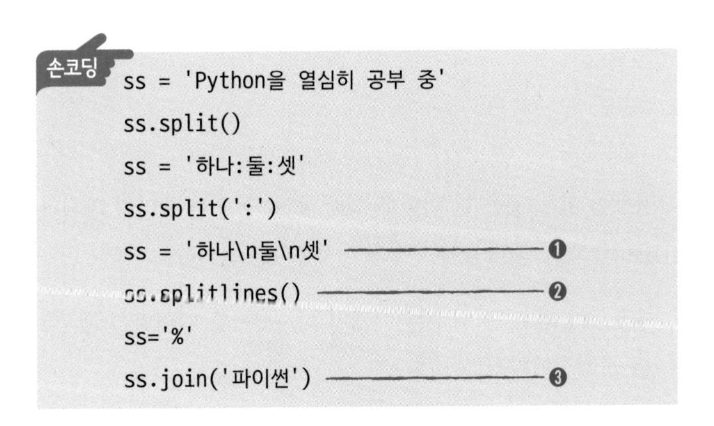

손코딩

```
ss = 'Python을 열심히 공부 중'
ss.split()
ss = '하나:둘:셋'
ss.split(':')
ss = '하나\n둘\n셋'    ❶
ss.splitlines()    ❷
ss='%'
ss.join('파이썬')    ❸
```

실행 결과

```
['Python을', '열심히', '공부', '중']
['하나', '둘', '셋']
['하나', '둘', '셋']
'파%이%썬'
```

❶ \n은 행이 넘어가는 특수문자입니다.

❷ splitlines() 함수는 행 단위로 분리시켜줍니다.

❸ join() 함수는 사용법이 조금 다는데, 묶여질 구분자를 먼저 ss에 준비한 후에 구분자.join('문자열')로 사용합니다.

함수

함수의 개념

함수function란 무엇을 넣으면 어떤 것을 돌려주는 블랙박스입니다. 파이썬 프로그램 자체에서도 제공하지만, 사용자가 직접 만들어서 사용하기도 합니다.

먼저, 파이썬에서 제공해주는 함수를 사용하려면 다음과 같이 표현합니다.

```
함수이름( )
```

지금까지 우리가 가장 많이 사용해온 함수인 print()를 살펴보겠습니다. print() 함수는 괄호 안에 들어있는 내용을 화면에 출력합니다. 단순히 print() 함수에 **"혼공 SQL"**만 넣었을 뿐인데, 화면에 글자를 출력했습니다.

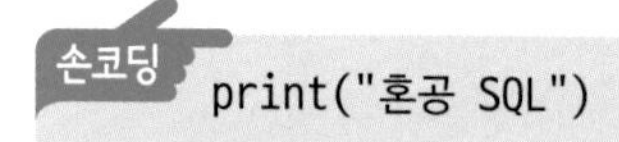


```
print("혼공 SQL")
```

실행 결과

```
혼공 SQL
```

이때 우리는 print() 함수의 내부에서 어떤 일이 일어났는지 알지 못하고, 알려고 할 필요도 없습니다. 단지 무엇을 입력하면 해당 내용을 화면에 출력해주는 기능을 하는 함수라고 생각하면 됩니다.

함수의 모양과 활용

함수를 만들어 사용하면 반복적으로 코딩해야 할 내용을 한 번만 작성해 놓고, 필요할 때마다 가져다 쓸 수 있습니다. 그리고 일단 함수로 만들어 놓으면 그 다음에는 계속 재사용하면 됩니다.

먼저 함수의 기본 형태를 살펴봅시다. 다음 그림과 같이 함수는 매개변수parameter를 입력받은 후, 그 매개변수를 가공 및 처리한 후에 반환값을 돌려줍니다.

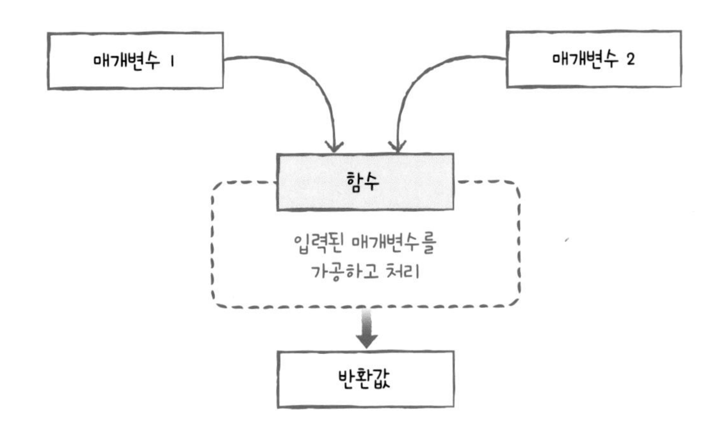

두 정수를 입력받아서 두 정수의 합계를 반환해주는 plus() 함수를 만들어보겠습니다.

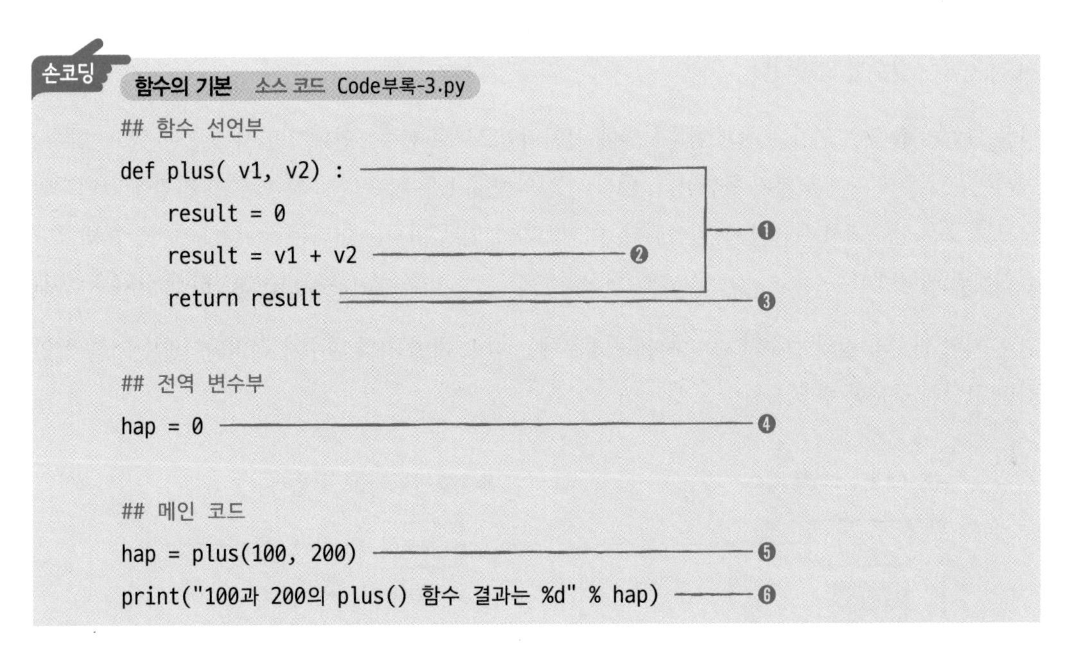

함수의 기본 소스 코드 Code부록-3.py

```
## 함수 선언부
def plus( v1, v2) :          ❶
    result = 0
    result = v1 + v2         ❷
    return result            ❸

## 전역 변수부
hap = 0                      ❹

## 메인 코드
hap = plus(100, 200)         ❺
print("100과 200의 plus() 함수 결과는 %d" % hap)   ❻
```

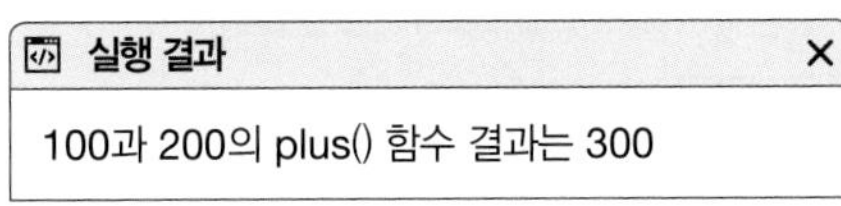

실행 결과

```
100과 200의 plus() 함수 결과는 300
```

❶ plus() 함수를 정의했습니다. 주의할 점은 def로 되어 있는 함수 정의 부분은 바로 실행되지 않는다는 것입니다. 즉, plus() 함수를 만들어서 가지고만 있는 개념입니다.

❷ 매개변수로 받은 두 값의 합계를 구합니다.

❸ 구한 값을 반환합니다.

❹ 코드는 이 행부터 먼저 실행됩니다.

❺ plus() 함수를 호출하면 그때서야 실행됩니다. 100, 200 두개의 값을 전달하면서 호출했고, 호출된 결과를 hap에 대입했습니다.

❻ plus() 함수에서 반환된 값을 출력합니다.

note 파이썬은 별도의 변수 선언이나 메인 함수가 없기 때문에 코드가 길어지면 가독성이 떨어집니다. 그래서 필자는 코드가 길어지면 함수 선언부, 전역 변수부, 메인 코드부로 분할해서 코드를 작성합니다. 필수사항은 아니지만, 다른 프로그래밍 언어와 형태가 비슷해져서 코드를 읽기가 좀 더 수월해지는 효과가 있습니다.

지역 변수와 전역 변수의 이해

지역 변수란 말 그대로 한정된 지역local에서만 사용되는 변수이며, 전역 변수란 프로그램 전체global에서 사용되는 변수를 말합니다.

다음 그림의 ❶을 보면 a는 현재 함수1 안에 선언되었으므로 함수1 안에서만 사용할 수 있고, 함수2에서는 a의 존재 자체를 알지 못합니다. ❷에서 전역 변수 b는 함수(함수1, 함수2) 바깥에 선언되었으므로 모든 함수에서 사용할 수 있습니다. 이때 b가 선언된 위치는 어디든 상관없으며, 함수 밖에만 선언되면 됩니다.

간혹 지역 변수와 전역 변수가 같이 사용될 경우에는 함수 내에 지역 변수가 정의되어 있는가를 확인하면 간단히 구분할 수 있습니다.

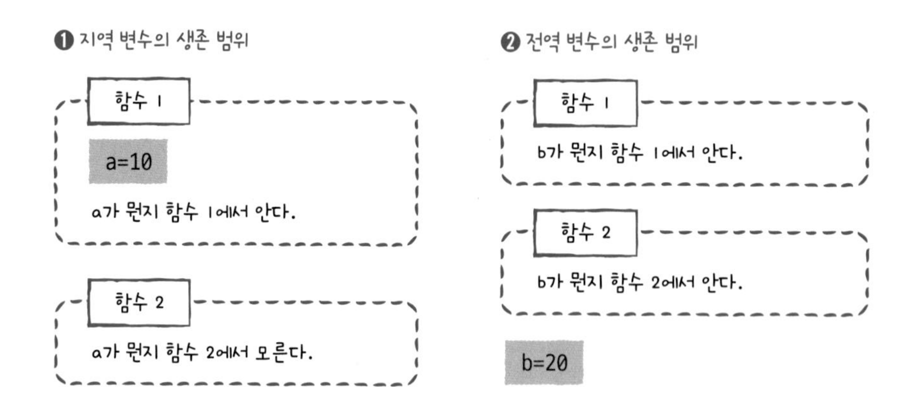

다음 그림처럼 같은 a라고 해도 함수1의 a는 함수 내에서 따로 정의했으므로 지역 변수이고, 함수2의 a는 함수 안에 정의된 것이 없으므로 전역 변수입니다. 결론적으로 변수의 이름이 같다면 지역 변수가 우선됩니다.

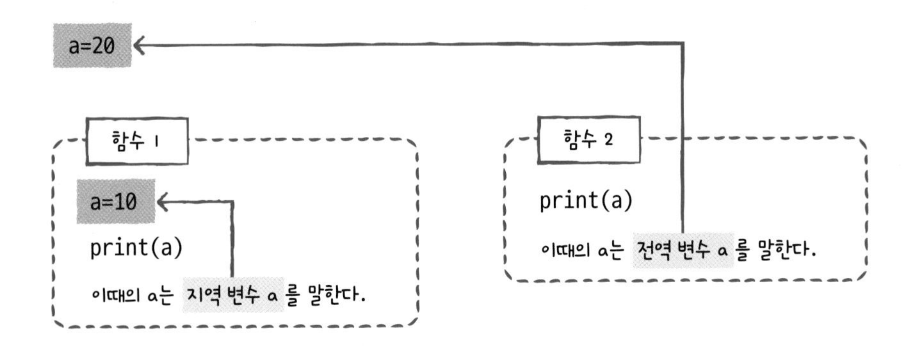

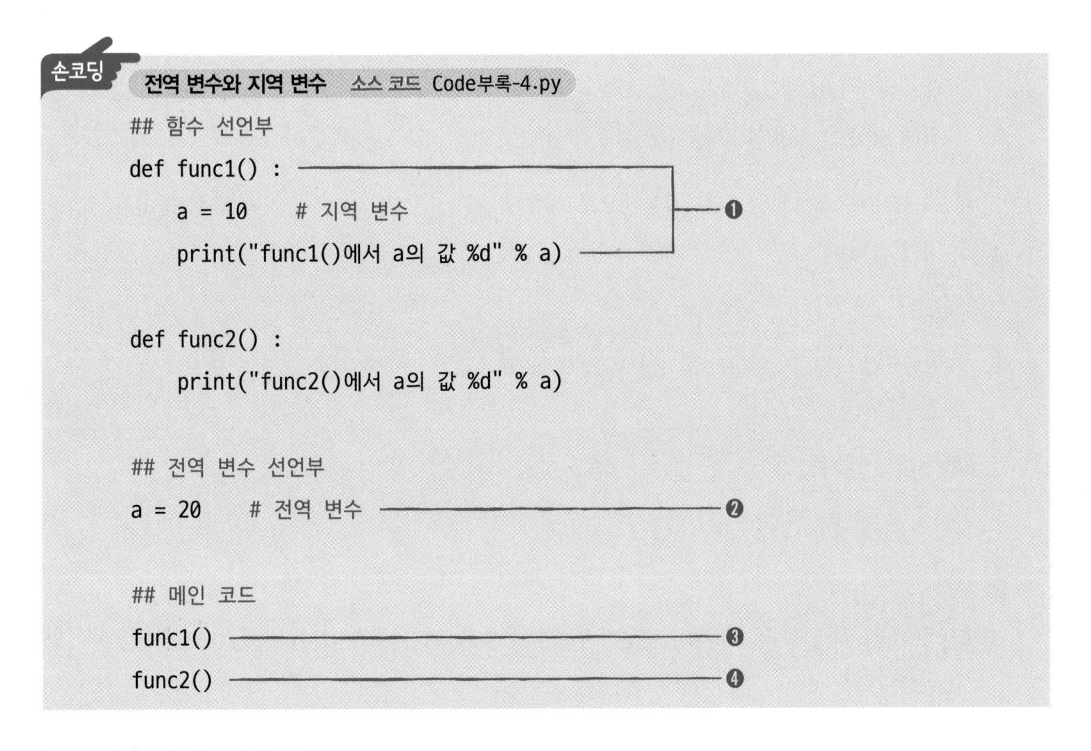
손코딩 전역 변수와 지역 변수 소스 코드 Code부록-4.py

```
## 함수 선언부
def func1() :                                   ❶
    a = 10    # 지역 변수
    print("func1()에서 a의 값 %d" % a)

def func2() :
    print("func2()에서 a의 값 %d" % a)

## 전역 변수 선언부
a = 20    # 전역 변수                           ❷

## 메인 코드
func1()                                         ❸
func2()                                         ❹
```

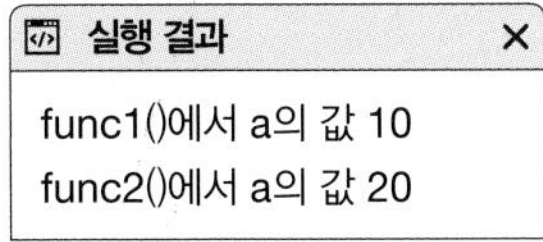
실행 결과

```
func1()에서 a의 값 10
func2()에서 a의 값 20
```

❶ func1() 함수 안에서 a를 선언했으므로 지역 변수입니다.

❷ 함수 밖에 선언했으므로 전역 변수입니다.

❸ func1()을 호출했습니다. 지역 변수 a값인 10이 출력됩니다.

❹ func2()를 호출했습니다. func2()에는 a가 없으므로 전역 변수 a값인 20이 출력됩니다.

확인문제 정답

01-1 데이터베이스 알아보기

1. ① 데이터의 저장소 또는 데이터의 집합을 말합니다. 약자로 DB라고 부릅니다. — 데이터베이스
   ② 국제표준화기구에서 지정하며, RDBMS에서 사용되는 언어를 말합니다. — 표준 SQL
   ③ 대표적인 DBMS로 데이터를 구축, 관리하기 위해 SQL을 사용합니다. — MySQL
   ④ 표 형태로 구성되었으며 열과 행으로 이루어져 있습니다. — 테이블

2. ②

3. ① 표준 SQL, ② PL/SQL, ③ T-SQL, ④ SQL

01-2 MySQL 설치하기

1. ①

2. ③

   MySQL의 기능 추가 및 제거는 윈도우즈의 [앱 및 기능] 또는 [MySQL Installer]에서 할 수 있습니다.

3. SHOW DATABASES

02-1 건물을 짓기 위한 설계도: 데이터베이스 모델링

1. ① 현실 세계를 컴퓨터 시스템으로 옮겨놓는 일련의 과정을 일컫습니다. — 프로젝트
   ② 소프트웨어 개발 절차 중 하나로 폭포가 떨어지듯 각 단계가 진행됩니다. — 폭포수 모델
   ③ 소프트웨어를 완성하는 절차를 연구하는 분야를 통틀어서 이렇게 부릅니다. — 소프트웨어 공학

2. 프로젝트 계획 → 업무 분석 → 시스템 설계 → 프로그램 구현 → 테스트 → 유지보수

3. 데이터베이스 모델링

4. ① 회원이나 제품의 데이터를 입력하기 위해 표 형태로 표현한 것을 말합니다. 가로와 세로로 구성되어 있습니다. • • DBMS

② 데이터베이스를 관리하는 시스템 또는 소프트웨어를 말합니다. • • 행

③ 실질적인 진짜 데이터를 말합니다. 테이블의 가로에 해당합니다. • • 테이블

④ 사람과 DBMS가 소통하기 위한 말(언어)입니다. • • SQL

02-2 데이터베이스 시작부터 끝까지

1. 데이터베이스 만들기 → 테이블 만들기 → 데이터 입력하기 → 데이터 조회하기

2. ④

3. ① 데이터를 수정할 때 사용 • • CREATE

② 데이터를 조회할 때 사용 • • UPDATE

③ 테이블이나 데이터베이스를 만들 때 사용 • • DELETE

④ 데이터를 삭제할 때 사용 • • SELECT

4. ① 데이터 형식 중에서 소수점이 없는 정수형 • • CHAR

② 비어 있는 값을 허용하지 않음 • • INT

③ 데이터 형식 중에서 문자형 • • DATE

④ 데이터 형식 중에서 날짜형 • • NOT NULL

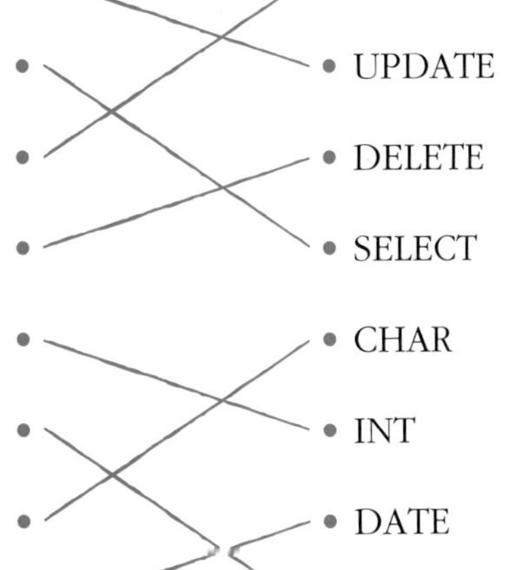

5. ①

02-3 데이터베이스 개체

1. 열 이름, 데이터 형식, 기본 키
2. ②, ③
   인덱스는 데이터의 건수가 많아야 체감할 수 있습니다.
3. ②
4. ④, ⑤

03-1 기본 중에 기본 SELECT ~ FROM ~ WHERE

1. ④
   회원 테이블(member)과 구매 테이블(buy)은 서로 PK, FK 관계로 연결되어 있습니다.
2. ②, ③
   MySQL 워크벤치를 재시작하거나, 새 쿼리 창을 열면 USE를 재지정해야 합니다.
3. ①
4. ①, ③

03-2 좀 더 깊게 알아보는 SELECT 문

1. SELECT, FROM, WHERE, ORDER BY, LIMIT
2. ① ORDER BY, ② LIMIT, ③ DISTINCT
3. ① ASC, ② DESC
4. ③
5. DISTINCT
6. ③

03-3 데이터 변경을 위한 SQL 문

1. ④

2. ③, ④

AUTO_INCREMENT는 직접 값을 입력할 수 없으며, 입력할 위치에 NULL이라고 표기해야 합니다.

3. ①

4. ②

5. ④

6. TRUNCATE

04-1 MySQL의 데이터 형식

1. TINYINT, SMALLINT, INT, BIGINT

2. ②

3. ②

4. ③

CHAR는 최대 255자까지 저장됩니다.

5. ①, ②

6. ①

7. CONVERT(), CAST()

04-2 두 테이블을 묶는 조인

1. ③

2. ① 가장 많이 사용되는 조인으로, 일반적으로 부르는 조인이다.

② 한쪽 테이블에만 데이터가 있어도 결과가 나오는 조인이다.

③ 한쪽 테이블의 모든 행과 다른 쪽 테이블의 모든 행을 조인시킨다.

④ 한 개의 테이블이 자신과 조인되는 것을 말한다.

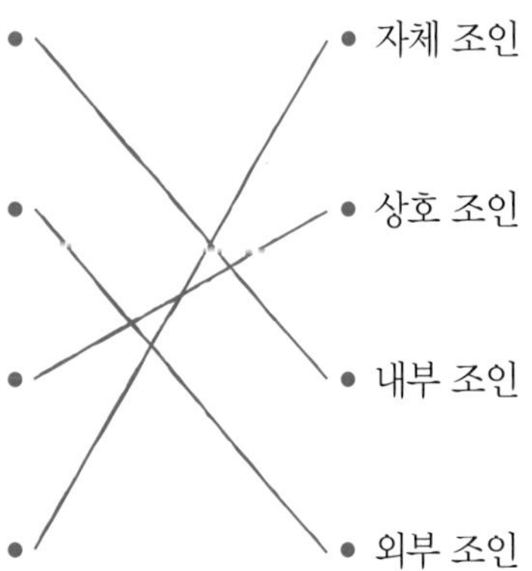

3. ③

4. ④

5. ① 상호 조인, ② 자체 조인

04-3 SQL 프로그래밍

1. ②

2. ②

3. ① WHEN, ② CASE

4. ① WHILE, ② ITERATE, ③ LEAVE

05-1 테이블 만들기

1. CHAR, VARCHAR

2. ① 정수형 데이터를 0부터 입력되도록 설정합니다.

② −128 ~ +127까지 값이 저장됩니다.

③ '2022−11−12'와 같은 데이터가 저장됩니다.

④ 가변형 문자형으로 짧거나 긴 문자가 뒤죽박죽 입력될 때 적절합니다.

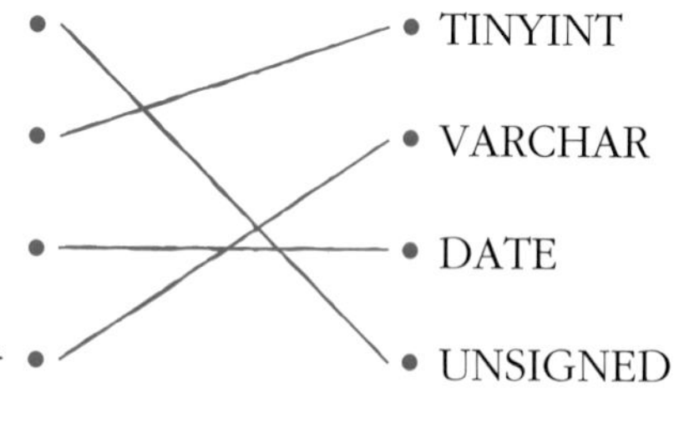

3. ③

UNSIGNED는 UN 부분을 체크합니다.

4. ③

기본 키와 외래 키는 일반적으로 다른 테이블에 설정합니다.

5. 2행, 8행

2행은 PRIMARY KEY, 8행은 TINYINT UNSIGNED 또는 SMALLINT, INT, BIGINT로 설정해야 합니다.

05-2 제약조건으로 테이블을 견고하게

1. ③
2. ④

   PRIMARY KEY로 설정하면 자동으로 NOT NULL이 되므로 생략해도 됩니다.
3. ④
4. ① ON DELETE CASCADE, ② ON UPDATE CASCADE
5. ① CHECK, ② DEFAULT, ③ NOT NULL

05-3 가상의 테이블: 뷰

1. ②
2. ①

   뷰는 테이블에서 필요한 열만 골라서 포함시킬 수 있습니다.
3. ④

   별칭에 공백이 없으면 백틱으로 묶지 않아도 됩니다.
4. ②
5. ① SHOW CREATE VIEW, ② WITH CHECK OPTION, ③ CHECK TABLE

06-1 인덱스 개념을 파악하자

1. ②
2. ③

   인덱스는 약 10%의 추가 공간이 필요합니다.
3. ④

   보조 인덱스는 고유 키를 설정하면 자동 생성됩니다.
4. ①

   인덱스 값이 중복되는 것을 허용하는 인덱스는 단순 인덱스입니다.
5. ②, ④

   클러스터형 인덱스는 테이블에 1개만 생성 가능합니다.

06-2 인덱스의 내부 작동

1. ④

2. ① 노드 중 제일 상위 노드를 말합니다. • —— • 루트 노드

② 노드 중 가운데 낀 노드를 말합니다. • —— • 리프 노드

③ 노드 중 제일 마지막 노드를 말합니다. • —— • 중간 노드

④ 16KB 크기의 최소한의 저장 단위입니다. • —— • 페이지

3. 페이지 분할

4. ②, ③

클러스터형 인덱스로 지정하면 오름차순 정렬됩니다. 보조 인덱스는 생성해도 정렬되지 않습니다.

06-3 인덱스의 실제 사용

1. ②

2. ① 인덱스를 생성하는 SQL • —— • SHOW INDEX

② 인덱스를 제거하는 SQL • —— • DROP INDEX

③ 테이블에 생성된 인덱스 이름과 열을 확인하는 SQL • —— • CREATE INDEX

④ 인덱스의 할당된 크기를 확인하는 SQL • —— • SHOW TABLE STATUS

3. ①, ②

① 클러스터형 인덱스는 1개, 보조 인덱스는 여러 개 만들 수 있습니다.

② 중복된 값이 있으면 CREATE UNIQUE INDEX 문은 오류가 발생합니다.

4. ①, ③

① SQL을 실행한 후에 확인할 수 있습니다.

③ 인덱스를 사용하면 Single Row, Index Range Scan 등 다양한 형태로 표시됩니다.

5. ①, ③

① 인덱스는 열 단위에 생성됩니다.

③ 중복도가 높으면 인덱스의 효과가 없습니다.

07-1 스토어드 프로시저 사용 방법

1. ④

스토어드 프로시저는 데이터베이스 내부에 저장됩니다.

2. ④

스토어드 프로시저의 형식은 다음과 같습니다.

```
DELIMITER $$
CREATE PROCEDURE 스토어드_프로시저_이름( IN 또는 OUT 매개변수 )
BEGIN

    이 부분에 SQL 프로그래밍을 코드를 작성

END $$
DELIMITER ;
```

3. ④

출력 매개변수는 CALL 프로시저_이름(@변수명) 형식을 사용합니다.

4. ②

반복문은 WHILE을 사용합니다.

07-2 스토어드 함수와 커서

1. ④

스토어드 함수에서는 SELECT를 사용할 수 없습니다.

2. ① RETURNS, ② RETURN

3. 커서 선언하기 → 반복 조건 선언하기 → 커서 열기 → 데이터 가져오기 및 데이터 처리하기 → 커서 닫기

4. ① LOOP, ② FETCH, ③ LEAVE

07-3 자동 실행되는 트리거

1. ①

   SELECT는 트리거를 작동시키지 않습니다.

2. ④

   트리거는 DML(INSERT, UPDATE, DELETE) 문의 이벤트가 발생하면 자동으로 작동합니다.

3. ① AFTER, ② ROW

4. ②

   AFTER DELETE 트리거는 오직 DELETE 문에서만 작동합니다.

5. ④

   TRUNCATE는 트리거를 작동시키지 못합니다.

08-1 파이썬 개발 환경 준비

1. ③

   파이썬은 완전 무료입니다.

2. ③

3. ④

   파이썬은 스크립트 언어(인터프리트 언어)입니다.

4. ④

08-2 파이썬과 MySQL의 연동

1. ④

   commit()으로 저장한 후에 close()로 종료해야 합니다.

2. ④

   charset에는 문자세트(utf8)를 적어 줍니다.

3. ③

커서.execute("INSERT INTO ~~")가 데이터를 입력하는 문장입니다.

4. ②

08-3 GUI 응용 프로그램

1. ③

title()은 윈도의 제목을 표시합니다.

2. ④

bg는 background의 약자로 배경색을 지정합니다.

3. ③

command가 함수명을 지정하는 옵션입니다.

4. ③

찾아보기

열물리학

AN INTRODUCTION TO
Thermal Physics

2021년 2월 25일 1판 1쇄 펴냄
지은이 Daniel V. Schroeder | **옮긴이** 국형태
펴낸이 류원식 | **펴낸곳 교문사**

편집팀장 모은영 | **책임편집** 김경수 | **표지디자인** 신나리 | **본문편집** 홍익 m&b

주소 (10881) 경기도 파주시 문발로 116(문발동 536-2)
전화 031-955-6111~4 | **팩스** 031-955-0955
등록 1968. 10. 28. 제406-2006-000035호
홈페이지 www.gyomoon.com | E-mail genie@gyomoon.com
ISBN 978-89-363-2078-2 (93420)
값 33,000원